Alessandra Bonatti
Lucca dicembre 2000

# Opere di Oriana Fallaci

D1603770

# Opere di Oriana Fallaci
## BUR

**pubblicate**

LETTERA A UN BAMBINO MAI NATO

NIENTE E COSÌ SIA

PENELOPE ALLA GUERRA

UN UOMO

SE IL SOLE MUORE

INSCIALLAH

**da pubblicare**

INTERVISTA CON LA STORIA

# ORIANA FALLACI

# SE IL SOLE MUORE

BUR

Proprietà letteraria riservata
© 1965, 1981 RCS Rizzoli Libri S.p.A., Milano
© 1994 R.C.S. Libri & Grandi Opere S.p.A., Milano
© 1998 RCS Libri S.p.A., Milano

ISBN 88-17-15444-X

*prima edizione BUR: novembre 1981*
*prima edizione BUR Opere di Oriana Fallaci: ottobre 2000*

*A mio padre che non vuole andar sulla Luna*
*perché sulla Luna*
*non ci sono fiori né pesci né uccelli.*
*A Teodoro Freeman che morì ucciso da un'oca*
*mentre volava per andar sulla Luna.*
*Ai miei amici astronauti che vogliono andar sulla Luna*
*perché il Sole potrebbe morire.*

# PARTE PRIMA

# CAPITOLO PRIMO

Il sasso non si vedeva, tanto l'erba era fitta e rigogliosa: ci incastrai un piede e caddi distesa, parallela alla strada. Nessuno mi venne in aiuto. E poi chi? Nessuno camminava in quella strada e forse in tutte le strade della città. Nessuno all'infuori di me. Nessuno esisteva, nessuno con due piedi e due gambe, un corpo sulle due gambe, una testa sul corpo: esistevano solo automobili che scivolavan via unte, ordinate, sempre alla stessa velocità, alla stessa distanza, e non un uomo dentro, una donna. Sedevano figure umane al volante, d'accordo: ma così ferme, composte, che certo non si trattava di uomini, donne, si trattava di automi, robot. La tecnologia moderna non è forse in grado di fabbricare robot identici a noi? La prima legge dei robot non è forse «ricorda che non devi interferire con le azioni degli umani ammenoché gli umani non sollecitino il tuo intervento»? Io sollecitavo forse un qualsiasi intervento? Al contrario. Distesa sul prato lungo la strada, le guance in fiamme per l'imbarazzo, speravo solo che non mi si scorgesse, che non si ridesse di me. E i robot obbedivano: scivolando via unti, ordinati, sempre alla stessa velocità, alla stessa distanza, nemmeno chiedendo al loro calcolatore elettronico se la donna a pochi passi era morta o era viva e se era viva perché non si rialzava. Non mi rialzavo perché avevo notato qualcosa di assurdo, di atroce: quell'erba non aveva odore di erba.

Ci tuffai dentro il naso, aspirai. No, non aveva odore di erba, non aveva odore di niente. Agguantai tra il pollice e l'indice un filo, tirai. No, non si sradicava, non si strappava neanche. Frugai con l'unghia giù in basso, cercai un granellino di terra. No, non si afferrava neanche un granellino di terra: che strano. Eppure era terra, aveva il color della terra, la consistenza della terra. E l'erba piantata li dentro era erba, aveva il colore dell'erba, la consistenza dell'erba, erba morbida, fresca, annaffiata perfino con un ingegnoso sistema di spruzzi perché restasse verde, crescesse, mio Dio, non stavo mica delirando, sognando, quel prato era un prato, sì, certo, era un prato... Era un prato? Di nuovo ci tuffai dentro il naso, aspirai. Di nuovo agguantai tra il pollice e l'indice un filo, tirai. Di nuovo frugai con l'unghia giù in basso, cercai un granellino di terra e, quasi una coltellata al cervello, il sospetto divenne certezza. Era un prato di plastica. Sì, di plastica. E tutti i prati che avevo visto in quei giorni, i prati lungo i viali, i prati lungo le autostrade, i prati dinanzi alle case, alle chiese, alle scuole, i prati curati dai giardinieri, annaffiati, trattati come prati vivi, prati veri, prati che nascono e muoiono, erano dunque in plastica. Un immenso sudario di plastica, di erba mai nata e mai morta, una beffa.

Come punta da mille vespe mi alzai, rientrai di corsa in albergo, spalancai la porta del mio appartamento e quasi caddi sulla pianta di cactus che adornava il soggiorno. Era un grande cactus: verde, succoso, irto di aculei e con un fiore sul capo. Tastai prima il fiore, lo piegai, lo contorsi: rimase intatto. Infilai un dito fra gli aculei, pigiai la polpa, supplicai una stilla di liquido: mi rispose una cedevolezza di gomma. Gli strinsi con entrambe le mani gli aculei, disperatamente pregando che mi bucassero, che mi dicessero ti sei sbagliata: mi donarono solo un solletico lieve, gli aculei eran di alluminio con le punte arrotondate. E il ficus nel corridoio? Falso anch'esso, s'intende. E la siepe là nel giardino? Falsa anch'essa, s'intende. E forse eran falsi anche gli alberi intorno ai quali non v'erano mai moscerini né uccelli: ogni filo d'erba, ogni ramo, ogni foglia era falso in questa città dove niente nasceva cresceva moriva nel verde. False le margherite, le azalee, i rododendri. False le rose in quel vaso, false... Il vaso stava sulla TV e avvicinandomi non avevo più speranza né dubbio. Sfilai piano una rosa, la alzai all'altezza del viso, la lasciai ricadere, e la rosa fece crac! poi si infranse sul pavimento in mille schegge di minutissimo vetro. Sul pavimento rimase una brinata di freddo, una goccia di luce. Ero giunta a Los Angeles, prima tappa del mio viaggio dentro il futuro e me stessa.

Era tutto incominciato, del resto, per via di una goccia di luce: ricordi, papà? La goccia di luce correva lungo lo schermo della TV, così piccola e priva di peso che avrei potuto raccoglierla col polpastrello di un mignolo, deporla sul palmo di una mano e rubarla. Non brillava neanche tanto, ricordi? Palpitava semmai fioca fioca come le lucciole che le notti d'agosto si accendono e si spengono intorno alle siepi per essere aguantate dai bimbi e finir dentro un bicchiere tappato. Spesso spariva, svaniva nel buio proprio come le lucciole, e la TV diventava una siepe che l'aveva inghiottita per non restituirmela più. Con ansia, con rabbia, avrei voluto frugare dentro quel vetro liscio, spostarne i meccanismi e le foglie, riaverla per chiuderla dentro un bicchiere. Ma ecco che ritornava, si riaccendeva ostinata dal niente, ed era assai più che una goccia di luce: era una stella. La prima stella fabbricata dagli uomini. Rozza se l'avessimo vista da vicino, papà, grande quanto una damigiana non più, e con un nome ridicolo, iroso: Sputnik. Ma una stella, una stella, e gli uomini ci avevano messo un miliardo di anni per costruir quella stella, e da quella stella sarebbero nate altre stelle, più grandi, più forti, capaci di salire più in alto, di portarci con loro: finché avremmo potuto anche noi partir dalla Terra, tuffarci nell'infinito, diventar lucciole prive di peso: «Papà! Non è straordinario, papà?» ti gridai.

Tu stavi leggendo il giornale. Con esasperante lentezza abbassasti il giornale, scopristi due occhi azzurri e antichi, terreni, un volto scettico e antico, terreno, brontolasti: «Cos'è straordinario, sentiamo».

«Ma andar sulla Luna, papà! Non capisci cosa significa quella goccia di luce? Che andremo sulla Luna, sugli altri pianeti!»

Con lentezza ancor più esasperante piegasti il giornale, lo posasti sul tavolo. «La sola idea mi riempie di grande fastidio. Andar sulla Luna, a che serve. Gli uomini avranno sempre gli stessi problemi, sulla Terra come sulla Luna; saranno sempre malati e cattivi, sulla Terra come sulla Luna. E poi mi si dice che sulla Luna non vi sono mari né fiumi né pesci, non vi sono boschi né campi né uccelli: non potrei nemmeno andarci a caccia o a pescare.»

Già: tu ami esclusivamente le cose che hanno radici su questa Terra e non la capisci la storia del bruco che aspetta di diventare farfalla. Non son mai riuscita a farti salire in aereo, solo una volta fui lì per convincerti: quando volevi vedere il Giardino Botanico a Londra. Ti portai l'opuscolo del Giardino Botanico, insieme a quello il biglietto d'aereo, e tu sfogliasti contento l'opuscolo, mi restituisti il biglietto: «In treno no, non si può?». «Ci vuol troppo tempo, papà.» «Allora non vengo.» Partì al tuo posto la mamma che per l'intero viaggio mantenne allacciata la cintura di sicurezza, credendola un paracadute, e ogni tanto diceva: «Tuo padre ha ragione, questa fretta cos'è?». La velocità per voi è fretta, e non vi piaccion gli aerei. In cuor vostro, scommetto, pensate quel che ne pensava il nonno per cui gli aerei erano uccelli villani da colpir col bastone. Quando ci bombardavano il nonno non si rifugiava in cantina, rammenti. Metteva il cappello, usciva per strada, e alzando al cielo il bastone gridava: «Screanzati! Screanzati!». Non ti risposi, per ciò, e rimasi a guardare la mia goccia di luce che d'un tratto morì divorata da un volto che ne descriveva la traiettoria, il tragitto, e allora mi sentii delusa come nei mattini d'infanzia, allorché mi svegliavo e correvo dalla mia lucciola dentro il bicchiere ma la lucciola non c'era più, al suo posto c'era un soldino, una voce che diceva hai visto la lucciola è diventata un soldino, sicché mi arrabbiavo, rispondevo io voglio la lucciola non voglio il soldino, e ridevano tutti. Sembrava ridesse anche il soldino che scaraventato per terra tintinnava maligno, e io mi sentivo incompresa, grottesca, cercavo parole e non le trovavo, se le trovavo avevo vergogna di dirle. Non ho forse avuto vergogna di dirle in quest'anni, ogni volta che una nuova stella lasciava la Terra insieme a un uomo che si chiamava Gagarin o Shepard o Titov o Glenn o Popowski o Cooper? Lui partiva e io partivo con lui. Lui galleggiava nel vuoto e io galleggiavo nel vuoto con lui. Lui tornava e io tornavo con lui. Ma come si fa a dire certe cose, papà? Niente frena come il pudore, la paura di commetter retorica. L'ironia è facile, la fede difficile, e nessuno si fa beffe di te se ironizzi, tutti son pronti a schernirti se reciti un atto di fede. Da una parte ero io, la bambina che crede alle stelle, e dall'altra eri tu, l'adulto che crede alla Terra.

«Oh! È sparito, papà!»

«Cosa?»

«Lo Sputnik.»

«Non essere ridicola. Lasciami in pace.»

«Ma papà...»

«Ti ho già detto che non mi interessa. che non mi riguarda.»

«Che non ti interessi, posso anche capirlo. Che non ti riguardi, no: ti riguarda eccome. papà. Riguarda anche chi è cieco. chi è sordo, chi...»

«Macché cieco, macché sordo! Io amo la Terra capisci? Io amo le foglie e gli uccelli, i pesci e il mare, la neve e il vento! E amo il verde e l'azzurro e i colori e gli odori, e non c'è altro capisci? Non abbiamo altro e io non voglio perderlo per via dei vostri razzi. capisci?»

Ti arrabbiasti, eri bianco. E ogni tuo muscolo mi invitava a star zitta, a non insistere con le mie sciocchezze. Ma io non potevo più stare zitta: s'era aperto fra noi come un baratro, una guerra da fare. E ti dissi, non so se le parole eran queste, anch'io amo la Terra, papà. È la mia casa e la amo. Ma una casa da cui è impossibile uscire non è una casa, è una prigione: e tu mi hai sempre spiegato che l'uomo non è fatto per stare in prigione. è fatto per scapparne e pazienza se rischia d'essere ucciso scappando. Ti dissi se è vera la fiaba che l'uomo viene dal mare dove prima era pesce, anche il mare era per lui una prigione da cui evadere sembrava follia. Eppure ne evase, e lentamente pazientemente dolorosamente salì fino alla riva, si abbatté dentro l'aria. Non respirava nell'aria. papà. Le sue branchie supplicavano acqua, acqua, acqua. e in quel vuoto senza liquido lui affogava soffocava moriva. la Terra era un inferno per lui, un incubo bianco di luce che lo accecava, lo incollava come ventosa, ma lentamente pazientemente dolorosamente, di nuovo tentando di nuovo morendo di nuovo tentando. per milioni e milioni di anni, egli riuscì a non affogare nell'aria, a non farsi accecare dal bianco, a non restare incollato alla riva. Si fabbricò polmoni adatti e riuscì a respirare nell'aria. Si fabbricò occhi adatti e riuscì a guardare nel bianco. Si fabbricò zampe adatte e riuscì a spostarsi per terra. Si fabbricò una spina dorsale adatta e riuscì ad alzarsi in piedi. Si fabbricò mani adatte, con dita, e riuscì ad agguantare le cose. E così un giorno si accorse che poteva fare di più: poteva pensare. E pensando seppe d'essere un uomo. E gli piacque talmente essere un uomo che da uomo inventò ciò che la natura non aveva inventato. Fregò svelto due pietre e accese il fuoco. Tagliò un albero a fette e costruì le ruote. Mise insieme il fuoco e le ruote, fabbricò il treno. Sul treno scoprì che poteva andar svelto e lontano, poteva volare come gli uccelli: e divenne geloso degli uccelli, rubò loro le ali, le mise al treno e volò. Più alto, sempre più alto, finché divenne geloso delle stelle e creò rozze copie di stelle e schizzò via con loro: a veder oltre la porta chiusa del cielo. Ma per l'amor di Dio, se una porta è chiusa non ti prende l'impulso di aprirla e guardare cosa c'è dietro, papà? La storia dell'uomo non è forse una storia di porte chiuse ed aperte? Rispondi, papà.

Tu scuotevi la testa. «Puoi aprirla, sicuro. Sei in grado di aprirla e la apri. Ma se quella porta è l'ultima porta, dove ti conduce? Te lo dico io dove: a capofitto nel vuoto. Il futuro che voi sognate non è che un salto a capofitto nel vuoto. Vi precipiterete al primo passo, e buon per me che non sarò lì a guardare e a piangere.»

Dicesti proprio così, poi ti alzasti e il corridoio ti portò via in uno strascicare di passi. Era un pomeriggio d'autunno, ricordi, e stavamo nella nostra casa in campagna. Dalle finestre entrava un profumo di funghi e di resina, il bosco fiammeggiava di eriche rosse e violette, nelle vigne i grappoli d'uva ciondolavano gonfi di sugo. Presto ci sarebbe stata vendemmia, l'uva avrebbe bollito nei tini, e in quella pace ubriacante le castagne avrebbero preso a cadere in piccoli tonfi rotondi, in cucina la mamma cuoceva la marmellata di more. «Oddio brucia, s'attacca!» «Mamma, la posso assaggiare?» «Vattene, ho detto!» Hai mai notato quanto son belli i nostri cipressi dalla finestra della cucina? Ti vien voglia di accarezzarli, se tendi un dito ti par di sentirne le punte a pennello, lisce come velluto. Davvero non so perché proprio quel giorno decisi di far questo viaggio tra gli uomini che preparano il nostro futuro. Forse fu la tua frase sul vuoto: «Un salto a capofitto nel vuoto». Si è sempre affascinati dal vuoto. Più è fondo, più è buio, più esso ci attrae: un misterioso richiamo d'amore. Né serve a nulla rinviar la partenza: io l'avevo rinviata per anni e ora eccomi qui, fra i prati di plastica, le piante di gomma, le rose di vetro, i robot, un corpo sulle due gambe, una testa sul corpo, a cercare la risposta alla tua risposta, papà.

Con gesti tranquilli, decisi, mi chinai a raccogliere la brina di freddo che era stata una rosa. Ma subito una scheggia mi punse, dal dito fiorì una stilla di sangue e, come i ragazzi che sognano di scappare da casa ma una volta scappati vorrebbero non averlo mai fatto, mi colse un gran smarrimento. È bello fuggire se ti sembra giusto e lo vuoi: mentre chiudi la porta alle spalle ti senti più vivo, la strada è sempre prateria sconfinata e il treno è una lunga promessa. Ma quando il treno si muove, il vagone diventa una gabbia senz'aria, il domani un tunnel che ti condurrà chissà dove. Di colpo ti scopri malato, afflitto da mille minacce, rimpiangi il tuo letto che era morbido e caldo, la tua casa che era comoda e buona, e non sai più quel che vuoi. Temiamo tutti il futuro e rimpiangiamo tutti il passato e siamo tutti incerti all'inizio, papà. Ecco perché questo libro sarà spesso un'altalena ossessiva tra ieri e domani: i due mondi che ormai ci dividono in un tempo senza più tempo. Ecco la ragione per cui mi rivolgerò spesso a te in questo libro. Che ti diverta o ti irriti, leggilo meditandoci sopra, papà: tutto ciò che esso contiene dalla prima pagina all'ultima m'è veramente accaduto, o l'ho veramente visto, o l'ho veramente sentito, o l'ho veramente pensato. Sono veri i nomi delle persone e sono veri i nomi dei luoghi. Sono vere le date e sono veri i discorsi che riporto. Sono veri i miei dubbi, i miei entusiasmi e le mie viltà: niente in questo libro è inventato, ben poco vi è taciuto. Questo libro è un diario, papà, il diario di un anno della mia vita: e io te lo offro per continuare il discorso che aprimmo su quella goccia di luce.

Los Angeles era un banco di nebbia e il sole una macchia appannata di giallo. Il cielo aveva il color della mota e faceva un gran caldo. Telefonai all'Ufficio Informazioni Meteorologiche e chiesi quando sarebbe piovuto. Una voce di metallo rispose che per le prossime settantadue ore e cinquantasei minuti non si prevedeva alcuna precipitazione atmosferica. No, niente banco di nebbia: la signora era evidentemente straniera, la signora ignorava che la nebbia a Los Angeles non è nebbia ma fumo provocato dai tubi di scappamento delle automobili. No, niente macchia appannata di giallo: la signora era evidentemente assai incolta, la signora ignorava che a Los

15

Angeles il sole... Chissà com'è il Sole al di là dell'azzurro che chiamano cielo. Dev'essere molto più bello, non lo gridano tutti quando sono lassù? In russo, in americano: «Idivitelni! Wonderful! Meraviglioso!». Chissà come ci si sente a galleggiare privi di peso nel vuoto: Edward White non voleva rientrare dentro la capsula quando lo seppe. Ora basta, gli diceva Mc Divitt, ora basta, Eddie, rientra. Ancora un po', rispondeva Edward White, ancora un po', è divertente, mi piace. Rientra, Eddie, rientra. No, è divertente, mi piace. Sembrava un bambino che sguazza per la prima volta nel mare e il mare è qualcosa dove puoi abbandonarti senza precipitare. Per trentaquattr'anni, milioni e milioni di anni, tutti gli anni della sua vita, della nostra vita, era stato una pietra che al minimo salto ricade, un corpo di piombo che ad ogni cadere si rompe: ora invece poteva starsene lì, senza piombo, senza corpo, senza paura, una piuma, un bruscolo argenteo che vola più svelto del nostro pensiero, cosi svelto che è come star fermi, ma non è una magia, è una realtà, e da tale realtà guardi il Sole che è idivitelni, wonderful, meraviglioso. Però il prezzo, il prezzo per sapere questo, vedere questo, provare questo, qual era? Il prezzo che già stavo pagando: prati di plastica, piante di gomma, rose di vetro? Ancora di più? E quanto, quanto di più? Cosa, cosa di più? Succhiandomi il dito da cui continuava a fiorire una stilla di sangue, deposi il telefono e andai incontro a Cesare. Ricordi Cesare, no? Si, sta a Los Angeles da molti anni, fa l'attore laggiù, ha preso anche la cittadinanza. Se è cambiato? Guarda, se gli parli della Luna e di Marte lui scrolla le spalle. Lui dice che Marte è un dio greco e la Luna è un bel lampione per incantare le sciocche e portarsele a letto.

# CAPITOLO SECONDO

«Anche tu. Vengono tutti per questo. Nemmeno un cane che venga per noi attori, oramai. Un tempo dicevi California e pensavi ad Hollywood. Oggi dici California e pensi alla capsula Apollo. Sicuro! Cos'è un film di fronte al lancio di un razzo? Cos'è Darryl Zanuck di fronte a von Braun? Cos'è Doris Day di fronte a John Glenn? Siamo passati di moda, non ci guardano più.»

«Non te la prendere, Cesare. Il mondo cambia, si sa.»

«Si fa presto a dir non te la prendere. Ma quando una ragazza esclama mi piaci perché assomigli a Gordon Cooper, tu te la prendi sì o no? Io non capisco: oggigiorno bisogna far gli astronauti per avere le donne. E poi guarda: ti sembra Los Angeles questa? Era divertente, prima, bizzarra, tutta insegne luminose e night-club: ora sembra l'anticamera di un cervello elettronico. Spenta, noiosa, se vuoi trovare un posto vivo devi andar fino a Downey dove nasce la dannatissima capsula. O a Redondo Beach dove stanno i laboratori di Tecnologia Spaziale. Ti sembra giusto, ti sembra?»

«Eh, no. Ci vuol pazienza, ci vuole.»

«Be', io non ce l'ho. Tutti ammalati di tecnologia, di progresso: io resto un tipo all'antica. Son italiano, io, milanese: certe cose non mi toccan neanche. Guarda che meraviglia, la nuova *freeway*. Sei mesi fa non esisteva, lo sai?, al suo posto si ergevan montagne. Ma noi abbiamo portato le ruote a coltello e zac, zac, zac! le abbiamo tagliate come fette di pane. Non è grandioso, non è straordinario?»

Dalle montagne tagliate come fette di pane e poi incatramate veniva un nauseabondo puzzo di pece. Perfino la terra, martoriata e offesa, aveva cambiato il suo odore.

«Grandioso, Cesare. Straordinario.»

«E poi questa mania di andar sulla Luna, su Marte. Questo automaticizzarsi a ogni costo. Ma io non mi faccio corrompere mica. Son italiano, io, milanese: certe cose non mi toccan neanche. Per non cambiare ho fatto venire mia zia: ricordi la zia? Be', non sono adatta, diceva, sono una massaia che sta bene in ciabatte, non conosco le lingue, il mangiare in scatola non l'ho mai sopportato, fresco mi piace, preparato da me. Ben per questo, zia, ben per questo. Ah, io non mi faccio corrompere mica. Zia! Guarda chi c'è, zia!»

Una signora elegante e truccata, la zia, venne avanti caracollando su due sandali di plastica azzurra. Un grembiulino di plastica, a forma di cuore, le proteggeva il vestito.

«Darling! Sweety! How do you do? No, niente, scomodo, si fa in un minuto. Siamo nel 1964, are we not? Cosa vuole mangiare piuttosto? Toast? Hamburger? Vol-au-vent?»

«Vol-au-vent?! Non si disturbi, che dice?»

«Ma si fa in un minuto, ripeto.»

«Un minuto?!»

«Naturalmente alla buona, in cucina. Come on, children. Venite in cucina.»

Sempre caracollando sui sandali in plastica azzurra, la zia entrò in un laboratorio spaziale, una specie di sala per le operazioni chirurgiche. Macchina automatica sterilizzata per lavare. Macchina automatica sterilizzata per asciugare. Macchina automatica sterilizzata per stirare. Macchina automatica sterilizzata per smacchiare... Pigiò un bottone, aprì uno sportello che non si vedeva ma c'era, tirò fuori una scatola sulla quale era scritto: *Ready to use*, pronto per l'uso, ne tolse sei sassolini: bianchi bianchi.

«Zia, cosa sono?!»

«Vol-au-vent. Non voleva i vol-au-vent?»

«Sì... voglio dire... son buoni? non sono mica vecchi?»

«Vecchi?! Vecchi questi? My God! What do you say? Guardi qui che c'è scritto: *commestibili fino al 1995*. Questi, my dear, fra trent'anni li può ancora usare.»

«Fra... trent'anni?! Ma...»

«Sentirà che squisiti. Ora li metto in forno e in tre minuti son pronti.»

Li gettò dentro il forno che si richiuse da sé. Cesare me lo fece notare, orgoglioso.

«Praticamente lui fa tutto da sé: si accende, si spegne, si apre, e calcola anche il tempo di cottura. Se esci la mattina alle otto e torni la sera alle otto, appena in casa vuoi trovare l'arrosto già pronto, non hai che da dirglielo: alle otto l'arrosto è già pronto. Se tardi, lui lo tiene in caldo. Se te ne dimentichi, lui te lo ricorda.»

«Oddio, Cesare! Parla?!»

«Certo che parla: con un campanello. E dopo la scampanellata ti dice *It's ready, it's ready*. Un disco, s'intende, azionato da un sistema elettronico.»

«Mio Dio!»

«Oh, questo è niente a confronto della mia radio. A lei non hai che da dire a qual ora ti serve la sveglia. Facciamo le sette. Alle sette, anziché il solito trillo villano degli orologi, odi una musica dolce. Apri gli occhi con la musica, insomma. Ah, io non potrei più rinunciare a certi miracoli. Pensa che la mia ragazza, poverina lei vive sola, ha un apparecchio per cui quando apre la porta di casa si accendono tutte le luci e una voce le grida: bentornata, ciao, bentornata!»

Il forno suonò, poi si aprì, venne avanti un vassoio e ci porse i sei vol-au-vent: belli, gonfi, perfetti. Anche buoni, lo ammetto. Però dava come un disagio mangiarli. Mi sembrava di mangiare, non so, i germogli di grano che si trovano a volte nelle tombe egizie di tremila anni fa e piantati fioriscono. Un sapore, ecco, di morte. Anche rinati eran morti. E la cucina, la casa... C'è un atroce racconto di Bradbury la cui protagonista è una casa sulle colline di Los Angeles: mi pare che tu l'abbia letto, papà. È l'anno 2026, la Bomba è scoppiata e la Terra è morta: sul muro che guarda il giardino ci son quattro ombre. L'ombra di un uomo che annaffia il prato, l'ombra di una donna che coglie i fiori, l'ombra di un bambino che getta una palla, l'ombra di una bambina che tende le braccia verso una palla che non scenderà mai: il signor Mac Clellan, la signora Mac Clellan, i bambini Mac Clellan folgorati in un solo titanico istante. Non vivono più, sono morti, ma la Casa vive: da vuota, da sola, perché è una casa automatica dove tutto prosegue come se niente fosse successo. Giorno per giorno, mese per mese, anno per anno: inesorabilmente. La Casa parla, la Casa si muove, la Casa riposa, la Casa si sveglia. «Tic-tac, tic-tac: sono le sette e un quarto, venite a prendere il caffè-latte.» I fornelli si accendono, il caffè bolle, i servitori robot mettono in tavola quattro uova fritte, otto tartine tostate, una brocca di latte che nessuno berrà. «Tic-tac, tic-tac: sono le sette e tre quarti, presto a scuola, presto al lavoro.» Il garage si apre, un'automobile avvia il motore che nessuno userà, un braccio di alluminio spinge nella spazzatura le tartine immangiate, le uova immangiate, un altro braccio di alluminio prende i piatti sporchi, li sistema nell'acquaio dove un getto d'acqua calda automaticamente li lava, un getto d'aria fresca automaticamente li asciuga, i robot li mettono a posto. Così, fino a sera. E la sera: «Tic-tac, tic-tac. Sono le nove e mezzo. I bambini a dormire». Nella camera dei bambini le luci si spengono, nel soggiorno il grammofono prende a girare. Un sigaro acceso si offre verso la poltrona del signor Mac Clellan. «Il sigaro del signor Mac Clellan. Il sigaro del signor Mac Clellan. Il sigaro del signor Mac Clellan. Il sig...»

«Che c'è? Non stai bene?»

«Sto benissimo, Cesare. Grazie.»

«Ancora un vol-au-vent?»

«No, no, Cesare. Grazie.»

«La zia voleva installarlo, questo apparecchio del ciao, bentornata» proseguì Cesare. «Diceva mi farà compagnia quando tu sei in viaggio. Ma io non ho voluto. Son italiano, io, milanese: non mi faccio corrompere mica. Piuttosto vorrei applicare il sistema di Jayne, conosci Jayne Mansfield? Be', la sua casa è un po' grande, due piani, diciotto stanze, e sorvegliarne l'andamento è difficile. Però Jayne ha messo in ogni stanza un microfono e con quello sa tutto senza muovere un passo. Voglio dire: basta pigiare il bottone che corrisponde alla stanza A per udir ciò che avviene nella stanza A, il bottone che corrisponde alla stanza B per udir ciò che avviene nella stanza B. Udire e farsi udire: ai bambini che stanno litigando, alla segretaria che sta telefonando, alla cuoca che sta friggendo... Ma questo è nulla: quando s'è accorta che tutti stavano zitti, Jayne ha deciso di trasformare questo impianto radiofonico in un impianto televisivo: con diciotto canali corrispondenti alle diciotto stanze. Sì, escluse le stanze da bagno. In tal modo lei potrà anche vedere e... Be', cos'è quella faccia?»

«Nulla, Cesare. Nulla. È che siete talmente cambiati. Che v'è successo, Cesare, dimmi: siete talmente cambiati.»

«Non cambiati, cara: adeguati. Qui ci si adegua o si muore. E io non voglio morire.» Poi, con un gesto brusco, accese la televisione.

«Anche tu, ragazzino, non sopporti i western?»

Una smorfia di disgusto sul volto del ragazzino: nove anni all'incirca.

«Naturalmente. I western sono chincaglierie per voi vecchi. Solo i vecchi ormai si divertono a guardare un fesso che scappa a cavallo. Ma dateci un po' più d'astronautica!»

«Un po' più d'astronautica?! E tu che ne pensi, bambina? Vuoi anche tu un poco più di astronautica?»

Un'alzata di spalle con due trecce sopra: dieci anni all'incirca.

«Si capisce. E di astrofisica. Trovo inconcepibile che alla NBC nessuno si sia preoccupato fin'oggi di dedicare una trasmissione al plasma interstellare.»

«Al plasma interstellare?! E tu sei d'accordo, piccolo?»

Un lampo di compatimento negli occhi del piccolo: otto anni, non più.

«Chi non lo sarebbe? Non ci avete neppure spiegato il sistema di comando del LEM. Dico: è un sistema del tutto automatico o anche manuale?»

«Il LEM? Che LEM?»

«Ragazzi! Questo non sa nemmeno che cosa è il LEM! Il Lunar Excursion Module! L'astronave che atterrerà sulla Luna! Bestia!»

Cesare girò la manopola, cercò un altro canale. Apparve una ragazza con una valvola in mano, il modellino di un razzo nell'altra.

«ITT! Per ogni equipaggiamento elettronico, rivolgetevi alla ITT! È la ITT che ha costruito il satellite meteorologico da duecentocinquantamila dollari lanciato la scorsa settimana dal Nuovo Messico! ITT! ITT!»

Di nuovo girò la manopola, cercò un altro canale. L'annunciatore stava leggendo le notizie del giorno.

«La sonda lanciata verso Venere ha mancato il pianeta ma il suo passaggio, relativamente vicino, ha potuto confermarci che nessun campo magnetico protegge la sua superficie dai raggi cosmici e dai raggi solari. Inoltre l'altissima temperatura che impedisce l'esistenza di mari...»

«Usciamo. Cesare?»

«Usciamo.»

«Camminiamo un poco, eh?»

«Camminare a Los Angeles?!»

«Sì. Perché? Camminare a Los Angeles.»

«Ma nessuno cammina a Los Angeles.»

«Camminiamo noi.»

«Proviamoci.»

«Proviamoci?!»

«Sì, proviamoci.»

E ci incamminammo. Ci incamminammo e non facevamo che questo, camminavamo e nient'altro, quando un'auto della polizia si fermò, un giovanotto in uniforme si affacciò al finestrino, e fui in un altro racconto di Bradbury. Le frasi a sinistra son quelle che ci dicemmo noi. Le frasi a destra, nella parentesi, son quelle che dicono i personaggi di Bradbury.


«Bisogno d'aiuto?»        («Cosa fa lei lì?»)

«No, grazie.»             («Una cosa chiamata camminare.»)

«Rotta la macchina?»      («Perché?»)

«No grazie.»              («Per prendere aria.»)

«Serve un tassi?»         («Non ce l'ha l'aria condizionata?»)

«No grazie.»              («Sì, ma io voglio guardare»)

«Perso qualcosa?»         («Non ha la televisione in casa?»)

«No, grazie.»             («Sì, ma...»)

«Documenti.»              («Documenti.»)

«Eccoli.»                 («Eccoli.»)

«Le trema la mano?»        («Le trema la mano?»)

«Nientaffatto.»        («Nientaffatto.»)

«Salga in macchina.»        («Venga con noi.»)

«Va bene, grazie.»        («Noooooo! Aiuto! Noooo!»)

L'uomo di Bradbury veniva caricato sull'auto-poliziotto-robot e portato in una clinica psichiatrica perché sorpreso a usare le gambe in una società dove le gambe sono sostituite dalle ruote, perché sorpreso a usare gli occhi in una società dove gli occhi sono sostituiti dalla televisione, perché sorpreso a respirare l'ossigeno del Buon Dio in una società dove l'ossigeno del Buon Dio è sostituito dall'aria condizionata. Noi avemmo maggiore fortuna: il nostro poliziotto si limitò a fissarci con severità e ci lasciò andare. Ma quanto a lungo avrebbe continuato a lasciarci andare? Quanto mancava al giorno in cui saremmo stati arrestati, anche noi, con l'accusa di usare le gambe anziché le ruote, gli occhi anziché la televisione, l'ossigeno del Buon Dio anziché l'aria condizionata? Eh, sì: poco, pochissimo. Non cambiati, cara, adeguati. Qui ci si adegua o si muore. Ed io non voglio morire.

Tornammo all'automobile.

«Scusami, Cesare.»

«Te l'avevo detto.»

«Già. Scusami.»

Mi guardò tutto adirato.

«Ed ora che vuoi fare?»

«Nulla. Voglio andare da Bradbury.»

«Dove sta questo Bradbury?»

«Cheviot Drive, Cheviot Hills.»

«Ecco Cheviot Drive in Cheviot Hills» disse Cesare dinanzi a una villetta a due piani, con una porta cremisi. Poi, freddamente, mi aprì lo sportello e brontolò: ciao.

«Ciao, Cesare. E scusa, sai. Scusa.»

Sulla porta cremisi c'era un campanello. Sotto il campanello c'era un biglietto: «Questo campanello è stato fabbricato per lo stesso scopo di tutti i campanelli, cioè per essere suonato. Ma se non lo suonate ci fate un gran piacere perché il suono del campanello ci rompe le scatole. Grazie». Dolcemente bussai.

Si udì un gran trambusto: urli, strilli, raccomandazioni, papà apri tu, no, papà apro io, no, apre la mamma, no, la mamma non apre, allora chi apre: poi la porta cremisi si spalancò e questo era lui. Un gigante scalzo, abbronzato, dai capelli biondi come grano maturo e gli occhi azzurri come cielo pulito: protetti, perché non si sporcassero, da due spesse lenti da miope. Vederlo scaldava più d'un camino acceso d'inverno e scaldando guariva delle amarezze, guarendo narrava mille fiabe possibili, monti d'argento e cieli di smeraldo, colline azzurre e valli di pietraluna, insomma Marte come lo immagina lui. Rideva, come dire?, la risata di un fanciullo felice cui non manca nulla: né la mamma, né il babbo, né i balocchi, né la fiducia che domani è domenica, e la domenica è un giorno pieno di sole, e domani è sempre domenica.

«Uauh! Eccola! Uauh!»

In un turbine di capelli e di occhiali, quasi chicchi di una collana cui s'è rotto il filo, rotolarono dalla cucina le sue quattro figliole: la più grande sui quattordici anni, la più piccola sui sei. E, dopo loro, una quinta bionda: la moglie. La collana si ricompose in cinque chicchi di identico colore e diversa grandezza, poi snocciolò il suo saluto.

«Uauh!» disse la prima bionda.

«Uauh!» disse la seconda bionda.

«Uauh!» disse la terza bionda.

«Uauh!» disse la quarta bionda.

«Uauh!» disse la quinta bionda. E mi risucchiò in un soggiorno tappezzato di libri.

«Avrei dovuto telefonare, lo so.»

«Per carità! Papà odia il telefono.»

«Lo odia a morte.»

«Non lo può sopportare.»

«Lo rompe sempre, figurati.»

«Ray si è convertito da poco al telefono» spiegò la moglie il cui nome era Marjorie «e ogni tanto, per il rimorso, lo rompe. Oggi per esempio era rotto.»

«Per quello, lui odia anche l'aereo» disse la prima bionda.

«Infatti non ha mai preso un aereo» disse la seconda bionda.

«E non guida nemmen l'automobile» disse la terza bionda.

«Per forza! È stato bocciato trentatré volte agli esami di guida» disse la quarta bionda.

«Ray va in bicicletta» spiegò Marjorie, un po' vergognosa. «A quarantaquattro anni va ancora in bicicletta.»

Stravaccato su un divano, Bradbury aspettava paziente che le bionde esprimessero tutte le loro opinioni. Quando l'ebbero espresse, svelò la sua colpa più grave.

«Non ho neanche un apparecchio TV.»

«Tutti i ragazzi del quartiere ce l'hanno e noi non l'abbiamo!»

«Per lui non ci sono che i libri di Verne.»

«Cresceremo cretine.»

«Cresceremo ignoranti.»

«Come te, papà.»

«Cretino? Ignorante?» Bradbury alzò un sopracciglio.

«Cretino no. Molti libri di papà sono usati come testi scolastici, sai?» ammise una bionda.

«Gran parte dei suoi racconti sono raccolti in centotrenta antologie insieme ai brani di Steinbeck, di Saroyan, di Hemingway, di Poe. Cretino non è» ammise un'altra bionda.

«Ma ignorante sì. I suoi libri son pieni di errori.»

«Papà: ho scoperto un altro errore, papà» annunciò la più piccola.

«Sì» disse Bradbury.

«In quel tuo libro *Cronache Marziane*.»

«Sì» disse Bradbury.

«A pagina 194.»

«Sì» disse Bradbury.

«Quando le lune di Marte sorgono da est.»

«Sì» disse Bradbury.

«No» disse lei.

«Come no?» disse Bradbury.

«Le Lune di Marte sorgono da ovest, papà.»

«Per quello, io ho scoperto un errore più grosso» annunciò la più grande.

«Sì» disse Bradbury.

«Hai presente papà, quel contadino che semina meli su Marte?»

«Sì» disse Bradbury.

«Quando lui aspetta la pioggia.»

«Sì» disse Bradbury.

«Su Marte non piove, papà.»

«Noiose. Io non so nemmeno che l'acqua è composta di ossigeno e idrogeno, e quelle mi rinfaccian le lune che sorgono a est. Ma cosa m'importa se le lune di Marte sorgono a ovest o a est, se su Marte piove o non piove? Io non fornisco mica breviari ai matematici e ai fisici. Ma uno scrittore di fantascienza, rispondono, deve saper certe cose. Be', è tutta la vita che mi chiamano scrittore di fantascienza e non ho ancora capito cosa significhi. Da qualche tempo mi chiamano scrittore dell'era spaziale: suona un po' più rispettabile ma non capisco lo stesso cosa significhi. So soltanto che vent'anni fa tutti mi prendevano in giro: ma quanto sei ridicolo, dicevano, assurdo. Cosa vuol dire astronauta, cosa vuol dir cosmoporto, andar sulla Luna, sei scemo? Poi, all'improvviso, uauh! esplode l'era spaziale e realizza ciò che scrivevo. Però mica si pentono, mica mi chiedono scusa. Continuano a dire: non è opera d'arte, la sua, è cinerama. Be', cos'ha il cinerama? E detto fra noi: chi inventò il cinerama se non il vecchio Mike, Michelangelo insomma? Non l'ha fatta lui la Cappella Sistina? E cos'altro è la Cappella Sistina se non cinerama in pittura? Se dunque il vecchio Mike, gran bravo ragazzo quel Mike, dipingeva in cinerama, perché io non posso scrivere il futuro in fantascienza? La fantascienza mi serve per interpretare il tempo in cui vivo, in cui vivrammo i figli dei miei figli, per illustrarne le minacce...»

Le bionde usciron sbuffando, io lo guardai costernata.

«Le minacce?»

«Sicuro. La TV per esempio.»

«La TV?»

Già. Dove crede che siano in questo momento milioni di americani, di italiani, di francesi, di giapponesi e via dicendo? Sono a guardare la TV. Come babbei. Non pensano. Non si muovono. Non vivono. Guardano e basta. La TV pensa per loro, si muove per loro. Vive per loro. Vive? Li avvelena con la sua idiozia: ma loro non lo sanno. Li abitua all'apatia: ma loro non lo sanno. Perché guardano, guardano, guardano, e basta. Tutti i pericoli del mondo sono racchiusi in quella scatola maledetta che sta in mezzo alla casa come un altare: ma dinanzi a lei essi si inginocchiano muti come dinanzi a un altare. Attraverso la TV qualsiasi Hitler potrebbe trasformare in tre giorni una nazione pacifica, renderla una mandria di belve: i suoi comizi, i suoi occhi, entrerebbero in ogni sala da pranzo, in ogni stanza da letto, non ci sarebbe bisogno di andare ad ascoltarli, vederli. Però loro non lo sanno, non lo sospettano, non ci pensan nemmeno perché guardano, guardano, guardano, e basta. E se uno...»

«E se uno ha voglia di camminare su un marciapiede ma non può farlo perché un poliziotto lo ferma giudicandolo pazzo...» Gli raccontai quello che m'era successo, il duplicato del suo racconto.

«È successo anche a me. Quel racconto è quasi un pezzo di cronaca.»

«E se uno cade disteso su un prato e si accorge che l'erba non è fatta di erba...» Gli raccontai la storia del prato.

«Lo so, lo so.»

«E se uno ha un vaso di rose i cui petali non sono petali ma scaglie di vetro...» Gli raccontai la storia della rosa.

«Lo so, lo so.»

«E se uno chiama un amico e gli dice vengo a mangiare da te e lui gli fa mangiare vol-au-vent commestibili fino al 1995, poi dice...» Gli raccontai la colazione con Cesare.

«Lo so, lo so.»

«E ovunque quelle macchine. Solo quelle macchine. Sempre quelle macchine...»

Sembravo un'inferma che racconta i suoi mali al dottore, e poi mi duole qui e poi qui e poi qui, sperando che il dottore le dica via non è nulla e il dottore risponde sì è grave, è mortale. Al terzo «lo so, lo so» lo guardai ancor più costernata.

«Lo sa?! Mi dice lo so?!»

«Lo so: e con questo? Che importa? A me basta che un pezzo di plastica serva a fare un buon impermeabile e risparmi una polmonite a mia figlia, perché accetti la plastica. A me basta che il telefono serva a chiamare i pompieri, perché accetti il telefono. A me basta che la TV trasmetta un buon film perché accetti la TV. A me basta che un microfono serva a registrare quello che dico nel momento in cui il mio cervello funziona perché accetti il microfono. Al microfono ci parlano anche i fascisti? Pazienza. Alla TV ci vanno anche gli stupidi? Pazienza. Al telefono chiamano anche i rompiscatole così io mi arrabbio e lo rompo? Pazienza. Con la plastica sostituiscono l'erba dei prati? Pazienza. Lo so che a Los Angeles il sole è grigio per via del fumo degli scappamenti. Lo so che le automobili servono agli impotenti per sentirsi virili. Ma se su mille imbecilli c'è un uomo che dice: non è andando a duecento all'ora che si diventa virili, non è necessario sembrar tutto il giorno virili, basta esserlo una volta ogni ventiquattr'ore e andando a piedi, ebbene io grido che l'uomo è meraviglioso ed è meraviglioso perché ha creato le macchine. Io non ho paura delle macchine: è attraverso le macchine che l'uomo mortale diventa immortale. Sono i dischi che ci trasmettono la musica. Sono le linotypes che stampano i nostri libri. Sono i nastri magnetici che incidono le nostre idee. Il dramma dell'uomo è che non solo egli muore, è che il suo cervello invecchia e poi muore: con esso il dono che aveva da offrirci. Ma le macchine da lui costruite trattengono e fermano il suo cervello prima che muoia, chiudono a chiave la verità nel momento in cui fu detta, la cristallizzano, ce la restituiscono intatta, e così il dono che l'uomo aveva da offrirci non va perduto con lui. Ah, se Cristo avesse avuto un magnetofono! Io avrei le prove per urlare ai falsi cristiani che la verità era la sua e non la loro. Ah, se Budda avesse avuto la radio! Ah, se Omero avesse avuto una linotype! Ah, se Leonardo avesse avuto un calcolatore elettronico! Ah, se Saffo avesse inciso le sue poesie su materiale ininfiammabile! Ah, se Shakespeare avesse girato un film! Nessuno riuscirà mai a convincermi che le macchine sono pericolose, cattive: sono gli uomini pericolosi, cattivi. Il cinematografo annebbia la mente? Sì, ma può anche svegliarla. Ecco perché amo Verne: perché è un moralista come me, un ottimista come me. Viveva in tempi anche lui in cui tutti sembravano aver perso la voglia di fare, di osare: e lui restituiva la voglia di fare, di osare. Facciamo un bel razzo, perbacco, e andiamo sulla Luna, perbacco, gridava nel suo libro *Dalla Terra alla Luna*. Facciamo un bel sottomarino, perbacco, andiamo sott'acqua, perbacco: gridava nel suo libro *Ventimila leghe sotto i mari*. Ma pensi a Capitan Nemo che urla con demoniaca passione: "Siate migliori tra voi, non preoccupatevi dei rapporti con Dio, preoccupatevi dei rapporti tra voi!". Pensi a Robinson Crusoe che dice: "Sì, sono solo. La Terra è contro di me, l'Universo è contro di me, ma io ho una testa, uauh! Io ho due mani, uauh! Io posso sopravvivere, vivere, uauh! Uauh!". Così mi piace tutto ciò che può servire a renderci migliori: dalla plastica ai razzi. E sono stufo di brontolare.»

«Va bene, signor Bradbury, ma il compito dello scrittore non è di esaltare il poco di bello che c'è: è di cercare il male, il brutto, e poi di denunciarlo. Il compito dell'uomo non è accontentarsi: è ribellarsi. Solo attraverso la ribellione si può cercare la verità.»

«Ma a un certo punto bisogna pure trovarla questa verità. V'è un momento in cui la società dice allo scrittore OK, ragazzo, tutto giusto, giustissimo. Però, visto che sei così bravo e distruggi così bene, visto che hai rotto ogni cosa, le nostre speranze, le nostre illusioni, spiegaci come si fa a ricostruire. Allora, cara mia, o chiudi il becco o dici come si fa a ricostruire. La società io l'ho molto attaccata: con un entusiasmo da matricola. Ma non si può essere matricole in eterno. Le matricole hanno sempre la febbre e non si può avere la febbre in eterno. La febbre è malattia e la malattia non è eterna. Quando il termometro sale a quarantuno, o muori o guarisci. Io i miei quarantun gradi li ho avuti e la malattia l'ho conclusa imparando ad apprezzare la salute. Brontolare è da vecchi, sperare è da giovani, e forse io sono un eterno bambino ma l'era spaziale la vedo con l'entusiasmo dei nostri bambini: un entusiasmo innocente, ostinato, che mi fa strillare: cosa mi importa se il primo razzo fu russo o americano, se il primo ad atterrar sulla Luna, su Marte, si chiamava Popovic o Smith? L'importante era averlo, quel razzo, l'importante era mandarci quell'uomo!»

«D'accordo, signor Bradbury. Ma un po' di paura sarà pur lecito averla: un po' di paura. Dove andiamo? Cosa facciamo? Faremo bene? Faremo male? Porteremo i prati di plastica, le rose di vetro anche su Marte? Io l'entusiasmo ce l'ho, per quei razzi: piacciono tanto anche a me. Ma quando son su, chi li ferma? Vanno avanti da soli: perché l'uomo ha costruito qualcosa che gli è scappato di mano e vive senza di lui.»

Si accese di rosso fino alla punta dei piedi. Fremette come una lamina scossa dal vento. Bolli gorgogliando l'intera passione del mondo.

«Paura?!? Ma lo ha mai visto un razzo che parte?! Lui sta lì, così grande, gli uomini intorno son piccoli piccoli, moscerini di niente, e quegli uomini piccoli piccoli, moscerini di niente, accendono una scintilla di niente, un boato strappa l'aria a brandelli, una nuvola bianca fiorisce, lui sale, va nell'infinito, e tu bestemmi: Dio, ti abbiamo agguantato per la falda del cappotto, Dio! E mentre bestemmi questa educata bestemmia, il razzo non ti fa più paura perché ricordi che l'Uomo ha costruito il razzo, l'Uomo ha acceso la scintilla del razzo, l'Uomo ha strappato l'aria a brandelli: il razzo senza l'Uomo è un guanto senza mano. Paura?!? Ma questo è il tempo più bello che l'umanità abbia avuto la fortuna di vivere, il più audace, il più privilegiato, il più stupendamente blasfemo, questa è l'era più grande della storia! Io quando mi dicono: guarda, non è meraviglioso quel razzo? Rispondo: no, l'Uomo che l'ha costruito è meraviglioso, la mia epoca è meravigliosa, le nostre idee sono meravigliose, le nostre idee che non sono più immobili, astratte, congelate, ma idee che si muovono, bruciano, volano! Si, prima pensavamo la Bellezza e scolpivamo statue, dipingevamo quadri, costruivano palazzi, pensavamo Dio e innalzavamo chiese, campanili, preghiere. Ora pensiamo la Bellezza, pensiamo Dio, e creiamo qualcosa che si muove, che brucia, va su: i motori, le macchine. Paura?!? Ma fino a oggi abbiamo dormito, tartarughe gelate dall'inverno! Abbiamo dormito ma ecco che ci svegliamo e freschi, riposati, intelligenti, inventiamo i nostri razzi, balziamo fuori dalla Terra, rompiamo le catene che ci tenevano legati alla Terra, ci lasciamo alle spalle la nostra prigione...»

«Si, però mio padre risponde che noi siamo fatti per vivere qui. Noi abbiamo bisogno di aria per respirare, di acqua per bere, noi soffochiamo senz'aria e senz'acqua: allora perché andare, perché?»

«Per la stessa ragione che ci fa mettere al mondo i figli. Perché abbiamo paura della morte, del buio, e vogliamo vedere la nostra immagine ripetuta e immortale. Non vorremmo morire: però la morte esiste e, poiché esiste, partoriamo figli che partoriranno altri figli che partoriranno altri figli, all'infinito, e questo ci regala all'eternità. Non dimentichiamolo: la Terra può morire, può esplodere, il Sole può spengersi, si spengerà. E se il Sole muore, se la Terra muore, se la nostra razza muore con la Terra e col Sole, allora anche ciò che abbiamo fatto fino a quel momento muore. E muore Omero, e muore Michelangelo, e muore Galileo, e muore Leonardo, e muore Shakespeare, e muore Einstein, e muoiono tutti coloro che non sono morti perché noi viviamo, perché noi li pensiamo, perché noi li portiamo dentro e addosso. E allora ogni casa, ogni ricordo, precipita nel buio con noi. Salviamoli, dunque, salviamoci. Prepariamoci a scappare, scappiamo per continuare la vita su altri pianeti, per ricostruire su altri pianeti le nostre città: non saremo a lungo terrestri! E se davvero temiamo il buio, se davvero lo combattiamo, allora, per il bene di tutti, prendiamo i nostri razzi, abituiamoci al gran freddo, al gran caldo, all'acqua che non c'è, all'ossigeno che non c'è, diventiamo marziani su Marte, venusiani su Venere, e quando anche Marte morirà, quando anche Venere morirà, andiamo in altri sistemi solari, su Alfa Centauri, ovunque riusciremo ad andare, e scordiamo la Terra. Scordiamo il nostro sistema solare, scordiamo il nostro corpo, la forma che aveva, queste braccia queste gambe questi occhi, diventiamo non importa come, diventiamo licheni, insetti, sfere di fuoco, non importa cosa, importa solo che in qualche modo la vita continui, e con la vita continui la coscienza di ciò che fummo e facemmo e imparammo: la coscienza di Omero, la coscienza di Michelangelo, la coscienza di Galileo, di Leonardo, di Shakespeare, di Einstein! E il dono della vita continuerà in eterno.»

Ecco. Questa fu la risposta alla tua risposta, papà. E a me parve una bellissima preghiera. Anche ora che cerco di ripeterla con parole simili a quelle che usò e non mi viene uguale, purtroppo, a me pare una bellissima preghiera: infinitamente più sacra di quelle che la mamma mi insegnava quand'ero bambina, col segno della Croce. Forse perché la pronunciò a voce bassa, con gli occhi socchiusi: quest'uomo che va in bicicletta e non possiede TV. Forse perché teneva la testa piegata e non sembrava più lui, sembrava un prete di quelli che dicono il Pater Noster credendoci. Forse perché mi sentivo punta da molti rimorsi, rimorsi verso di te, e cercavo una grossa giustificazione, un perdono: accettare le idee di quell'uomo era già tradirti, papà. In seguito le avrei accettate assai meno: come una pendola che non sta mai in equilibrio ed oscilla continuamente da destra a sinistra, da sinistra a destra, da un dubbio a un altro dubbio, le avrei perfin rinnegate tornando più volte da te. Ma il sapore di quella preghiera mi restò sempre dentro. E ce l'ho ancora dentro.

# CAPITOLO TERZO

Non riuscivo a dormire. Quel demonio dagli occhi innocenti aveva giocato con i miei nervi come con un elastico per fare fionde: tirandoli, saggiandone la cedevolezza, scorticandoli. E ora essi giacevano in un groviglio di spago disfatto, troppo stanchi per affrontare la fatica del riposo, incapaci di dire al cervello ora basta, smetti di pensare e lasciala in pace. Alla maniera di un treno lanciato giù per un pendio, il pensiero continuava la corsa solo un po' rallentata da una bionda che urlava «ho fame, papà».

La bionda era entrata cacciando l'urlo alla fine della preghiera. Strappato al suo misticismo, non più prete ma papà americano, Bradbury s'era alzato ubbidiente osservando che anche lui aveva fame, anche io avevo fame, tutti i biondi e le bionde avevano fame, dunque avremmo mangiato. La cena era stata tranquilla, ravvivata da chiacchiere senza importanza e su cose intorno alle quali ci troviamo gioiosamente d'accordo: l'amore per i vecchi libri, l'antipatia per i critici, l'incapacità di apprezzare Pablo Picasso. Dei vecchi libri diceva che assomigliano al vino, col passar del tempo cambiano sapore ed odore, sicché egli riusciva a stabilir l'anno in cui un volume era stato stampato dandogli una leccatina e annusando. Dei critici diceva che son quasi sempre scrittori falliti, di conseguenza biliosi, armistizi diventan possibili solo accettandone i cattivi consigli: lui non li accettava e perciò lo ignoravano. Di Picasso diceva che più invecchia più dipinge male, certi quadri son davvero uno scempio: ma nessuno lo dice per timor di apparire ignorante e il mondo continua ad illudersi che i suoi quadri sian davvero bellissimi. Una cena tranquilla, a esser brevi, priva di allusioni ai licheni e alle sfere di fuoco.

Sulla porta però, mentre Marjorie si preparava ad accompagnarmi in albergo (lei guida), il discorso era stato ripreso.

«Ne abbiamo dette, eh, Miss Fallaci?»

«Sì, signor Bradbury. E mi sento un po' bastonata.»

«Ma perché? Sono cose che dovrebbero dare allegria, farci sentire più robusti e più audaci.»

«Cosa? Pensare che a noi, proprio a noi, tocchi il privilegio di continuare il miracolo dell'esistenza? Se di privilegio si tratta, è un privilegio ben tragico. Una responsabilità ben drammatica.»

«Gloriosa, non drammatica.»

«Drammatica, signor Bradbury. La più drammatica che la razza umana possa immaginare. Dio! Rinunciare al corpo, alla forma che abbiamo, per assumere un corpo e una forma che non immaginiamo neppure...»

«Senta, non è una gran forma: a guardarla bene. S'è mai chiesta come la giudicherebbe un uovo se potesse giudicare? O un uccello?»

«Me lo son chiesta. E ho concluso che non gli offriamo uno spettacolo affascinante: con tutta probabilità essi trovano assai disgustoso questo polipo verticale, pieno di tentacoli e buchi. Un uccello è molto più grazioso di noi, e anche un uovo. Ma ci abbiamo fatto l'abitudine, no?, a esser così. E io non mi sento preparata a diventare un uccello, un uovo, un lichene.»

«Nessuno di noi è preparato. Né lo saremo mai. Ma questo è ugualmente il nostro destino: cambiare. Stiamo già cambiando: fisicamente, psicologicamente, religiosamente, che lei voglia o no, che a lei piaccia o no. Si cambia con lentezza, la stessa lentezza che muta la primavera in estate, l'estate in autunno, l'autunno in inverno. Non ci si accorge mai in quale momento la primavera diventa estate: una mattina ci alziamo e fa caldo, l'estate è giunta mentre dormivamo.»

«Ray! Ti prego, Ray! È mezzanotte» si lamentava la moglie.

«OK, Marjorie. OK. Facciamo così, Miss Fallaci: torni domani e chiacchieriamo un altro po'. Alle nove, alle otto: prima che vada al mare.»

«Ray! Oh, no! Nooo!»

Simpatica Marjorie. Simpatica e piena di pazienza: bisogna avere molta pazienza per amare un uomo intelligente. Ed anche coraggio. Per strada me ne aveva convinto.

«Miss Fallaci, voglio dirle una cosa.»

«Sì, Mrs. Bradbury.»

«Mentre voi parlavate, io ascoltavo. Io, a Ray, non gliele avevo mai sentite dire quelle cose. Mai, in vent'anni che ci conosciamo. Le avevo lette sui libri che scrive, più o meno: ma per udire non le avevo udite. Mi ha fatto un certo effetto.»

«Lo ha fatto anche a me, Mrs. Bradbury.»

«Un certo spavento.»

«Anche a me, Mrs. Bradbury.»

«Ma secondo lei, c'è del vero in quelle cose?»

«Secondo me, sì.»

«Accidenti. E diventeremo licheni?»

«Se le cose vanno come dice lui, penso di sì.»

«Be', a me questa storia non piace per niente. Sicché un giorno ci fanno partire, su, presto, la Terra scoppia, bisogna andar via, e ci portano chissà dove. Sicché un giorno arriviamo chissà dove e per cavarcela diventiamo licheni. Sicché quando siamo licheni...»

Sicché io non dormivo. Rincorrevo i licheni e non dormivo. Rincorrevo quella frase e non dormivo. «E se il Sole muore, e se la Terra muore, e se la nostra razza muore con la Terra e col Sole...» Strano, ma alla morte della Terra, del Sole, non avevo mai pensato, papà. Avevo pensato alla mia, a quella delle persone che amo, non a quella della Terra e del Sole. Li avevo sempre considerati immortali, il Sole e la Terra, perché c'erano stati miliardi di anni prima di me e ci sarebbero stati miliardi di anni dopo di me. Invece neanche loro erano immortali, anche loro sarebbero morti. Presto, prestissimo, visto che i miliardi di anni per il Sole e la Terra son nulla, lo stesso rapporto che c'è tra me e una farfalla: a me ventiquattr'ore sembrano poche ma, per una farfalla che vive da un'alba ad un'altr'alba, ventiquattr'ore sono una vita. Presto, prestissimo... insieme ai monti e i mari, le vallate e i deserti, i rumori e i colori, i giorni e le notti, e ciò che tu chiami la lista del mondo, ed io all'idea che il Sole morisse, che la Terra morisse insieme alla lista del mondo, mi sentii vuota, pazza di rabbia, papà, come quando penso che tu morirai, che la mamma morirà, che io morirò. Io non ho mai capito la morte. Non ho mai capito chi dice la morte è normale, la morte è logica, tutto finisce quindi anch'io finirò. Io ho sempre pensato che la morte è ingiusta, la morte è illogica, e non dovremmo morire dal momento che si nasce. Non ho mai capito nemmeno chi dice: in realtà non muori, diventi una cosa diversa, diventi un ciuffo d'erba, un sorso d'aria, una pozza di acqua: e da erba, da aria, da acqua, nutri un pesce un uccello un altr'uomo, poi vivi attraverso di loro. Non l'ho mai capito perché essere viva, per me, significa muovermi dentro questo corpo, dentro questo pensiero: e allora cosa mi importa di diventare marziana su Marte, venusiana su Venere, andromediana su Andromeda? Questi tentacoli che chiamano braccia, gambe, dita, son brutti? E cosa m'importa se sono brutti? Sono i soli che conosco, i soli che ho, e non ne voglio altri. Voglio queste braccia, queste gambe, queste dita, voglio questa Terra! Questa Terra è una prigione? Va bene. Ci sto a mio agio in questa prigione, è calda e sicura come un ventre materno, è il mio ventre materno, e... E tu avevi ragione papà. Ragione? Ma il ventre materno non ti tiene mica per sempre. Se ti tiene per sempre ci muori, e muore anche lui. Il ventre materno ti tiene fino a quando sei fatto, e quando sei fatto ti sputa, ti vomita a forza in un mondo che non immaginavi neanche. Magari non lo volevi vedere quel mondo: stavi bene rannicchiato nel ventre, a quel caldo. Non duravi fatica a mangiare, non duravi fatica a dormire, tua madre faceva tutto per te. La sua pelle, i suoi tessuti ti proteggevano più di una corazza, più dell'atmosfera che circonda la Terra e respinge i meteoriti, altre insidie. E tuttavia fosti costretto a lasciarlo, quel ventre, fosti costretto ad assumere la forma di un corpo che non immaginavi neanche, a mangiare in modo diverso, a dormire con tanta fatica, a proteggerti con tanta pena. E non fu un abuso importi quel cambiamento, neanche una crudeltà: fu l'unico modo per continuare la vita. E l'unico modo che la Terra ha per vivere è sputarti via, vomitarti nel cielo, al di là dell'atmosfera, in quei mondi che non sai immaginare e che a loro volta ti sputeranno via in altri mondi... Ma questo era ciò che diceva Ray Bradbury. Dunque aveva ragione Ray Bradbury: non tu, papà. E in tal conclusione trovai pace, mi addormentai, finalmente, per risvegliarmi in un mattino gonfio di curiosità, poi per ritrovarmi in un tassì che correva da lui: come uno spillo corre verso la calamita.

«Mamma, è tornata quella-che-lo-fa-chiacchierare-e-lui-ci-sta!»

«Mamma, partiremo ora che c'è lei a mezzogiorno?»

«Mamma, guardalo come arrota la lingua, mamma!»

«Buongiorno, Miss Fallaci.»

«Buongiorno, Mrs. Bradbury.»

«Marjorie, cara, vuoi darci del caffè?»

«Il caffè dei chiacchieroniii!»

«Screanzata! Ora ti do uno schiaffo!»

«Papàaaa! La mamma mi ha dato uno schiaffooo!»

«È mai possibile che non si riesca a star tranquilli in questa casa?»

La casa era un bombardamento di strilli, di salti, di invocazioni, di allegria, di giovinezza, e le bionde erano tutte pronte a partire fuorché Marjorie che ancora si aggirava coi bigodini in testa e l'aria smarrita della «io-non-ce-la-fo-più-diventerò-pazza-vi-dico». La vacanza al mare era stata programmata da tempo e a giudicare dagli oggetti sparsi per tutto il soggiorno, decine di cravatte, decine di prendisole, decine di scarpe, chili di creme e di unguenti, si sarebbe detto che anziché a Palms Springs i Bradbury si preparassero ad andare su Marte onde perpetuare il miracolo della creazione, amen. Da tutto questo appariva evidente che non c'era un angolo adatto a discutere. Ci rifugiammo in cantina e come è difficile liberarsi da certi pesi, papà.

Io finché vivo non mi libererò mai di quegli angeli cupi di marmo di bronzo di legno di tela, scolpiti disegnati dipinti, irrigiditi nell'atto di gonfiare le gote e suonare la tromba; di quei santi malinconici trafitti arrabbiati, ritratti al momento del martirio più macabro, san Sebastiano con una freccia nel collo, santa Lucia con gli occhi messi sopra un vassoio; di quelle Madonne vestite di azzurro e di bianco, sempre colte nel gesto di allattare il Bambino; di quei Gesù crocifissi ed ignudi o vestiti ma con un cuore nella mano sinistra. Entravo in chiesa, bambina, e insieme all'umido al freddo al puzzo di sudore e di incenso al bisbiglio dei penitenti cui il prete aveva imposto trenta Pater Noster, quaranta Ave Maria, cinquanta Salve Regina, chiedi perdono al Signore, vergogna, vergogna, mi avvolgeva l'incubo dei santi e degli angeli, del Gesù e delle Madonne, ipnotizzata mi fermavo a fissare quel cuore, quegli occhi, ma come faceva Gesù a togliersi il cuore ed a tenerlo in mano, come faceva santa Lucia a strapparsi gli occhi e a metterli sopra un vassoio, e il paganesimo di una religione sbagliata mi schiacciava come una cappa di piombo. Così scappavo all'altare e inginocchiata sotto le candele, le trine, i gioielli, le stoffe preziose, il luccicar d'oro e d'argento, i fiori che avrei voluto rubare per portarli alla mamma, mi sforzavo di credere alle belle leggende e masticavo anch'io Pater Noster, Ave Maria, Salve Regina, Requiem Aeternam, colma di gratitudine falsa per Nostro Signore che in sette giorni aveva creato la Terra, prima le acque, poi le piante, poi le bestie, poi l'uomo, poi la donna: ma v'era sempre un momento in cui l'incredulità rifioriva, lo scetticismo per la grande magia, e con questo il terrore. Il terrore d'essere punita, di precipitare all'Inferno, bruciare, e mi sudavan le mani, mi tremavano forte i ginocchi, perdonami Dio, però come hai fatto a creare in sette giorni, però come hai fatto: e in tali assurdità mi perdevo. Non lo dissi mai a nessuno, nemmeno a te. Me ne mancò sempre il coraggio. E così crebbi impaurita dagli angeli, dai santi, da Maria Vergine, da Gesù Bambino e da Gesù Crocifisso, dal Paradiso dall'Inferno dal Purgatorio, da ciò che chiamano Bene e ciò che chiamano Male, e questi pesi mi restarono addosso, incollati, anche quando volli cacciarli, scrollarli, un'unghia che tagliata ricresce, ricresce, ricresce fino al giorno in cui muori: non è per tutti così? Non è così anche per te? Il tuo hobby è il mosaico. Da quei pezzettini di vetro giallo rosso verde ed azzurro cosa tiri fuori, papà? Sempre angeli, santi, Gesù Bambini e Gesù Crocifissi, Madonne. Il tuo sforzo lo doni a loro, mai ad una nuvola, a un fiore, a un uccello. In quella cantina di Cheviot Drive, Cheviot Hills, potevo finalmente vomitare a qualcuno l'incubo truce, il sogno di liberazione. I razzi, le cosmonavi, ti sembra grottesco?, servono dunque anche a quello.

«Pronto, signor Bradbury?»

«Certo.»

«Ecco qua, signor Bradbury. Senza dubbio l'era spaziale ci allontana dalle vecchie strutture della religione. La bellissima favola di Adamo ed Eva non può bastare neanche a un bambino, ormai. L'affermazione contenuta nell'Antico Testamento, *E Dio creò l'Uomo a Sua immagine e somiglianza*, sarà contraddetta de facto non appena ci troveremo dinanzi a creature intelligenti ma fisicamente costruite in tutt'altro modo da noi. La grande avventura in cui ci siamo imbarcati, per spontanea volontà o per destino, porta a chiederci insomma se insieme alle catene della forza di gravità stiamo rompendo anche le catene della religione.»

Partì come un razzo.

«Non l'era spaziale, mia cara, ma il treno cominciò ad allontanarci dalle vecchie strutture della religione. Il treno, il cemento armato, le gru, le stupende eresie che commettemmo ad esempio quando venimmo a stare in America e non ci piacque dov'erano le montagne ed i fiumi, così tagliammo le montagne e deviammo i fiumi; non ci piacque il vuoto che ormai stava al posto delle montagne, dei fiumi, e ci innalzammo grattacieli; non ci piacque il tempo e lo spazio come la natura lo dava e costruimmo gli aerei supersonici, imparammo a rompere le barriere del suono. Tutte queste sono attività blasfeme e noi imparammo a essere blasfemi non appena imparammo a fare miracoli. Ma certo che cambia tutto! Ma pensi alla meravigliosa eresia che commettiamo agguantando Dio per la falda del cappotto, ogni volta che un razzo va su! Uauh! Giochiamo con gli elementi dell'Universo come il dottor Frankenstein ma nessuno, nemmeno la Chiesa Cattolica, osa dire con l'assistente del dottor Frankenstein: "Ti stai immischiando in cose che è meglio lasciare a Dio". Quando Galileo disse: "La Terra gira", la Chiesa Cattolica lo buttò in prigione: ci vollero secoli perché i preti ammettessero che sì, ecco, insomma, per girare gira. Oggi invece i Papi dichiarano: "Dio non proibisce all'Uomo di andare nello spazio. A Dio piace che visitiamo altri mondi". Ciò non è forse blasfemo? Ma qualsiasi Papa del passato, dopo una frase simile, avrebbe perso l'impiego in mezz'ora! E va da sé che questa è solo una minuscola concessione, un debole tentativo per conciliare alla svelta la realtà con i dogmi: inutile dire che, se i loro ragionamenti non cambiano, tutte le Chiese perdon l'impiego. E lo perdono scioccamente perché alla religione non si può rinunciare: se tutte le religioni sparissero domattina dalla faccia del mondo, noi dovremmo inventarne di nuove oppure altre dovrebbero sbocciare da sole per spiegarci il nuovo. Mi spiego? Gli scienziati ci danno i fatti, non ci danno mai il perché di quei fatti. E noi non possiamo esistere senza i perché. Quando un uomo muore di un male incurabile e tu non sai cosa fare, se curarlo per farlo soffrire o ammazzarlo perché non soffra più, gli scienziati non ti suggeriscono la decisione: ti danno solo i mezzi per curarlo o ammazzarlo. Io lo so perché questo dilemma l'ho avuto, sei anni fa, con mio padre, ed è stato atroce, il dilemma più atroce della mia vita: la Scienza mi offriva il modo di ucciderlo senza dolore, di curarlo con dolore, e non mi offriva nient'altro, e io non sapevo che fare. No, non possiamo fare a meno della religione. Ma, per religione, io non intendo quella che ci danno oggi le Chiese: quella non ci basta più. Non ci bastano più i Darwin, del resto, non ci bastano più gli astronomi: bisogna formulare strutture nuove che vadan d'accordo coi tempi nuovi, per mari più vasti. Zitta non m'interrompa. Dicevo dunque che non ci basta più spiegare l'origine della Terra, del nostro sistema solare, della nostra galassia: questo trascurabile bruscolo dell'Universo. Bisogna andare più in là, alle origini delle origini delle origini, a un momento della storia dell'Universo che avvenne miliardi e miliardi e miliardi di anni-luce fa, quando la materia partorì se stessa e imparò ad annusare, toccare, vedere, assaggiare: per annusare, vedere, assaggiare il miracolo del suo stesso parto. No, non basta più occuparci della Terra, chiederci chi ha creato la Terra: noi siamo vivi dentro lo spazio, non solo sopra la Terra. No, non basta più dire che tutto è Dio: l'aria, le pietre, il vuoto. Dio è diventato curioso e rompendo il silenzio vuole conoscere se stesso, vuole capirsi, sapere da dove viene. E allora non ci basta più dire che Dio ha creato l'Universo. Bisogna chiederci chi ha creato Dio. Chi, chi ha creato Dio?»

Dal piano di sopra venne un gran tonfo, come qualcosa che scoppia, e la casa tremò. Il mio pensiero corse a Charlie Chaplin, la notte in cui spalancò la finestra di un salone a Londra e, rivolto al cielo, gridò: «Dio! Tu non esisti!»; per tutta risposta un fulmine entrò dalla finestra e si scaricò nel salone. Poi chiusi gli occhi, affondai la testa nelle spalle: il fulmine avrebbe impiegato un poco prima di scendere fin giù in cantina. Uno... due... tre... Al tre giunse, straziante, il pianto di una bionda.

«Papàaa! Susan è cascata dall'armadiooo!»

Bradbury si alzò, corse da Susan. Tra gli urli e i singhiozzi si udiva l'alterco provocato dalla punizione divina.

«Quante volte t'ho detto di non salire sull'armadio!»

«Perché la brontoli? No lo vedi che è morta?»

«Macché morta! È solo svenuta.»

«Non è neanche svenuta, fa finta: l'ipocrita.»

«Susan. Oh! Susan! La mia bambina!»

«Se la tua bambina non salisse sull'armadio e se tu la sorvegliassi!»

«Se tu non stessi sempre a chiacchierare in cantina!»

«Sto in cantina perché non mi date mai un posto!»

«Non è vero! Stai in cantina per parlare di Dio!»

«Susan!»

«Papà!»

«Apre gli occhi!»

«Miracolo! È resuscitata!»

Bradbury tornò giù, sospirando.

«Dov'eravamo rimasti?»

«A un momento di grave imprudenza, signor Bradbury.»

Rise di quella risata piena di domenica. Per ridere meglio fece un salto e batté il capo contro il tubo del bagno.

«E due!»

«Forse dovremmo cambiare argomento, signor Bradbury. Noi italiani abbiamo un proverbio: non c'è due senza tre.»

«Anche noi americani» si lamentò massaggiandosi il capo.

«E la terza folgore potrebbe cadere su me.»

«Lei è innocente» disse continuando a massaggiarsi il capo.

«No, perché stavo per rispondere alla sua domanda.»

«Quale domanda?» disse continuando a massaggiarsi il capo.

«La domanda: chi ha creato Dio?»

«Ah!» disse con scarso interesse.

Aveva battuto un bel picchio.

«Stavo per dire, signor Bradbury: l'Uomo, lo ha creato l'Uomo. O meglio: ne ha creata l'idea. Non possiamo fare a meno di Dio, e quando non c'è lo inventiamo. Sì, signor Bradbury. L'Uomo ha creato Dio.»

Ripartì come il razzo di prima, assolutamente, totalmente dimentico del male alla testa.

«No! Io vado più in là. E dico che *noi* siamo Dio. Noi escrementi dell'Universo, noi scintille dell'Infinito. E non v'è ragione di cercarlo altrove Dio, perché Dio siamo noi: e la ricerca è finita. No, io non accetto Dio come qualcosa di sovrumano, di trascendentale, qualcosa di immateriale che gioca coi suoi giocattoli materiali: le stelle e gli uomini. Non accetto Dio come qualcosa di lontano da questi ginocchi, da questi capelli, da questo cervello. Io vedo Dio come qualcosa che cresce e si estende attraverso i sensi e le idee, e desidera esser mortale per morire e rinascere, e poi ancora morire e poi ancora rinascere, e desidera muoversi, e desidera insistere con la razza umana, seminarla ed espanderla ovunque nel cosmo! Dio è questa carne, Dio è questa voce: ecco cosa intendo dire quando affermo che Dio è diventato curioso, quando parlo della materia che partorì se stessa. E se le Chiese non arriveranno a dir questo, o qualcosa di simile a questo, le Chiese non sopravviveranno: precipiteranno insieme alle belle fiabe di Adamo ed Eva, dell'uomo creato ad "immagine e somiglianza", della Terra creata in sette giorni! Sicché lo diranno, prima o poi lo diranno, e dicendocelo dovranno spiegarci di nuovo il concetto del Bene e del Male: spiegarci perché ciò che sulla Terra è Male su Marte è forse Bene, ciò che sulla Terra è Bene su Marte è forse Male. Dovranno dirci perché su Venere forse non esiste né il Bene né il Male. Dovranno dirci se anche sulle Terre degli altri sistemi solari, le Terre dove l'uomo esiste o è esistito o esisterà, l'uomo ha commesso il Peccato Originale e ha bisogno d'essere salvato. Dovranno spiegarci se Cristo è venuto o venne o verrà anche per loro: e questa non è fantascienza. Questa è morale. Oppure è fantascienza, chissà: in passato la fantascienza preveniva gli scienziati, oggi previene i teologi. In passato intuiva il vero, oggi intuisce il giusto.»

Mi insinuai svelta svelta in quella frazione di pausa.

«Signor Bradbury, lei ha mai parlato di queste cose con preti e teologi?»

«Una volta, anni fa, mentre scrivevo *Cronache Marziane*:

il capitolo sulle sfere di fuoco, cioè sugli antichi marziani che hanno la forma di lievi sfere di fuoco azzurrino. Ricorda la storia di padre Stone che cerca il peccato su Marte, ostinato, e lo cerca e non lo trova, mentre padre Peregrine non lo cerca e sostiene che il Male su Marte non c'è, non c'è nemmeno il peccato, i marziani son buoni: ricorda? Ricorda che, per provare la sua tesi a padre Stone, padre Peregrine si butta giù da una montagna dicendo le sfere di fuoco mi salveranno, e infatti lo salvano? Bene. Io da ragazzo sono stato educato dai Battisti, ahimè, e questa faccenda del Peccato Originale mi ha sempre pesato sullo stomaco senza farmi capire un gran che. Lei ha capito perché sulla Terra, secondo i cattolici, uno nasce macchiato dal Peccato Originale? No? Nemmeno io, è così illogico: Eva coglie la mela, se la mangia, e per questo io nasco dannato. Io che c'entro con la sua mela? A ogni modo io volevo conoscere il punto di vista di un cattolico sul seguente problema: il Peccato Originale, i marziani lo commisero o no? Telefonai a un prete di Beverly Hills: caro reverendo, buongiorno, come va, io sto bene, lei sta bene, posso venire da lei per una questione un po' insolita? Lui disse: sì certo, così andai e gli chiesi: senta, reverendo, come si comporterebbe lei se atterrando su Marte trovasse creature intelligenti a forma di sfere di fuoco? Penserebbe di doverle salvare o penserebbe che sono già salve? Uauh! Per tutti gli inferni, ecco una bella domanda! esclamò il reverendo. E mi disse ciò che avrebbe fatto lui: insomma ciò che faccio fare a padre Peregrine. Era un prete giovane e intelligente, un prete in gamba. Parlammo un giorno intero, chiusi in quella sacrestia, e neanche una volta minacciò di farmi bruciare in piazza San Pietro.»

«Dica, signor Bradbury: e del Cristianesimo come regola di vita ne parlaste? Vi chiedeste se, teologie a parte, l'essenza del Cristianesimo avrebbe resistito laggiù? Se avrebbe potuto essere applicata laggiù? Vi chiedeste se il comandamento che dice "Non uccidere" sarebbe stato valido in altri pianeti, nei milioni di anni a venire? Vi chiedeste se l'amore, il perdono, la carità avrebbero avuto un senso anche su Venere e Marte e Alfa Centauri?»

E lui diventò triste, questo fanciullo sempre pieno di domenica. E dimenticò le campane di Pasqua, e dimenticò i suoi uauh scoppiettanti mille fuochi di artificio, e dimenticò il suo umorismo e i suoi sorrisi, e fu un vecchio deluso in anticipo nel suo sfrenato ottimismo, nella sua cieca fiducia per gli uomini.

«Ma sì. Naturalmente. E decidemmo che sarebbe stato molto, molto difficile. Impossibile anzi. Supponiamo, reverendo, gli dissi, che tu sia un terrestre ed io un venusiano. Ecco, sono un venusiano e sono una creatura pensante, buona, giusta, e sono enormemente più intelligente di te: non mi sfiora nemmeno l'idea di farti del male. Però sono costruito come un gran ragno: un ragno alto tre metri, nero nero, pieno di peli, con tante zampacce e tre occhi. Ecco, reverendo: sei sceso su Venere e io ti guardo con i miei tre occhi. Semplicemente, ti guardo. Tu cosa fai? Mi rispose ciò che gli avrei risposto io: "E tu credi, Bradbury, che io mi aspetti da te un segno di benvenuto o di amicizia? Tu credi, Bradbury, che io accetti la tua curiosità e il tuo sospetto? Tu credi, Bradbury, che io creda alla tua umanità? E che perciò non ti scarichi addosso la mia pistola-radioattiva? E che poi non mi metta a dare la caccia ai tuoi fratelli e ai tuoi figli per sterminarli prima che mi faccian paura?". E aveva ragione, perdio, aveva ragione! Ma se non accettiamo l'umanità di un negro! Se non abbiamo capito che c'è una creatura identica a noi chiusa a chiave dentro quella pelle nera! Ma se lasciamo bruciare i buddisti! Via! Ma se abbiamo sterminato gli Indiani d'America e ancora oggi si fanno certi film detti western dove non si vede un Indiano perbene e meritevole di non essere scannato! Ma se ammazziamo i delfini ben sapendo che hanno un cervello simile al nostro, un linguaggio simile al nostro e non gli manca che le gambe per scappare, le braccia per difendersi, le dita per spararci un colpo di fiocina?! Si illude dunque che riusciremo a essere cristiani con creature a forma di insetto o di serpente, mostri coperti di squame?!? No, no, no. C'è solo un modo per far resistere il concetto del Cristianesimo.»

«Quale, signor Bradbury? Quale?»

«Quello che dicevo prima: convincerci che l'umanità non è una forma con due braccia, due gambe, un tronco, una testa. L'umanità è un'idea, un modo di fare, qualcosa che si muove e ragiona, qualunque sia la sua forma: ragno, lichene, sfera di fuoco. Accidenti alle zanzare!»

E si schiacciò, sul braccio, una zanzara. Niente di male,

d'accordo, papà: sono sempre stata convinta che Elia non cacciò delicatamente la mosca perché credeva all'umanità della mosca, bensì perché gli faceva schifo schiacciare le mosche. Comunque la schiacciò, quella povera zanzara che lo guardava e basta, e nessuna folgore celeste si abbatté sul suo capo, il mio capo, a punirci. Ogni angelo del Paradiso è pronto a far cadere un bambino arrampicato sopra un armadio se due peccatori pronunciano il nome di Dio invano: nessun angelo del Paradiso ti farà battere il capo nel tubo del bagno perché hai schiacciato una zanzara. O forse Iddio aveva capito che non eravamo cattivi, io e questo Bradbury: cercavamo solo di ragionarci un po' su. Dopodiché salutai Marjorie, salutai le bionde, salutai Bradbury, presi un tassì e me ne andai: dentro la nebbia di fumo. All'incrocio di Beverly Hills con Cheviot Hills c'era una chiesa, non so se cattolica o metodista o battista, e sul prato dinanzi alla chiesa c'era un cartello.

### CHIESA FUORI SERVIZIO
### SI VENDE O SI AFFITTA

Domandai al tassista se fosse uno scherzo di cattivo gusto e il tassista rispose che no, non era uno scherzo: abitare in ex chiese va molto di moda a Los Angeles e in qualsiasi città d'America, ovunque avrei potuto vedere cartelli simili a questi. Ci avrebbe abitato anche lui se avesse potuto: il fatto è che le chiese costano care e poi ci vuole un mucchio di soldi per il riscaldamento, d'inverno.

# CAPITOLO QUARTO

«Il mio nome è Herb Rosen. Chiamami pure HR. Anzi R.»

«OK, R. Chiamami OF. Anzi, F.»

«Bene, F. Cosa ne sai di ST?»

«Nulla, R. La ST non è mai stata il mio forte.»

«Male, F. Malissimo. Dovrò spiegarti un po' di ST.»

«Per carità, R. Non disturbarti.»

«E come fai a capire altrimenti gli STL?»

«Giusto, R. Allora posso avere un po' di HO?»

«Vuoi dire $H_2O$?»

«Mi sembrava più svelto HO.»

«Brava F! Sintetizzare, bisogna. Sintetizzare. Ragazze, portate un po' di HO.»

Successe una gran confusione. Le ragazze erano abituate a perdere tempo dicendo $H_2O$ e non capivano cosa fosse l'HO. R dovette spiegare che HO era acqua sintetizzata e quelle dissero che l'acqua sintetizzata non c'era, c'era solo l'acqua normale: perdemmo più tempo che se avessimo detto: «Un bicchiere d'acqua per favore». Alla fine però ebbi il mio bicchiere d'acqua, anzi di $H_2O$, anzi di HO, e fui pronta per una lezione sulla ST (Tecnologia Spaziale) che come tu ignori, papà, è la scienza che serve a lanciare un veicolo nello spazio, tenercelo, farlo volare, riportarlo giù sulla Terra. Pronta e bendisposta: Bradbury m'aveva iniettato una seconda iniezione di fede e la pendola delle mie incertezze, questa mattina, era ancora dalla sua parte, non dalla tua. Potevo perfino affrontare HR, il suo volto cattivo, i suoi occhi di gelo, i suoi baffi a spazzola che avrebbero intimorito un nazista. Potevo perfino apprezzare gli STL (Laboratori di Tecnologia Spaziale), un allucinante parallelepipedo di vetro nero in confronto al quale la sede della Montecatini a Milano sembra purissimo rococò; il vetro nero sostituisce i mattoni, il cemento, l'acciaio e agli STL non ci son muri, né finestre, né tetti. Solo quel vetro nero che nessun fulmine potrebbe spaccare, nessun fuoco bruciare, nessuna spia valicare: racchiude i segreti del viaggio alla Luna e ciò che avviene lì dentro è un mistero sovietico. Tecnici impiegati da anni ignorano a che serva il loro lavoro: chi lo sa, rischia con l'indiscrezione più innocua l'accusa di tradimento e la sedia elettrica. Poliziotti armati ti seguono sempre, ti sbarrano il passo: il massimo che tu possa vedere sono i cervelli elettronici che in mezzo minuto forniscon risposte cui cinquemila matematici insieme non riuscirebbero ad arrivare in trent'anni. E la gente qui parla come parlano loro: un cifrario composto di sigle anziché di parole. Le parole fanno perdere tempo, papà, e il tempo è prezioso. Costa milioni di dollari ogni minuto che passa.

«...e per concludere, le traiettorie. Mi spiego, F? A fornire le traiettorie provvede, ovviamente, il cervello elettronico.»

«Posso vederne uno, R?»

«Ma ci sei dentro, F!»

«Dentro, R?!?»

«Dentro, F. Questa stanza è un cervello elettronico: le pareti, il pavimento, il soffitto sono la sua scatola cranica. Quelle scatole di metallo sono la membrana che regge la sua materia grigia. Le batterie, gli ingranaggi, i pistoni, i fili elettrici, le leve sono i suoi vasi sanguigni, i suoi nervi. Non lo senti il rumore? È lui che pensa, lavora.»

«Perbacco, R. Mi par d'essere un bactero.»

«Lo sei, F. In confronto a lui lo sei: un miserabile bactero. Lui può risolvere qualsiasi operazione di calcolo differenziale e integrale: tu puoi? Lui può correggere qualsiasi rotta sbagliata di un'astronave, incanalarla nella giusta direzione, fermarla: tu puoi? Lui può imparare a memoria centinaia di libri di matematica, fisica, astrofisica, chimica, meteorologia: tu puoi? Lui può tradurre simultaneamente in qualsiasi lingua, comporre musica, scriver poesie: tu puoi? Non è una macchina, lui, è una creatura. È tanto più intelligente di noi che se avesse lingua e saliva ci sputerebbe in faccia non appena ci vede, ci ridurrebbe giustamente suoi schiavi.»

Sciolto il gelo, gli occhi di R brillavano una passione violenta, carnale, guardavano quell'intrico di ingranaggi pistoni fili elettrici leve come se fossero stati la più bella donna del mondo, distesa nuda in un letto.

«Dimmi, R: se chiedessi a questo Cervello di imparare a memoria tutta la biblioteca di Washington, lui lo farebbe?»

«Certo che lo farebbe!»

«E quanto gli ci vorrebbe per imparare a memoria l'*Iliade* e l'*Odissea*?»

«Dieci minuti, quindici.»

«E la *Divina Commedia*?»

«Quindici, venti.»

«E tutto Shakespeare?»

«Press'a poco lo stesso. Perché?»

«Perché, visto che la Biblioteca Nazionale di Washington è incendiabile e distruttibile, comunque non basta a contenere ogni cosa anche coi microfilm, tanto varrebbe usare il Cervello per salvare certe ricchezze.»

«Ricchezze, F? Sciocchezze, vuoi dire. Ed anche la tua proposta è una immensa sciocchezza.»

«Un'immensa sciocchezza, R?!?»

«Ovvio: è antieconomica. Lo sai quanto costa fargli studiare un trattato di fisica?»

«Shakespeare non vale forse un trattato di fisica, R?»

«Un trattato di fisica è utile, anzi indispensabile. Shakespeare, no.»

«No?!?»

«No. Inutile come il Partenone, come la Cappella Sistina, come la Torre di Giotto, come il tempio di Ramses, come ciò che venne prima della tecnologia.»

«Inutile?!?»

«Inutile, inutile. Ma non preoccuparti: la tecnologia si prepara a far piazza pulita di tutto.»

«Di tutto?!»

«Di tutto: leggi, sistemi, città. Credi forse che si possa insistere a lungo con certi fantasmi? Ripuliremo il mondo come si ripulisce una pentola: così. Abbatteremo tutto e lo rifaremo daccapo: così. Basta coi pazzi che vogliono fare della Terra un museo! Basta con i musei! Basta con questa mania del vecchiume! Disinfettare, disinfettare! Tagliare, tagliare! Abbattere, abbattere! Se non avessimo bruciato Roma, ora non ci sarebbe Roma. Se non avessimo polverizzato Hiroscima, ora non ci sarebbe Hiroscima. Via con la polvere, il marcio, la puzza!»

«R! HR! Rosen! Signor Rosen! Ma che dice?»

«Distruggeremo, ricostruiremo. Porteremo la morte per rifare la vita: esistere è condizionato a morire, muoiono gli uomini per far posto ad altri uomini, muoiono le cose per far posto ad altre cose, se non avessimo sradicato gli alberi oggi non esisterebbe New York, San Francisco, Parigi, Londra, Firenze. Non ci sarebbero chiese, palazzi, grattacieli. Vero è che anche i grattacieli son vecchi: lo sviluppo verticale di Manhattan risulta sempre più antiquato ed inutile. Buttar giù! Buttar giù!»

«Signor Rosen! Ma che dice, signor Rosen?!»

«Raseremo a terra New York. La rifaremo più pratica.»

«Ma che dice?!»

«Raseremo a terra San Francisco. La rifaremo più logica.»

«Ma che dice?!»

«Raseremo a terra Parigi. La faremo più comoda.»

«Ma che dice?!»

«Raseremo a terra Londra. La rifaremo più pulita.»

«Ma che dice?!»

«Raseremo a terra Firenze. La rifaremo più razionale.»

«No! Firenze no, perdio!»

«Non vorrai mica tenere quelle strade strette, quelle case sbilenche? Strade nuove! case nuove! Chiese nuove? Ecco quel che ci vuole! cariche di dinamite, perbacco! Cos'è...»

Cariche di dinamite: ricordi, papà? Scendeva giù per la strada che viene da Roma, dentro la notte, un cavallo bianco: e i suoi zoccoli scivolavano lungo l'asfalto come gocce d'acqua sul vetro che per un attimo fanno presa sul liscio e poi sdrucciolan svelte in un punto da cui sdruccioleranno di nuovo. Sul cavallo c'era un ufficiale tedesco, e la testa gli ciondolava come se avesse un gran sonno: solo quando il cavallo era lì per cadere lui alzava la testa, assumeva quella posizione spietata ed eretta, l'annuncio di ciò che stava per fare. Dietro il cavallo veniva un mulo con un cannoncino e per i marciapiedi, rasenti ai muri, sfilavano invece i soldati: lo zaino gonfio e il mitra imbracciato, uno stropicciar di scarponi. Eran coperti di fango e vergogna, avevano sete e sotto ogni finestra gridavano: «Wasser! Acqua! Wasser!». Le finestre restavano chiuse e così le sfasciavano coi calci del mitra, poi riprendevano il loro cammino: uno stropicciar di scarponi diretti laggiù, verso il ponte. Il nostro bel ponte, il ponte più bello del mondo.

«...cos'è questo culto dei sassi, delle screpolature, delle collezioni decrepite? Pulizia, pulizia! Logica, pratica, igiene, razionalità! Cariche di dinamite, perbacco! Anche...»

Il giorno avanti, tu lo sapevi, lo avevan minato. Avevan cacciato dalle case vicine la gente, senza lasciargli raccoglier le cose, e poi lo avevan minato. L'ufficiale sul cavallo bianco guidava l'ultimo gruppo della retroguardia: passato lui, passato il mulo con il cannoncino, passati i soldati che gridavano: «Wasser! Acqua! Wasser!», una mano due mani tre mani avrebbero acceso le micce e il nostro ponte sarebbe saltato. Il nostro bel ponte, il ponte più bello del mondo. Era la notte tra il 10 e l'11 agosto e la città stava per cambiare padrone. Il coprifuoco era incominciato nel pomeriggio alle cinque, e da ore, da secoli, eravamo chiusi dietro quelle finestre che guardavano proprio la strada: non lontana dal ponte. La mamma pregava, tu fumavi in silenzio. Quando la prima carica di dinamite scoppiò, uno specchio cadde e si ruppe. Ma il rumore era tanto che lo specchio si ruppe in silenzio.

«...anche le guerre servono a questo. Cos'era Coventry prima d'essere coventrizzata? Un nido freddo di piattole. Rifatta, l'abbazia ha perfino il termosifone. Cariche di dinamite, ci vogliono! Cariche di dinamite! Esse portano la primavera, portano...»

Più che un rumore, un boato. Il boato di cento fulmini insieme che arrivano, scoppiano, si allontanano, tornano per scoppiare ancora. Gomez, il tuo amico, lo incise su un disco e ci fece un commento: io piango ancora quando ascolto quel disco, papà. «Ma di tutti i rumori il più tragico è quello delle mine. Non sempre il nostro microfono è capace di contenerlo e la puntina che incide sobbalza atterrita...» Un boato. «Quale ponte sarà saltato nella notte? È tutto rosso il cielo sull'Arno...» Un altro boato. Un altro ancora. Ed un altro ancora, ed

50

ancora, ed ancora, e poi la voce di Radio Londra. «Gli americani, appoggiati da reparti britannici della Guardia, sono entrati nei sobborghi della città di Firenze nelle prime ore di ieri. Pattuglie esploranti spintesi innanzi per prender contatto con il nemico hanno constatato che cinque dei sei ponti sull'Arno erano stati distrutti. Uno di essi, il ponte di Santa Trinita, era una delle più perfette opere di architettura del Rinascimento...» Il nostro bel ponte, il ponte più bello del mondo. Giaceva in briciole di pietra, ormai, e le statue delle Stagioni eran schizzate laggiù in fondo al fiume, tra i pesci e la melma. Le ripescarono, un giorno, ma la Primavera era decapitata e la sua testa non si trovò più, non c'è più. Il ponte lo abbiamo rifatto: tutto nuovo, pulito, sembra disinfettato. Ma la testa della Primavera, lei non c'è più. E non c'è più neanche il nostro bel ponte, il ponte più bello del mondo.

«... portano il benessere, la salute, la vita.»

«Scusa, R. Non ti seguivo.»

«Dicevo che le cariche di dinamite portano il benessere, la salute, la vita.»

«Stai scherzando, vero, R?»

«Non scherzo affatto: se non si abbattessero i ponti, i palazzi, le chiese, come potremmo ricostruirne di nuovi? Il posto dove lo troveremmo? Io avevo una casa di quelle come piacciono a te: col tetto a pandizucchero, la veranda a colonnine, i caminetti per bruciarci la legna. Me l'aveva lasciata mia nonna in eredità. L'ho fatta saltare e al suo posto ora c'è una casa moderna, in stile giapponese-svedese.»

«Sei un bell'idiota, HR.»

«Idiota sei tu, cara F. Tu che vivi nel passato e sei cieca. Io vivo nel futuro e guardo lontano. Io appartengo alla élite, sono un leader.»

«I leader a volte finiscono male, HR. Passato il ponte, sul cavallo bianco, finiscono spesso sconfitti: a volte impiccati.»

«Impiccheranno te, cara F. E ti impiccheranno proprio quelli che credi dalla tua parte perché tu offri poesia ed io offro comodità, tu offri sogni ed io offro realtà, tu offri l'inutile ed io offro l'utile. Sei tu la sconfitta, io il vincitore. Se non fosse così, perché ti scalderesti tanto all'idea di andar sulla Luna?»

Intorno a noi il Cervello pensava, pensava, pensava, in un fruscìar di pistoni, di leve, di ingranaggi, di ruote, e d'un tratto mi parve che ci ascoltasse: irritato. «Usciamo» sussurrai ad HR con un filo di voce. «Lo stiamo disturbando, lo stiamo distraendo.» Ero ormai pronta per entrar nel futuro, nella capsula Apollo.

# CAPITOLO QUINTO

Io, quando mi ci chiusero dentro, tremavo. Mi sentii presa in trappola, rassegnata alla morte come quando giaci sul tavolo di una sala chirurgica e sopra di te stanno volti coperti di garza, qualcuno ti infila un ago nel braccio per narcotizzarti in un sonno da cui potresti non svegliarti mai più, e sopra di te è una luce gelida, bianca, che acceca. C'era anche qui una luce gelida, bianca, accecante, e malgrado ogni sforzo non riuscivo a convincermi d'essere in terra, nel capannone che accoglie la capsula Apollo, in una città chiamata Downey, nello stato di California. Sotto di me c'era il razzo, e la capsula era avvitata in cima a quel razzo; mi capisci, papà? Incominciava la conta a rovescio e i numeri diminuivano svelti, spietati. Allo zero si accendeva un gran fuoco, il razzo e la capsula si mettevano pazzamente a vibrare, tentennare, oscillare, poi una spinta apocalittica mi scagliava nel cielo e salivo, salivo, mentre una lastra di piombo mi toglieva il respiro, mi schiacciava il torace, e la Terra diventava lontana, sempre più lontana, ormai ero nel vuoto senza sopra né sotto, senza giorni né notti, senza rumori né silenzi, senza principio né fine, su, su, o giù, giù, verso il lontano satellite senza aria né acqua, senza verde né azzurro, senza animali né piante, senza nulla di ciò che per noi è la vita e serve a darci la vita. Per tre lunghi giorni, tre lunghe notti che non eran né giorni né notti mi spostavo in un niente che era come star ferma, fino a quando la Terra diventava una luna e la Luna una terra, vicina, sempre più vicina, così vicina ormai che potevo vederne la crosta, le lisce distese, i vuoti crateri, le montagne appuntite, e nessuno lì per aiutarmi. Né un uomo, né un mostro, nessuno.

«Aprite!» gridai. «Aprite per carità!»

Aprirono lo sportello ridendo, e fui fuori: nel capannone che accoglie la capsula Apollo, in una città chiamata Downey, nello stato di California. La capsula Apollo, cioè l'astronave che ospiterà i tre uomini diretti alla Luna, si costruisce qui: dentro questa caserma perduta nella grande pianura cui si accede solo con l'elicottero. È un cono bianco, d'acciaio smaltato di porcellana per resistere al gran caldo e al gran freddo, abbastanza simile alle astronavi marziane dei film di fantascienza. Ha un diametro di quattro metri e un'altezza di due, uno sportello per entrare, due oblò per guardare, è fatta come una capsula Mercury più comoda ed ampia, contiene tre sedili e i comandi. I comandi sono simili a quelli degli aerei a reazione. I sedili sono a forma di sarcofaghi egizi tagliati a metà o, se preferisci, lo stampo di un corpo umano: con una scodella per appoggiarvi la testa, un'incavatura per appoggiarvi la schiena, due scanalature per appoggiarvi le gambe fino al ginocchio, altre due scanalature per appoggiarvi le gambe dal ginocchio ai piedi. Lo stampo è sistemato in posizione orizzontale per la lunghezza del tronco, in posizione verticale per la lunghezza delle gambe fino al ginocchio, di nuovo in posizione orizzontale per il tratto che va dal ginocchio ai piedi. Supponi, per capir meglio, di seder sopra una sedia posata per terra dalla parte della spalliera: la schiena e le braccia risultano posate anch'esse per terra, le gambe fino al ginocchio risultano invece perpendicolari, dal ginocchio ai piedi sono di nuovo parallele alla terra. Incassati dentro i sedili, chiusi nelle tute spaziali, gli astronauti guardano dunque il naso del cono: questa posizione serve a tollerar meglio l'urto della partenza, l'invisibile piombo che schiaccia il corpo quando il razzo buca l'atmosfera e la forza di gravità diviene sei volte più del normale. Nel vuoto, invece, gli astronauti si trovan seduti come sopra una seggiola messa in posizione normale: l'Apollo infatti viaggia col naso del cono diretto in avanti. Gli astronauti dell'Apollo son tre. I loro sedili sono allineati l'uno accanto all'altro. Il terzo sedile è spostabile e può diventare un lettino. Quando è spostato, la capsula offre abbastanza spazio per un uomo in piedi. Di spazio ve n'è infatti pochissimo: poco più di quello che c'è in una bara. Guai a chi lo dice, però. Il fatto è che le astronavi dei russi sono molto più ampie e più comode e gli americani hanno un vero complesso per le cose più ampie e più comode. Le loro strade sono più ampie e più comode. Le loro case sono più ampie e più comode. Le loro automobili sono più ampie e più comode. Le loro scarpe sono più ampie e più comode. Le loro idee sono più ampie e più comode. Ma le loro astronavi non sono né ampie né comode, e ciò li umilia allo spasimo. D'altra parte non possono costruirle più ampie e più comode perché in tal modo peserebbero infinitamente di più, per sollevarle ci vorrebbe un carburante migliore e quel carburante essi non ce l'hanno.

La caserma dove si costruisce l'Apollo appartiene a una ditta il cui nome è North American Aviation e che prima costruiva armi ed aerei. Il dimezzamento della produzione bellica stava per condurla sull'orlo del fallimento, l'avventura spaziale le ha restituito il benessere. La North American vanta il più grosso contratto che un governo abbia mai firmato con una ditta: novecentotrentaquattro milioni di dollari e mezzo, pari a cinquecentottantun miliardi di lire italiane. Impiega undicimila tra operai ed impiegati, lavora alla capsula Apollo dal 1961: una sciocchezza, mi disse un funzionario orgoglioso, se pensavo che per costruire la bomba atomica ci vollero più di sei anni, per sviluppare la televisione ci vollero dodici anni, e quindici anni per perfezionare il radar, trentacinque per la radio, cinquantasei per il telefono, centododici per la fotografia. Naturalmente sapevo che alla North American si costruisce l'Apollo e non il razzo Saturno. Naturalmente sapevo che l'Apollo è una piccola parte del gigante che partirà da Cape Kennedy e l'unica parte che tornerà sulla Terra. No, non lo sapevo?!? Ma ciò era imperdonabile, scandaloso, ridicolo, non poteva essere vero! E allibito, sconvolto dall'indignazione, il funzionario mi guardava come io avevo guardato HR quando voleva distrugger Firenze, Parigi, Londra, New York. Evidentemente, concluse, bisognava rifarsi da zero: che lo seguissi in sala di proiezione dove mi avrebbe mostrato il film *Missione Apollo*, fatto con i disegni. Lo seguii ed ora stai attento, papà: il film non è facile.

Sei pronto? Sì? Ecco. È l'alba di un giorno a venire e i tre sono chiusi lassù dentro il cono, immobili e inermi. Il mastodontico razzo, il Saturno, è piazzato sulla piattaforma di lancio e si erge nei suoi centotrenta metri di altezza. Un grattacielo rotondo, liscio, dipinto di bianco. A colpo d'occhio lo diresti fatto di un unico pezzo: invece è composto di tre piani diversi, ciascuno coi suoi motori e il suo combustibile, ogni piano gli serve per darsi una spinta. In cima al terzo piano è avvitata la capsula, con loro tre. Immobili, inermi. L'alba di un giorno a venire, già giunto. La vedi? La senti? Fa freddo. In Africa, in Australia, alle Hawaii, negli Stati Uniti, ovunque esista una base di controllo, tutti son pallidi dinanzi ai calcolatori elettronici, gli apparecchi televisivi, le radio. La conta a rovescio sta arrivando alla fine: meno sei... meno cinque... meno quattro... meno tre... meno due... meno uno... accensione! Come un vulcano che improvvisamente si sveglia e sputa l'inferno, una fiammata ciclopica erompe dai cinque motori, squassa il cielo e la terra, avvolge il razzo in un vapore che bolle. Lentamente il grattacielo si stacca dalla piattaforma di lancio, si alza, accelera, si infila nel cielo. Va avanti coi motori del primo stadio, cinque bocche di fuoco che bruciano per due minuti e mezzo: quando l'ultima goccia di carburante è succhiata, i due minuti e mezzo sono trascorsi, il primo stadio si sgancia e il secondo si accende. Altre cinque bocche di fuoco che bruciano sei minuti e mezzo portando il razzo già dimezzato nell'orbita giusta, a girare intorno alla Terra. È girando intorno alla Terra che esso prende velocità e ora ecco, l'ha presa, son passati anche i sei minuti e mezzo, è finito anche il carburante del secondo stadio: il secondo stadio si sgancia, si abbandona nell'infinito, il terzo stadio si accende. Il razzo ancora più corto (lo vedi mentre si semina a pezzi nel cielo?) è ormai pronto per infilare il corridoio celeste che lo condurrà diretto alla Luna. Nella capsula Apollo gli astronauti son tesi come corde tese di acciaio: il corridoio celeste è largo appena quaranta miglia. Un calcolo impreciso, una manovra sbagliata, e non arriveranno alla Luna, non arriveranno mai in nessun posto, si perderanno in un vuoto che conduce solo nel vuoto. Il dialogo che si svolge fra i tre e i compagni laggiù sulla Terra è angoscioso. Ricordi quello fra Schirra e Glenn, quelle frasi mozze, nervose?

Glenn: «Roger. Qui Roger. Rispondetemi, Roger».

Schirra: «Roger. Chiamo Roger. Roger. Mi senti, ragazzo?».

Glenn: «Roger. Qui Roger. La retrosequenza è verde, la...».

Schirra: «Passa i... Passa i...».

Glenn: «Dillo di nuovo. Roger. Qui. Roger. Dillo di...».

Schirra: «...secondi».

Glenn: «Roger. Qui Roger! Non sento!».

Schirra: «...cinque, quattro, tre, due, uno, accendi!».

Glenn: «Ho acceso, ho acceso. Ma mi sembra di tornare indietro».

Schirra: «Non lo fare, non lo fare! Stai andando ad est».

Glenn: «Roger. Qui, Roger. La retroluce è verde».

Schirra: «Sì, tutte e tre sono verdi. Riprova. Riprova».

Glenn: «Sissignore, va bene, Wally. Va bene, Wally».

Schirra: «Roger. Roger. Roger. OK, Roger. OK, ragazzo; ce l'hai fatta».

Ecco: sono entrati nel corridoio celeste. Ce l'hanno fatta, per ora, e viaggiano a una velocità mai provata: venticinquemila miglia ogni ora. Volano lievi come farfalle, una piccola fiamma dentro il gran nero, ma ora stanno per fare qualcosa di molto difficile: qualcosa in confronto a cui le retroluci verdi di Glenn erano un gioco di bimbi, papà. Fra cinque minuti, quando anche il carburante del terzo stadio sarà tutto esaurito, il terzo stadio si sgancerà per aprirsi come un libro e liberare il LEM: vale a dire il veicolo che atterrerà sulla Luna. Allora la capsula Apollo dovrà girar su se stessa e acchiapparlo: per condurlo con sé, avvitato sul naso del cono. Ecco, il terzo stadio s'è sganciato, s'è aperto. Dagli sportelli spalancati sta uscendo un oggetto curioso: una specie di scatola con quattro zampe che terminano in un disco rotondo, a ventosa. Gli astronauti lo chiamano Insetto, mai LEM: forse per via delle zampe, sembra un gran ragno. Sulla testa del ragno c'è un buco. Ed è in quel buco che la capsula Apollo deve avvitarsi col naso, acchiapparlo per condurlo con sé. Riuscirà? Da Terra giungono, sempre più fievoli, le disposizioni, i comandi. Frasi preziose si perdono sbriciolate nel buio, i tre astronauti le rincorrono invano. Coraggio, signor Schirra. Coraggio, signor Cooper. Coraggio, signor Carpenter. Coraggio signor X, signor Y, chiunque voi siate. Noi preghiamo per voi. Non siamo mai stati molto bravi a pregare, vero, papà? Anche quando saltavan quei ponti non riuscivamo a pregare: le nostre labbra eran mute come il nostro cervello. Questa volta però ci proviamo. Io, almeno, ci provo.

Senza perdere la rotta, la capsula Apollo si gira. Va verso l'Insetto, lo attende. Si infila in quel buco, si avvita. Si gira di nuovo e prosegue con quella scatola strana, giù giù, o su su, per tre giorni e tre notti. Tre giorni terrestri, tre notti terrestri: lì non c'è né giorno né notte, il nero è nero di giorno e di notte, quando una luce si accende ti sfiorano orrende minacce. Meteoriti, ad esempio. Un meteorite grande come un pisello basterebbe da solo a colpire la nave, sfondarla. E i tre uomini non possono farci nulla: se accade, possono tutt'al più saltare nel vuoto, tentare una riparazione. Guardiamoli dunque mentre saltano nel vuoto, questi omini vestiti d'una tuta d'argento, la bombola colma di ossigeno attaccata alle spalle, la testa chiusa dentro un casco di plexiglas. Sembrano palombari che riparan la falla a una nave, fluttuan perfino come se fossero in acqua, ed hanno tanto coraggio, perdio! Lo hanno anche quando rientrano e a turno si tolgon la tuta, si gettano sopra la branda, papà. Sì, lo so: era brutta la branda in prigione, era brutta la notte in attesa di un'alba che poteva anche non venire. Stavi lì sulla branda e guardavi la porta: se la porta si apriva, non c'era alba per te. Per molti non ci fu alba: s'erano appena distesi per tentar di dormire che la porta si aprì e, quando li misero al muro, i fucili spararono come meteoriti nel cosmo. Lo so. Però è brutta anche qui, quella branda: perché sono anche loro probabili condannati a morte. Anche loro sono in prigione. Sarà giorno, sarà notte sulla palla lontana che chiamano Terra? Da una parte sarà giorno e dall'altra sarà notte: ma la notte poi diverrà giorno, ed il giorno poi diverrà notte. Qui invece la notte è sempre la notte. Senza ieri e senza domani. Ti stendi sopra la branda e che dici ai compagni che rimangono seduti ai comandi? Buonanotte? Buongiorno? Buon pomeriggio? Buon niente? Buon niente. L'uomo si stende sulla branda, in silenzio, si allunga. Chiude gli occhi, sogna gli ieri e i domani. Sogna la sua casa, la sua donna fra i lenzuoli, la Terra.

Non che sognare sia lecito, anzi prudente. Il cervello si stanca a sognare, e stancarsi è suicidio: le cose da fare son troppe. Il primo giorno la forza di gravità della Terra rallenta la corsa di 6500 miglia all'ora: bisogna accelerare senza perdere carburante eccessivo. Il secondo giorno la forza di gravità della Terra rallenta di sole 1500 miglia all'ora: ma il terzo giorno la forza di gravità della Luna comincia a risucchiarli e bisogna decelerare per non caderci a picco. Bisogna scivolarvi a poco a poco, così, entrare nella sua orbita, così, a sessanta miglia sopra la Luna, non prima e non dopo, staccare l'Insetto. È ormai giunto il momento di salutarsi e dividersi: un astronauta resta nell'Apollo, gli altri due si calano giù nell'Insetto, nel LEM. Buona fortuna, compagno. Buona fortuna, compagni. La botola attraverso la quale si sono calati vien chiusa, i due prendono posto nella nuova prigione, ai nuovi comandi. Lentamente si svitano dalla capsula Apollo poi scendono a dieci miglia sulla superficie lunare: per decidere il punto dell'atterraggio. Quel cratere lì sotto. Ha l'aria d'essere buono, sicuro. Ha l'aria d'essere spento. Lo strano veicolo vi si dirige ronzando, era a dieci miglia ed ora è già a cinque, a quattro, a tre, a due, a uno, si abbassa a mo' di elicottero, si posa in mezzo al cratere e lo strano veicolo che chiamano LEM sembra una sedia, o davvero un insetto. Ci siamo? Ci siamo. I motori si spengono. Due paia di occhi frugano oltre gli oblò. Oltre gli oblò si stende un deserto cui manca anche il vento, e quella è la Luna. La Luna? Non si vede che lava, e poi rocce, e poi di nuovo lava, e poi di nuovo rocce. Il cielo è un inchiostro bucato di luci e tutto sta fermo, una quiete di morte. Attraverso i caschi di plexiglas, i due astronauti si guardano per ritrovare nei reciproci sguardi la vita. Quanto conforto può dare uno sbatter di ciglia, un girar di pupille. La Terra intera, col suo verde e il suo azzurro, in uno sbatter di ciglia, in un girar di pupille. E la voce del compagno che vola, lassù, è all'improvviso la voce del padre, la madre, la donna che ami, è la musica più bella che hai udito.

«LEM. Qui LEM. LEM chiama Apollo. Ci senti?»

«Apollo. Qui Apollo. Apollo chiama LEM. Vi sento.»

«LEM. Qui LEM. È fatta, ci siamo.»

«Apollo. Qui Apollo. Controllate per il rilancio.»

«LEM. Qui LEM. Rilancio controllato.»

«Apollo. Qui Apollo. Buona fortuna, ragazzi.»

«LEM. Qui LEM. Buona fortuna anche a te. Arrivederci.»

Non dirmi che resti indifferente, papà. Non ti credo. Sei stato solo anche tu e sai bene cosa vuol dire. Hai avuto paura anche tu e sai bene cosa vuol dire. Ma la loro paura, la loro solitudine è qualcosa che va oltre le tue esperienze, le nostre esperienze. Non hanno niente con sé, mi capisci? Niente fuorché cibo e strumenti e speranza. Tu non avevi cibo, non avevi strumenti, non avevi speranza quando stavi in quella prigione: lo so. Ma avevi la Terra. Anche se ti ammazzavano, avevi la Terra. Loro due no. Non hanno nemmeno la Terra. Della Terra non son rimasti che due sguardi, una voce. E nient'altro ha importanza. Se quel coso ce la farà a risalire, se quell'altro coso ce la farà a tornar nell'azzurro, atterrare, i giornali strilleranno come cornacchie sul primo che è sceso, sul primo che ha messo piede sopra la Luna. Per loro due nemmen questo conta. Io sono te e tu sei me. Se io vivo, tu vivi. Se tu vivi, io vivo. Se io muoio, tu muori. Se io scendo per primo, tu scendi per primo. Se tu scendi per primo, io scendo per primo. Coraggio, fratello. Che Dio ti protegga, fratello. Uno sportello si apre, una scala di alluminio si allunga fino a toccare il suolo. Un uomo scende con tutto il suo carico di strumenti e di ossigeno: strana creatura chiusa in uno scafandro. Guardalo bene, papà.

Guardalo mentre posa un piede, poi un altro piede, e si arresta. Guardalo mentre alza il capo, cammina. Cammina piano piano, lento lento, senza staccare le scarpe dal suolo, strascicandole quasi, diffidente, prudente: c'è un sesto di gravità sulla Luna, se facesse un passo vero, un passo terrestre, volerebbe via come una palla poi ricadrebbe come una palla ma la caduta lo rilancerebbe come una palla, e lui volerebbe di nuovo, come una palla, grottesco, ora su e ora giù, ora giù e ora su, all'infinito, e nessuno riuscirebbe a fermarlo. Guardalo bene: forse la tentazione di darsi una spinta e diventare una palla ce l'ha. Si sente talmente leggero, si sente una piuma. Perfino la tuta che sulla Terra era pesante qui è leggera, leggera, una piuma. Perfino la bombola in cui è racchiuso l'ossigeno è leggera, leggera, una piuma. Perfino i pesanti strumenti che porta con sé: gli sembra d'esser sott'acqua, nel mare, nei sogni di quand'era bambino. Se impazzisse potrebbe salire fino a quel picco e buttarsi giù, come un angelo. Si sente le ali. È spaventato e si sente le ali. Gli dispiace, di colpo, per il terzo compagno che è rimasto lassù: ad aspettarli. Tutto questo viaggio per restare lassù, ad aspettarli. Se tornerà sulla Terra, gli faranno domande anche a lui: com'è la Luna? Assomiglia alla Terra? È più bella? Più brutta? Che effetto fa camminarci? E lui non lo saprà, dovrà dire non l'ho vista la Luna. Sono arrivato lì e non l'ho vista. Come Tantalo tendevo la mano e non riuscivo a toccarla, non potevo toccarla. Giravo intorno, io. Giravo e basta. Giravo e giravo e giravo: come un Caino. O uno sfortunatissimo Abele.

Dobbiamo dunque invidiarlo quest'uomo che invece cammina su e giù per la Luna, papà? Quest'uomo leggero leggero che potrebbe salire fino a quel picco e buttarsi giù come un angelo? Guardiamolo ancora mentre avanza misurando ogni passo. Sulla Luna non c'è atmosfera, lo sai: senza quella, il bombardamento dei meteoriti è continuo, incessante. Piombano addosso in un fiammeggiar di comete ed è lo stesso che uscir di trincea per andare all'attacco. Il suolo è una lava su cui puoi scivolare e strapparti la tuta; quando non è una lava, è una coltre di polvere che nessun vento spazzò: così alta, ormai, così fine che puoi comodamente affogarci. Bando alle poesie: è in quel paesaggio che l'uomo dovrà passare ore e ore. E sai come? Lavorando sodo. Se i proiettili del cosmo non lo fulminano, se la polvere non lo inghiottisce, egli sistema gli strumenti che dovranno farlo comunicar con la Terra, il telescopio che dovrà trasmettere notizie alla Terra, prende campioni di roccia, di lava, di sabbia, scatta fotografie. Molte fotografie. Poi, allo scadere delle due ore, torna al suo Insetto e dà il cambio al compagno che a sua volta scende e continua per altre due ore: il cambio si ripete e va avanti per otto ore. Né devono capitare imprevisti, né devono mutare il programma: gli scienziati hanno detto che dopo otto ore i due astronauti si chiuderanno dentro l'Insetto, mangeranno il cibo stabilito, dormiranno le ore stabilite, si sveglieranno al momento stabilito e ripartiranno. Ripartiranno...

Ma funzionerà?

Funziona: i sogni funzionano sempre, papà, e anche i film. Io sto raccontandoti un film. Meno trenta... meno venti... meno dieci... meno quattro... meno tre... meno due... meno uno... via! La fiammata si accende, brucia per sei minuti e venti secondi, l'Insetto si stacca dal deposito del carburante, abbandona in mezzo al cratere quella specie di sedia, di ragno, si alza alla velocità di quattromila miglia all'ora: una scatola senza ali né eliche e dentro due uomini stanchi che vanno a cercare il terzo compagno nel cielo. Il loro veicolo è ormai senza motori, per raggiunger l'Apollo non ha che la spinta con cui balzò su, e non può fare manovre: tocca all'Apollo raggiungerlo, far la manovra. L'Apollo impiega un'ora per porsi nella posizione corretta. Gira intorno alla Luna, gira e rigira, ed ogni orbita è un poco meglio, ogni volta è un po' più vicino. Vola ad appena settanta miglia all'ora, dista appena tre miglia, quando la manovra per agganciarsi incomincia. È la stessa manovra che fece allorché il terzo stadio del Saturno si aprì come un libro liberando l'Insetto: però allora eran tre ad aiutarsi e i loro cervelli eran riposati dal sonno terrestre e da Terra trasmettevano i calcoli esatti. Però allora era vuoto, l'Insetto: se lo perdevano, facevan soltanto una brutta figura. Ora ci sono due uomini dentro, due compagni, due fratelli, e non bisogna sbagliare. Sbagliare sarebbe assassinio. Sarebbe lasciarli per sempre lassù. Coraggio. Millimetro per millimetro l'Apollo si accosta, entra col naso nel buco, si avvita. Un respiro di sollievo e i due astronauti rientrano attraverso lo stretto budello nella capsula madre, tre mani si toccano: è andata ragazzi. È andata e proviamo a tornare: tutti insieme, di nuovo. L'Apollo si svita dall'Insetto ormai vuoto, lo abbandona nel cielo, poi accende il suo razzo e rientra nel corridoio celeste che conduce alla Terra. Un corridoio largo quaranta miglia, un ago sottile e invisibile da cui non si può uscire nemmeno di un metro altrimenti la Terra è mancata: e neanche per questo stavolta vi son gli scienziati, i calcolatori elettronici. Sono soli, soli, soli e infilare quell'ago da soli è mille volte più arduo. È come stare, stavolta, all'angolo di un campo di football, seduti sopra un oggetto che dondola e vibra, e sparare con un vecchio fucile a un soldino che sta all'angolo opposto del campo, e si muove. Devi mirar giusto, diritto. Se non miri giusto, diritto, un centimetro diventa un metro, un metro diventa un chilometro, un chilometro diventa migliaia di chilometri, migliaia di chilometri diventano l'infinito, e tu diventi un meteorite che va intorno al Sole, per cadere un giorno nel Sole. Aiutali, Dio, te ne prego.

Aiutali perché son così inermi, sono come bambini scaraventati in un pozzo, bambini che cercavan la luce e invece caddero giù dentro un pozzo. Sostituirono i prati veri coi prati di plastica, le rose vere con le rose di vetro, le piante vere con le piante di gomma: ma lo fecero perché eran bambini e i bambini non devon morire. Devono vivere, devono colpire il soldino che sta all'angolo opposto del campo, così, infilarsi nella cruna dell'ago, così, continuare per tre giorni e tre notti, così: il cono bianco rifà la strada di prima, ripassa tra i micidiali piselli di fuoco che bastan da soli a sfondare la capsula, i raggi cosmici, le insidie. Partì in cima a un grattacielo di centotrenta metri e se ne torna solo: tutti quei miliardi, quelle bravure di anni si son perdute nel cosmo come briciole secche di pane. E i tre uomini dentro? Guardali ancora, papà. Eran forti e ora sono sfiniti. Erano eccitati e ora sono disfatti. I loro occhi son rossi, la loro barba è lunga. Non hanno più voglia di mangiare, di bere, di dormire, di sognare. Hanno voglia soltanto di tornarsene a casa e in quest'unica voglia passano i giorni e le notti, i giorni che non son giorni e le notti che non son notti, mentre la Terra li succhia, li attira, li chiama, e ormai sono al limite dell'atmosfera, ci si tuffano dentro, decisi, una bomba incandescente che frigge, è tutta rossa quando appar nell'azzurro e piomba giù come un sasso. Poi il naso del cono si apre, tre paracadute a strisce gialle e arancioni si spalancano. E da questi tre, altri tre. Dagli altri tre, altri tre ancora, quasi fuochi d'artificio in estate: quando un ventaglio di luce partorisce un altro ventaglio di luce, e poi un terzo, poi un quarto, finché il cielo diventa una follia di colori, tu torni bambino e vorresti gridar come ora, di entusiasmo, di gioia. Sono tornati a casa, son salvi! Li aspettano i prati, le loro donne fra i lenzuoli, la Terra. Grazie, Signore. Qualcuno accese la luce.

Era il funzionario di prima. Chiedeva se il film mi fosse piaciuto, «Interessante, nevvero?», e mi annunciava un appuntamento col dottor Celentano al ristorante Tahitian Village. «Interessante. Sì, certo.» La nebbia s'era un poco levata, il dottor Celentano era un bel giovanotto specializzato in medicina spaziale, e il Tahitian Village era un posto pieno di conchiglie e canoe. Vi servivan tra l'altro una violentissima bevanda a base di rum che aumentava anziché diminuirla una misteriosa tristezza. Mentre mangiavamo roastbeef e fave, un gruppo di indossatrici sfilava tra i tavoli mostrando vestiti di non so quale cotone sintetico. Dinanzi al dottor Celentano si fermavano, garrule, porgevano una manica o un fianco perché lui toccasse la stoffa, e pronunciavano il prezzo: «Quindici dollari e quarantasei cents. Trentadue dollari e ottantadue cents». Il dottor Celentano arrossiva, chinando gli occhi sul roastbeef, e continuava a parlar della Luna.

Diceva che viverci non avrebbe presentato problemi: nella colonia lunare si poteva installare rifugi di plastica e naturalmente capivo il vantaggio che ne derivava per gli ammalati di cuore. «Nessuno può mai prevedere cosa nasce da un'impresa scientifica. In medicina molte scoperte furon fatte per caso. Non mi stupirei se tra vent'anni la Luna diventasse un gran sanatorio per i cardiopatici. Pensi solo al sollievo che causerebbe su loro la gravità ridotta ad un sesto.» Il dottor Celentano era molto ottimista e il suo sorriso assai convincente. Paragonava la spedizione alla Luna col viaggio di Cristoforo Colombo e ripeteva che è sciocco porsi i perché: perché andare, perché sbarcare, a che serve. Anche quando Colombo partì la gente si poneva i perché: perché andare, perché sbarcare, a che serve. Perfino i suoi marinai brontolavano «a qual scopo, e con questo?». Nel campo delle ricerche ci si muove spesso senza una giustificazione precisa, il perché non è mai imminente. Io mangiavo, bevevo, ascoltavo e la misteriosa tristezza svaniva. Ma poi accadde qualcosa, non ricordo in quale momento né come, e la tristezza tornò. Il discorso era scivolato, mi sembra, sugli astronauti e il dottor Celentano mi chiese cosa pensassi di loro. Risposi che non li conoscevo, sarei andata a conoscerli fra qualche giorno nel Texas, per ora potevo dire soltanto che ne pensavo cose molto diverse: a momenti mi sembravano eroi, a momenti robot, a momenti mi sembravano martiri. Di sicuro, comunque, non dovevan esser tipi qualsiasi: un uomo normale non esce sano da tali esperienze.

Il dottor Celentano ebbe un gesto di impazienza: «Sciocchezze! Gli astronauti non sono eroi, non sono martiri, non sono robot. Sono uomini come tutti gli altri. Atleti, diciamo, ma non quanto un calciatore o un ginnasta. Intelligenti, diciamo, ma non quanto uno scienziato o un filosofo. Sulle spiagge della California si trovano corpi assai più robusti e, nelle università, menti molto più eccelse. Del resto non devono essere geni: basta che siano buoni piloti e buoni ingegneri, con qualche nozione di geologia». E il loro coraggio, dottore? «Storie! Anche quello è normale. Sono soldati, quasi tutti son stati alla guerra: andar sulla Luna, per loro, è come andare alla guerra. E poi non dimentichi che il loro mestiere era collaudare gli aerei: ci vogliono nervi d'acciaio per guidare un aereo su cui nessuno è salito prima di te, restar lì a guardare un motore che brucia, buttarti col paracadute solo un attimo prima che esploda. Collaudare gli aerei è più pericoloso che volare nella capsula Mercury o nella capsula Apollo. Con queste si prendono precauzioni infinite, con quelli nessuna.» E la solitudine che soffrono dentro il gran vuoto, dottore? «Fantasie! Non è più dura di quella che uno soffre in mezzo al deserto o dentro un sottomarino. I marinai dei sottomarini non stanno anche tre mesi sott'acqua? Ho provato io stesso, dentro un simulatore. Non è poi tanto tremendo.» Davvero, dottore? Mi dica. «Be', non che sia proprio semplice, ecco. Anzi, a voler essere esatti, un po' scomodo lo è. L'esperimento durò otto giorni, nel simulatore c'ero con due astronauti, e al terzo giorno cominciammo tutti a sentirci nervosi. Ricordavamo benissimo di trovarci su questa Terra ma non dimenticavamo che noi eravamo lì dentro e gli altri eran fuori. Non ci andava via dalla testa il sospetto che ci abbandonassero. Così, al quarto giorno, cominciammo a maltrattar gli strumenti, a insultarli con bestemmie feroci. Al quinto giorno ci odiavamo fra noi, non sopportavamo i reciproci odori, rumori. Al sesto qualcuno protestava di voler uscire. Al settimo qualcuno soffriva di allucinazioni: uno vedeva un gran buco aprirsi sotto i suoi piedi e voleva tapparlo e non riusciva a tapparlo, un altro vedeva un incendio e voleva spengerlo e non riusciva a spengerlo, tutti e tre vedevamo volti umani al posto delle leve e dei bottoni. Sì, a voler essere esatti, un po' scomodo lo è. La cella più angusta di un carcere diventava un paradiso, in confronto. E con questo?»

La sfilata delle indossatrici proseguiva, un po' assurda. Esauriti i modelli da cocktail eran passate ai vestiti da sera e il mio cervello era un'allucinante insalata di tute spaziali e di scollature impudenti, di mani tese a spenger l'incendio e di seni tesi verso il dottor Celentano. Il dottor Celentano aveva un particolare successo con la bionda più bionda e costei gli indugiava dinanzi proprio quando il racconto diventava più drammatico, triste. Il dottor Celentano diceva ad esempio: «Uno vedeva un gran buco aprirsi sotto i suoi piedi sicché voleva tapparlo ma non riusciva a tapparlo» e la bionda agitava il sedere e diceva: «Vestito da ballo con bustino a corolla: quarantadue dollari e cinquanta cents». Al posto del buco danzava un vestito da ballo e la cosa aveva un sapore di insulto. A ogni modo, proseguì il dottor Celentano, certi sacrifici erano indispensabili per trasformare i viaggi alla Luna in normale routine: «Non vogliamo mandare soltanto astronauti, lassù. Vogliamo mandarci i migliori scienziati, medici, astronomi, geologi. La prossima stazione spaziale, ad esempio, dovrà essere abitata da loro, non dai piloti». Allora gli chiesi perché, nella prima spedizione, non mandavano due astronauti e uno scienziato invece di tre astronauti, e il dottor Celentano rispose quello che segue. «Scienziati? Ora?!? Ma la capsula Apollo è uno strumento insicuro, primitivo, la capsula Apollo è pericolosa: solo le caravelle di Colombo eran pericolose come la capsula Apollo. Rischieremmo di perderli, i nostri scienziati. Dobbiamo pur farli viaggiare con la certezza che sopravvivano, no?» E gli astronauti, dottore? Non devono averla questa certezza? «Gli astronauti... mia cara, se lo metta in testa: gli astronauti non sono che gladiatori: i gladiatori dell'era spaziale. E si mandano i gladiatori a morire.»

Rispose così e proprio in quel momento la bionda si fermò al nostro tavolo per aprire la serie dei negligé. Il suo negligé era nero, assai trasparente, e si componeva di tre minuscoli pezzi: un reggiseno, uno slip, una vestaglia invisibile come il suo pudore. La bionda fissò il dottor Celentano con l'aria di dire sì, mi piaci, ragazzo, ci vediamo stasera, e la sua voce di gallinella gracchiò: «Solo ventidue dollari e quindici cents». Poi, lentamente, assai lentamente, si sfilò la vestaglia e offrì un corpo pallido, illividito dal freddo dell'aria condizionata. Il reggiseno era insufficiente, il petto ne prorompeva festoso. Lo slip era molto ridotto e, sull'inguine, portava un bel cuore rosso. Il dottor Celentano sbatté rapito le ciglia.

Nient'altro che gladiatori, mia cara. I gladiatori dell'era spaziale. E si mandano i gladiatori a morire.

# CAPITOLO SESTO

L'elicottero volava dentro il pulviscolo argenteo e sotto di me la città si stendeva monotona, senza principio né fine. Villette allineate come celle di un alveare. Piscine luccicanti d'acqua azzurra. Strade interminabili e dritte come canne di fucile. Montagne affettate, spuntate, ridotte alla forma di un cubo. File di automobili in corsa. Parcheggi di automobili. Cimiteri di automobili. E a ovest l'oceano irsuto, rabbioso. Presto mi stancai di guardare, aprii il pacco che avevo con me, ne tolsi quattro sacchetti trasparenti di plastica: a colpo d'occhio, quattro biberon. Il primo conteneva una polvere verde; quasi una cipria. Il secondo conteneva briciole secche, quasi una sabbia. Il terzo conteneva fili gialli e leggeri, quasi capelli. Con dita perplesse li palpai, tentai di convincermi che quei capelli eran spaghetti, quella' ghiaia era aragosta, quella sabbia era pane, quella cipria era minestra. Gli spaghetti, l'aragosta, il pane, la minestra che gli astronauti mangeranno durante il viaggio di andata e ritorno alla Luna. Il cibo spaziale. Il cibo del nostro futuro. Il cibo che ci nutrirà su Marte, su Venere, ovunque cercheremo altre case, papà.

Me lo aveva dato dopo lo strano pranzo al Tahitian Village un altro medico della North American: questo specializzato in dietetica. E, quel che è peggio, me lo aveva fatto assaggiare: così dimostrandomi che teoricamente il cibo spaziale è davvero composto di ciò che mangiamo su questo pianeta, praticamente è una gran porcheria. Prima cucinato come cibo normale, poi disidratato e congelato con un sistema di sublimazione, infine polverizzato e spezzettato come se servisse a un bambino o a un vecchio privo di denti, esso viene ridotto a un decimo di quel che pesava: quindi chiuso nei sacchetti trasparenti di plastica che hanno il vantaggio di non essere voluminosi né pesi. Di sicuro, aveva detto lo specializzato in dietetica, non ignoravo che la cosmonave non porta più di un certo peso, non ignoravo nemmeno che nutrir gli astronauti con pillole era sconsigliabile. Il processo di sublimazione risolveva quindi certi problemi: dentro una scatola grande come una scatola da scarpe entrava tutto il cibo che serve a tre uomini per due settimane. Un menù variatissimo e ricco: conteneva anche bistecche, purea di patate, insalata di pollo, fagiolini, frutta, formaggio, aranciata, limonata, cioccolata, latte, caffellatte, caffè, non mancava che il vino perché gli alcoolici, come il fumo e le donne, sono lussi proibiti durante il viaggio alla Luna. Capisco, dottore. Ma per mangiar questa, roba, per bere? Il brav'uomo mi aveva guardato sorpreso: via, non immaginavo? Bastava prendere un po' d'acqua, così, iniettarla con una siringa dentro il sacchetto, così, agitare e palpeggiare onde mischiare il tutto, così, ed in pochi minuti il cibo riacquistava il volume e la consistenza normali: la minestra tornava minestra, il pane tornava pane, l'aragosta tornava aragosta, gli spaghetti tornavan spaghetti. E poi? E poi si infilava in bocca il biberon e si succhiava proprio come fanno i neonati durante l'allattamento. E poi? E poi masticare, perbacco, altrimenti mi andava tutto attraverso. Presto! Un po' d'acqua! I polmoni pieni di aragosta disidratata e reidratata, gli occhi spalancati e il volto paonazzo, tossivo addosso al brav'uomo tutta la mia inesperienza spaziale e: non capivo che mangiare con cucchiaio e forchetta è impossibile? In assenza di gravità anche il cibo si mette a volare, volando fluttua e si posa nei luoghi più impensati: cosa accadrebbe se l'astronauta fosse costretto a scacciar i piselli come le mosche? Se uno spaghetto al sugo finisse sopra un calcolatore elettronico? Sì, dottore. Certo, dottore. Poi, finito l'attacco di tosse, gli avevo chiesto di regalarmi i sacchetti che ora guardavo pensando alla tua faccia, papà, quando te li avrei portati: «Gli uomini sono pazzi, pazzi! Possibile, possibile che tu possa esaltarti dinanzi a simili prove di follia?».

Rifeci il pacco e mi allacciai la cintura di sicurezza: l'elicottero stava calando dentro la Garrett, la ditta che fabbrica i sistemi di controllo delle capsule spaziali: in parole più semplici, gli strumenti che servono a tenere in vita l'astronauta.

Impianti di riscaldamento e raffreddamento, di ossigenazione e depurazione. di pressurizzazione e di umidità: tutto ciò che è indispensabile insomma a creare dentro la capsula e la tuta spaziale un'atmosfera terrestre, come avrebbe detto il dirigente accigliato. Il dirigente accigliato mi aspettava all'ingresso. Anzitutto, disse con l'aria di pronunciare chissà quale sentenza, dovevo sapere chi era Cliff Garrett: un grand'uomo. Cliff Garrett e non altri aveva fondato la Garrett, fabbrica di pionieri, industria tra le più importanti nel campo aeronautico e spaziale; alla Garrett, a non altri, si doveva se nessun astronauta lanciato dagli Stati Uniti era morto per ora. Chiarito ciò, mi preparassi a vedere l'ultimo miracolo della Garrett: il sistema che trasforma il sudore e l'urina in acqua pura, bevibile. Che osservassi questo impianto di tubi e di sfere: sì, era lui che trasformava il sudore e l'urina in acqua pura, bevibile. Naturalmente egli non perdeva tempo a spiegarmi il funzionamento: non avrei capito un bel nulla e lui intuiva in mezzo secondo se un visitatore si intende di ingegneria oppure no. Mi limitassi a rispondere a qualche domanda, piuttosto. E mi puntò contro l'indice.

«Di cosa è composto il carburante pei voli spaziali?»

«Di ossigeno e idrogeno liquido, signore.»

«Qual è il difetto di quel carburante?»

«L'esser molto peso, signore.»

«Qual è il problema numero uno per una cosmonave?»

«Non aver troppo peso, signore.»

«Perché una cosmonave non porta a bordo l'acqua?»

«Perché è pesa e si fabbrica con il carburante, signore.»

«Cosa accade quando la capsula Apollo viaggia senza più carburante, per forza d'inerzia?»

«Si resta senz'acqua, signore.»

«Allora, come ci procuriamo l'acqua per bere?»

«Sudando e facendo pipì, signore.»

«Perfetto. Questo complicato sistema non serve che a questo: a filtrare, depurare, refrigerare sudore ed urina che in tal modo diventano acqua purissima: assai più pulita e più igienica di quella che usiamo nelle nostre case. Del resto, l'acqua che noi beviamo cos'è? È acqua del cielo, acqua del mare, acqua sporca e ripulita dalla natura. La natura in fondo fa solo ciò che noi facciamo alla Garrett.»

«Un plagio, signore.»

«Come ha detto?!?»

«Dicevo che tanta economia è lodevolissima, signore. Se non sbaglio questa è la prima volta nella Storia degli Stati Uniti d'America che non si compie spreco, signore. Voglia scusarmi, signore: e del... insomma... del resto cosa ne fate?»

«Del resto?!? Quale resto?»

«Ecco... insomma... sì... il resto, signore. Non so come spiegarmi. Ecco... voglio dire che quei tre uomini non bevon soltanto. Mangiano, anche. So che mangiano verdura, carne, spaghetti, e... di quello?»

Il dirigente era borioso ma, in complesso, educato. E forse anche timido, dinanzi alle donne. Violentemente arrossì e mi guardò con smarrimento. Mi toccò ripetergli non so quante volte che non c'era niente di male in ciò che gli chiedevo: tutti andiamo al gabinetto, mio Dio, e tale realtà accentuava semmai la natura disperata del volo. Su, avanti, coraggio: anche il resto andava filtrato, distillato, depurato, refrigerato, trasformato in qualcosa di commestibile? Con pena il dirigente inghiottì, sospirò, confessò.

«No. Ci abbiamo pensato. Abbiamo tentato. Ma la cosa sembra impossibile: almeno per ora. E il problema è grave: nella capsula Apollo c'è un angolo igienico, ovvio, ma dei rifiuti che farne? Sprecar carburante per incenerirli sarebbe follia: ogni goccia di esso è necessaria. Gettarli nel vuoto è tecnicamente difficile: lei sa che ogni cosa espulsa da un oggetto che vola continua a volare con la medesima velocità dell'oggetto. Per perderli insomma dovremmo accelerare, ed ecco un altro spreco di carburante. Allora, che farne?»

«Già, che farne?»

«Alcuni suggeriscono di abolirli usando una dieta liquida che non atrofizzi l'intestino. L'esperimento si fa in un carcere di San Francisco e i volontari che l'hanno accettato godono di salute perfetta. Però c'è un inconveniente: non fanno che masticare. Masticano tutto quello che trovano e quando non trovano nulla si mordono i vestiti, le scarpe. Gli astronauti hanno più volontà, siamo d'accordo: ma se non resistessero? Se si mettessero a masticare la tuta spaziale? Sarebbe la fine: meglio la dieta solida. Ma dei rifiuti che farne?»

«Già, che farne?»

«Altri dicono: abbandoniamoli sulla Luna. Boh! Mi sbaglierò ma abbandonarli sulla Luna a me sembra maleducato, scortese: la Luna non è una stanza da bagno. A parte il fatto che una tal villania presenta un pericolo: quello di contaminare la Luna. E una delle preoccupazioni della Garrett è appunto questa: non contaminare la Luna.»

«Non contaminare la Luna?!?»

«Certo. Mi segua, la prego.»

Si chiama Cleaning Room, Stanza di Pulizia, e per accedervi bisogna indossare una tuta di plastica, calzare scarpe di plastica e guanti di plastica, poi passare attraverso un corridoio che ci annaffia con getti d'aria e risucchia il più invisibile pelo, il più innocuo granello di polvere. Dentro v'è un gran silenzio e in quel silenzio lavorano bianchi fantasmi dal corpo chiuso in tute di plastica, i piedi chiusi in scarpe di plastica, le mani chiuse in guanti di plastica, i capelli raccolti in cuffie di plastica, le donne identiche agli uomini, i giovani identici ai vecchi, i belli identici ai brutti, uno accanto all'altro, uno dietro l'altro: i Pulitori. I Pulitori puliscono con sostanze speciali le varie sezioni degli strumenti che comporranno la cosmonave e, dopo averli puliti, li mandano a sterilizzare in un'altra stanza affinché ogni microbo, ogni contagio sparisca insieme alla preoccupazione più fantastica che affligga gli uomini dell'era spaziale: contaminare la Luna e gli altri pianeti. L'uomo che si preoccupa di non contaminare la Luna ha un nome italiano: si chiama Orsini. È nato a Firenze e qui si laureò in biologia: molti anni fa. Ormai ha sessant'anni, le rughe gli solcano il viso come ferite.

«Contaminare la Luna, professore?»

«È possibile. Supponiamo anche per assurdo che la Luna sia un museo di tracce di vita, che preservi intatto qualcosa di sopravvissuto attraverso milioni di anni. Qualcosa che si muove, che respira, un lichene, un seme, una spora, dieci licheni, dieci semi, dieci spore: non abbiamo trovato bacteri nelle schegge di sale di centottanta milioni di anni fa? Bene: che accade quando una cosmonave approda sulla Luna portandosi dietro i miliardi di microrganismi che vivono felicemente con noi? L'esterno del veicolo è sterilizzato dal calore che lo bruciò al momento di attraversar l'atmosfera ma l'interno no: ed ecco contaminati ed uccisi quei dieci licheni, quei dieci semi, quelle dieci spore, quell'unico lichene, quell'unico seme, quell'unica spora. Di qui la sterilizzazione di ogni strumento, il pallido tentativo per non infettare la Luna, gli altri pianeti.»

«Il pallido tentativo, professore?»

«Più che pallido, inutile forse. Perché vede, sterilizzar gli strumenti è uno scherzo ma sterilizzare l'uomo è impossibile: oltretutto i bacteri, i microbi, i mille veleni che l'uomo porta con sé sono indispensabili alla sua salute. E così egli sbarca, con quei mille veleni, e il suo primo respiro è già un mortale contagio per altre forme di vita. Noi sterilizziamo, sterilizziamo, ma Dio non voglia che la Luna abbia vita perché se ne avesse la distruggeremmo di certo.»

«E se la Luna contaminasse noi, professore?»

«Anche questo è possibile. Noi sterilizziamo le macchine quando esse partono ma non le sterilizziamo quando ritornano. Sterilizziamo le tute spaziali quando gli astronauti le indossano, non quando ritornano. Così tutti i veleni, i microrganismi che preservano una probabile vita su Marte, su Venere, e chissà... sulla Luna, possono esser fatali alla Terra: distruggerla. Il pericolo è ovviamente reciproco.»

Pensai a te, papà: con senso di colpa e un po' di vergogna. La preghiera di Bradbury m'era in quel momento così lontana: sepolta dal tuo muto rimprovero. Se tu fossi stato con me t'avrei chiesto scusa. Oppure aiuto. Invece non c'eri: incredibile come gli altri manchino sempre nei momenti in cui se ne ha bisogno; passi giorni, mesi, anni interi con qualcuno cui non hai da dir nulla e nel momento in cui hai da dirgli qualcosa, magari scusami, aiuto, lui non c'è e tu sei solo. Perciò continuai la mia visita, entrai nei capannoni dove lavorano gli operai più fortunati del mondo, gli operai della Garrett, e mi sembrava di collaborare a un crimine assurdo, a un suicidio senza ragione. Le macchine della Garrett sono tutte automatiche. Seduti su comode sedie gli operai fissavano, immobili, quell'agitarsi di leve, di pistoni, di ferro, e le loro braccia pendevano inerti come maniche di una camicia tesa ad asciugare, i loro volti eran profili avviliti da cui pendevano bianche sigarette avvilite. Gli passavi accanto e non ti vedevano neanche, gli dicevi qualcosa e non ti udivano nemmeno. Dinanzi a ciascuno avresti voluto gridare muoviti, svegliati, dura fatica: non farti narcotizzare così! Hai due mani e dieci dita e un cervello, adoprali dunque, dimostra a quella macchina orrenda che non sei più sciocco di lei, falla a pezzi, distruggila! Non lo gridavi, invece, e passavi oltre: abbandonandoli al loro falso stupendo benessere, alla loro falsa stupenda civiltà che alle macchine dona la vita ed agli uomini il sonno. Tra poco la giornata di «lavoro» sarebbe finita, le sirene avrebbero ululato la fine di quel torpore di vetro, e come automi li avrei visti uscire, dirigersi in greggi ai cancelli, salir sulle belle automobili, avviarsi ciascuno al suo bicchiere di whisky, alla sua bistecca, alla sua TV. Datemi un whisky, una bistecca, una TV e sarò felice di vivere schiavo. Davvero niente è più difficile della libertà: la libertà di durare fatica, la libertà di non vivere morti.

Morivo anch'io, un po' per volta. Mi intruppavo anch'io un po' per volta, in quel gregge di automi. Pochissimi giorni eran bastati a farmi assuefare, corrompere: alle cinque, quando finiva il lavoro degli altri, diventavo di colpo assonnata e non riuscivo più a scuotermi da quella ubbidiente pigrizia. Come loro bramavo qualcosa da bere, l'ozio della mente e del corpo dinanzi a un programma della TV, questo piccolo dio miserabile che ti porta il mondo in casa come un postino, e l'ora di cena si trasformava in una bestiale promessa. La NASA, l'organismo governativo che ha in mano la corsa spaziale, organizzava i miei appuntamenti e metteva a mia disposizione un elicottero. Usar l'elicottero anziché l'automobile era divenuto ovvio per me e, se qualche volta dovevo salirci da una pista per raggiunger la quale bisognava camminare un pochino, mi sentivo tradita; se l'elicottero non aveva il motore già acceso quando arrivavo, mi sentivo insultata. Quel ruotare di pale che il primo giorno m'era sembrato una gran ghigliottina frusciava ormai familiare ai miei orecchi: disinvoltamente sedevo dietro il pilota, disinvoltamente scendevo a Santa Monica in Pico Boulevard. La sede della NASA era a Santa Monica, in Pico Boulevard, e l'ufficio stampa era tenuto da due ex marines: Stan Miller e Bob Button. Al calare dell'elicottero Stan e Bob mi venivano incontro e mi portavano a bere nel bar di fronte dove sedevamo spossati, quasi avessimo fatto chissà quali fatiche, e le macchine invece non avessero lavorato per noi. Per registrare le mie interviste c'era il magnetofono, per copiare qualsiasi foglio c'era l'apparecchio fotostatico, per camminare c'erano le ruote. Ma noi sedevamo spossati, a dir nulla, come i vecchi che le sere d'inverno stanno intorno al camino a mangiare castagne, e con sforzo ci alzavamo per andarcene a casa o in albergo. In albergo mi ci portava di solito Bob. Quella sera comunque era Bob.

Era una sera malinconica e dolce, una di quelle che fanno amare la Terra. L'automobile scivolava via lieve tra le palme di Wilshire Boulevard e il vento entrava dai finestrini accarezzando gli occhi e i capelli. D'un tratto mi girai verso il Bob e, certa della sua complicità, forse per quel visuccio timido, quei baffetti charlottiani, un po' inglesi, gli confessai la mia incertezza.

«Dimmi un poco, Bob: ma ti par proprio il caso di andar sulla Luna?»

«Come?!?» esclamò Bob, sbalordito.

«Ma sì. Perché diavolo si deve andar sulla Luna?»

«E perché diavolo non si deve andare?» replicò Bob tutto offeso.

«Non so. Quel cibo disidratato. Quell'acqua ricavata da urina. Quel timore di contaminare la Luna ed esserne contaminati... Non so.»

«Mi pareva che l'idea ti piacesse» osservò Bob sempre più offeso.

«Mi piaceva, mi piace; ma oggi ho visto cose che mi hanno reso perplessa. Sai, come i ragazzi che si accostano volenterosi a una valvola per veder come funziona e ci piglian la scossa.»

«L'altro giorno» disse Bob, conciliante, «ho letto un saggio di Arthur Clarke. Spiegava che la maggior parte dell'energia umana, nella storia del mondo, è stata impiegata a spostare le cose da un punto all'altro. Insomma, appena una cosa è ferma l'uomo la sposta. Se è fermo lui, si sposta lui. Spostarsi è insito in noi: ed anche spostarci sempre più svelti. Per migliaia di anni, diceva Clarke, ci siamo spostati a due o tre miglia all'ora: la velocità di un uomo che cammina. Per centinaia di anni ci siamo spostati a dieci miglia all'ora: la velocità di una carrozza. Ora ci spostiamo a venticinquemila miglia all'ora: la velocità del Saturno. Per spostarci a quella velocità, tuttavia, la Terra non ci basta più: è troppo piccola. Ci manca lo spazio necessario, mi spiego? Si casca fuori. Dunque bisogna spostarci andando negli altri pianeti e, per cominciare, sulla Luna.»

«Come conclusione mi sembra abbastanza assurda.»

«A me sembra logica.»

«Non mi basta che sia logica se è inutile.»

«Inutile! Anche il primo aereo dei fratelli Wright fu giudicato inutile. Dicevano che nessuno lo avrebbe adoprato. Ed io ci vado tutte le sere.»

«Abiti così lontano, Bob?»

«Ma no! Solo a mezz'ora da qui!»

«E allora, Bob, perché vai in aereo tutte le sere?»

«Così. Perché mi piace. Per nulla.»

«Per nulla?»

«Per nulla. Per spostarmi da un punto all'altro. Per spostarmi svelto.»

Allora mi venne in mente la storia che mi raccontavi quand'ero bambina, papà. E la dissi a Bob. Cioè non tutta la storia: il finale. Nel finale, ricordi, c'era un uomo probabilmente cattivo probabilmente soltanto sciocco che correva intorno a un albero. Più svelto, sempre più svelto. Finché andò così svelto che batté il naso nella propria schiena. E se lo ruppe.

Bob si offese e il giorno dopo mi tenne senza elicottero.

Ricordo chiaramente la mia disperazione, papà. La disperazione di chi all'improvviso si trova senza la luce elettrica ed è costretto ad usar la candela.

«Bob, sei impazzito. Ed io come vado laggiù?!?»

«Con un tassì. Con una bicicletta. A piedi. Senza correre. Così non rischi di romperti il naso.»

«In tassì fin là: vuoi scherzare?»

«In tassì ci vuole un'ora, un'ora e mezzo, novanta minuti. Cosa sono novanta minuti di fronte all'eternità? Cosa è questo volersi spostare in fretta, sempre più in fretta, finché non si sa più dove posarsi?»

Presi il tassì, papà. E mai un veicolo mi parve più lento di quello che per un'ora e dieci, settanta minuti, sfrecciò lungo la strada che porta a Redondo Beach. Per anni, tutti gli anni della mia vita, avevo vissuto senza elicottero: ma ora lo avevo provato e non potevo più farne a meno, l'automobile m'appariva già come un mezzo lentissimo, scomodo. Non arrivavo mai, mi annoiavo, mi sembrava d'esser tornata ai viaggi del nonno quando narrava che per andare da Firenze a Mercatale, trenta chilometri appena, si partiva all'alba in carrozza e si arrivava nel pomeriggio. Ancora un poco e anch'io mi sarei messa a correre intorno a un albero: più svelta, sempre più svelta, finché avrei battuto il naso nella mia schiena e me lo sarei rotto. Conosci il racconto di Bradbury *Erano bruni dagli occhi d'oro*? Quello dei coloni che emigran su Marte ed esaurito il cibo di scorta, il cibo terrestre, mangiano ciò che cresce su Marte. Allo sbarco eran bianchi, con gli occhi azzurri o neri o marroni. Dopo quel cibo diventano bruni, con gli occhi d'oro. Ne rimane uno solo con gli occhi azzurri: quello che, come me, si fa sempre prender dai dubbi, le esitazioni, e ora vuole ora non vuole, e per salvarsi decide di aggiustare il suo razzo e tornar sulla Terra. Poi un po' per volta la voglia di aggiustare il razzo gli passa, un po' per volta mangia il cibo di tutti, e una mattina si alza, si guarda allo specchio, e la sua pelle è bruna e i suoi occhi son d'oro ed è diventato come gli altri un marziano.

# CAPITOLO SETTIMO

Anzitutto non era un albergo. Era un motel. Cioè un albergo per l'uomo e per l'automobile. Anzi, per l'automobilista e per l'automobile.

«Ma io non ho l'automobile» dissi. «Quindi, non ho bisogno di un motel. Non capisco perché m'abbiano prenotato un motel.»

«Tutti gli alberghi, qui, sono motel» ringhiò un tipo che assomigliava a Jack Ruby. Poi, con disprezzo, mi gettò la chiave di una stanza qualsiasi.

«OK. Può mandarmi le valige in camera, prego?»

«Se vuole le valige in camera sua, le dico io come fa. Le piglia e se le porta» ringhiò il tipo che assomigliava a Jack Ruby.

«OK. Posso avere una tazza di tè prima di addormentarmi?»

«Se vuole il tè, le dico io come fa. Mette i soldi in quel distributore automatico e se lo beve» ringhiò il tipo che assomigliava a Jack Ruby.

«OK» dissi agguantando la chiave. E subito feci un balzo all'indietro: per un attimo avevo creduto che volesse spararmi. Invece mi porgeva una penna.

«Otto dollari e novantacinque cents per notte. Niente colazione e niente servizio. Firmi qui.»

Tu cosa fai all'una del mattino, dopo quattro ore di viaggio, mentre tutti quegli occhi ti fissano ostili e se esci trovi solo la notte e il deserto? Sei nel Texas, mio caro. La regione che ha ammazzato John Kennedy. La regione dove i bambini delle scuole gridavano: «Evviva, è morto! Siamo liberi, è morto!». Sei a Houston, mio caro. E Dallas non è neanche distante. Trecento miglia, diciamo. Trecento miglia di ottusità e di violenza, di razzismo e di stupidaggine. Allora, tu cosa fai? Tu firmi e stai zitto. Poi prendi le tue valige e corri a chiuderti in camera. Lì, almeno, ti senti al sicuro. Ho detto al sicuro? Scherzavo, papà. Per cominciare, le camere di un motel sono direttamente sulla strada: come i negozi. Chiunque passi può entrare e farti fuori. Nel migliore dei casi, rapirti. Se sei proprio fortunato, derubarti. Numero due, la parete che dà sulla strada non è muro: è soltanto vetro. Infrangibile, giurano. Però io ne ho visti di rotti. Numero tre, fra quel vetro e il tuo nervosismo c'è appena una tenda. Se dimentichi di tirare la tenda, chiunque ti vede mentre ti spogli e ti lavi. Nel bagno infatti c'è la vasca e la doccia, il lavabo è nella camera. Ho detto camera? Scherzavo, papà. Non si tratta di una camera, vedi: si tratta di una cella automatica per contenere un apparecchio TV, una sedia, un tavolino, un divano, e alcune decine di bottoni che non sai a cosa servano. A spenger la luce? No, ad accenderne un'altra. A chiuder la radio? No, ad alzarne il volume. Ad abbassare l'aria condizionata? No, ad aumentarla. A chiamare il tipo che assomiglia a Jack Ruby? No, a fare il caffè. In compenso i fiammiferi son dappertutto, come gli opuscoli che ti consolan spiegando l'enorme sviluppo di questi motel e alcune strisce di stoffa sulla quale sta scritto: «Vuoi pulirti le scarpe? Arrangiati da solo». Va bene, e il letto dov'è? Irritato, speranzoso, lo cerchi lungo le pareti o il soffitto e stai per rinunciare, sdraiarti vestito sopra il divano, quando qualcuno ti bussa alla porta.

«Chi è?!?»

«Il letto.»

Cautamente, sposti la tenda. Un volto nero ti guarda sopra una giacca da cameriere.

«Lei mi porta il letto?»

«Su, apra.»

Gli apri, lui entra. Con sussiego, con sdegno, pigia un bottone. Di colpo il divano si allunga, si allarga, et voilà: ecco il letto.

«Oh, grazie! Molto gentile, grazie!»

«Mancia, prego.»

«Come ha detto?»

«Ho detto mancia. M-A-N-C-I-A. Mancia.» La sua palma rosa è tesa, verso di te, minacciosa.

«Oh, certo! Certo!» Gli dai mezzo dollaro.

«È tutto?» La palma rosa sta lì e regge come un vassoio il tuo mezzo dollaro.

«OK.» Gli dai mezzo dollaro ancora.

«Notte.» Intasca il dollaro, senza dir grazie, e se ne va. Tu cadi sfinito sul letto, ti addormenti di colpo.

Dormi. E son forse le tre del mattino quando accade qualcosa di orrendo. Il letto che sembrava un letto non è più un letto: ma un mostro vivo che s'alza, si piega, si gira, ti scuote, ti sbatacchia, ti parla! Ti parla? Ti parla! Nel sonno, evidentemente, hai pigiato un bottone: quello per i massaggi. E lui ha preso a massaggiarti. Mentre ti massaggiava, evidentemente, hai pigiato un altro bottone: quello pel sonno. E lui s'è fermato, l'ha finita di scuoterti, sbatacchiarti, girarti: s'è messo a parlare. E ti dice, mio Dio, ti dice: «Su, dormi. Perché ti sei svegliato? Sei stanco. Su, dormi». Sicché gridi, impaurito, impazzito, e tendi le dita, e pigi tutti i bottoni, il bottone dell'aria calda, il bottone dell'aria fredda, il bottone della radio, il bottone della TV, il bottone dei massaggi, il bottone del bottone, fino a quando tutti i bottoni si rompono e la radio si spenge, la TV si spenge, l'aria calda si spenge, l'aria fredda si spenge, il letto torna a essere un letto che non si muove e che tace. Dio mio, ti ringrazio: balbetti. E nello stesso momento, affannato, sudato, ricordi che stavi gridando, e tendi con vergogna l'orecchio, e ti alzi, in punta di piedi ti avvicini alla tenda, piano piano la scosti pensando che l'intera città è accorsa ai tuoi urli e sta lì: ma il tuo occhio fruga tra martellate di imbarazzo nel buio e non vede nessuno. Non c'è nessuno su quel marciapiede. Non c'è nessuno neanche sul marciapiede di fronte. Non c'è nessuno in nessun posto: sei solo. Solo coi tuoi bottoni, il bottone dell'aria calda, il bottone dell'aria fredda, il bottone della radio, il bottone della TV, il bottone dei massaggi, il bottone del bottone, e l'intera città trasformata in bottoni ti ignora.

Fu quella notte che vi telefonai, papà. Il mio sonno era ormai svaporato e in Italia era giorno da molte ore. Chiesi alla telefonista se avrei dovuto attendere molto e disse: un secondo, poi il ricevitore fece tu-tu e una rugiada di dolcezza mi scivolò nell'orecchio: la voce della mamma che strillava: «Ciao, dove sei?».

«Nel Texas, mamma. Dove stanno gli astronauti.»

«Oh, poveri figli! Oh, povere creaturine! Li hai visti?»

«Ancora no. Sono appena arrivata, mamma. Son in un motel.»

«Oh, come ti invidio! Dimmi, è bello costà?»

«Bellissimo, mamma. Stupendo.»

«Chissà che boschi, che praterie.»

«Bellissimi boschi, bellissime praterie.»

«E i cowboys? Li hai visti i cowboys.»

«Certo. Un mucchio di cowboys.»

«Come sono? Dimmi, come sono?»

«Come al cinema. Con gli speroni agli stivali... e il cappello largo... e poi vanno sempre a cavallo...»

«Oh, come ti invidio! Tutti quei cavalli! Lo sai che amo i cavalli.»

«Già. Un mucchio di cavalli, quaggiù.»

«E le mucche? È vero che ci son tante mucche?»

«Verissimo. Pascoli e pascoli pieni di mucche.»

Poi parlai con te che eri stato a caccia, ti eri divertito moltissimo, e non te ne importava nulla del Texas.

«I tordi passano a branchi, sulle colline. Peccato che tu non ci sia: a ogni colpo cadono a grappoli.»

«Dove, al ciliegio?»

«Soprattutto al ciliegio. Si buttano sui rami secchi. Mi scaldo le mani, a sparare. Fa un freddo, al capanno. E costà?»

«Qui fa caldo, pa'. Un caldo d'inferno: ho rotto il bottone dell'aria condizionata. Ciao, pa'.»

Quanto ti invidiavo, papà, mentre attendevo l'alba. Al capanno, l'alba era una tazza bluette con una palla d'oro nel mezzo. La palla d'oro saliva, saliva, portandoci il giorno, e l'aria profumava di erba, le foglie frusciavano come carezze di vento. I fucili appoggiati alle feritoie, fissavamo il cielo, i suoi rami nitidi contro il cielo bluette, e ci parlavamo in un soffio. «Se viene da sinistra, è mio. Se viene da destra, è tuo. Se vengono in branco, spariamo in coppia. Uno, due, e al terzo si spara.» «Bene, pa'.» Al capanno, l'alba era un fascio di nervi tesi, di occhi attenti, di orecchi acuti. D'un tratto i richiami dentro le gabbie si mettevano a sbatacchiare le ali, poi cantavano il tranello ai compagni, tu sussurravi: «Pronta, stanno per arrivare». Lesta imbracciavo il fucile, preparavo la mira, e saette frullanti sfrecciavano in guizzi per posarsi in cima al ciliegio. «Uno, due... spara!» Le saette cadevano giù come pigne mature: un piccolo tonfo di piuma. Allora, il cuore pieno di colpa improvvisa, pentimento già inutile, aprivo il fucile, toglievo la cartuccia vuota e fumante, lo ricaricavo in silenzio e l'attesa del prossimo branco era un tenero rabbrividire di fresco, una noia serena, un bisbigliare di bosco. Sì, l'alba era bella al capanno. Qui invece era una luce grigia attraverso la tenda, un'ombra grigia ferma sul marciapiede, un aggrottare di fronte: chi sarà, che vorrà? I cavalli, le mucche, i pascoli, i cowboys esistevano solo nella mia fantasia: avevo raccontato alla mamma un mucchio di frottole.

Uscii. Dalle tende tirate le camere del motel vomitavano letti disfatti, guanciali spiaccicati, asciugamani ammucchiati, un'oscenità da bordello. Erano vuote e tuttavia impudiche. Vedendole senza volerle vedere, col filo dell'occhio, ne immaginavi l'intimità, gli odori sgradevoli che inzuppano le stanze da letto al mattino. Quanto a Houston, era una tomba di cemento e di asfalto che conduceva al Manned Spacecraft della NASA. La NASA, un edificio di militari in borghese da cui uscivi soltanto con una tessera appesa alla giacca. Per aver quella tessera dovevi rispondere a mille domande, ripetere per l'ennesima volta chi eri e cosa volevi, difenderti da insidie ed astuzie. Il mio Censore dirigeva l'ufficio di Pubbliche Relazioni, si chiamava Paul Haney, e non capivi mai fino a che punto facesse sul serio o scherzasse, ti considerasse una minaccia od un gioco.

«Sicché in Russia, lei, non c'è stata.»

«No, ancora no.»

«Strano, eh? Come mai?»

«Per una ragione o per l'altra il visto tardava a venire.»

«Lo aveva chiesto, perciò.»

«Sì, certo, lo avevo chiesto.»

«E perché lo aveva chiesto?»

«Per andare in Russia.»

«E perché andava in Russia?»

«Per scriver gli articoli.»

«Che genere di articoli?»

«Articoli.»

«Favorevoli o no?»

«Come faccio a saperlo? Se non ci son stata.»

«Già, non c'è stata.»

«No, non ci son stata.»

«Peccato, eh?»

«Sì, peccato.»

«Tanto più che essendo iscritta al partito...»

«Al partito?!? Quale partito?»

«Il partito.»

«Guardi, io non sono iscritta ad alcun partito.»

«Davvero?»

«Davvero.»

«Tanti, in Italia, lo sono.»

«E io no.»

«Come mai? Scusi, sa, son curioso.»

«Non me ne va bene nessuno.»

«Le sue idee però ce le avrà.»

«Certo non son reazionaria. Tantomeno fascista.»

«Oh! Ah! Eh! Guardi, a noi non importa. Accogliamo tutti, ma tutti.»

«E allora perché me lo chiede?»

«Così. Voglio dire: lei potrebb'essere russa, iscritta al partito, e vedere gli astronauti, entrare qui dentro lo stesso.»

«Lo so. Ma non sono russa. E non sono comunista.»

«OK. Questa tessera è pronta? Volete darle la tessera?»

«Grazie ed ora che faccio?»

«Le diamo una scorta e si guarda un po' in giro.»

«E gli astronauti? Posso saper chi vedrò?»

«No, ancora no.»

«Capisco. Buongiorno.» Me ne andai, con la mia scorta, e più tardi scrissi sul mio taccuino: «L'appuntamento con gli uomini che andranno sulla Luna era nella città che ha nome Houston, a sud dello stato che ha nome Texas, fra il trentesimo parallelo e il novantacinquesimo meridiano del nostro pianeta: dove essi abitano, in un bosco di acacie, in attesa del Grande Viaggio. L'aerotassì mi ci portò a mezzanotte. La Luna era piena e incombeva da appena duecentoquarantamila miglia. Ridicolo, anzi assurdo pensare che cinquanta anni terrestri fa, quando Houston era solo un villaggio e le mucche vi pascolavano a mandrie, i cowboys con la chitarra dedicavano al vicino satellite lamentose canzoni d'amore. Mucche e cowboys vi si estinsero nell'Età della Plastica, insieme ad altre forme di vita come i cavalli, le mosche e gli alberi. Non esistono alberi in questa che può essere considerata la più importante base lunare del globo terrestre. Il bosco degli astronauti è l'unico bosco rimasto per molti chilometri e sopravvive solo perché essi possano attingervi il massimo di clorofilla prima della Partenza. Al di là di esso la terra è una piatta distesa di zolle dove inutili fiori raccontano quel che fu la preistoria. Tracce preistoriche si trovano anche nella vecchia città dove i grattacieli hanno porte e finestre, gli edifici sono indicati con nomi e la gente cammina senza l'elmetto, cieca al pericolo dei meteoriti. Ma durerà poco. Nella nuova Houston infatti gli edifici sono indicati con cifre (Edificio Numero Uno, Edificio Numero Due, Edificio Numero Tre) e qualsiasi costruzione ha l'aspetto che deve avere una città del futuro. Vale a dire, un grande cubo o un grande parallelepipedo senza porte e senza finestre: le prime essendo invisibili, le seconde superflue. I marciapiedi sono stati aboliti, qui: l'antico metodo di spostarsi con i piedi e le gambe vi è bandito da molti decenni, chi non ha l'automobile non è un vero uomo. I proprietari delle automobili, insomma gli uomini, portano sempre l'elmetto e una tessera di plastica con la fotografia, il nome, il cognome, l'indirizzo, il numero di telefono, il nome della ditta per la quale lavorano. (Tutti lavorano per una ditta, nessuno lavora in proprio, non lavorare poi è inconcepibile.) Questo è necessario non solo perché sotto l'elmetto si è tutti uguali e non ci si riconosce ma perché ciascuno dev'essere sorvegliato e schedato, se è necessario rimproverato e arrestato, dal locale governo che si chiama NASA: entrare nella città del futuro è proibito. È proibito anche entrare nel bosco dove vivono gli uomini che andranno prima o poi sulla Luna: in villette grige, a un piano, l'una identica all'altra e l'una accanto all'altra, come celle di un assurdo convento. È proibita, infine, la malinconia che dà tutto questo, il terrore, il rimpianto». Mi sembrano ancora le cose più giuste che si possano dire su Houston.

La mia scorta era una ragazza che chiamerò Katherine: malgrado il suo nome sia un altro. Buona pilota, impiegata da quattr'anni alla NASA, Katherine rifletteva quel mondo come un lago pulito rispecchia le nubi: e il terrore, il rimpianto, la malinconia le bruciavano gli occhi quali lacrime a lungo trattenute. Non poteva rinunciarvi, evidente, e malgrado questo lo odiava: di un odio amoroso e malvagio. «Metti questo sudiciume» diceva infilando con tenerezza l'elmetto. «Guarda che schifo» diceva indicando con orgoglio una casa. E qualsiasi oggetto spaziale, qualsiasi allusione al futuro le scioglieva la lingua in un torrente di entusiasmo e disgusto, di difese e di offese. Poi, dinanzi alle case degli astronauti, ammutoli: limitandosi ad indicarle col dito. «Glenn, Carpenter, Schirra, Grissom, Slayton, Shepard, Cooper.» Un tempo li seguiva nei loro spostamenti in California o in Florida e qualcuno, non indifferente a un bel visino e un bel corpo, doveva averle fatto un gran buco nel cuore: la ferita era ancora visibile. Infatti quando le chiesi che tipi fossero questi astronauti rispose tra i denti: «Romei». Un aggettivo che in America s'usa per dir dongiovanni o agguantasottane.

«Be', ciò è simpatico, no?»

«Non ci trovo proprio nulla di simpatico.»

«Suvvia, Katherine. Sono giovani, sani. Naturale che gli piaccian le donne.»

«Sono romei» ripeté Katherine. E spiegò che l'unico nientaffatto romeo era John Glenn; il più romeo invece era Scott Carpenter. Quanto alle mogli, si davano un mucchio di arie: esclusa Anna Glenn. A vederle si sarebbe detto che sulla Luna ci andavano loro, perbacco, una diva di Hollywood si muoveva con meno sussiego. I primi tempi queste mogli la salutavano eccome, la invitavano magari alle feste: ora invece non le rivolgevano neanche il buongiorno. «Questa Luna gli ha dato alla testa.» E gli astronauti? Loro le rivolgevano ancora il buongiorno? Oh, sì. Loro sì. Me lo aveva detto: gli astronauti non avevano che un torto, quello d'esser romei. Poi sospirò vuotando fino in fondo i polmoni e mi ricondusse all'ufficio. L'ufficio lo dirigeva un signore severo e imbronciato, Howard Gibbons, il tipo che al primo sguardo ti induce a esclamare: «Oddio! Ha perso l'elmetto!». Senza l'elmetto la sua testa appariva calva, anzi nuda: veniva voglia di procurargliene subito uno, come una parrucca a chi è scotennato.

Tutti lì dentro, del resto, avevano l'aria di chi ha perso l'elmetto: i soli che avessero l'aria di trovarsi benissimo coi capelli e basta eran due tali seduti in un angolo: che infatti risultarono di passaggio e svedesi. Si chiamavano Stig Nordfeldt e Bjorn Larsson, il primo giornalista e il secondo fotografo, spiegò Katherine. Poi mi portò verso di loro e qualcosa in me doveva narrare che anch'io ero nata senza l'elmetto perché esplose subito un'amicizia da naufraghi. Stig e Bjorn abitavano nel mio stesso motel. Sebbene non avessero rotto neanche un bottone e detestassero il luogo con meno violenza di me, ci abitavano con immenso disagio: ci consolammo a vicenda e da quel giorno fummo sempre insieme: il terzetto più anarchico che la NASA abbia mai tollerato. Da una parte Stig, lungo lungo e distratto, un James Stewart tradotto in svedese. Dall'altra Bjorn, gaio ed atletico, un trapezista con gli occhiali e la Leica. Nel mezzo io, un Pinocchio tra il Gatto e la Volpe. Come un'insolenza, un dispetto, ci portavamo addosso un'Europa che laggiù diventava passato remoto, era miocenica: e al solo vederci arrivare Howard Gibbons diventava più severo e imbronciato, Katherine più scontenta e nervosa.

«Assolutamente no: non possiamo dirvi quali astronauti vedrete.»

«Ma noi dobbiamo saperlo: per prepararci.»

«Impossibile.»

«Katherine! Signor Gibbons!»

«Spiacenti, è la regola.»

Gli astronauti americani a quel tempo eran trenta. A noi sembrava importante sapere in anticipo quale dei trenta ci sarebbe toccato, al loro militarismo invece ciò appariva trascurabile, sciocco, e di probabile non c'era che questo: li avrebbero scelti dal gruppo dei primi Sette e cioè Shepard, Grissom, Glenn, Carpenter, Schirra, Cooper, Slayton. Così aspettavamo, scontenti, impazienti, bambini che reggono un uovo di Pasqua e si chiedono quale sorpresa c'è dentro, e tutto il nostro passato remoto bolliva curiosità per il loro futuro. Gli astronauti rappresentano, indubbio, l'aspetto più affascinante della spedizione alla Luna, il più umano, il più facile, e le nostre domande rimbalzavano ansiose: che uomini eran quest'uomini destinati a sbarcar sulla Luna, sugli altri pianeti? Molto diversi da noi? Intelligenti? Mediocri? Stupidi addirittura? Simpatici? Antipatici? Indifferenti? Coraggio-si? Dubbiosi? Automi incapaci perfino di coraggio e paura? Buoni? Cattivi? Così e così? Che uomini ci sarebbero apparsi quest'uomini che al tempo stesso fanno da cavie, piloti, esploratori, ingegneri, scienziati, martiri, divi ed eroi? Che uomini potevan esser quest'uomini il cui corpo sopporta torture indicibili e la cui mente sopporta l'adulazione mondiale? Nel 1958, quando la NASA cercava volontari per il nuovo mestiere, un generale esclamò: «Quel che ci serve è un gruppo di normali superuomini». Diceva sul serio o scherzava? E se diceva sul serio, erano superuomini o no? «Il coraggio non basta, ovvio» diceva Stig. «Uno può avere tutto il coraggio del mondo e non disporre del sistema nervoso che è necessario a volare nel vuoto. In altre parole, uno può essere un prode alla guerra e un buonannulla sulla Luna o su Marte. Deve esistere qualcosa, in loro, che supera perfino il coraggio: la freddezza, non so, la capacità di reagire a situazioni fuor del comune, non so; nessun dubbio che abbiano nervi d'acciaio. Neanche quelli bastan però. Uno può aver tutta la freddezza del mondo ed un organismo che non regge ai disagi: ci vogliono muscoli ed organi degni di tanta freddezza, una salute di ferro. Neanche questa basta, però. Uno può essere sano come un atleta olimpionico e covar l'ignoranza di un pollo: ci vuole una preparazione profonda, uno studio accurato, altrimenti che parte a fare? A dimostrar che lui è forte e noi no? Né basta la preparazione, evidente. Uno può saperne quanto dieci astrofisici insieme, o matematici o geologi o medici, e non possedere la statura morale che è necessaria ad affrontar certe cose: la maturità, il buonsenso. Doti che in genere vengon da vecchi: e gli astronauti devon essere giovani. Avranno pensato anche quello scegliendoli. Tu che ne sai?»

Io ne sapevo ciò che avevo letto nel libro che porta le loro firme: *Noi sette*. Ciò che diceva John Dille, giornalista di «Life», nella sua lucida sobria prefazione del libro. Il bando segreto che la NASA fece nel 1958 alludeva anzitutto a caratteristiche fisiche. L'età doveva oscillare fra i trenta e i quaranta: l'intervallo in cui il corpo di un uomo gode della maggior efficienza ed ha ormai perso gli impulsi eccessivi della gioventù. (Oggi invece l'età si aggira tra i ventisette e i trentacinque.) L'altezza non doveva scendere sotto il metro e settanta e non

superare il metro e ottantadue. Le capsule Mercury infatti e-
rano già disegnate sullo stesso diametro dei missili Atlas e
Redstone: con due metri e venti alla base, la tuta spaziale e
l'elmetto che aggiunge circa dieci centimetri, un astronauta
non poteva toccare i due metri. Il peso non doveva essere più
di ottantatré, ottantaquattro chili: sia per l'agilità, sia per il
sovraccarico. Questi ottantatré chili ben distribuiti lungo un
metro e ottantadue dovevano essere laureati col massimo
dei voti in aeronautica, in ingegneria, in coraggio, freddezza,
buonsenso, salute: insomma le doti cui alludeva Stig. Chiaro
quindi che gli uomini andavan cercati fra i collaudatori di aerei: gente usa a volare, a conoscere bene i motori, a prender
con calma decisioni improvvise, a dimostrare riflessi imme-
diati. Al bando risposero in più di un migliaio: cinquecento
otto avevano, almeno sulla carta, i requisiti richiesti. Su informazioni degli istruttori e delle industrie aeree, i cinquecento
otto scesero subito a centodieci. Da centodieci calarono a sessantanove, sessantanove su una popolazione di duecento milioni di abitanti, novantacinque milioni di maschi. E furon
questi a recarsi a Washington per essere interrogati. Partecipavano all'interrogatorio ufficiali della NASA e dottori, politici e militari. Prima dell'interrogatorio ogni volontario veniva
informato dei pericoli, dei sacrifici, delle difficoltà che afflig-
gevano quella professione. Una frase era questa: «Un astronauta non è un topo né un gatto né un cane né una scimmia
chiusa dentro una capsula e spedita allegramente nel cielo.
Un astronauta è una creatura pensante che sostiene un ruolo
definitivo nella sua capsula e rischia di crepar come un topo,
come un gatto, come un cane, come una scimmia: ove non sia
consapevole di quel ruolo. Se esso ti intimorisce o ti spiace, alzati e vattene. Sei ancora in tempo». Trentasette si alzarono e
corsero a casa, convinti di averla scampata assai grossa.
Trentadue restarono e si sottoposero a esami paragonabili né
più né meno ai supplizi che la Santa Inquisizione imponeva alle streghe e agli eretici. L'unica differenza, diciamo, è che al
posto degli arcivescovi c'eran signori in camice bianco e, anziché bruciarli vivi, li mandavan poi all'ospedale.
   Cominciavano col buttarli dentro vasche di acqua: per vedere in che punti c'era troppo grasso o grasso eliminabile. Poi

li sottoponevano a diciotto tipi diversi di elettrocardiogrammi ed elettroencefalografie. Non in modo normale, sia chiaro. Così: li obbligavano a correre per circa un chilometro poi, di colpo, li facevan fermare in uno spazio di cinquanta centimetri. Oppure: li obbligavano a pedalare su biciclette prive di ruote, con forza, poi di colpo gli bloccavano i pedali. Oppure: li legavano a una specie di sedia incanalata su rotaie, scagliavan la sedia come un proiettile poi, di colpo, frenavano. Oppure: li sistemavano sulla ruota centrifuga, li facevan girare svelti, sempre più svelti, e quando la forza di gravità diventava venti volte quella normale, le vene capillari si spaccavano, i denti sembravan schizzare via dalla bocca, arrestavan la ruota: in un giro. Esauriti tali giochetti cominciava la fase difficile. Li chiudevano dentro Camere Calde, sessanta gradi non meno, ce li tenevano circa due ore (molti ebbero scottature alle mani e ai ginocchi, qualcuno al naso), poi li toglievano e li scaraventavano bollenti nel ghiaccio affondandoci i piedi per dieci minuti (molti ebbero principii di congelamento). A questo punto li isolavano in simulatori che creavano le condizioni esistenti a ventiduemila metri di altezza, e ce li tenevano un giorno, due giorni. Il simulatore era completamente buio e privo di qualsiasi rumore; conteneva solo un letto e una sedia. L'ordine era di non far nulla e, ove avessero inciampato nel letto, non stendercisi sopra. Era permesso in compenso dormire: ma sulla sedia. Ho spiegato le torture più lievi, ho taciuto le più sgradevoli: dopotutto potrebbero darti fastidio. Per concludere, aggiungerò solo che non avvenivano torture capaci di far scorrere sangue: le altre, tutte. Alcuni non si sarebbero riavuti per un pezzo. Alcuni non arrivarono agli esami psicologici. I quali non erano poi tanto meglio. Non si riducevano infatti alla solita macchia di inchiostro da interpretare con fantasia. C'era la Scatola dell'Idiota, ad esempio: uno strumento elettronico che portavano a pezzi, sbriciolato. Bisognava comporlo in meno di trenta minuti. C'erano le seicento domande che frugavano ogni angolo del cervello, rovesciavano la memoria alla maniera di un guanto, ne scrutavano ogni segreto come col microscopio, inducevano a gridare: «Basta! Basta! Basta!». Tutti i test che la psichiatria moderna conosce erano usati, compreso quello di rispondere venti volte ed in breve all'interrogazione: «Chi sono io?». (Al

primo rigo tutti, proprio tutti, risposero: «Sono un pilota». Al
terzo una buona percentuale rispose: «Sono un padre». Al
quarto: «Sono un marito». All'ultimo: «Sono un probabile a-
stronauta».) E infine, quando anche le anime furon collauda-
te, spiate, martirizzate, a uno a uno gli chiesero se insistevano
a voler diventare astronauti. Quattordici risposero: «No grazie, neanche per sogno». Diciotto rimasero a disposizione.
Da questi diciotto furono scelti i sette che il 9 aprile 1959 af-
frontarono, a Washington, su una specie di palcoscenico, la
stampa di tutto il mondo. Glenn aveva a quel tempo trentasette anni. Schirra, trentasei. Shepard e Slayton, trentacinque.
Carpenter, trentaquattro. Grissom, trentatré. Cooper, trentadue. I giornalisti eran nuovi agli argomenti spaziali e non sapevan che chiedergli: la presentazione andò avanti tra silenzi
colmi di imbarazzo reciproco. Poi qualcuno chiese chi fosse
disposto a partire per primo e i sette alzarono nello stesso momento le mani.

«Una cosa che vorrei tanto sapere è se son tutti uguali
come le bottiglie di Coca-cola» interruppe Bjorn. «Io ho un
foglio della NASA e c'è scritto che tutti sono sposati, tutti
hanno figli, tutti vengono da piccole città di provincia, tutti
sono castani eccetto Glenn che è rosso, tutti hanno una statura che oscilla fra il metro e settantanove e il metro e ottantadue, tutti pesano fra i settantotto chili e gli ottanta. Di diverso
non hanno che il colore degli occhi: Cooper, Shepard e Slayton ce li hanno azzurri, Glenn e Carpenter ce li hanno verdi,
Grissom e Schirra ce li hanno castani. Tutti sono stati pro-
mossi alle prove di Washington coi medesimi voti. Secondo
me, sono uguali fra loro come bottiglie di Coca-cola. Cosa vi
preoccupate, voi due, di sapere chi intervisterete? Preparate
la lista delle domande e vedrete che vanno bene per ciascuno
dei sette. Ti pare?» Mi strinsi nelle spalle e risposi: non so.
Quello di Bjorn era stato il mio punto di vista prima di legger
*Noi sette* ma ora ne dubitavo parecchio. «Si tratta di sette individui completamente diversi,» affermava John Dille «di sette personalità totalmente distinte l'una dall'altra. Idee diverse,
sentimenti diversi, abitudini diverse, gusti diversi. In comune
non hanno che i requisiti necessari ad ogni astronauta, ed una
gran carica esplosiva di orgoglio, idiosincrasie, convinzioni, e
quella mania di competere, di arrivar primi. Gli han già spie-

gato che tutti posson essere primi in qualcosa, il primo ad esser lanciato col missile Redstone, il primo a entrare in orbita, il primo a volare intorno alla Luna, il primo ad atterrar sulla Luna. Ma ciascuno sogna lo stesso di essere il primo di tutto.» Lo dissi ed aggiunsi che ciò li rendeva più umani: i difetti non rendono forse più amabili e umani? «Io sono convinto che l'uovo di Pasqua ci porterà molte sorprese» concluse Stig, la vigilia dell'incontro. «Se volete saperlo mi sento come un liceale che deve passare agli esami di maturità.»

Anche io e Bjorn ci sentivamo un pochino come due liceali che devon passare agli esami di maturità, così annullammo il programma dei festeggiamenti serali e andammo a chiuderci nelle nostre celle automatiche per risvegliarci al mattino carichi di curiosità, nervosismo. L'appuntamento era alle otto: gli astronauti si svegliano presto. Alle otto eravamo lì ma Howard Gibbons annunciò che non avrebbe potuto dir nulla fino alle undici: se intanto volevamo dare un'occhiata alla capsula Mercury. Borbottando ci recammo a dar quest'occhiata alla capsula Mercury, un imbuto di ferro con un passaggio appena sufficiente a un bambino assai magro. Bjorn disse che non c'entrava e ci rinunciò quasi subito sebbene sia snello. Stig disse che non provava nemmeno: così lungo non ci sarebbe entrato neanche a metà. Io ci entrai molto bene e, se la capsula Apollo mi aveva impaurito, la capsula Mercury mi terrorizzò. A me che son piccola e avrei diritto a viaggiare con mezzo biglietto, quell'imbuto non offriva più spazio di quanto un guscio di noce offra alla polpa di noce. Un movimento minuscolo e battevo il capo, i gomiti, i ginocchi: tra il mio volto e gli strumenti di guida ci sarà stata sì e no una distanza di cinquanta centimetri. «Vorrei proprio sapere» esclamai «come fece Carpenter a scattar quelle fotografie.» Nello stesso momento lo sportellino girò e mi rinchiuse: fui viva dentro una bara. Be', è davvero orrendo esser vivi dentro una bara, anche se è fatta a imbuto. Piegata in quella posizione ridicola, corpo disteso, gambe ad angolo retto, mi sentivo la vittima di un terribile equivoco e un pensiero non mi andava via dalla mente: magari si scordano che sono qui dentro e mi lasciano a soffocare. Ma davvero quegli uomini ci restavano chiusi per ore e ore, nel vuoto?!?

Poi tornammo da Gibbons e costui ripeté che bisognava attendere ancora: fino a mezzogiorno il capo ignorava chi era disponibile e chi no. Il capo era Slayton e a disposizione quel giorno non aveva che Shepard, Glenn e se stesso: sicché sperava nell'arrivo di Cooper e di Schirra per darci anche loro. Cooper non arrivò, era in Florida, Schirra nemmeno, era in Louisiana. A mezzogiorno in punto l'uovo di Pasqua fu rotto e sapemmo che a me toccava Glenn, Shepard ed il Capo, a Stig il Capo e uno dei nuovi, Mac Divitt. Interviste separate, ovviamente. E non ci aspettassimo di chiacchierar troppo: la durata normale di una conversazione oscillava tra i quindici minuti ed i trenta minuti. Subito dopo una porta si aprì ed entrai in un ufficio: disadorno, arredato soltanto con un tavolo e tre o quattro sedie, modellini di razzi e di aerei. Tra i modellini di razzi e di aerei stava, in piedi, un uomo che non avevo mai visto: neppure in fotografia. Era alto ed asciutto, attraente, ed era vestito in borghese: la giacca scozzese narrava da sola il rimpianto di un'uniforme e la cravatta blu-scuro narrava da sola l'odio per le cravatte. Questa, ricordo, fu la prima cosa che mi colpì. La seconda cosa fu il volto aspro, duro, virile, il volto di un soldato uso a esporsi senza battere ciglio alla pioggia ed al vento, o di un attore che nei film di guerra interpreta solo le parti di incorruttibile eroe. La terza cosa furono gli occhi: acutissimi e azzurri, allo stesso tempo pieni di ironia e di tristezza. Lentamente alzò una mano forte, curata, e strinse la mia. Poi, senza muover quegli occhi, disse: «Buongiorno. Il mio nome è Deke Slayton».

Conoscevo la voce: era una voce di casa. Tu l'hai uguale, papà: bassa, vibrante, bellissima.

# CAPITOLO OTTAVO

Ecco dunque Donald K. Slayton, Deke per gli amici, capo degli astronauti e vittima della più atroce sfortuna che possa capitare a chi fa il suo mestiere. Slayton infatti e non Glenn doveva essere il primo americano a orbitare la Terra, sostenere il ruolo di eroe. Lo avevano scelto perché era il migliore del gruppo: secondo i suoi stessi compagni, quello con maggiore preparazione e freddezza. E mancavano solo sette settimane al gran salto quando i medici dell'Aviazione gli dissero che non sarebbe partito: il suo cuore non era perfetto. Soffriva di fibrillazione atriale idiopatica: l'accelerazione violenta, la pressione sestuplicata avrebbero potuto causargli una anemia cerebrale e anche più. «Ridicolo. Ho superato perfettamente le prove. Sono molto più in forma di allora. Mi sento benissimo e non può succedermi nulla» replicò Slayton senza scomporsi. «Assurdo: il suo difetto al cuore era noto fin dall'agosto del 1959. È un difetto minore e non incide per niente durante il volo. Quando Deke collaudava gli aerei ce l'aveva di già» protestarono i suoi compagni. I medici dell'Aviazione insistettero no, no, no: cominciò allora la più disperata battaglia che un uomo possa sostenere quando si vede scivolar via dalle mani il suo sogno, lo scopo cui ha dedicato la vita. E di dottore in dottore, ripassando ogni esame, la ruota centrifuga, la Camera Calda, i piedi nel ghiaccio, i supplizi che nessuno di loro vorrebbe ripetere e darebbe chissacché per scordare, Slayton tentò di provare che il difetto era innocuo, insignificante, esplodeva ogni quindici giorni, a volte anche un mese, e poi mica sempre, solo se correva per tre o quattro miglia. Chi non ha un po' d'affanno se corre senza fermarsi per tre o quattro miglia? Gli credessero, perdio, gli credessero: influiva quanto avrebbe influito avere un occhio verde e un occhio blu, non lo dicevano anche i cardiologi della NASA?

Lo dicevano eccome: «Si tratta di un disturbo non grave, difficile a udirsi perfino nella fase più acuta, pericoloso solo in chi è affetto da ipocondria. Ma egli è il contrario dell'ipocondriaco: lo distingue un controllo eccezionale». Però dicevano anche altre cose, mentre la polemica infuocava al Congresso e sui giornali: «No, non deve andar su. Se muore che figura ci facciamo coi russi?». No, non bisogna mandarlo. Se muore tutti si porranno contro la corsa spaziale.» Ben pochi osservavano: «Che bisogno ha la NASA di tanti permessi: non lo ha scelto la NASA per far l'astronauta?». Lo aveva scelto sì: ma quale maggiore dell'aeronautica Slayton dipendeva dai medici dell'aeronautica e Glenn partì ugualmente al suo posto. Dopo Glenn partì al suo posto anche Carpenter. Dopo Carpenter, partì al suo posto anche Schirra. Dopo Schirra partì al suo posto anche Cooper. E lui lì: ogni volta a vederli partire, ogni volta a fargli gli auguri, ogni volta a seguirne il volo da terra, dalla sala di controllo, dagli schermi della TV. «Maggiore, cosa sente a vederli partire?» chiedevano, spietati, i cronisti. «Mi sento come si sentirebbe lei» rispondeva. «Dannatamente deluso, dannatamente addolorato. Dannatamente deciso a fargli mutare opinione.» Per scavalcare i cardiologi dell'aeronautica aveva chiesto di potersi dimettere, tornare in borghese, diventare un impiegato della NASA e basta. Ma la risposta dei generali non veniva mai e quando, finalmente, arrivò, il progetto Mercury era già chiuso; se voleva partire, aspettasse il progetto Gemini: assai più opportuno. «Nel progetto Gemini, sapete, gli astronauti son due e la capsula costa miliardi. Se gli succede qualcosa, l'altro salva almeno la capsula.» Questo, in breve, il dramma di Slayton: l'astronauta che andando negli spazi rischiava la vita due volte. E questo l'uomo che tra i modellini di razzi e di aerei mi fissava con occhi acutissimi e azzurri, allo stesso tempo pieni di ironia e di tristezza, poi diceva: «Buongiorno, il mio nome è Deke Slayton».

Slayton è nato a Sparta, nel Wisconsin, uno stato verde di boschi e torrenti, nel Nord, uno stato che chiamano «lo stato virile» e si vanta di avere «la più bassa percentuale di ammalati ma la più alta percentuale di liberali». Le leggi del Wisconsin sono infatti tra le più progressiste: i wisconsiniani furono i primi ad avere una biblioteca viaggiante e ad organizzare un sistema di assicurazione per i disoccupati. Forse perché fu colonizzato quasi interamente dai nordici: finnici, norvegesi, danesi, tutt'al più qualche svizzero. Ci vennero verso il 1840, senza disturbar troppo gli Indiani, e vi si stabilirono per coltivare la terra. La maggior parte delle contee agricole è nelle mani dei norvegesi: al novanta per cento, contadini. Slayton è di origine norvegese ed era un contadino: suo padre e sua madre fanno ancora i contadini nella fattoria messa su dal bisnonno. «Se non fosse scoppiata la guerra,» egli dice «non mi sarebbe mai passato pel cervello il sospetto di non seguire il mestiere di mio padre. Avrei continuato a lavorare la terra. Amo la terra, gli alberi, e tutto quello che è verde. Per pescare preferisco i fiumi ed i borri: il mare non ha foglie.» Del caso o il destino che lo guidò in un mondo così privo di foglie racconta: «Avevo diciott'anni, mi sembrò giusto andar volontario. Mi misero nell'aviazione e non avevo la minima idea di cosa significasse pilotare un aereo. A essere esatti, non ero mai salito in aereo. Perciò chiesi di salire in aereo e capitai su un idrovolante che faceva un giro di cinque minuti sul lago Michigan. Dopo i cinque minuti, anzi prima, avevo deciso che quella sarebbe stata la mia vita». Infatti imparò subito e lo mandarono alla guerra come pilota dei bombardieri B25: malgrado avesse diciannove anni, non più. Bombardava, a quel tempo, l'Italia. E, sembra un paradosso, fu per questo che il nostro colloquio fiorì. Parlarci, all'inizio, era abbastanza difficile. Rispondeva a frasi secche, brevissime, non ci voleva molto a capire che il magnetofono e io lo mettevamo a disagio: avrebbe dato parecchio per essere mille miglia lontano, tra le stelle o i suoi boschi. Poi scoprimmo che col suo B25 aveva bombardato Firenze, la mia casa, e anche me. Ciò gli dispiacque talmente che di colpo si sciolse, si aprì come un banco di nebbia scaldato dal sole. E parlò, parlò, con quella voce bassa e vibrante, bellissima; spiegò, spiegò, quasi questo servisse a fargli scordare la ragazzina impaurita che corre sotto le sue bombe, quasi non gliene importasse un bel nulla venir giudicato un tenero o un debole. Gli abitanti di Sparta, ho capito, hanno un solo complesso: quello di chiamarsi spartani. Si direbbe che il nome pesi su loro come un'incitazione costante e che vivano nel timore perpetuo di non meritarlo. Dormono poco, mangiano poco, non piangono mai: «C'è un mucchio di cuori deboli associati a questa situazione» scriveva Slayton al sindaco della sua città, nei giorni della polemica tra NASA e Aeronautica, «ma non appartengono a noi spartani».

Dopo avermi sbriciolato la casa, il giovane Slayton andò a sganciar le sue bombe in Giappone e combatté a Okinawa. Aveva ventitré anni quando fu congedato e si accorse di avere perduto alla guerra gli anni in cui si sceglie una carriera. Allora si iscrisse all'università del Minnesota e in due anni fece quello che gli altri fanno almeno in quattro: si laureò in ingegneria aeronautica e trovò un posto come ingegnere alla Boeing Aircraft Company dove rimase fino al 1951 quando lo richiamarono una seconda volta alle armi e lo spedirono dritto in Germania. Qui incontrò Marjorie Lunney, la donna che dal 1954 è sua moglie. Dell'episodio dice soltanto: «Anche lei lavorava all'Air Force. Ci sposammo a Parigi». Lei aggiunge: «Quel luterano norvegese che passa il suo tempo a nascondere i sentimenti o a far finta di non averne. Ne ha tanti che quando straripano allagano tutto. E poi, una volta, gli ho visto anche una lacrima. Fu quando nacque Kent, nostro figlio». Il figlio nacque in California dove Slayton si era trasferito come collaudatore di aerei alla base di Edwards. E ad Edwards seppe che la NASA cercava astronauti, argomento su cui è un po' più ciarliero: «Lo seppi e pensai che il mio posto era un ottimo posto: di conseguenza avrei fatto bene a star zitto e a non mischiarmi in robe nuove. Poi pensai che magari non cercavan neppure un pilota esperto, cercavano solo un corpo umano da chiudere dentro un missile e spedir come una scimmia. Però sono curioso e volai a Washington, gli domandai di spiegarmi un po' meglio di che si trattava. Quando l'ebbero spiegato esclamai: ragazzi, se c'è uno che può farcela questo è un esperto pilota. Mi ritrovai nei diciotto finali. Tra i diciotto fui scelto. Mi telefonarono una mattina e mi dissero che ero stato scelto: ammesso che mi interessasse ancora. Io risposi: sissignore, certo che mi interessa ancora. Era un venerdì mattina e mi dissero che dovevo essere a Washington il

lunedì mattina. Così preparai le valige». A Washington lo a-
spettava la conferenza stampa sul palcoscenico, la tortura in-
dicibile di sentirsi osservato da occhi curiosi. Racconta John
Dille: «Sentirsi osservato per lui è assai più straziante che bollire nella Camera Calda o girare fino a 26 g nella ruota centrifuga. Quando la conferenza stampa finì, era pallido: stille di
sudore gli colavano giù dalla fronte. Mormorò: se non avessi
già superato le prove, li manderei tutti all'inferno; i miei ginocchi battevano come due noci».

Dei contadini infatti conserva la timidezza indifesa, la semplicità disarmante. Ed anche la scontrosità taciturna di chi
non è abituato a perdersi in chiacchiere, ama semplificar tutto
in poche frasi sintetiche. Infine, la diffidenza caparbia. Più
tentavo all'inizio di farmelo amico, di spiegargli con gli occhi
che no, non lo guardavo come si guarda un animale allo zoo,
lo guardavo come si guarda una creatura, più lui si chiudeva:
ostinato. Mi sembrava di avere davanti quei ricci che finché li
ignori ti vengono dietro, e quando li sfiori si raggricciano tutti,
diventano una palla di spine. Le braccia incrociate sul tavolo,
il collo incassato dentro le spalle, sorrideva un sorriso che era
piuttosto un piegare di labbra, una spina irta a difendersi. Tutto il viso era immobile: il naso, la bocca, le guance scolpite a
colpi di ascia. Più che un uomo sembrava la statua di un uomo, un bel busto di legno cui una fata bizzarra ha donato
chissà perché due pupille. Le pupille raccontavano tutto: l'a-
marezza patita, l'indifferenza alla celebrità, la passione pel
cielo, la fede testarda dei padri che un giorno lasciarono i fior-
di, le acque tranquille di casa, e solcando il gran mare tocca-
rono la terra chiamata Wisconsin. Il resto taceva. E, quel che
è peggio, invitava a tacere. Con garbo, non con prepoten-
za. Davvero non so come riuscii ad azzardare la prima domanda.

«Certo... dev'essere stato penoso, maggiore, restar lì a veder gli altri andar su. Non riuscire a convincerli che ce la faceva lo stesso, sbagliavano...»

«Non è stato piacevole, no. È stato molto spiacevole, sì.»

«Scusi se parlo di questo, maggiore.»

«Parlano tutti, di questo. Ma cos'altro dire? Tu sei lì, con
un piede in terra e uno dentro la capsula. Hai aspettato questo
momento quattr'anni. E quelli ti dicono scendi, il cuore non

va. Tu che fai? Non sei mica un dottore. Non puoi mica dimostrargli che han torto. Resti lì, a pensare che han torto. E non puoi farci nulla. Nulla.»

«Com'è andata, allora, che...»

«È andata che alcuni erano convinti, altri no. Così si son messi a discuterci su. A cercare un accordo. Non l'hanno trovato e hanno detto che era meglio non azzardare. Sa com'è conformista, la gente. Paurosa. Basta un piccolo dubbio. E decide di non azzardare. Mi sento bene, gli dico. Dannatamente bene. È una cosa impercettibile, un soffio. Quando batte più forte, quasi non me ne accorgo. Dovessi dire di cosa si tratta, non lo saprei dire. Non influisce per niente.»

«Durante il volo potrebbe influire, maggiore. L'accelerazione violenta, la pressione sestuplicata, lo sforzo... Scusi se lo dico, maggiore: potrebb'esserle fatale.»

«No. Nientaffatto. È un difetto minimo. L'ho detto e ripetuto. Come avere un occhio verde e un occhio blu. Solo gli ultraconformisti, gli ultraprudenti, parlano come lei. E siccome temono di non poter dire con assoluta certezza sì, vai, preferiscono dire no, non andare. Il mondo è pieno di gente che dice no. Sembra così difficile, sempre, dire sì. Per paura di rovinarsi la reputazione. Mica per te. Per la reputazione. Un no, e la reputazione è salva. Tanto, se resti a terra, non succede mica nulla che dimostri il loro torto. Ma se parti, e succede qualcosa... ah! Si son rovinati la reputazione.»

La statua si mosse: tornò un uomo. Un uomo affranto, con la testa piegata in avanti. Non vedevo più nemmeno i suoi occhi. Vedevo solo la fronte e poi i capelli. I capelli erano tagliati corti corti, e stavano ritti: come il crine di una spazzola. Erano castani e veniva voglia di accarezzarli, perché sembrava dolessero, anche loro.

«Vede... io non ho mai avuto la gobba. Voglio dire: non sono mai stato un tipo con molta fortuna. Quando ho avuto qualcosa è stato perché ho faticato per aver quella cosa. Eppure ero talmente sicuro che sarei stato il primo. Mi sbagliavo, evidente.»

«Non se la prenda, maggiore. Lo sanno tutti che il prossimo ad andar su sarà lei. Dicon perfino che sarà lei a guidare la spedizione sulla Luna. Ora che veste in tutti i sensi in borghese, può far quel che vuole.»

«Uhm. Già. Stavolta sembra proprio che vada. Uhm. Già. Non vedo l'ora di andare.»

«In quella noce di ferro, maggiore? Senta: stamani...»

«Di ferro o di carta, che importa? Serve a volare. E qualsiasi cosa serva a volare, io l'adopro. Se bastasse un ombrello, userei l'ombrello. Sono vent'anni che volo. Avevo diciannove anni quando ero pilota di un bombardiere e volavo sopra l'Italia. Ora ne ho trentanove. Faccia il conto e vedrà che son venti.»

«Senti, senti. L'Italia?!»

E, di colpo, l'imbarazzo sparì. Sparì anche l'impulso di accarezzargli la spazzola che gli nasceva in testa: ci credi, papà? Come un pugno, come uno schiaffo, mi tornava l'urlare di quelle sirene, il ronzio di quelle cicale che non erano cicale ma aerei, dieci aerei, venti aerei, cento aerei, uno accanto all'altro, uno dopo l'altro, tutto il cielo era coperto di aerei, spietati, vicini, sempre più vicini, bassi, sempre più bassi, chiari, sempre più chiari, ricordi, papà, ormai se ne distinguevano nettamente le scritte, le cabine di vetro, gli uomini dentro le cabine di vetro, e avevano un casco, come i motociclisti, e tutti scappavano, come formiche, e anch'io scappavo, come una formica, sola, completamente sola quel giorno, scappavo in bicicletta, alla bicicletta era legata una pentola, la pentola era piena di minestra, la minestra era per te che stavi in prigione, ti ci avevano messo i fascisti in prigione, io avevo legato la pentola al manubrio per portarti la minestra in prigione, le cicale erano sopra di me e non riuscivo a slegare la pentola, e pedalavo, pedalavo, pedalavo, e la pentola batteva contro il manubrio, come un pendolo, toc-toc, toc-toc, toc-toc, ad ogni colpo schizzava un po' di minestra, la minestra mi imbrattava le gambe, il vestito, le spalle, la gente gridava, si chiamava, piangeva, una bomba cadeva, poi un'altra, poi un'altra, uno schianto, poi un altro schianto, poi un altro schianto, la gente gridava, si chiamava, piangeva, la minestra mi imbrattava le gambe, il vestito, le spalle, la pentola faceva toc-toc, toc-toc, toc-toc, la salvezza era un ponte, al di là del ponte non c'era più ferrovia. Signore ti supplico, fammi arrivare a quel ponte, il ponte, solo il ponte, il ponte era lontano, lontano, lontano, un'altra bomba cadeva, vicina, stavolta, vicina, pezzi di pietra schizzavano, volavano, ricadevano, la strada era una nu-

be di polvere, e in quella nube io pedalavo, disperata, sempre
più disperata, sola, sempre più sola, inerme, sempre più inerme, il ponte era a venti metri, quindici metri, dieci metri, grazie
Signore, ce l'ho fatta, ce l'ho fatta, e l'ultima bomba cadeva,
un vulcano che scoppia, un inferno che s'apre, una luce accecante, un boato, un pugno ciclopico, uno schiaffo mostruoso,
e ora ruzzolavo per terra, tra i calcinacci, tra il fumo, e sopra
di me era la bicicletta, la pentola vuota che continuava a fare
toc-toc, un piede mi faceva un gran male, un gran male, dinanzi a un calesse rovesciato un cavallo giaceva supino: i lunghi denti serrati, le zampe rivolte a un cielo di polvere, come a
chiedere aiuto e...

«Senti, senti. L'Italia?! E dove bombardava, maggiore?»
«Un po' dappertutto. Napoli. La Toscana. Firenze, ricor-
do. Nell'ottobre del '43.»
«Firenze...? Nell'ottobre del '43...?»
«Già. Quella maledetta ferrovia.»
«Quella maledetta ferrovia.» E forse, è probabile, mi venne
la pelle d'oca. Sarà stupido, ma mi viene sempre la pelle d'oca
quando penso a quel giorno, papà.
«Perché?... Lei dov'era?»
«Sotto. Proprio sotto, maggiore.» E forse, è probabile, mi
si inumidirono gli occhi. Sarà stupido, ma mi si inumidiscono
sempre gli occhi quando penso a quel giorno, papà...
«No! Oh, no! Mancammo... mancammo molti bersagli, ricordo. E...»
«Per carità. Solo una storta a un piede, maggiore, una feri-
tina. Saltò solo la casa, maggiore. Ma era proprio sulla ferrovia, proprio accanto. Non poteva evitarla, maggiore.»
«Mi dispiace. Mi dispiace molto. Era il mio mestiere.»
«Era la guerra, maggiore.»
Era la guerra, ed erano i nostri amici quegli uomini dentro
le cicale. Tu dicevi che erano i nostri amici, papà ed io ripetevo ubbidiente che erano nostri amici. Ma ero una bambina e
non capivo perché ci bombardassero se erano nostri amici: e
li odiavo. Odiandoli mi chiedevo che faccia avessero ed ecco:
avevano la faccia di Deke Slayton a diciannove anni, una faccia perbene.
«Sigaretta, maggiore? Oh, già. Dimenticavo che gli astronauti non fumano.»

«Me la dia, me la dia. Non dovrei, non dovremmo. Però me la dia.»

E l'afferrò: come si afferra una corda quando si è nuotato a lungo e si è stanchi. Poi, con quella corda in mano, si mise a cercare i fiammiferi. Li cercava dappertutto, nelle tasche della giacca, dei calzoni e ad ogni gesto si disarticolava un pochino, sembrava quasi di udire le giunture che facevano crac, crac: finché non si udì più alcun crac e, al posto dei crac, ci fu un uomo cui accendevo la sigaretta.

«Grazie. Oh, grazie. Mi sta corrompendo. Siete sempre voi ragazze che corrompete noi ragazzi. Di che parlavamo?»

«Della noce di ferro, maggiore. Quella con cui lei partirà. Sono entrata dentro la capsula Apollo, qualche giorno fa, e stamattina sono entrata dentro la capsula Mercury. Francamente non vedevo l'ora di uscirne. Scomodina, oltretutto.»

«Ma no, c'è un mucchio di spazio: tutto quello che basta. Davvero. Non vedo che differenza ci sia fra chiudersi dentro un aereo e chiudersi dentro una capsula: volar dentro una capsula significa solo volar più veloce e più alto, esser passati da un certo sistema a un altro sistema. Le cosmonavi, oggi, lei le considera un incubo, tra vent'anni le giudicherà un normale mezzo di comunicazione con cui i tipi come me porteranno a spasso la gente che va a far le vacanze in altri pianeti.»

Quando la città cambiò padrone e gli americani arrivarono, il piede mi doleva ancora. Non lo avevo curato bene in quei mesi, un piede appena rotto che conta, e c'erano giorni in cui zoppicavo un pochino, saltellando, e ad ogni saltello i miei occhi cercavano gli occhi dei nuovi soldati, come a chiedergli: «Sei stato tu?». I soldati guardavano questa ragazzina che li guardava come a chieder qualcosa e le davano una cioccolata, talvolta le tiravano anche le trecce e...

«Mi rendo conto, maggiore, che tra vent'anni e anche meno il mestiere di astronauta sarà un mestiere come tanti altri: come il mestiere di pilota sui jet, ad esempio. Per ora non lo è tuttavia, e quella noce di ferro a me sembra una trappola: una pericolosissima trappola che si allontana un po' troppo dalla Terra. Tanto è vero che quando siete lì dentro avete bisogno di ossigeno.»

«E per andare sott'acqua non ne abbiamo bisogno? C'è un mucchio di gente cui piace viver sott'acqua e pur di viverci si

carica di ossigeno, tute, e roba del genere. Non si è nati per viver sott'acqua più di quanto non si sia nati per viver nell'aria,
o fuori dell'aria. E tuttavia andiamo sott'acqua, e nell'aria, e
fuori dell'aria, e ciò non è innaturale dal momento che è possibile farlo. Siamo ancora a uno stadio di prova, d'accordo;
questo stadio di prova causerà fallimenti, insuccessi, morti,
d'accordo: ma morire fa parte del nostro mestiere e la cosa
non mi preoccupa. Come non mi preoccupa, quando guido
sull'autostrada, il fatto che centinaia di persone muoiano guidando sull'autostrada. Non ci penso, insomma. Lei ci pensa?»

«Io sì, eccome. E quando sono in aereo penso che gli aerei
precipitano. E quando sono nell'acqua penso che nell'acqua
si affoga. Perché ho paura, maggiore.»

«Non ci credo: dal momento che vola e che nuota. Non ci
credo. Guardi: se uno pensasse al rischio che c'è a fare le cose, non dovrebbe mai uscire di casa. E, una volta in casa, non
dovrebbe muoversi: perché anche lì potrebbe farsi del male.
Quanta gente muore fulminata nella stanza da bagno o si
rompe le gambe ruzzolando le scale o si taglia un dito affet-
tando il salame? Ma se pensassimo a questo dovremmo star-
cene lì, sempre fermi, sempre seduti sul primo scalino, come
larve impaurite che pensano solo a una cosa: i vari modi che
ci son di morire. Rannicchiati, zitti, tesi nella speranza che la
lumiera non ci cada sul capo, che il tetto non crolli, che un fulmine non entri dalla finestra: ma che vita sarebbe? Sarebbe
una morte. Una morte che respira. Senta: chi ha paura di morire non è degno di vivere, secondo me.»

Io mi vergognavo ad accettare quella cioccolata, la mamma diceva che una ragazzina perbene non accetta cioccolate
da nessuno, tantomeno dai soldati, però mi vergognavo anche
a rifiutarla, la mamma diceva che non bisogna esser scortesi
con chi ti fa un dono: e così restavo con la cioccolata in mano,
rossa, confusa, a fissare il soldato che si allontanava e non era
mai lui quello del piede. Quando cerchi qualcuno, lo senti se è
lui. Ti si muove dentro qualcosa e...

«Sì, ciò che dice è bello, maggiore. Probabilmente anche
giusto. Ma resta il fatto che la paura io ce l'ho. Ci dividono secoli, vede, maggiore. Lei è nato ora e io alcuni secoli fa.»

«Oh, no. È che lei non fa il mio mestiere, ecco tutto. I mestieri degli altri ci sembrano sempre difficili: perché non li conosciamo. Per me, ad esempio, è fantastico che lei riesca a mettere insieme su fogli scritti questi discorsi. Per lei è fantastico che io riesca a chiudermi in una cosmonave e salire su. Non c'è altra differenza: né io, per questo, appartengo al futuro e lei al passato. Apparteniamo entrambi al medesimo secolo e poi non creda d'esser la sola a pensarla così. L'America è piena di gente che pensa al mio lavoro come a qualcosa di eccezionale, e ne ha paura. Ma non è paura: è diffidenza, esitazione. Si è sempre esitanti o diffidenti dinanzi alle cose che non si conoscono, che non si sanno fare.»

«Saper fare una cosa non basta, maggiore. Oltre a saperla fare ci vuol qualcos'altro: il coraggio.»

«Allora glielo spiego io cos'è questo famoso coraggio. Prendiamo un esempio. Se lei deve partecipare a una corsa automobilistica, si sceglie un buon pilota da corsa... No, questo non va. Ecco... mi faccia pensare, ho trovato. Se lei deve farsi una operazione difficile, si sceglie un buon chirurgo. Sì, questo va, questo regge: perché fare una operazione chirurgica mi spaventerebbe a morte. E perché mi spaventerebbe a morte? Perché non so nulla di chirurgia, perché mi è un mestiere completamente estraneo. Se lo immagina come tremerei se mi spingessero dentro una sala operatoria e mi dicessero guarda: quella ragazza va operata al cuore. Mio Dio! Sarei preso dal panico, crollerei svenuto. Prima, direi, la bombardo: poi l'ammazzo facendola a pezzi col bisturi. Aiuto, aiuto! Questo però non spaventerebbe il chirurgo il quale sa come adoperare il bisturi, come guarire il suo cuore. Ora prenda un chirurgo che non è neanche un pilota: lo butti dentro una capsula spaziale, ce lo chiuda ermeticamente, gli accenda un gran fuoco sotto il sedere e lo mandi su. Si spaventa a morte, chiaro. E perché? Perché non sa nulla di quel che succede. Io non mi spavento perché so quel che succede. Conosco ogni minuscola parte di quella capsula: allo stesso modo in cui il chirurgo conosce ogni minuscola parte del suo cuore, delle sue vene, delle sue arterie. La uso da anni, quella capsula, ci parlo, la comprendo, le voglio bene. E così si ritorna al discorso di prima: si ha sempre paura di ciò che non si conosce e non si capisce. Mi ascolta in un modo buffo: perché?»

«La ascolto come si ascolta qualcuno di cui per anni ci si è chiesti: che tipo sarà? Che cosa dirà? Lei è il primo astronauta che incontro, maggiore, e dal giorno in cui Gagarin andò su io mi domando che uomini sono questi astronauti. Mi interessa capirli più di quanto mi interessi vedere la prima astronave per Marte.»

«Guardi: secondo me, non meritano tanta curiosità. Sono soltanto buoni piloti che ebbero fortuna d'essere scelti perché avevano i requisiti richiesti: l'altezza giusta, il peso giusto, l'età giusta, la salute buona, polmoni sani, cervello sano, cuore... cuore sano... cuore sano. E poi avevano un minimo di duemilacinquecento ore di volo come collaudatori di aerei. E poi erano ingegneri.»

I nuovi soldati erano grassi, con faccioni cordiali e ridevano sempre. Ridevano anche quando, ubriachi, altri soldati con l'elmetto e la scritta MP li caricavano su camioncini color verde oliva: per portarli, suppongo, in prigione. Non sembrava davvero che stessero facendo la guerra, sembravano come in vacanza, e avevano l'aria di chi non muore mai e non fa neanche morire. A me sembrava impossibile che tipi simili gettassero bombe per ammazzare i cavalli e rompere i piedi ai ragazzi. E poi erano tutti di fanteria: tu dicevi, papà, che le truppe di occupazione non hanno nulla a che fare con gli aeroplani. E un poco alla volta mi rassegnai a non trovarlo, quello del piede. Poi il piede guarì e me ne dimenticai.

«Senta un po', maggiore: ma lei è proprio sicuro di arrivar sulla Luna?»

«Sicurissimo. Certo.»

Mi guardò con stupore, come se gli avessi detto: ma lei è proprio sicuro di avere il naso?

«E di tornare indietro, maggiore, è sicuro? Tornare indietro: senza l'aiuto delle dodicimila persone che controllano la vostra partenza da Terra, la seguono minuto per minuto, la guidano...»

Stavolta mi guardò come se gli avessi chiesto: ma è proprio sicuro di alzarsi da questa sedia?

«Certamente. Se lo metta in testa: se pensassimo di non farcela, non ci andremmo. Nessuno di noi ha voglia di fare il solo viaggio di andata e non si tratta di un dannatissimo biglietto senza il ritorno pagato. Partire dalla Luna sarà un po' più difficile, ovvio, che partire dalla Terra. Ma noi ci prepariamo ad andare e arrivare e fare le cose che ci diranno di fare e tornare indietro per mandarci altra gente. Soprattutto mandarci altra gente.» Gli era tornata quell'espressione caparbia, sul viso: quel broncio adirato. Ma passò quasi subito. «Non capisco. Molti pensano a questo viaggio come a un viaggio fatto per scendere sul Mare Nubium o sul Mare Imbrium o su come diavolo chiamano quelle pianure, poi dire eccoci qua; poi ridiscendere sulla Terra con l'aria contenta di chi si è tolto un peso dal cuore. Ehi, pupa, hai visto? Potevamo farcela e ce l'abbiamo fatta. Su, andiamo a berci un goccetto. Abbastanza idiota, le pare? Il nostro è un viaggio scientifico e deve servire a conoscere qualcosa di più su un universo di cui non si sa quasi nulla.»

«Nulla. Nemmeno il paesaggio che si presenterà ai vostri occhi. Nemmeno questo, perbacco, la preoccupa un poco?»

«No. Non mi preoccupa.»

«Non ci credo, non ci credo! Si sa che l'orizzonte è molto più stretto sulla Luna: la Luna è tanto più piccola della Terra. Siccome è più stretto, è vicino. Siccome è vicino, sembra l'orlo di un precipizio vicino, e il cielo è a ridosso. Un cielo nero, maggiore: con la Terra che incombe immensa, quasi stesse schiacciando la Luna... Questo non le dice nulla?!»

«Mi dice una gran bella fotografia, una fotografia davvero interessante. Pensi: star seduti sulla Luna e guardare la Terra. Dev'essere meglio che star seduti sulla Terra e guardare la Luna.»

«Lei mi sta prendendo in giro, maggiore.»

«Le giuro di no. No!»

«Bene. E se non la sopportasse, questa sensazione di guardare la Terra dalla Luna?»

«Perché non dovrei sopportarlo? Perché nessuno l'ha avuta prima di me? Perché nessuno ha visto la Terra dalla Luna, prima di me? Qualcuno deve pur essere il primo. Altri vedranno la medesima cosa dopo.»

Se questo fosse un romanzo, anziché il diario del mio viaggio, mi divertirei tanto a scrivere su un tipo così: ci credi, papà? Ne verrebbe fuori un personaggio inverosimile: perfino riferendoti tale e quale il colloquio, ogni tanto mi fermo e mi chiedo: ma parlava davvero così o me lo sono sognato? Parlava davvero così: non mi son sognata un bel nulla. Neanche il fatto che continuasse per un'ora abbondante: lui che, dopo tre o quattro frasi, si sente la gola già secca. Neanche il fatto che Bjorn e Stig si affacciassero spesso impazienti, gelosi: la loro intervista a Mac Divitt era conclusa da un pezzo e ormai gli toccava l'incontro con Slayton. Neanche il fatto che quelli della NASA si stringessero nelle spalle, sorpresi, e balbettassero: «Gesù! Hai mai visto Deke cianciar tanto?». Neanche il fatto che fosse un po' troppo perfetto per essere vero. Il dubbio che fosse inventato mi prese, lo ammetto. O meglio l'idea che non fosse un uomo ma l'imitazione di un uomo: vale a dire un robot. Proprio uno di quelli che descrive Asimov quando racconta di Stephen Byerley che nel 2032 pone la candidatura a sindaco di New York. Byerley è un tipo sui quarant'anni: come Slayton. È bello, bravo, buono, intelligente, logico, giusto, coraggioso, modesto: come Slayton. Ha tante virtù che a Francis Quinn, l'altro candidato, viene un sospetto: Byerley non è un uomo ma un robot di struttura umanoide con cervello elettronico particolarmente capace di affrontare i problemi etici. Se riuscirà a provarlo, Quinn diventerà sindaco. Si scatena la battaglia elettorale. Quinn la conduce sostenendo che Byerley è un robot e Byerley difendendosi da questa accusa. Quinn ha scoperto ad esempio che Byerley non mangia mai: Byerley, per smentirlo, mangia una mela. Quinn ha scoperto che Byerley non dorme mai: Byerley, per smentirlo, si fa in pubblico un sonnellino. E si giunge al round finale: il grande comizio che deciderà la sconfitta di Quinn o di Byerley. Un uomo salta sul palco di Byerley e gli grida: «Un robot non può recar danno a un essere umano. Questa è la sua prima legge. Se non sei un robot dammi un pugno». «Non ho alcun motivo per colpirla, signore» dice Byerley. «Non puoi, ecco la verità» strilla l'uomo. Allora Byerley solleva il pugno e gli rompe i denti. Il giorno dopo è già sindaco. Cinque anni dopo è Coordinatore Regionale. Dieci anni dopo è Coordinatore Mondiale. Dovrà disintegrarsi nel nulla perché si scopra la verità: anche l'uomo cui Byerley spaccò i denti era un robot. La scena era stata montata da Byerley in obbedienza alla legge: «Un robot può colpire soltanto un altro robot».

Il dubbio m'era venuto, lo ammetto. Ed anche la tentazione di dirgli: «Se non sei un robot, dammi un pugno». Ma qualcosa in quegli occhi diceva che me lo avrebbe tirato davvero: «Stupida, tieni!». E io, che ho cari i miei denti, ci rinunciai. Del resto ti accorgerai molto bene che non è affatto un robot, questo Slayton. Lo ritroverai spesso, più avanti, e te ne accorgerai sempre di più: v'è in lui una cosa che si trova di rado in chi ha coraggio fisico, la cosa che chiami coraggio morale. Le due faccende non vanno troppo d'accordo, lo sai. Uno ad esempio affronta da solo dieci mitragliatrici, o va sulla Luna e si mette tranquillo a fotografare la Terra, poi dinanzi a una disavventura, un problemino da niente diviene un codardo. Rammenti il tuo amico che resisté alle torture, gli offrirono una medaglia per quelle, e poi dieci anni dopo incontrando a teatro uno degli aguzzini non ebbe il coraggio, il coraggio morale, di rifiutargli una stretta di mano? Dimmi, esclamasti, l'hai perdonato? Neanche per sogno, rispose. L'hai fatto per timidezza? Vuoi scherzare, rispose. E allora perché l'hai fatto, perché! Sai, disse, ora è un uomo autorevole, dirige uno stabilimento e intendo averci rapporti di affari. Io più che cresco, che invecchio, papà, più mi accorgo di darti ragione quando dici ci vuol più coraggio a non dare la mano a un pezzente con tanti quattrini che a farsi strappare le unghie con la morte a due passi.

«Capisco. E di cos'altro si occupa, maggiore, oltre che di andar sulla Luna?»

«Se cerca di chiedermi cosa leggo, lei è il tipo che lo fa, le rispondo subito che quando non sono in viaggio mi consumo le pupille a leggere. Ma se vede la roba che leggo, decide che quello non è leggere. I libri cui allude lei io non ho tempo di prenderli in mano. Al cinematografo non ci vado da quasi due anni: la sera son così stanco che voglio solo dormire. Nei posti, nemmeno: la vita che faccio mi impedisce ogni distrazione. Vi sono solo due cose che quando ho tempo cerco di fare: andare a caccia ed a pesca. Non c'è nulla che mi renda contento e tranquillo come girare pei boschi con un fucile o stare in riva a un fiume con una canna e un'esca. Solo. In silenzio. Lei no?»

«Anch'io, anch'io.» E lo fissai con gratitudine. Peccato, eh, papà, che sulla Luna non vi siano pesci né uccelli.

«E la giornata come la trascorre, maggiore? Insomma.

questo mestiere di astronauta, in che diavolo consiste? Nell'attendere di andar sulla Luna?»

«Magari! Si lavora come schiavi, si lavora. Qui ad Houston, per esempio, ciascuno ha il suo ufficio: tutte le mattine alle 8 bisogna venire in ufficio, come gli impiegati di banca. Alle otto e quindici bisogna far la riunione: che è una dannatissima riunione per discutere chi fa una cosa e chi un'altra. Chi va ad assistere al lancio di un nuovo razzo, non so, o chi va ad approvare una nuova tuta spaziale, non so. Dopo la riunione, c'è scuola: si studia come ragazzi. Fisica, astrofisica, astronomia, biologia, geologia, queste robe qua. Dopo la scuola ci son gli allenamenti: la ruota centrifuga per tenersi in esercizio e via dicendo. Chi crede che si stia senza far nulla o si passi il tempo a volare, sbaglia di grosso. Il volo non è che una piccola parte del nostro lavoro: quella conclusiva. Il resto è tecnica, tecnica, tecnica. Si fa più gli ingegneri che i piloti, più gli studenti che gli astronauti. E a Houston ci stiamo pochino: la maggior parte del tempo la passiamo in viaggio. Cape Kennedy, Washington, San Antonio, Pennsylvania, Nuovo Messico, California, Arizona, New York. Ora per controllare la fabbricazione di un razzo, ora per esaminare le strutture geologiche di una zona desertica, ora per imparare a cavarsela nella giungla o in una regione caldissima e lavica, ora per prendere disposizioni da quelli del governo. Non si sta mai fermi: mai, mai. Io di trecentosessanta giorni dell'anno, almeno duecento li passo lontano da casa: mia moglie non fa che brontolare dicendo che non ce la fa a mandare avanti la casa da sola.»

«E per il timore che le succeda qualcosa non brontola?»

«No, per quello no. Brontola per questa storia di mandare avanti la casa da sola. Al resto c'è abituata.»

«Capisco.»

«Certo è un gran mestieraccio, il mio.»

«Me ne rendo conto, maggiore. E mi chiedo: come giudica gli astronauti russi: come colleghi o come avversari?»

«Come dovrei giudicarli? Come un altro gruppo di uomini che fanno il mio stesso mestieraccio, li giudico. Come colleghi, li giudico: anche se sono in competizione con me. Gli astronauti russi... come vuole che siano? Come noi, saranno. Io non li ho mai incontrati: però Shepard e Glenn hanno conosciuto Titov e, se non sbaglio, hanno detto che ha un'aria dannatamente perbene. La comprensione viene fuori da sé quando si fa lo stesso mestiere: e la nazionalità non fa gran differenza. Io la penso così.»

«Resta la rivalità, tuttavia.»

Si strinse nelle spalle.

«Boh!... Il punto di vista russo è diverso: nella scelta degli astronauti non seguono il criterio di selezionare piloti. Non gliene importa nulla che siano buoni piloti: tanto le loro cosmonavi sono così perfette che può guidarle anche un cattivo pilota o un qualsiasi paracadutista. Insomma, preferiscono spedire oggetti per ricerche fisiologiche anziché tecnici, passeggeri piuttosto che ingegneri.» Si strinse di nuovo nelle spalle: «Ciascuno ha il suo sistema e le sue buone ragioni per usar quel sistema ed io penso che le astronavi russe siano migliori di quelle americane, gli astronauti americani migliori di quelli russi. Noi non avremmo mai selezionato la gente che è stata selezionata dai russi. Noi abbiamo sempre pensato che il successo di un volo spaziale dipenda dall'uomo dentro la capsula, dal lavoro dell'uomo dentro la capsula. È molto difficile costruire macchine completamente automatiche: le macchine hanno tendenza a fondere le valvole, ad andarsene per proprio conto, le macchine non possono fare a meno dell'uomo. E allora tanto vale che l'uomo sia un tipo che se ne intenda». Sorrise un bagliore di bianco: «Teoricamente anche noi potremmo mandare il primo che passa. Lei, per esempio».

«Io?!»

«Sì. Lei. Se gli esami medici concludessero che la sua salute è buona, potrei portarla a Cape Kennedy, metterle addosso una tutina pressurizzata, chiuderla dentro una capsula, e mandarla su. Si divertirebbe un mondo e tornerebbe dicendo: "Ehi, Deke, mi hai fatto proprio un regalo, ragazzo". Ma a parte il piacere di farle un regalo, cosa proverei con questo?»

«Che perfino io posso andare e, per disgrazia di molti, tornare.»

«Certo che può: disgrazia o no. Ma a che serve? A scrivere un bel racconto, non a fornirmi informazioni tecniche. Io ho bisogno di quelle, e nient'altro. Della letteratura, sa... con tutto il rispetto per la letteratura... con la letteratura non approdo mica alla Luna.»

«Questo non spiega perché gli Stati Uniti non hanno astronaute. C'è un mucchio di donne in questo paese che affermano di avere tutti i requisiti necessari per far l'astronauta: però nemmeno una donna è astronauta. Perché rifiutate le donne nella corsa alla Luna e agli altri pianeti?»

«Glielo dico io perché. Perché quelle chiacchierano e basta. Perché quei requisiti non li hanno. Non hanno le duemilacinquecento ore di volo come collaudatrici di aerei, non hanno la qualifica tecnica che ci vuole a collaudare un aereo o una capsula. Vi sono almeno duemila piloti, in America, più qualificati della pilota più qualificata: dovrei scegliere questa duemillesima solo perché è una donna e mi fa pubblicità? I russi hanno mandato la Tereskova. Io non l'avrei mandata. Non è nemmeno una pilota, è una paracadutista. Tecnicamente a che serve? Le donne andranno su, certo. Per esempio, se avremo bisogno del migliore geologo e il migliore geologo sarà una donna, manderemo la donna. Non perché è una donna: perché è un bravo geologo. Essere una donna non è né una qualifica né una squalifica per andar sulla Luna. Noi non facciamo discriminazioni di sesso: né a favore né contro. Ciascuno dev'essere scelto per i propri meriti e non perché è un uomo o una donna, bianco nero giallo o viola. I meriti e basta.»

«I meriti, giusto. Peccato. Malgrado le esitazioni, le eccessive paure, io ci andrei lassù sulla Luna.»

«Ci andrà. Ci andrà: deve credermi. Ce la porterò io quando i voli alla Luna saranno normale routine e gli astronauti diventeranno come gli autisti dei tassì.»

«Non faremo in tempo, maggiore. Saremo troppo vecchi.»

«Nemmeno per sogno. Io non credo che sarò troppo vecchio quando porterò su gli altri. Perché non credo che passerà molto tempo da ora ad allora. Se a sessant'anni uno ha buona salute, può navigare come a quaranta. Andremo e torneremo e di nuovo andremo, di nuovo torneremo: poiché questo ci riserva il futuro. E allora lei si convincerà che tutto è molto semplice, molto logico, molto giusto, e non ha senso avere paura.»

Il secondo rullo del mio magnetofono stava finendo. Bjorn

e Stig, infuriati, si accingevano a sfondare la porta: esigere la loro intervista. Howard Gibbons entrò e mi sussurrò in un orecchio che Shepard aveva già chiesto due volte se volevo o non volevo vederlo; lo aveva chiesto anche Glenn e il colonnello non aveva tempo da perdere: mi decidessi, perciò.

«Sì, certo» risposi a Gibbons.

«Cosa?» chiese Slayton.

«Dice che sto abusando della sua pazienza, maggiore.»

«Sciocchezze.»

«Oh, no! È vero.» Mi alzai. Cercavo qualcosa di gentile da dirgli. «È vero. In compenso però mi ha convinta, maggiore. Andremo e torneremo e...»

«Così va bene! Brava! Così va bene!» esclamò. Ed era un bambino contento che da giorni e giorni si sforza di mandar su un aquilone, l'aquilone non vuol partire e ricade, poi di colpo si arrampica e sale, sale, sale. In piedi, in quell'atteggiamento d'attenti, un po' rigido, mi guardava come se fossi io l'aquilone. Io lo guardavo invece, papà, e pensavo quant'è piccolo il mondo, quant'è buffo: quest'uomo che andrà sulla Luna è il medesimo che venti anni fa mi faceva morir di terrore. Allora lo odiavo, gli auguravo di precipitare con le sue bombe, ora mi piaceva e mi sentivo sua amica.

Gli porsi la mano. Strinsi la sua.

«Però stia attento, maggiore, quando va su. Ora che la conosco starò molto in pena.»

«Non dovrà stare in pena. Perché tornerò giù. Per tornare su e poi ancora giù e poi ancora su, finché questo dannatissimo cuore mi regge.»

Poi allungò un braccio e mi tirò una gran botta sopra una spalla facendomi un po' barcollare. Il suo modo per brontolar grazie oppure: «Ehi, mi hai commosso, ragazzo». Come fanno a Sparta, Wisconsin, e nelle nostre campagne. Come fai tu, papà. Lontano, in un'alba di pochi anni a venire, un aquilone saliva e spariva nel cielo. Il cielo era azzurro e presto non sarebbe stato più azzurro ma nero. L'aquilone spariva nel nero, una goccia di luce che si accende e rispegne, io chiudevo la TV. Sai, quel racconto dal titolo *L'uomo del razzo*. L'uomo del razzo fa uno strano mestiere: va su e giù per gli altri pianeti. Non è mai sulla Terra, né a casa, quando torna per una breve licenza riparte dicendo: «Ci vediamo tra sei mesi, due anni.

Devo andare su Giove». O su Marte. O su Nettuno. O su Venere. La moglie sospira, il ragazzo dice soltanto: «Papà, stai attento, papà. Stai attento quando vai su». L'uomo del razzo gli tira una botta sopra una spalla e gli dice: «Non devi stare in pena, ragazzo. Perché tornerò giù. Per tornare su e ancora giù». Il ragazzo barcolla e pensa cosa accadrebbe se il babbo morisse su Giove, o su Marte, o su Nettuno, o su Venere. Nelle notti in cui quelle stelle sono visibili, non potrebbe guardarle. «Bene. Non fu Marte» narra il ragazzo. «Non fu Venere. Non fu Giove. Non fu Nettuno. La sua nave cadde nel Sole. Da allora io e mia madre dormiamo di giorno. Facciamo colazione a mezzanotte e andiamo a pranzo alle tre del mattino. A cena, prima che spunti l'alba. Di giorno usciamo soltanto se piove o non c'è il Sole. Non possiamo più guardare il Sole.»

Mi avviai verso l'ufficio di Al Shepard.

# CAPITOLO NONO

Il primo era stato lui, quell'alba del 5 maggio 1961. Il primo degli americani, d'accordo. Un volo breve, quindici minuti soltanto, a un'altezza modesta, centoquindici miglia soltanto: ma il primo era stato lui. Il primo a entrare in quella capsula a imbuto, il primo a giacervi mentre il gran fuoco si accende, il primo a sentirsi scagliato nel vuoto, e tu sei come una cavia, un topo da esperimento, un bruscolo fermo che ignora cosa accadrà: nessuno tra la tua gente l'ha ancora provato, sei tu che vai a provare per loro. Quell'alba, sulla *Lake Champlain*, una delle navi spedite nel Pacifico per recuperare la capsula, l'intero equipaggio si fermò, si fermarono anche i motori, e in un silenzio peso quanto l'angoscia il cappellano disse all'altoparlante la seguente preghiera: «Buon Dio che ci ascolti, ora che una vita preziosa sta per essere scaraventata nei Cieli, ci prende il terrore, abbiamo paura per l'imminente pericolo. Buon Dio che ci ascolti, noi ti ringraziamo di darci uomini pronti a sacrificar l'esistenza per aprirci le porte dello spazio. Possa egli riuscire senza perdere la vita. Possa egli coronar di successo gli sforzi per esplorare i sentieri della sapienza: non solo per espanderci nell'universo ma in un universo pacifico dove vivremo con noi stessi e con te. Amen».

Era un'alba grigia, malgrado la primavera avanzata: fredda, densa di minacce. Per tre giorni la Florida era stata sconvolta da un temporale violento, lampi e tuoni che squarciavano l'aria come d'inverno, fulmini che stroncavano gli alberi. Sulla spiaggia la gente aspettava rabbrividendo dentro gli impermeabili e i ponchos, distrutta dal sonno: anche la notte avanti era trascorsa in attesa ma alle 7,25 la radio aveva detto che il volo non sarebbe avvenuto, per via del maltempo. Le ore sotto la pioggia eran servite soltanto a sapere che il prescelto era Shepard: fino all'ultimo momento la NASA aveva mantenuto il segreto limitandosi a dire che poteva essere Shepard, Grissom, o Glenn. Shepard fu svegliato dal dottor Douglas, medico degli astronauti, all'una in punto: «Su, Al. Stanno riempiendo i serbatoi». Aveva dormito appena tre ore, era andato a letto alle dieci, ma aprì gli occhi di colpo e rispose: «Son pronto. John è già sveglio?». John era John Glenn, pilota di riserva, cioè colui che sarebbe partito al suo posto se all'ultimo momento egli non avesse potuto. Per mesi s'erano allenati insieme a quel volo, nelle ultime due settimane non s'erano lasciati un minuto, la sera prima erano andati a caccia di granchi lungo la spiaggia, e nelle tre ore avevan dormito nella medesima stanza, in letti vicini. La stanza era una delle camere riservate agli astronauti la vigilia del volo, nell'hangar S, non lontano dall'area di lancio.

«John è sveglio. Siamo tutti svegli. Hai dormito bene?» chiese il dottor Douglas.

«Bene e senza sogni» rispose Shepard. «Solo una volta mi sono svegliato, verso mezzanotte. Sono andato alla finestra e ho guardato se pioveva ancora o c'eran le stelle. C'erano le stelle e son tornato a dormire.» Poi entrò fischiettando nel bagno e fece la doccia. Poi uscì dal bagno e disse di voler la colazione. Sembrava, dice il dottor Douglas, un cacciatore che s'alza per andare a caccia di folaghe.

La colazione venne subito: filetto al sangue, uova strapazzate, prosciutto, succo d'arancia, in parti uguali per Shepard, il dottor Douglas e Glenn. Il dottor Douglas e Glenn non avevano molto appetito, Shepard invece ne aveva e mangiò tutto: anche il filetto al sangue che era sempre uguale da quindici giorni, per via della dieta. Finita la colazione, Glenn uscì a controllare la capsula ed entrò Grissom che un anno dopo avrebbe ripetuto il volo di Shepard. Insieme a Grissom e al dottor Douglas, Shepard andò a sottoporsi agli esami medici. Gli esami durarono oltre due ore e stabilirono che Shepard era in ottima forma: aveva soltanto una bruciatura sul dorso per aver preso un po' troppo sole in piscina e un'unghia nera al piede sinistro perché Grissom glielo aveva pestato, per sbaglio. Il cuore funzionava benissimo, le pulsazioni erano sessantacinque al minuto, il sistema nervoso eccellente. «Si rendeva conto dei pericoli che stava per affrontare ma non dimostrava paura» dice lo psichiatra che restò insieme a lui quasi un'ora. «Mai visto un uomo tanto tranquillo. Provai a farlo parlare di cose estranee al volo, della famiglia ad esempio per vedere se ciò gli dava apprensione, ma non vi riuscii. Tutto il suo cervello, i suoi nervi eran tesi in direzione del volo: nient'altro lo interessava. Mentre si avviava verso la stanza dove lo avrebbero vestito era già una parte della cosmonave.»

La vestizione fu lunga. «Chissà perché,» dice il dottor Douglas «mi venne fatto di paragonarla alla vestizione di un torero prima della corrida. Non c'è nulla in comune tra un astronauta e un torero, una corrida e un volo spaziale, ma una volta sono stato in Spagna e ho assistito alla vestizione di un torero e l'atmosfera era la medesima: un'ansia solenne, un religioso silenzio, tanta gente d'intorno. E su tutto questo un vago profumo di morte.» I medici gli applicarono prima di ogni altra cosa i sensori: vale a dire gli strumenti muniti di batteria che durante il volo avrebbero trasmesso a terra l'andamento fisiologico. Tre sensori sul petto per controllare il cuore e le arterie, un sensore sul ventre per controllare la temperatura, uno alle narici per controllare la respirazione. Poi Shepard infilò le mutande lunghe fino alla caviglia, i calzini, e fu pronto per indossare la tuta: compito questo che spettava allo specialista Joe Schmitt. Dopo la tuta gli sistemarono il casco, gli fecero mettere i guanti, le scarpe, e gli gonfiarono dentro l'ossigeno: per il controllo della giusta pressione. In quell'involucro strano d'argento sembrava davvero un torero, o una creatura di fantascienza. Per parlargli bisognava usare il microfono.

«Come ti senti, Al?» chiese il dottor Douglas al microfono.

La risposta parve venire da molto lontano.

«Ho le farfalle dentro lo stomaco, Bill.»

«Sono farfalle contente, Al?»

«Contentissime, Bill.» Allora Joe Schmitt spompò la tuta che avrebbe ripompato poco prima della partenza, Shepard abbassò il casco e si avviò con Grissom e Glenn verso l'uscita dell'hangar S. Shepard era allegro, scherzava coi due compagni. Il suo divertimento preferito era da mesi Bill Dana, un comico della TV che aveva inventato il personaggio di un astronauta pauroso, José Jimenez. E i due compagni, ora, gli facevan da spalla.

«José, cosa farai durante quest'epico volo?» chiedeva Grissom.

«Piangerò parecchio» mugolava Shepard.

«José, hai nulla da dire al popolo degli Stati Uniti?» chiedeva Glenn.

«Popolo degli Stati Uniti!» frignava Shepard. «Non mandate me, proprio me!» Ma dinanzi al razzo si ricompose e parafrasando le virtù necessarie a un bravo astronauta, uscì con questa frase: «Coraggio, bassa pressione sanguigna, e quattro zampe».

«Quattro zampe? Perché?» chiese Grissom, sorpreso.

«Non lo sai?» disse Shepard. «In realtà volevano mandare su un cane. Non l'hanno mandato pensando che sarebbe stato crudele.» Poi guardò il razzo come se volesse imprimerlo nella memoria per sempre: «Bello, eh? Così lungo, sottile, ha l'aria di aspettare anche lui. Peccato che vada perduto. Mi ci stavo affezionando, perbacco.»

Di sotto il razzo salivano piume bianche di fumo e lo avvolgevano lente come carezze. Il cielo era buio, fra le nuvole scure occhieggiava una fetta di luna. Shepard, Grissom, Glenn e il dottor Douglas salirono insieme sull'ascensore che porta alla capsula. All'ultimo piano i tecnici ripomparon la tuta, Shepard abbassò la visiera del casco, e poi si calò nella capsula: sistemandosi in posizione supina. Era già in posizione supina quando il dottor Douglas gli porse una scatola e Shepard scoppiò a ridere al di là del casco. La scatola era una scatola di matite colorate: nei suoi voli spaziali José Jimenez si porta sempre le matite colorate perché invece di controllar gli strumenti dipinge casine e donnine; una volta José Jimenez s'era dimenticato le matite colorate e non voleva partire, il sosia di von Braun era dovuto correre a comprare le matite e portargliele.

«Grazie» disse Shepard restituendole al dottor Douglas. «José questa volta ha da fare. Custodiscile bene.»

Il dottor Douglas le mise nella tasca del camice ed era commosso. Era commosso anche Grissom che non riuscì a dire, ricorda, la frase d'augurio che i collaudatori d'aerei si dicono prima di decollare: «Va' e scoppia». Era commosso anche

Glenn che riusciva solo a indicare un foglietto messo tra gli strumenti, in un punto in cui nessuno poteva vederlo. Il foglietto diceva: «Proibito giocare a palla in quest'area». Glenn lo aveva attaccato durante un controllo. Shepard rise di nuovo e lo restituì a Glenn: «La TV potrebbe inquadrarlo». Poi Shepard strinse la mano a tutti e fu pronto. Qualcuno chiuse lo sportello della capsula. Erano poco più delle cinque e la fetta di luna svaniva, il sole stava sorgendo. L'ascensore riportò tutti dabbasso, la torre di sostegno si allontanò, lentamente, mentre il razzo restava privo di appoggio: liscio, fragile, dritto come una matita a colori, dalla punta ben affilata, color dell'ardesia.

«José. Mi senti bene, José?» disse una voce bassa, tranquilla. La voce di Slayton.

«Ti sento benissimo, Deke» disse Shepard.

«Non piangere troppo, José» disse Slayton.

«All right» disse Shepard.

La cuffia agli orecchi, lo sguardo diretto sulle lampade rosse e verdi che indicavano via libera o no, Slayton avrebbe tenuto la comunicazione diretta con Shepard da questo momento alla fine del volo. Accanto a lui, nel Centro di Controllo, sedevano Grissom e Glenn. Schirra e Carpenter erano alla base aerea di Patrick, pronti a salire sui loro jet per seguire in volo il recupero della capsula. Cooper era nella block-house, la casa matta vicinissima al razzo, per studiare le condizioni atmosferiche. Ormai dimentichi di ogni gelosia, ogni invidia, ogni passato litigio, erano sei fratelli impegnati a seguire, aiutare, proteggere il settimo fratello che parte insieme al suo momento di verità. Un momento di verità che tardò quattro ore a venire: tanto durarono i ritardi e i rinvii. E quattro ore son tante quando sei chiuso dentro una noce di ferro che dondola e vibra a trenta metri di altezza, e non sai cosa accade perché nessuno di quei sei fratelli l'ha provato prima di te, e il caldo ti scioglie in sudore, il nervosismo ti prende la gola, l'impazienza ti torce il cuore. Deke cosa c'è? C'è che la visibilità non è buona, il Centro di Controllo non può seguire la prima fase del volo per via delle nubi, la schiarita verrà tra mezz'ora. Be', la mezz'ora è passata, Deke, ora che c'è? C'è che un invertitore si è surriscaldato. Al, bisogna cambiarlo, come ti senti? Mi sento bene, Deke, vuoi telefonare a Louise che sto bene? D'accordo. Al. Quanto ci vorrà a cambiare l'invertitore. Deke? Trenta minuti, Al, quaranta. OK, Deke. Dieci minuti, venti minuti, trenta minuti, quaranta minuti, cinquanta minuti, sessanta, settanta, ottanta, ottantuno, ottantadue, ottantatré, ottantaquattro, ottantasei, ottantasei minuti per cambiare l'invertitore, be', siamo pronti, Deke? Sì, Al, riprende la conta a rovescio. Deke, la conta a rovescio è ferma di nuovo, che c'è di nuovo, Deke? C'è che i tecnici voglion controllare un calcolatore elettronico per via della traiettoria, Al. Be', è fatta, stavolta ci siamo, neanche per sogno, son fermi di nuovo, e ora Deke cosa c'è? C'è che la pressione sul carburante è eccessiva, stai tranquillo, Al. Io sono più tranquillo di voi, perdio, perché non risolvete quei problemini e accendete questa candela, perdio?!?

Ricominciarono la conta a rovescio che erano le 9,23. Il sole aveva asciugato anche l'ultima stilla di pioggia.

«Ci siamo, Deke?»

«Ci siamo, Al.»

«Qui Freedom Sette. Il caburante è "Go"...»

«L'ossigeno è "Go".»

«Uno-punto-due G. Cabina a quattordici psi.»

«Go! Go! Go! Go! Go! Go!»

«Conta finale, via!»

Meno dieci... meno nove... meno otto... meno sette... meno sei... meno cinque... meno quattro... meno tre... meno due... meno... zero... accensione!»

«Accensione completa! Via!»

«Sei in viaggio, José» disse la voce bassa e tranquilla di Slayton.

Un viaggio assai breve, d'accordo. Iniziato alle 9,34 e già concluso alle 9,50, d'accordo. Alle dieci la Freedom Sette galleggiava già in mare, nel punto stabilito per il recupero, e un elicottero della Marina ci volava già sopra, pronto a ripescare Alan Shepard. Ma il primo viaggio dei sette. E questo nessuno lo avrebbe mai dimenticato. Non lo avrebbe dimenticato, ecco il guaio, neanche lui. Cominciò allora, mi dicono, la sua consapevolezza d'essere più alto degli altri (quattro pollici più di Grissom, due pollici più di Schirra, un pollice più di Cooper, mezzo pollice più di Glenn, di Slayton, di Carpenter), il suo vezzo di buttare un po' troppo all'indietro le spalle, gonfiare un po' troppo il torace, alzare un po' troppo il naso a captare il profumo di gloria. Cominciò allora, mi dicono, la sua suscettibilità, la durezza che un giorno fece esclamare a un esasperato collega: «Ma insomma, chi credi d'essere? Non hai mica cambiato pelle, che credi, perdio, ad andare su! Sei tale e quale eri prima di salir su quel coso». Cominciò allora, sospetto, una certa irritazione o mancanza di cordialità che molti dimostran per lui: giornalisti, publicity-men, persone del suo stesso ambiente. «Alan è uno straordinario pilota e un uomo assai intelligente, forse il più intelligente dei sette» sussurran costoro. «Non è ingiusto considerarlo l'intellettuale del gruppo. Sai, il tipo che legge il "New York Times" tutti i giorni, sa tutto sul Vietnam e sul Congo, e non si da pace finché non ha capito una cosa. Acutissimo, vuol sempre sapere il perché del perché. Però i suoi difetti li ha: un gran caratteraccio, anzitutto, che lo induce spesso al litigio, l'abitudine di criticare ogni cosa e ognuno, infine quella mania di voler sempre essere il primo. Se non è il primo diventa irascibile, geloso, infelice: quando scelsero Glenn per il primo volo orbitale, ad esempio, era proprio intrattabile. Sosteneva d'essere più qualificato di lui, e per molti giorni non rivolse la parola a nessuno. Non si dà pace d'aver volato solo un quarto d'ora e in un volo suborbitale, vive nel terrore di non tornare più su. Allo stesso tempo però non dimentica d'aver volato per primo ed è cosciente fino allo spasimo del posto che occupa nella storia dell'umanità. Insomma, a farla breve, si piglia parecchio sul serio.»

Se sia vero io non lo so: l'impressione che ho di lui è contrastante. A momenti mi piace e a momenti no. Dopo l'intervista che segue lo rividi altre volte e non mi sembrò mai lo stesso: ora cordiale e ora superbo, ora fiducioso e ora diffidente, inafferrabile a ogni giudizio come la coda di un gatto. Può darsi però che del vero ci sia, in quei discorsi: non è facile essere primi. Lo ha dimostrato Gagarin che descrivevano un ragazzo assai timido, incapace di darsi un contegno, e dopo il volo sembra diventato Mosè, critica cose e persone, si permette di condannare Evtuscenko quasi anziché un cosmonauta fosse Tolstoi o Dostoievski. Lo hanno dimostrato prima di lui molti altri, campioni olimpionici, eroi: la celebrità è un malanno che lascia sempre una traccia, bisogna essere santi per non venirne bruciati. E Alan Shepard in questo va assolto: non ha mai recitato la commedia del santo. Gli piaccion le donne, il denaro, le auto da corsa, gli applausi. E gli piace, a quanto pare, anche ridere: una virtù non molto diffusa tra i santi. Shepard è nato e cresciuto ad East Derry, cittadina del New Hampshire, uno stato che dicono essere il più piccolo ma il più spiritoso d'America. Il New Hampshire è nel Nord. Insieme al Maine, al Massachusetts, al Connecticut, fa parte della Nuova Inghilterra dove l'umorismo britannico è intatto. Un buon esempio ce lo fornisce John Gunther riferendo l'interrogatorio di un pescatore, Bert Sinnet, durante un processo d'Assise. «Vi chiamate Bert Sinnett?» «Sì.» «Abitate a Bayley Island?» «Sì.» «Ci avete abitato tutta la vita?» «Ancora no.» Certe cose spiegano almeno in parte, papà, la curiosa atmosfera intorno al volo di Shepard, quel mischiare il dramma allo scherzo, la sua capacità di trascinare nel gioco perfino un uomo serio come Deke Slayton. Vero è che, escluso José Jimenez, io non trovo in Alan Shepard alcuna traccia di bizzarria. Figlio di un colonnello a riposo, ora agente assicurativo, crebbe in un ambiente borghese e privo di rinunce: la sua sola stravaganza era andare in bicicletta fino all'aeroporto e far le commissioni ai piloti per esser portato ogni tanto a volare. Così si innamorò degli aerei e si iscrisse alla Pinkerton Academy di Cerry, poi alla Accademia Navale: visto che in Marina, anzi sulle portaerei, finiscono i piloti più esperti. Che altro? Combatté nel Pacifico durante la Seconda Guerra Mondiale, in Corea durante la Guerra in Corea, diventò pilota collaudatore a ventotto anni, si offrì come candidato astronauta con qualche esitazione: temeva che ciò danneggiasse la sua carriera di comandante in Marina. Quando seppe che lo avevano scelto cacciò un grande urrà: «L'ufficio infatti era vuoto». Poi saltò in automobile e, «senza travolger nessuno né attraversare le strade col semaforo rosso» andò a casa per dirlo alla moglie Louise. È sposato da sedici anni con questa Louise ed ha due figlie ormai grandi. Ha anche una fattoria con ottocento vacche e cinquantaquattro cavalli cui tiene non meno che alla Luna e alle stelle: e il mio sospetto è che alla Luna e alle stelle ci tenga poco, le consideri solo strumenti della sua avidità.

Questo mi venne in mente, ancora mi chiedo perché, non appena entrai nel suo ufficio e lo vidi: una gran bocca dalle labbra sporgenti e golose, un po' gonfie come quelle dei negri, un biancore di denti aguzzi, vampireschi, nati per azzannare, due occhi rotondi, furbi, affamati, e così abbondanti anche loro che sembran uscir dalle orbite per carpire meglio quel che c'è da carpire. Il tutto aureolato da una fronte vastissima e da due orecchi spampanati e potenti come la conca di un radar. Altissimo, snello, non poteva dirsi un brutt'uomo: al contrario. Emanava da lui una virilità allo stesso tempo insinuante e aggressiva: ma ti riusciva difficile, ecco, andargli incontro e dargli la mano. Tentai perciò di capire se mi ricordava qualcuno: qualcuno, ad esempio, con cui non andavo d'accordo. Non mi ricordava nessuno: quella bocca, quei denti, quegli occhi eran unici. Tentai di capire se era lui a respingermi con sussiego o con boria: non mi respingeva affatto. Al contrario, mi tendeva invitante la destra e mi sorrideva con tanto calore che su quel calore avrei potuto cuocerci un uovo: che lui, però, si sarebbe mangiato insieme alla mia mano, al mio braccio, a tutto quello che avevo. Assomigliava, ecco a cosa assomigliava, papà, a una pianta carnivora che avevo visto nel Giardino Botanico a Londra: quello dove non volesti venire per via dell'aereo. Ne avvertivi il pericolo quando ti avvicinavi e le sue foglioline vibravano quasi per accarezzarti: chiamando il tuo dito. Allora le porgevi il dito e le foglioline tentavano di portartelo via per mangiarlo come una mosca. L'uomo era astuto, bisognava attaccarlo.

«Sembra che lei abbia un complesso, comandante. Il complesso di esser stato il primo.»

Gli occhi affamati mandarono un lampo. Le mani nodose e curate ebbero un impercettibile fremito di irritazione. La voce suonò rugginosa.

«Che ne sia cosciente, no, non ho quel complesso. Ho, diciamo, una sensazione di vittoria. Quel volo fu una vittoria personale, per me, un tirare le somme di una vita, una sfida verso gli altri. Fu anche un colpo di fortuna, lo ammetto. Grissom fu meno fortunato di me. Gli toccò di arrivare secondo.»

«Fu secondo anche lei, comandante: Juri Gagarin aveva

già fatto un volo orbitale quando lei salì quei quindici minuti. Si sentì geloso quando Gagarin andò su?»

Di nuovo gli occhi affamati mandarono un lampo. Di nuovo le mani ebbero un impercettibile fremito di irritazione.

«Certo che ne fui geloso, ne sono ancora geloso. Resta il fatto però che a me è toccata una soddisfazione non indifferente: l'essere stato il primo americano. Ed anche l'aver volato da solo. Per primo, da solo. D'ora innanzi nessuno volerà solo. Nel progetto Gemini si vola in due, nel progetto Apollo si vola in tre. Io ho fatto in tempo a volare da solo e sono stato il primo. Naturalmente non mi aspettavo d'essere il primo. Sapevo di meritarlo ma non me lo aspettavo. Quando mi si disse che sarei stato il primo, rimasi a fissare il pavimento almeno venti secondi per lo stupore. Poi alzai gli occhi e tutti guardavano me. Ciascuno dei sette avrebbe voluto essere il primo, ciascuno dei sette ci sperava da due anni, ed ecco che il momento era venuto, dopo due anni, e la possibilità era sparita per tutti, fuorché per me. Ringraziai per la fiducia e gli altri, con una smorfia che celava il disappunto, vennero a congratularsi con me.»

C'era una cosa che dava fastidio in quella pianta carnivora, al Giardino Botanico di Londra. Non il fatto cioè che inghiottisse le mosche o tentasse di succhiarti il dito bensì il modo in cui rizzava la chioma dopo avere succhiato la mosca: quasi in cerca di applauso. Possibile che quest'uomo fosse il medesimo cui era piaciuto José Jimenez? Che Jimenez fosse il suo alter-ego, la sua confessione?

«Ora cosa sta per domandarmi?» sorrise. Sembrava che avesse intuito.

«Pensavo a José Jimenez.» E lo guardai dentro gli occhi. Ma i suoi occhi inghiottirono i miei.

«Ah! José Jimenez.»

«Mi chiedevo perché le piacesse. Mi dicevo che a volte uno scherzo diventa una confessione, la liberazione di un peso.»

«No, quello era solo per divertimento. C'era questo spettacolo alla TV e io me ne innamorai. Era così vicino al modo in cui vedevamo le cose nei momenti di buonumore. Grand'uomo, Jimenez. Arriva ad esempio con la tuta spaziale e il reporter gli chiede: "Com'è?". "Be', è scomoda" dice Jimenez. "Veramente scomoda." "E quello cos'è?" chiede il reporter indicando un casco rotto. "Quello è un casco rotto" risponde Jimenez. "E lo userai?" chiede il reporter. "Spero di no" risponde Jimenez. "E come passerai tutte quelle ore nello spazio?" chiede il reporter. "Piangerò parecchio" dice Jimenez. "Bene" dice il reporter. "Visto che sei il capo astronauta delle Forze Interplanetarie degli USA e stai per partire, avrai pure un messaggio da rivolgere al popolo americano." E Jimenez: "Sì, ce l'ho". "Prego" dice il reporter. E Jimenez: "Popolo degli Stati Uniti, non fatemi questo! Non mandate su me, proprio me!". Insomma mi piacque tanto che lo registrai tutto su nastro, poi portai il nastro a Cape Canaveral e durante il lancio di un Ranger, al momento in cui si dovette fermare la conta perché le cose non andavano bene, misi il nastro ad un volume altissimo: lì nella sala del Centro Controllo. Naturalmente successe uno scandalo. Chi ha messo quel nastro? gridava il capo delle operazioni, Wal Williams. E tutti a dire: ma come, che vergogna, ma via, e così diventai noto come quello che porta il nastro di José Jimenez al Centro Controllo: presero a chiamarmi José. Anche durante il volo Slayton mi chiamava José. Durante il volo non sempre i nostri colloqui sono drammatici: a volte ci divertiamo anche a far queste cose. Per allentar la tensione.»

«O la paura, comandante?»

«Paura? No. Non avevo paura. La gente usa spesso, per noi, la parola paura ma io credo che la paura esista solo per le cose che non si conoscono e non si sa come funzionano. Come funzionava la mia capsula invece io lo sapevo benissimo: non v'era un dettaglio che non conoscessi. Quando per mesi, per anni, studi qualcosa e sai tutto su quel qualcosa, non puoi più averne paura.»

«Questo lo dice anche Slayton. Lo dite tutti, suppongo. E se lo dite, è così. Però il suo polso normale è di sessantacinque, comandante, mi dicono: e durante la conta a rovescio salì a ottanta. Quando l'invertitore si ruppe, il suo polso salì a novantacinque. Mezzo minuto prima che si accendessero i fuochi, salì a cento e otto. Quando la conta a rovescio raggiunse lo zero, salì a centoventisei. E quando il razzo andò su, salì a centotrentotto. Rimase sui cento trenta per tutti i quindici minuti del volo. Questa, scusi, non è forse paura?»

Scosse la testa, paziente, indulgente.

«Non la definirei paura. Paura che le cose non vadano bene e tu faccia una brutta figura, semmai. In altre parole, preoccupazione per la riuscita del volo. E poi ero eccitato, certo che ero eccitato, e quando uno è molto eccitato l'adrenalina altera il sistema nervoso, il cuore batte più forte, il numero delle pulsazioni raddoppia, il respiro si fa più affannoso: ma la paura di morire in questo non c'entra. Le faccio un esempio: se lei corre con una Ferrari sulla strada di Amalfi che è piena di curve, non pensa che potrebbe morire. Pensa solo a guidare, a tenere il volante, a prendere bene le curve, e quando è sul rettilineo, ormai salva, dice perbacco potevo ammazzarmi. Lo dice allora, non prima. Se ne accorge allora, non prima. Se ci avesse pensato prima non avrebbe preso le curve a quella velocità, non avrebbe neanche infilato una simile strada, non sarebbe neanche salita su quella automobile... Ah! Io vado pazzo per la Ferrari, solo costasse un po' meno. Vado pazzo per tutte le automobili, io. Ho una Chevrolet Corvette da corsa e a volte la preferisco quasi all'aereo.»

Una cosa interessante di quella pianta carnivora, invece, era che mangiava di tutto: formiche, moscerini, vermetti, e a un certo punto le avevo visto inghiottire una vespa. La vespa si difendeva con disperazione furiosa, succhiandola a sua volta, bucandola, facendosi largo in un frullare di ali tra le foglioline: ma la pianta carnivora era riuscita a resistere e così aveva vinto. Vinceva sempre la pianta carnivora, qualsiasi cosa mangiasse, o facesse. Anche lui stava vincendo con me.

«Allora è più che pronto ad andar sulla Luna, comandante, mi pare.»

«Chi lo sa, chi lo sa se ci andrò. Sono pronto, evidente, ho più esperienza degli altri e credo che farebbero bene a mandarmi: che dovrei andarci per primo. Ma non sono tanto giovane, ormai, e più passano gli anni meno ci spero.»

«Certo uno non resta astronauta in perpetuo. Come per i calciatori e i ciclisti il vostro è un mestiere limitato nel tempo: a un certo punto dovrà pur ritirarsi. A questo ci pensa?»

«Ci penso, ci penso parecchio, ma senza farci una malattia. Chi vive volentieri come me, non muore perché abbandona un mestiere. Per me andar nello spazio è una sfida, un modo per avere successo: e tutto può rappresentare una sfida, un modo per avere successo. Troverò il successo in qualche altro mestiere: sono un uomo di molti interessi.»

La mosca, la vespa, le formiche, i moscerini, i vermetti. Inghiottiva proprio ogni cosa, e digeriva ogni cosa. E non aveva neanche bisogno di venire annaffiata: il guardiano mi spiegò che non ricordava di averla annaffiata una volta. Eh, sì, comandante.

«E quali sono questi interessi?»

«Anzitutto, la banca. Sono Chairman of the Board della Banca Commerciale di Houston, ne posseggo una parte. Ciò porta via molto tempo, due volte al mese ad esempio devo partecipare alle sedute del Comitato Esecutivo, altro lavoro devo sbrigarlo al telefono, ma ne vale la pena. Poi il ranch, l'allevamento di cavalli e di vacche. Di vacche ne ho solo ottocento, per ora, ma son vacche sane, pulite, vacche da macello, e rendono bene. Certo non danno la soddisfazione che danno i cavalli: di cavalli ne ho solo cinquantaquattro: tutti da corsa però. Una ventina son sviluppati per correre su un quarto di miglio ma una dozzina possono correre anche su mezzo miglio, e ce n'è uno addirittura fantastico: va al trotto, al galoppo, fa tutto. Vale quindicimila dollari almeno ma non lo vendo. Gli altri invece li vendo: generalmente da tremila dollari in su. Ciò non toglie che ve ne siano anche da duemila dollari e mille: ottimi, guardi, anche quelli. Gambe forti, garretti di ferro, dentatura eccellente. Vuol comprarne uno?»

«Ma no, comandante. Dove lo metto un cavallo?»

«Glielo do per mille dollari appena.»

«Ma no, si figuri.»

«Sia chiaro che ne vale tremila. Badi, è un affare.»

«Non ne dubito, comandante. Ma sul serio: dove lo metto un cavallo? In valigia?»

«Lo spedisce, via, che discorsi. Quanto vuole che costi, spedirlo?»

«Per costare, guardi, costa parecchio. Ma non è neanche questo: è che dopo bisogna cavalcarlo, curarlo, io son sempre in viaggio. Davvero, comandante, glielo comprerei volentieri il cavallo ma non potrei mantenerlo.»

«Allora compri una vacca. Una vacca in campagna ci vuole. Non tiene nemmeno una vacca in campagna?»

«No, però ho due maiali.»

«Macché maiali, macché maiali. Una bella vacca, ci vuole. Gliela vendo per cinquecento dollari appena.»

Ancora un poco e me l'avrebbe venduta. Mi avrebbe venduto anche il cavallo, qualche azione della Commerciale, e mi avrebbe vuotato la borsa. Io lo guardavo sorpresa, smarrita, e non capivo come facesse a mischiare l'attività di allevatore di vacche con l'attività di banchiere, l'attività di banchiere con la professione di astronauta, le stelle con i cavalli, la Luna con le banconote, il doppiopetto grigio del Chairman of the Board con i blue-jeans del cowboy, i blue-jeans del cowboy con la tuta spaziale, la tuta spaziale col doppiopetto grigio. Capivo soltanto che tutto era buono a saziar la sua fame che era una fame molto terrena e non aveva nulla a che fare con la fame che, nel caso di Slayton, serviva a volare nel cosmo. No, non era questo l'eroe per cui m'ero commossa. Non era questo, davvero.

«Cinquecento dollari non sono poi molti. Il guaio è che non ho tutti i soldi che ha lei, comandante. Lei è ben ricco, comandante.»

«Ricco no, ancora no. Ma un giorno sarò molto ricco.»

«Coi cavalli? Le vacche?»

«Piuttosto con la banca.»

«Scusi, sa, se le sembro indiscreta. Ma come ha fatto a comprar mezza banca? Lo stipendio di un astronauta non è poi un gran stipendio.»

«No, ma abbiamo quel contratto con "Life" e i soldi basta saperli investire. Basta insomma essere ambiziosi.»

«E lei lo è. Dio sa se lo è. Ma dove vuole arrivare, comandante?»

«Aspetti e vedrà.»

«Parla delle stelle, della banca, o delle vacche?»

«Di tutto, parlo di tutto.»

«Però se non c'erano le stelle non c'era la banca, se non c'era la banca non c'eran le vacche. Mettiamola dunque così questa Genesi di un uomo ambizioso: in principio c'eran le stelle e poi venne la banca, e dalla banca le vacche.»

Gli occhi rotondi celesti affamati lampeggiarono stavolta con ira. Le mani nodose e curate fremettero in un desiderio di schiaffi. La voce suonò più rugginosa che mai.

«Lei è una donna molto romantica» disse.

« Molto » risposi.

« Troppo » disse.

« Non si è mai abbastanza romantici » dissi « quando si guarda alle stelle. »

« Ah! Sta scherzando? » disse. « Non c'è nulla di romantico, creda, ad andar sulle stelle. In fondo anche questa è un'impresa commerciale. »

Una impresa commerciale. Una impresa commerciale. Una impresa commerciale. Che beffa per me, comandante, pensare che un giorno i nipoti dei nostri nipoti parleranno di lei come di un romantico eroe, e forse il suo nome sarà dato ad un monte, una pianura, un deserto sulla Luna o su Marte. Monte Shepard. Deserto Shepard. Dopotutto lei non fu il primo, il primo, il primo, il primo?

Forse non dovremmo mai guardare da vicino gli eroi. Gli eroi, diceva La Rochefoucauld, sono come i quadri: per apprezzarli bisogna stare lontano.

# CAPITOLO DECIMO

Quel giorno, quando uscii dall'ufficio di Shepard per andare da lui, non era un «astronauta usato», un «politico fallito», un uomo stanco malato deluso che dice «non capita spesso di ricominciare daccapo a quarantatré anni». Era un uomo pieno di salute, di entusiasmo, di gloria: e il futuro era suo. Non immaginava davvero che il futuro gli sarebbe crollato addosso, una mattina di fine inverno, con un armadietto da farmacia. Era entrato nella stanza da bagno per farsi la barba e l'armadietto era lì, appeso ad un gancio robusto. Dentro c'era il sapone, il pennello, ed il resto. Lo aprì ed il gancio cedette, il mondo gli cadde in testa. Cadde anche lui, colpito a una tempia e a un orecchio. Cadde tra il muro e la vasca, con quel corpo che aveva tanto allenato, curato, protetto, mentre un filo di sangue si portava via tutti i suoi sogni. Lui, il campione che aveva orbitato tre volte la Terra, sfidato disastri e meteore, superato i pericoli più allucinanti: l'ingresso nello spazio, la mancanza di peso, il rientro nell'aria mentre la capsula diventa una palla di fuoco. Troncato da un armadietto, nella stanza da bagno, perché un gancio cede. Come un bambino, un invalido, un vecchio. Molti ne risero. Usciron vignette di ogni specie su Glenn che si rompe la testa nella stanza da bagno. La più buffa era quella dove egli appare vestito da astronauta, con la saponetta nella mano destra e lo spazzolino da denti nella mano sinistra: dinanzi a lui è un generale che sventolando la bandiera americana gli dice: «Le affido una missione assai pericolosa, colonnello...». Io non ne risi. Vi sono casi in cui ridere è illecito, l'umorismo è volgare, pensai piuttosto a quell'atroce racconto persiano dal titolo *Appuntamento a Samarcanda*. Nel giardino del re, la Morte appare a un servo.

«Domani,» gli dice «ti vengo a prendere...» Allora il servo corre dal re e gli chiede il cavallo più veloce, per fuggire lontano: a Samarcanda. Arriva a Samarcanda, l'indomani, e la Morte è lì che lo aspetta. «Non è giusto,» grida il servo «non è leale.» «Perché?» risponde la Morte. «Sei fuggito senza farmi finire il discorso. Io ero in giardino per dire: domani ti vengo a prendere a Samarcanda.»

Quando il gancio cedette non pensava più ai voli spaziali, è ben vero. Abbandonato il mestiere di astronauta, mirava a diventar senatore dell'Ohio come candidato del partito democratico. La politica gli era sempre piaciuta, i suoi contatti col partito repubblicano dopo il volo orbitale non costituivano affatto un mistero. A corto di uomini rappresentativi da opporre a John Kennedy, i repubblicani avevano considerato la possibilità di proporlo alla presidenza degli Stati Uniti e il suo no era venuto solo quando il clan dei Kennedy lo aveva rapito per offrirgli l'ospitalità del partito democratico. Bob Kennedy lo considerava l'unica carta per impedire la vittoria del candidato repubblicano Robert Taft jr, anch'egli dell'Ohio e, sebbene alcuni osservassero astiosi «ma chi è questo Glenn, cosa ha fatto, nient'altro che girare dentro una macchina intorno alla Terra», egli giurava che sarebbe riuscito a spuntarla. Per piacere agli elettori, del resto, aveva proprio tutto: una faccia simpatica, un nome famoso, la patente di eroe. Ed anche il tono di un tribuno che sa suggestionare le folle, l'ossessione di fornire il buon esempio ai giovani. «John si comporta sempre come se un esercito di boyscouts o minorenni stesse a guardarlo» diceva Alan Shepard. «Perfino quando si gratta il naso o fa pipì.» La sua vita privata era netta, la vita di un santo che non beve, non fuma, non dice parolacce, non va a caccia perché odia ammazzare gli uccelli, non va a pescare perché odia uccidere i pesci, non è pigro, non è borioso, non tradisce la moglie. Virtù che non ha perduto e non perderà mai: è opinione comune che dal giorno in cui nacque abbia amato esclusivamente una donna, Anne Castor, cioè colei che ha sposato. Il loro idillio sbocciò quando avevano entrambi sei anni e non è ancora finito: tutte le Elizabeth Taylor del mondo non riuscirebbero per sbaglio a intaccarlo.

All'occorrenza, si dice, è anche castissimo. Quando si allenava per il progetto Mercury alla Langley Air Force Base in

Virginia, esigeva che Anne stesse a Washington e non andasse a trovarlo. Gli altri avevano le famiglie con sé, lui abitava in ufficio e dormiva su una branda da campo. Vi dormì, tutto solo, otto mesi: i ciclisti impegnati al Tour de France e i calciatori che mirano allo scudetto non arrivano a tanto. Poi Anne lo raggiunse a Houston, coi figli David e Lynn, e voglio dirti come trascorrevano il sabato sera: cantando inni sacri. Anne stava all'organo e John gorgheggiava «Alleluja! Alleluja!» con David e Lynn. Il loro amico più intimo era il reverendo Frank Erwin che chiamavano Frank. Dopo Frank veniva Scott Carpenter, il romeo dei romei, la pecora nera del gruppo. Glenn si era messo in testa di rieducarlo, convincerlo a smetterla di correre dietro a ogni donna: e i compagni li sorprendevano spesso nel bosco di acacie mentre, l'indice ritto, Glenn parlava e parlava, Carpenter ascoltava in silenzio annuendo. Religioso fino allo spasimo, presbiteriano cocciuto, non passa domenica senza recarsi in chiesa e prima della disgrazia non faceva che tenere sermoni: «Osservate l'Universo, fratelli. Pensate ai milioni e milioni di stelle che ruotano intorno senza mai scontrarsi. Pensate all'ordine che governa i sistemi solari, i pianeti. Pensate alla perfezione di un'orbita. Possibile che ciò sia frutto del caso? No, è il risultato di una creazione, di una volontà superiore, di Dio. Non che sia possibile misurar Dio in termini scientifici ma paragonate il nostro progetto Mercury...».

A un simile uomo la politica non appariva un'arte o un mestiere: ma una missione, un dovere. E quando Kennedy fu assassinato un'idea prese a tormentargli il cervello: toccava a lui far qualcosa. Rassegnò alla NASA le sue dimissioni, si tuffò nella nuova avventura con l'innocenza di un bimbo che ama la patria quanto la mamma, la generosità di un boyscout che aiuta le vecchie ad attraversare la strada. E solo una minoranza sprezzante osservò: «Viene lecito chiedersi se il cielo non fosse per lui un qualsiasi strumento elettorale, se guardando le stelle non vi vedesse riflessa la Terra anzi la Casa Bianca». I più dissero: «Glenn è la cosa migliore che sia capitata all'America negli ultimi anni, il guaio è che è troppo buono per sembrar vero». Lo sosteneva, oltretutto, una mente ben lucida, una disciplina ben collaudata, un vigore instancabile. Nessun dubbio che sarebbe giunto perlomeno al Senato.

Ma il gancio cedette e del sogno politico gli rimasero solo novemila quattrocento settantré dollari, sei milioni di lire all'incirca, da pagare ai tipografi di Zanesville che gli avevan stampato il materiale propagandistico. E li pagò, tutti di tasca sua perché al partito dissero «noi che c'entriamo?». La sua candidatura la ritirò con queste parole: «Mi si consiglia di restar candidato ma io non posso condurre la campagna elettorale e non voglio voti in regalo. Stando così le cose mi eleggerebbero perché diventai popolare andando a spasso su un'astronave».

Non gli restava più nulla invece del suo sogno di andar sulla Luna. Ricoverato nella clinica di medicina spaziale di San Antonio nel Texas, per due mesi rimase immobile a letto: non poteva girare d'un millimetro il capo senza che il mondo diventasse una barca su un mare in tempesta, e la nausea gli chiudesse lo stomaco. Poi si alzò ma ogni gesto un po' brusco lo portava sull'orlo di una voragine, il viaggio da una poltrona a una sedia diventava più lungo del viaggio a Venere o a Marte. «Oh Dio!» ripeteva. «Non ti chiedo che questo: camminare un pochino dentro una stanza che non sia una giostra.» Il colpo dell'armadietto gli aveva leso l'orecchio interno, vale a dire il delicato congegno che regola il nostro equilibrio. Non riusciva più a tener l'equilibrio, star ritto: lui che tollerava la centrifuga fino a 20 g. «La guarigione è più lunga e difficoltosa di quanto credessimo» dichiararono i medici e qualcuno avanzò l'ipotesi che il volo spaziale di due anni avanti non fosse estraneo al malanno, qualcosa del genere non era successo anche a Titov? L'ipotesi non ebbe conferma, per misteriose ragioni la NASA si trincerò dietro un riserbo sovietico e quattro mesi più tardi, quando sarei tornata per questo libro in America, avrei trovato un malcelato imbarazzo ogniqualvolta accennavo a Glenn. Alle domande precise la NASA rispondeva soltanto che sarebbe guarito e infatti, per guarire, è guarito: ha perfino trovato un mestiere che gli rende un mucchio di soldi, quello di presidente della Royal Crown Cola, aperitivo dissetante. Ma finché vivrà dovrà evitare le scosse, le corse, i salti, le velocità eccessive, e non potrà mai sperare di tornare lassù. Incollato come una ventosa alla Terra, incatenato come noi a questo peso che chiamano forza di gravità, gli resta soltanto il ricordo di un'alba d'oro quando salì in cima alla torre e si calò nella capsula, e qualcuno contava meno dieci, meno nove, meno otto, meno sette, meno sei, meno cinque, meno quattro, meno tre, meno due, meno uno, e uno squarcio lo catapultava via nell'azzurro, poi nel gran nero, lieve, sempre più lieve, e: «Sentirsi privo di peso era una esperienza piacevolissima. Non mi dava vertigine, né nausea, né nulla. Scotevo forte la testa, da una parte e dall'altra, su e giù, la ruotavo, la muovevo bruscamente e mi sentivo benissimo, potevo far tutto, anche mangiare, anche bere, mi sembrava d'essere stato sempre così, di non avere mai avuto peso, di non avere mai visto qualcosa che cade, mi veniva spontaneo posare gli oggetti nel vuoto e loro stavano lì. Incredibile come il corpo umano si adatti rapidamente a ogni cosa, incredibile quanto sia resistente, robusto». Quel volo miracoloso, quell'esperienza di fiaba. A Perth, in Australia, era notte quando lui stava per rientrar nella atmosfera. Così gli aprirono tutte le luci, ogni casa, ogni ufficio, ogni strada, ogni fabbrica splendeva di luci, lenzuoli bianchi e lastre d'argento erano stati messi dovunque per rifletter le luci, aiutarlo a discendere, sembrava che il cielo avesse perduto una stella per farla cadere quaggiù, e dall'oblò della capsula egli vide la stella, si chiese sorpreso che fosse, chiamò Gordon Cooper: «Roger, qui Roger, vedo una gran luce sulla costa australiana ma non capisco cos'è» e Cooper rispose: «È Perth, è Perth in Australia, hanno acceso le luci per te, per facilitarti il rientro» e lui disse: «Grazie, ringraziali Gordon, ringrazia la gente di Perth».

Ho esitato parecchio prima di includere in queste memorie il mio incontro con Glenn, ormai presidente della Royal Crown Cola, aperitivo dissetante. Egli appartiene al passato più che al futuro, ormai, e mi sembrava di andar fuori tema. Poi un giorno, mentre cercavo una favola per la mia sorellina, papà, m'è venuta in mente la favola triste di Glenn: e ho pensato che avrebbe dovuto saperla, da grande, quando io sarò vecchia e lei andrà su Marte e su Venere come io vado in America. Se doveva saperla, però, doveva anche sapere chi è Glenn e quel che ci dicemmo quando lo incontrai. Quindi, ecco qua.

Glenn è nato a New Concord, Ohio: uno stato opulento che chiamano «un impero dentro l'impero», pieno di campi, di industrie, di università dove si insegna di tutto, dalla confezione dei gelati a Catullo, dai rapporti automobilistici al provenzale antico, dall'educazione dei fanciulli prodigio alla fioritura dei monocotiledoni. L'università statale è gratuita e vi accedono ogni anno quindicimila studenti: è un fatto che molti scrittori americani, da Sherwood Anderson a Louis Bromfield, sono nati nell'Ohio. L'Ohio è una regione colta e beneducata. È anche una regione abbastanza bigotta: vi sono più metodisti in Ohio che in qualsiasi altra parte del mondo, più chiese in Ohio che negli altri cinquanta stati d'America. Infine è una regione che butta politici, quasi sempre onesti. Insisto sempre su queste cose, papà, perché l'America è un continente più vasto dell'Europa e scriver che Glenn è americano non ha più senso di quanto avrebbe scriver che Gagarin è europeo. Glenn appartiene all'Ohio: come suo padre e il padre di suo padre. Suo padre faceva il rappresentante della Chevrolet ed era un piccolo borghese appassionato di motori. Di conseguenza John crebbe come un piccolo borghese appassionato di motori. A tredici anni guidava ed a sedici possedeva la sua prima automobile: per portarci a spasso Anne Castor. Anne dice che era un guidatore prolisso e prudente: guidando non superava mai i quaranta all'ora, nemmeno se aveva fretta. E poi dice che John ha sempre avuto un debole per gli oggetti meccanici: spesso, la teneva in garage a costruire modellini di aerei. Sugli aerei cominciò a volare quando scoppiò la guerra e il governo aprì corsi di pilotaggio per gli studenti: lui studiava materie tecniche al collegio presbiteriano di Muskingum. Si iscrisse al corpo dei Marines e in un anno era già sottotenente: lo chiamavano «quello sgobbone che ovunque vada è il primo della classe». Sottotenente, tornò a New Concord e sposò Anne cui era rimasto rigorosamente fedele. Spiega Anne: «Non so capire gli uomini che pretendono la purezza dalla moglie ma non le danno la loro. John non è uno di quelli. La gente ci chiede spesso come ci innamorammo: proprio non saprei dirlo. Lo siamo sempre stati e il nostro amore non è mai stato drammatico, turbato da gelosie e indecisioni. Io sono una moglie sottomessa e John è un marito ubbidiente: dopo mangiato mi aiuta a lavare i piatti. Se li lava lui, li asciugo io. Se li lavo io, li asciuga lui. Mi aiuta anche a spolverare e a spazzare, è un ottimo cuoco. Tra noi non c'è mai stato un momento difficile: fuorché quando partì per la guerra. Ma John riuscì a renderlo meno difficile. Aprì la porta, disse: vado giù a comprare un chewingum. Io risposi: cerca di non metterci troppo».

La guerra la fece nelle Isole Marshall e qua e là nel Pacifico. Cinquantanove missioni durante le quali guadagnò non so quante onorificenze e medaglie. Poi la rifece in Corea dove lo soprannominarono Vecchia Coda Magnetica: durante i bombardamenti il suo aereo veniva sempre colpito alla coda dalle batterie antiaeree. Ma un giorno gli colpirono i serbatoi di benzina e fu costretto a gettarsi col paracadute in un campo di nord-coreani dove fu catturato e restò prigioniero tre mesi. Tornò a casa con uno scambio e si mise a fare il collaudatore di aerei: fu il primo tra l'altro a volare da New York a Los Angeles in tre ore e ventitré minuti. Ciò gli dette celebrità e lo portò al Navy Bureau of Aeronautics di Washington dove lo ricordano come «un ragazzo gioviale, disposto a fare amicizia con tutti, e maledettamente sentimentale soprattutto se ascoltava la musica. Conosceva tutte le opere e andava matto per Puccini. Di Puccini preferiva *Madame Butterfly*. Se una voce baritonale cantava *Un bel dì vedremo*, subito brontolavamo: è quel rompiscatole di Glenn. Ma era anche un conversatore eccellente e un divertentissimo collezionista di barzellette. Ci dispiacque vederlo andar via». Andò via per diventare astronauta e qui cedo la parola di nuovo alla signora Glenn.

«John lo seppe e si propose: la sua curiosità è talmente insaziabile, vorrebbe far tutto e veder tutto. Poi lo scelsero e a me prese paura: non paura che gli succedesse qualcosa, paura di andare all'inferno. Mi chiedevo se era lecito andar negli spazi che appartengono a Dio. Così chiamai Frank, il reverendo Frank Erwin, e gli chiesi se John faceva bene a volar negli spazi che appartengono a Dio. Discutemmo un bel po' e Frank mi tranquillizzò concludendo che Dio non impediva di andar nello spazio dal momento che il nostro governo desiderava andar nello spazio: e tantomeno lo impediva a John.» John, dal canto suo, si guardò bene dall'esporre dubbi al reverendo Frank Erwin: non avrebbe rinunciato al mestiere a costo di commetter peccato mortale: far l'astronauta per lui era un insistere nella sua posizione di primo della classe. «Glenn non ha mai visto gli astronauti come piloti capaci e basta,» dice John Dille «bensì come un gruppo eroico di uomini scelti a simboleggiare il futuro.» Infatti, appena scelto coi primi sette, cominciò subito a fare il papà, a comportarsi come un uomo politico che ha gran cura del suo elettorato. Rispondeva a tutte le lettere, le telefonate, gli inviti. Non si faceva mai cogliere in atteggiamento sbagliato. Era gaio con tutti, paziente con tutti, gentile con tutti. Firmava il maggior numero di articoli e concedeva il maggior numero di interviste. E poi teneva le fila con Washington (era lui che parlava a John Kennedy, lui che faceva lo sci d'acqua con Jacqueline Kennedy), recitava all'occorrenza con perfezione. Al Congresso sfoderò un'oratoria così intelligente, si dice, che i senatori più cinici si torsero in ammirazione ed invidia. Misurava i silenzi, le pause. Non sbagliava una esclamazione, una virgola. Era retorico al punto giusto, umile al punto giusto, familiare al punto giusto. E allorché mormorò abbassando le palpebre «vi sembrerà forse buffo ma quando vedo la nostra bandiera mi sento qualcosa qui dentro e mi si chiude la gola» accadde un miracolo: quei volponi maestri della politica, quei cultori della disillusione, abbassarono a loro volta le palpebre e frenarono svelti la lacrima. Perbacco! Non so cosa avrei dato per essere là, osservar col binocolo le sue verdi pupille nascoste, dirgli dentro un orecchio: «Ehi, John: questo è meglio che andare in orbita, no?». Perché insomma: non si può non provar simpatia per uno che fa bene le cose, che mena per il naso un Congresso. Sincero o commediante che sia, ti strappa un applauso, ti fa esclamare: «Colonnello, si accomodi. Siamo qui per servirLa». Così almeno pensavo mentre, subito dopo l'incontro con Shepard, lo aspettavo in un ufficio.

Glenn arrivò quasi subito: una ventata di lentiggini color carota e di denti bianchi, allineati nel sorriso più contagioso ed allegro che avessi mai visto; un luccicare di occhi color fiordaliso, non so se furbi o innocenti. Indossava un vestito marrone, gualcito, e c'era un buffo cravattino a farfalla sotto il viso rotondo, reso ancor più rotondo dalla testa rasata: piena anche quella di lentiggini color carota. Alto, massiccio, non bello eppur bello, ricordava quei GI ben nutriti che durante la guerra ci buttavano cioccolata o chewingum: e la gran mano aperta narrava la stessa prodigalità di chi ha appena buttato una cioccolata o un chewingum. La stretta in compenso era dura: la stretta di un uomo che ignora la timidezza ed è sicuro di sé. Così non capii perché spesso arrossiva di un rossore che gli bruciava le orecchie e gli faceva gonfiare, alle tempie, una vena bluette. Arrossendo, è ben vero, rideva. Un gorgoglio di risata che gli scuoteva il cravattino, le spalle, e ricordava sai chi, papà?, proprio il tuo amico Ohio: il sergente che durante l'occupazione alleata veniva da noi e aveva un nome difficile e per far presto lo chiamavamo Ohio. Infatti era nato in Ohio.

Anzitutto Ohio aveva il suo naso: a ballotta, con la punta della ballotta un pochino all'insù. Poi aveva la testa rasata, così rasata che ti chiedevo, ricordi: «Papà, quanti anni avrà Ohio che ha perso tutti i capelli?». Poi arrossiva per nulla: di un rossore che gli bruciava le orecchie e gli faceva gonfiare alle tempie la medesima vena bluette. E anche lui, arrossendo, rideva. Ohio stava nei carri armati ma viaggiava in jeep e tu, ricordi, lo avevi incontrato andando a sbattere con la bicicletta contro la sua jeep. Di chi fosse la colpa non so: Ohio diceva che la colpa era tutta tua, tu, naturalmente, dicevi che la colpa era tutta di Ohio. Ad ogni modo avevate fatto la pace e da questa pace era nata una grande amicizia che culminava ogni sera alle sette quando Ohio arrivava con un gran pane bianco e ci mangiava, innocente, quel po' che avevamo di verdura o di carne. La cosa non piaceva alla mamma che brontolava: «Ma guarda, tutti gli americani regalano il mangiare alla gente e questo per un po' di midolla viene a inghiottirsi il nostro». A te, invece, lo so, piaceva moltissimo e facendo gran gesti, disegni, o invocandomi a interprete, provocavi in Ohio noiosissimi racconti di guerra che duravano anche quattro candele. Alla quarta candela Ohio guardava l'orologio e rientrava in caserma: ciò continuò fino al giorno in cui i carri armati partirono e Ohio andò con loro a Bologna. L'addio, che riempiva la mamma di giubilo, afflisse enormemente voi due. In piedi accanto alla tavola vi scambiavate enormi manate e le vostre ombre sul muro sembravano due farfallone impazzite. Poi Ohio diventò rosso e slacciandosi l'orologio da polso lo porse a te dicendo solenne: «Remember Ohio». «Oddio!» esclamò la mamma. «Ora gli dà il cipollone!» Il cipollone era l'orologio del nonno: grosso come una cipolla, di rame, e legato a una lunga catena, anch'essa di rame. La mamma diceva che era un orologio bellissimo e come quelli non se ne trovavano più: anche perché era tutto dipinto con fiorellini di smalto. « Non gli darai mica il cipollone?! » ripeté lei. Ma nello stesso momento tu agguantasti il cipollone e lo porgesti ad Ohio dicendo: « Remember Florence ». Poi Ohio se ne andò, col suo cipollone, fra te e la mamma esplose un litigio terribile durante il quale tu dicevi: « Stai zitta, il cipollone era mio ed io ne fo quel che voglio », lei diceva: « Va bene, qui per fare i signori gli si dà anche le scarpe ». Non vi parlaste per almeno due giorni, ricordo, e tutte le volte che alludevate a Ohio il litigio rinasceva, feroce, finché l'orologio di Ohio si ruppe e lei garbata, non disse più nulla. Però il giorno in cui partii per l'America ed era la prima volta che andavo in America, la mamma mi sussurrò in un orecchio: « Se tu potessi ritrovare quel noioso di Ohio. Se tu potessi riavere il cipollone del babbo: pagando, s'intende ». Da allora, tutte le volte che vado in America e trovo uno che assomiglia ad Ohio, mi vien fatto di chiedergli: « Scusi, lei non è mica parente di Ohio, sa quello che ha il cipollone del babbo? ». Glenn assomigliava appunto ad Ohio e glielo avrei chiesto assai volentieri se Ohio era suo cugino o suo zio: ma qualcosa in tanta giovialità impediva una confidenza del genere. Seduto su una poltrona, le gambe accavallate e le braccia incrociate, mi guardava come se dicesse: « Non incominciamo col cipollone perché io non ce l'ho. In compenso ho una fretta tremenda. Aspetto certe telefonate da Washington ». Silenziosamente chiedendo scusa alla mamma, attaccai.

« C'è una domanda, colonnello, che desidero porle da moltissimo tempo. Questa: quando partì e poi fu lassù, aveva paura? »

Rispose con voce alta, squillante.

« Certo che avevo paura. E chi non l'avrebbe? O meglio: gli altri non so, io sì. Vorrei vederla in cima a quel razzo che oscilla nel vento mentre i fuochi si accendono in un rumore d'inferno. Siamo dentro qualcosa di nuovo, un veicolo che nessuno ha mai usato, che forse funziona e forse no. Stiamo andando in un posto che non conosciamo: misterioso, infinito, pieno di insidie cui non si è abituati. Certo che uno ha la sua paura. È umano, è normale. E con questo? Che importa? L'importante è che uno non si abbandoni alla paura, che non resti immobile come un idiota, che si scuota, si muova, faccia lo stesso le cose che deve fare. L'importante è agire attraverso la paura, superarla, dimenticarla. E infatti poi si dimentica. Ciò la delude?» Parlava così come scrivo. Non sbagliava né un aggettivo né un verbo.

«Al contrario, colonnello. Mi riempie di sollievo e di stima. E mi induce al sospetto che gli astronauti siano davvero gli eroi che si dice, i superuomini che si dice.»

Primo rossore.

«Macché eroe, macché superuomo! Mi sento proprio normale, io, un tipo assolutamente comune. E di conseguenza...»

«E di conseguenza, colonnello?»

«Di conseguenza non capisco proprio quel che la gente trovi di interessante in me. Come quando mi chiedono: cosa si prova John Glenn a essere un divo? Io non mi sento davvero un divo: tuttavia sembra inevitabile che mi si consideri un divo, un superuomo, un eroe.» Una pausa, appena un po' compiaciuta. «Il fatto è che la gente resta sempre affascinata dalle cose nuove, dai nuovi lavori, dalle nuove esplorazioni: soprattutto se attraverso di esse uno rischia la vita. Il rischio solletica sempre la fantasia, l'entusiasmo. E, bene o male, i voli spaziali sono rischiosi.» Altra pausa, compiaciuta anche questa. «E poi c'è il fatto di dover fronteggiare il mistero, l'ignoto, di avere esperienze che nessuno ha mai avuto. Voglio dire: quando si è i primi o tra i primi a posare un pezzo di cioccolata nel vuoto e a veder che non cade ma resta lì fermo, nel vuoto, si finisce per essere guardati come quel pezzo di cioccolata.»

«E questo la infastidisce, colonnello? In altre parole: la diverte o la annoia questa mondiale pubblicità, il fatto stesso che io sia qui ad intervistarla?»

Secondo rossore.

«Oh, no! Non mi annoia affatto. Mi piace, anzi: mi sembra molto piacevole. Se lei mi intervista, ad esempio, vuol dire che il pubblico per il quale scrive si interessa ai voli spaziali e a ciò che stiamo facendo: questo mi rende contento come la gente che si congratula, che scrive le lettere, che applaude. Intendiamoci: qualche volta può esser noioso rispondere al telefono nel cuore della notte, sentirsi pressati dalla folla, o troppo osservati, o spiati. Causa problemi. Mai problemi insuperabili, però. Né si può rimproverare il prossimo perché ti trova bravo e simpatico. Parlo per me, evidente. Non per i miei compagni. Infine è piacevole perché la gente ti prende ad esempio e cerca di imitarti, seguirti...»

«Qualcosa di cui è molto consapevole, lo so. Non ricordo chi ha detto che perfino quando si fa la barba lei agisce come se dovesse dare il buon esempio a un boyscout.»

Terzo rossore.

«Non esageriamo. Sono cosciente, questo sì, della responsabilità che viene dall'esser famosi. Non è una responsabilità? Pensi ai giovani che mi credono davvero un eroe, ai bambini, ai boyscouts. Che penserebbero se mi comportassi male, se facessi cose sbagliate? Io mi interesso molto dei giovani, dei boyscouts per esempio. Son quelli che trovano logico andare negli altri pianeti, quelli che vivon davvero nell'era spaziale. Consideri il fatto che vogliono diventar tutti astronauti. Bisogna pure spiegargli che i voli spaziali non costituiranno in futuro il solo interesse della società, che abbiamo e avremo bisogno di giovani nella politica, nella giurisprudenza, nell'insegnamento: non solo nell'astronautica. Bisogna pure spiegargli che non tutti son nati per diventare astronauti e ci vogliono medici, contadini, deputati, scrittori, droghieri, operai. Così vado in giro a dir questo. E poi mi dedico molto ai gruppi religiosi...»

«Lei è molto religioso, lo so.»

«Sì, molto.»

«Mi son sempre chiesta se gli astronauti lo fossero.»

«Perché non dovrebbero esserlo?»

«Già. E lei, colonnello, lo era anche prima di andar nello spazio?»

«Sì, certo. Davvero non credo d'esser diventato più religioso dopo aver volato fuori dell'atmosfera. Però... sì... forse... decisamente ora sono più religioso.» Appoggiò un gomito sul bracciolo della poltrona, portò la mano alla tempia. «Devo spiegarmi. Certo non mi aspettavo di trovar Dio nello spazio o di aver qualche particolare esperienza religiosa perché ero nel vuoto; la fede in Dio è quella che è ovunque si vada: sulla Terra, sott'acqua, nello spazio. Tuttavia più cose vedo nei voli spaziali, più studio ed imparo, più mi convinco che la nostra religione è probabilmente valida. In altre parole non credo che imparando di più diventiamo capaci di sostituirci a Dio. Al contrario. Le cose che studiamo sono così incomprensibli e vaste, così misteriose, aggiungono tali problemi all'ignoranza e al mistero, che mi portano a concludere questo: deve pur esserci una forma di creazione del cosmo, un ordine.»

«Per molti altri, colonnello, è diverso. Per molti altri i voli spaziali pongono domande terribili alla religione in cui siamo nati. Per molti altri essi sono un invito al dubbio, alla perdita della fede.»

Alzò di scatto la testa, quasi lo avessi punto.

«Cos'è che invita al dubbio? Sentiamo.»

«Via, colonnello: pensi a quel che afferma la Genesi. Parlo da un punto di vista teologico, s'intende.»

«Cosa dice la Genesi? Avanti, voglio interrogarla io per un poco. In cosa porta al dubbio, la Genesi?»

«Nella Genesi è detto: E Dio creò la Terra in sette giorni... E al settimo giorno creò l'uomo, e lo creò a Sua immagine e somiglianza...»

«Ah! Ah, bene. Credevo che alludesse ad altre cose. Sul fatto di aver visto Dio nello spazio o cose del genere.»

«Non ho mai immaginato Dio con la barba e il vestito bianco, colonnello. Fuorché quand'ero bambina.»

«Bene. Che la Bibbia sia attendibile o no, parola per parola, non ha niente a che fare con la scoperta di altri pianeti. Costituisce semmai un antico conflitto tra scienza e religione, non tra i voli spaziali e la religione. O mi sbaglio?»

«Scusi, sa, colonnello: ma secondo me sbaglia, eccome. La scienza in generale non ci ha mai dimostrato che su altri pianeti esista la vita: ma i voli spaziali lo possono, eccome. E il giorno in cui lei incontra su un altro pianeta creature che non so immaginare, chiamiamoli "esseri-non-sappiamo-come", in qual modo si spiega la Genesi, signor colonnello?»

«La Bibbia non nega la vita su altri mondi. Le direi anzi che sarei molto sorpreso di non trovare su altri pianeti ciò che lei chiama "esseri-non-sappiamo-come". Li troveremo. Se in forma di esseri o vermi non so immaginarlo sebbene sia certo che un giorno, tra milioni e milioni di corpi celesti, ritroveremo anche l'uomo. Ma so immaginare creature diverse, che non si sviluppano col nostro ciclo di acqua e carbone, creature che si nutrono di rocce, ad esempio, che non hanno né sangue, né tessuti, né organi: e la Bibbia non nega questo. Non nega che Dio abbia creato anche loro a Sua Immagine e Somiglianza. Non nega la possibilità di amarli da veri cristiani. »

« E se fosse necessario ucciderli, sterminarli, questi vermi o fratelli di roccia che non hanno né sangue né tessuti né organi... lei ne soffrirebbe, colonnello? »

Di nuovo appoggiò un gomito sul bracciolo della poltrona. Di nuovo portò la mano alla tempia.

« No. Non credo. Sarebbe spiacevole, mi duole perfino pensarci. Però potrei farlo. Sono un uomo che non vorrebbe veder morire nessuno, io: nemmeno alla guerra. Ma certe spedizioni saranno come andare alla guerra e l'essenza della guerra è la morte. E poi, scusi, perché pensa che dovremmo sterminare gli "esseri-non-sappiamo-come" di altri pianeti? »

« Perché potrebbero esserci ostili. Potrebbero essere tutt'altro che contenti di vederci arrivare, colonnello. »

« Io sono ottimista: potrebbero esserci completamente amichevoli. Potrebbero anche essere buoni, contenti di vederci, e potremmo non esser costretti a sterminarli. Certo... certo sarei sospettoso vedendoli, pronto a difendermi... Mio Dio... di sicuro ne esistono su altri sistemi solari ma, finché viviamo io e lei, negli altri sistemi solari non ci andremo davvero. Questo accadrà tutt'al più fra cent'anni, duecento, e cent'anni o duecento son pochi, lo so, ma abbastanza da lasciarmi con domande così angosciose. »

« Ho una domanda ancora più angosciosa, colonnello. Questa: se atterrando sulla Luna vi accorgeste di non poter ripartire... vi uccidereste? In altre parole: portate un'arma o una pillola letale con voi? »

« Non portiamo nulla, non ce n'è bisogno. Se uno vuole morire non ha che da staccare l'ossigeno o il casco: e in pochi minuti è spacciato. Se mi accorgessi di non poter ripartire... la sua è davvero una domanda tremenda... no... non credo che mi ucciderei. Lei lo farebbe? »

« Io si, subito. »

« Ma perché? Se fosse sicura di morire comunque, tanto varrebbe tentar di vivere più a lungo possibile. No, io tenterei di durare più a lungo possibile e solo in fondo, ma in fondo, mi lascerei morire. »

« Allora, colonnello, se un tal rischio esiste, se tale possibilità esiste, se far l'astronauta costa pena e fatica e dolore, perché lo fa? Cosa la spinge, colonnello? Lo spirito d'avventura? La curiosità?»

«Ed io le rispondo con una domanda. Cosa significa scrivere per lei?»

«Un modo di vivere, di sopravvivere, di esprimersi: evidente.»

«Non basta. Non è tutto.»

«Come no?»

«No, non è tutto. Dove pensa di arrivare col suo scrivere? Vuol diventare direttore di un giornale?»

«Dio me ne guardi, nemmeno per sogno.»

«Vuol diventare come Hemingway, Steinbeck?»

«Sta tentando di farmi dire che sono ambiziosa, colonnello? Che ciò che mi guida è una feroce ambizione?»

Arrossì come non ho mai visto arrossire un uomo, o una donna, o un bambino. Un rossore paonazzo, bollente, un rossore che si mangiò tutte le sue lentiggini e poi sgorgò come un vomito in una allegra fanciullesca liberatrice risata. La vena bluette sembrava lì per scoppiare.

«No! No! No!» La vena bluette si sgonfiò un pochettino. «No. Voglio dire che scrivere per scrivere non le basta: certo non le piacerebbe chiamarsi Signora Nessuno.»

«Può crederci o non crederci, colonnello, ma se fosse necessario firmare Signora Nessuno un libro che a me preme molto, io lo firmerei Signora Nessuno.»

«Io no. E glielo spiego subito perché io non voglio essere e non vorrei mai essere il Signor Nessuno. Glielo spiego perché anch'io mi sono posto la sua domanda. Ed ho risposto in tanti modi: che era un modo di vivere, di sopravvivere, di esprimermi. Ma non bastava. E non bastava perché non spiegavo con questo la ragione per cui voglio essere più bravo degli altri, il più bravo di tutti. E allora mi son detto: perché John, vuoi essere più bravo degli altri, il più bravo di tutti? Cos'è che ti spinge? Ecco, mi spinge questo concetto: noi tutti temiamo il futuro, noi tutti ignoriamo ciò che il futuro porta. Facendo qualcosa che gli altri seguono, e facendola bene, giungendo alla cima, proprio in cima alla cima, noi controlliamo il futuro. Essere il primo, il più bravo, fare cose che gli altri non fanno per me significa controllare il futuro, prevenire il futuro, influenzare il futuro. Ecco la parola giusta: influenzare il futuro. Conoscere la Luna o preparare...» Ebbe un'esitazione ma la superò quasi subito. «...o preparare gli altri a conoscer la Luna, per me significa influenzare il futuro. E l'idea di influenzare il futuro a me dà la stessa gioia che darebbe essere uno Steinbeck o un Hemingway.»

«Colonnello: una vecchia logora domanda. L'hanno fatta anche a von Braun...»

Mi prevenne in un lampo.

«E lei l'ha fatta a Slayton.»

«Come lo sa?»

«Lo so.»

«Bene. Questa è un poco diversa, però. Se potesse portare cinque libri sulla Luna, quali porterebbe?»

«Libri? Sulla Luna? Non credo che avremo bisogno di libri sulla Luna. Una volta arrivati avranno... avremo abbastanza da fare, guardare, pensare, per poterci permettere il lusso di leggere libri. Scusi, sa, ma è come se io le chiedessi: che libri porta, stasera, se viene a cena con me? Quando va a cena con qualcuno, lei avrà altro da fare che leggergli un libro in faccia. Il libro lo leggerà dopo, o domani.»

«Molto abile, molto brillante, colonnello.»

«Molto gentile, molto amabile.»

Sfoderò il suo contagioso sorriso. Lo evitai.

«Giro la domanda, colonnello. Se qualcun altro, desideroso di influenzare il futuro, decidesse di bruciare tutti i libri della Terra, quali salverebbe? Me ne dica cinque, tre.»

«Lo sapevo che arrivava a questo. Lei è ben maligna.»

Di nuovo quel sorriso.

«Allora, colonnello?»

«Tre libri... tre libri... Guardiamo... tre libri...» Allargò le braccia, commovente, desolato. «Non lo so. Oh, non lo so.»

«Ma lei cosa legge, colonnello?»

E dai, con quel sorriso. Non ho mai conosciuto nessuno che sapesse usar bene i denti come John Glenn. Solleva le labbra, li scopre, belli, bianchi, puliti, et voilà! Spara il colpo. Ma io gli guardavo la cravatta.

«Leggo molti libri di politica, di attualità, di tecnica. Leggo molti libri di storia, di esplorazioni, di scienza. Niente fantascienza. Leggo molto i giornali. Con molta attenzione. Non leggo romanzi né poesia né cose del genere.»

«Eh, già, colonnello. Sembra che certe cose non servano, ormai. L'utile ha preso il posto del bello, la tecnologia il posto dell'arte. A cosa serve un'ode di Saffo o un quadro del Ghirlandaio? Ad andar sulla Luna?»

«Non sia così pessimista, non creda che i tipi come me ignorino ciò che disse un signore chiamato Shakespeare, non creda che il paesaggio lunare ci renda ciechi di fronte a una bella cattedrale o a un bel quadro. Io amo il passato quanto lei e il passato mi serve come guida al futuro. Lei non sospetta, vero?, che al posto del sangue abbiamo benzina, e al posto del cervello un calcolatore elettronico. Siamo uomini, mica macchine.»

«Uomini, colonnello: ma uomini talmente nuovi e talmente differenti... Differenti. Dica: lei saprebbe vivere senza aerei, senza automobili, senza televisione, senza...»

«Certo che saprei. Non sono che strumenti per renderci la vita più facile e gli strumenti vanno usati con saggezza: altrimenti la rendono più difficile, invece. La sua domanda mira ad altro, lo so: mira a stabilire che il progresso può diventare dannoso e che di conseguenza non abbiamo diritto a spingerci tanto lontano: fino alla Luna, a Venere, a Marte. Ma io le rispondo che no, la questione non va posta in questi termini. Spingerci fino alla Luna, a Venere, a Marte, non è un diritto: è un dovere. Dal dovere nasce il diritto di far questo sforzo e partire. Partire... Anche se non esistesse la Russia, anche se la Russia non fosse impegnata in questa corsa con noi, noi dovremmo fare ciò che facciamo. Ecco ciò che penso e che dirò sempre: a tutti e in qualsiasi sede, che continui o non continui a far l'astronauta. Ecco perché io mi batterò sempre, con tutti e in qualsiasi sede, per andar sulla Luna, su Venere, su Marte: costi quello che costi. Fino ad oggi c'è costato poco: solo fatica e denaro. Tanti uomini sono partiti, tanti uomini sono tornati. Ma non sarà sempre così, lo so, lo sappiamo. Alcuni di noi moriranno, glielo avrà detto anche Slayton, forse sarà un intero equipaggio a morire: ma ne vale la pena lo stesso, ricordi. E poiché ne vale la pena, accetteremo le perdite, continueremo con quelli che restano. Sono morti tanti piloti nella storia dell'aviazione; questo però non ha fermato l'aviazione.

Sono morti tanti alpinisti a scalar le montagne: questo però non ha tolto coraggio a chi scala le montagne. Sono affondate tante navi dacché si solca il mare: questo però non ha impedito che le navi continuassero a solcare il mare. Sì, dobbiamo andare lassù, dobbiamo. E un giorno coloro che sono contrari si guarderanno indietro e saranno contenti di ciò che abbiamo fatto. »

Lo disse con molta passione, allo stesso tempo lanciando occhiate all'orologio. Io non capisco come si possa dire qualcosa con molta passione, allo stesso tempo lanciando occhiate all'orologio: però è così che faceva.

« Dica colonnello: lei ha conosciuto Titov in America. Ha parlato a lungo con lui, l'ha invitato a mangiare a casa sua. Cosa ne pensa di Titov? »

« Da uomo a uomo, mi ci son trovato molto a mio agio. Ho smesso di trovarmi a mio agio quando lui s'è messo a fare la propaganda comunista. Le nostre idee in politica non hanno molto in comune. E poi di Titov mi dette fastidio la frase: "Non ho visto Dio tra le stelle, né gli angeli". La ripeté anche a me ed io gli dissi che il Dio nel quale credo non va a spasso per le stelle come un mostro volante. »

Riguardò l'orologio.

« Eppure sono sicurissima che sarebbe pronto a partire con Titov o qualsiasi altro russo. »

« Guardi, io ho il sospetto che quando la gente si riferisce alla collaborazione spaziale pensi subito a un astronauta russo e ad un astronauta americano che viaggiano nella medesima capsula. Questo non potrà accadere per molto, molto tempo. Non riusciamo a scambiarci informazioni da terra, neppure le più innocenti, sono mesi che chiediamo ai russi qual è secondo loro il comportamento del cuore durante il volo, ci interessa saperlo per Slayton, lo sa bene, e loro non rispondon neanche. Figuriamoci se posso volare con Titov. E poi come faccio a volare con Titov se oltretutto lui parla russo e io americano? Vogliamo aggiungere un seggiolino nel mezzo per portarci l'interprete? »

Aveva appena detto così che scoppiò un gran trambusto. Entrò un tale e disse che era giunta la telefonata da Washington. Poi entrò un altro tale e disse che la telefonata da Washington era nell'ufficio di destra. Poi entrò un altro tale e disse che la telefonata da Washington era nell'ufficio di sinistra. Poi tutti e tre insieme dissero che la telefonata da Washington era stata trasferita nell'ufficio del colonnello, il colonnello doveva correre subito. E il colonnello, diventò rosso rosso, balzò in piedi, mi porse la mano, disse: «Arrivederla, è stato un piacere, un vero piacere» e sparì: in una ventata, com'era venuto.

Passai il resto del giorno da sola: Stig e Bjorn erano stati invitati a casa del loro accompagnatore e io non avevo nessuna voglia di stare con altri. Mangiai e corsi a chiudermi nella cella automatica che era la camera. Il bottone dell'aria condizionata era stato aggiustato. Nella cella faceva un gran freddo. Il freddo aumentava la mia solitudine. È terribile anche sentirsi soli in un posto dove fa freddo, sai papà? È come essere l'unico pesce del mare, l'unico uccello del cielo, l'unica mosca della terra. Ti giri intorno e non vedi nessuno. Tendi l'orecchio e non odi nessuno. Allunghi una mano e non tocchi nessuno. Solo quel freddo che ronza: e la televisione diventa un dono di Dio. Accesi la televisione ma una frase di cui non sapevo decidere la bellezza o l'orrore mi rimbalzava nella memoria. «Sebbene sia certo che un giorno, tra milioni e milioni di corpi celesti, ritroveremo anche l'uomo. Sebbene sia certo che un giorno, tra milioni e milioni di corpi celesti, ritroveremo anche l'uomo. Sebbene sia certo che un giorno, tra milioni e milioni di corpi celesti, ritroveremo anche l'uomo.» Dunque il freddo, la solitudine, tutto, non finiva qui: continuava anche altrove, papà. Come una maledizione, una colpa. E lontano, miliardi di miglia lontano, c'era una donna identica a me: che guardava la televisione, e si sentiva l'unico pesce del mare, l'unico uccello del cielo, l'unica mosca della terra, e si girava intorno e non vedeva nessuno, e tendeva l'orecchio e non vedeva nessuno, e... La notte, feci un brutto sogno. Sognai che arrivavo in un altro sistema solare, con Glenn, e approdavo a un pianeta dove tutto era identico a questo pianeta: gli uomini, le donne, i vecchi, i bambini, i negri, i gialli, le case, i motel, le strade, ogni cosa. Ciascuno di noi riesisteva, come riflesso dentro uno specchio, coi suoi dolori, le sue disgrazie, le sue paure. E ciascuno di noi rifaceva quello che fa qui, senza speranza. La città dove eravamo approdati aveva nome Houston, a sud dello stato che ha nome Texas, fra il trentesimo parallelo e il novantacinquesimo meridiano di quel pianeta gemello. Nella stanza accanto alla mia c'era un tipo alla FBI che scriveva «colpevole, colpevole, colpevole» e allora io, disperata, correvo da Glenn, dicevo: «Glielo spieghi lei, colonnello, che non ho fatto nulla di male. Glielo spieghi lei, per favore». Glenn rideva, rideva, con quei bei denti bianchi ed allegri, poi dondolava beffardo il cipollone del nonno.

# CAPITOLO UNDICESIMO

«Io la domenica a Houston non ce la passo neanche morto» disse Bjorn scaraventando la sua Leica sul letto.

«Io neanche vivo» rispose laconico Stig. Poi si mise a frugare tra le boccettine di profumo e di smalto, con la curiosità un po' infantile che hanno sempre gli uomini quando sono nella camera di una donna. La mia camera era adiacente alla loro, così me li trovavo sempre tra i piedi.

«Abbiamo visto quei dannatissimi astronauti, ci abbiamo parlato, io gli ho fotografato anche le scarpe. Cos'altro vogliamo?» disse Bjorn.

«Tornare in Svezia» rispose ancora più laconico Stig. Si allungò su una poltrona, scivolò sugli occhi il berretto: un James Stewart infastidito.

Dalla *freeway* che rasenta il motel giungeva, ossessivo, incessante, il rumore delle automobili. L'aria era un puzzo di benzina evaporata. La sera, una cappa di noia.

«Ne ho abbastanza di questa città. Ma è poi una città?» ruggì Bjorn.

«Quando mamma Troll mette a letto i suoi Trollini / e li appende per la coda / Mamma Troll / canta ai suoi Trollini / aie aie aie buff!» canterellò Stig di sotto il berretto.

«E voglio andare a San Diego» concluse Bjorn. Poi mi agguantò per un braccio: «Vieni con me».

«Devo andare in Florida, a Cape Kennedy.»

«Oh! Noi ci siamo già stati a Cape Kennedy. Non c'è nulla da vedere a Cape Kennedy. Due torri di ferro e una spiaggia. Perché devi andare a Cape Kennedy?»

«Per capire chi è Glenn, chi è Slayton, chi è Shepard. Per...»

«Cristo! Non l'hai ancora capito?»

«No, non l'ho ancora capito.»

«Forse non c'è nulla da capire» sentenziò Stig di sotto il berretto.

«Sono convinta che ci sia molto da capire. Molto» dissi quasi a me stessa. «Ad esempio perché...»

«Volete smetterla di parlar sempre di loro?» urlò Bjorn. «Mi avete infastidito coi vostri astronauti. Io fotografo astronauti, sogno astronauti, bevo astronauti. D'ora innanzi il primo che dice la parola astronauta paga una multa. Dieci dollari di multa.»

«Giusto. Ho una proposta da fare» disse Stig alzandosi sulle interminabili gambe. «San Antonio è a quattr'ore di automobile. È bellina e ci si mangia bene. Lasciamo Houston e passiamo la domenica a San Antonio. Poi noi due andiamo a San Diego e lei va in Florida.»

«Evviva!» strillò Bjorn.

E andammo a San Antonio.

Era una mattina verde e allegra. Lungo la *freeway* pascolavano mucche e sorgevano case di legno, quelle dipinte di bianco, col tetto a pan di zucchero e le verande a colonnine, le poltrone a dondolo sulla veranda per oziarci d'estate. Bjorn guidava, felice, io gli sedevo accanto, tranquilla, e Stig disteso dietro dormiva: il berretto calato sugli occhi. A mezza strada c'era una baracca coi teschi di bufalo e la scritta: «Museo Indiano». Il proprietario era un vero Cherokee e vendeva le cose più assurde: dalle frecce avvelenate ai copricapo di penne, dalle asce di guerra agli scalpi umani. Ci chiese se volevamo comprare uno scalpo, un vero scalpo di veri capelli strappato da una testa di donna, glielo aveva regalato suo nonno e lo vendeva per trenta dollari appena, e Bjorn lo comprò sebbene fosse abbastanza disgustoso a vedersi: un mucchietto di capelli neri e polverosi su una cute mummificata. A San Antonio mangiammo con intatto appetito e San Antonio era la fine di un incubo. C'erano alberi, infatti, e carrozze tirate da vecchi cavalli, e miriadi di mosche, e piccioni che ci venivano incontro in un frullare di ali, e un vago odore di sporcizia. In tal scenario la Luna tornava a essere ciò che è sempre stata, una lampada bianca nel buio, e ogni cosa ci sembrava bellissima, il fiume, le strade, il palazzo del governatore, il quartiere che chiaman la Villita, ci parve bellissimo anche Fort Alamos, il fortino dove Davy Crockett morì coi duecento assediati dai cinquemila del generale Santa Anna: non ci accorgemmo che era tutto rifatto. Ormai saturi di era spaziale, gonfi di ostilità pel futuro, amavamo ogni traccia di polvere. E, non è strano, papà, fu proprio da quella polvere che rifiorì il mio interesse per il domani.

Visitavamo le Missioni, ricordo, cioè le fortezze che i frati spagnoli costruirono nel Milleseicento per resistere agli attacchi degli Indiani, alle insidie della natura: quasi caserme intorno a una chiesa. Eravamo nella Missione di San José, e passeggiavo tra le pietre consunte quando un pensiero mi sbalordì: quelle mura perdute nella gran prateria, quelle celle lontane migliaia di chilometri dall'Andalusia e dalla Castiglia, erano le colonie di allora, sulla Luna di allora. Sì, papà, erano i rifugi blindati degli Slayton, i Titov, gli Shepard, i Gagarin di quattrocento anni fa, e le colonie che i Gagarin, gli Shepard, i Titov, gli Slayton avrebbero costruito sulla Luna sarebbero state come queste Missioni dei frati spagnoli: di plastica forse, di acciaio, di chissà quale lega, più brutte magari, più pagane, più tristi, ma press'a poco così. Arriveranno sulla Luna gli Slayton, i Titov, gli Shepard, i Gagarin, e all'inizio saranno soli come lo erano i frati: pieni di spavento, di sospetto, di speranza. Arriveranno sulla Luna gli Slayton, i Titov, gli Shepard, i Gagarin e, lontano milioni di miglia da casa fabbricheranno i loro fortini, per spalancarne le porte a quelli di dopo, ai pionieri avvezzi al Gran Freddo e al Gran Caldo, spericolati, robusti, simili a loro. E quei pionieri riempiranno i fortini, li perfezioneranno, ci invecchieranno e ci moriranno, e allora altri giungeranno dal Cielo, altri meno spericolati, forse, meno robusti, meno avvezzi forse al Gran Freddo e al Gran Caldo ma ormai rassicurati dall'esperienza e ormai pronti per cominciare, per uscir fuori, per rendere le valli desolate non più desolate. E così, a poco a poco, essi vi trasferiranno la vita che cinquecento anni avanti non c'era, e i nostri difetti e le nostre virtù, e ad ondate sempre più numerose e più fitte sbarcherà nuova gente, la folla dei prudenti, dei mediocri, dei deboli, di coloro che non hanno nulla da perdere ma nemmen nulla da vincere, la gente qualsiasi, quella che non osa se i primi non osano, e vi si stabilirà, per sempre: finché dimentica della Terra troverà normale star lì e, ormai lunari sulla Luna come oggi americani in America, i loro figli guarderanno le prime colonie dei Gagarin, gli Shepard, i Titov, gli Slayton, come io guardo in questa domenica del 1964 la Missione di San José. Proprio di faccia alla Missione c'era un agglomerato di edifici rossi, moderni, quasi un villaggio dentro la città. Chiesi a Stig cosa fosse. Stig rispose che era il luogo dove si selezionavano i candidati che chiedevano di diventare astronauti. Era la Scuola di Medicina Spaziale. Lui c'era stato e mi consigliava d'andarci prima di recarmi in Florida. «Ci andrò» gli risposi. «Sì, credo proprio che andrò.» Bjorn cominciò a gridare di orrore.

Ci salutammo promettendo di ritrovarci a New York. Loro due proseguirono per San Diego in aereo e io restai a San Antonio. Stig mi aveva dato il nome del maggiore Turbutton che cura i rapporti con la stampa alla Scuola di Medicina Spaziale. Il maggiore Turbutton venne subito a prendermi, un gigante simpatico e grasso, strizzato dentro una uniforme, e promise di farmi vedere tutto ciò che volevo: centrifughe, simulatori, psichiatri, fisiologi. Spalancò le pupille, sorpreso, quando gli dissi che desideravo entrare in una centrifuga ed esser sottoposta agli esami cui vengono costretti gli uomini che vogliono andar sulla Luna.

# CAPITOLO DODICESIMO

Gli occhi dello psicologo che dal 1959 è pagato per misurare l'intelligenza di chi vuole andar sulla Luna mi fissavano gelidi dal volto più gelido che avessi mai visto. Senza staccarmeli di dosso mi porse un foglio su cui era scritto *Wais Record Form* e mi disse di segnarvi il nome e cognome, la data di nascita, l'età nel caso che uno non la deducesse dalla data di nascita, il sesso, lo stato civile, nubile sposata vedova divorziata, la nazionalità, il colore della pelle, il mestiere che facevo, il titolo di studio che avevo, la data di quel giorno: infine fu pronto per esaminarmi e concludere se ero intelligente oppure idiota, e se per caso ero intelligente in quale misura lo fossi. Il minimo tollerabile di intelligenza, spiegò, era 80. Se salivo a 100 ero normalmente intelligente. Se salivo a 110 ero più intelligente del normale. Se salivo a 120 ero molto intelligente. Se salivo a 130 ero intelligentissima. Se salivo a 140 avevo un'intelligenza proprio fuori del comune. Se salivo a 150 mi scoppiava il cervello. Naturalmente, aggiunse, le domande non consideravano solo l'intelligenza intesa come facoltà di capire ma anche l'intelligenza intesa come facoltà di associare, immaginare, dedurre, e l'intelligenza che deriva dalla cultura. A mio svantaggio era il fatto che le domande si riferivano a una cultura e ad una educazione molto americane: ma visto che conoscevo bene l'America potevo cavarmela. Dunque ero pronta? Sì? Allora via: con la tabella indicata come *Information*. Informazione.

«Quante stelle ha la bandiera americana?»

«Cinquanta.»

«Che forma ha una palla?»

«Rotonda.»

«A che serve un termometro?»

«A misurare la temperatura.»

«Da cosa si ricava la gomma?»

«Dal lattice degli alberi di caucciù.»

«Mi dica i nomi di almeno tre presidenti americani.»

«Kennedy, Eisenhower, Roosevelt...»

«Chi era Longfellow?»

«Un poeta americano.»

«Quante settimane ci sono in un anno?»

«Hum... Quattro per dodici...»

Mi guardò severo.

«Cinquantadue. Dov'è Panama?»

«Nel Centro America.»

«Dov'è il Brasile?»

«Nel Sud America.»

«Qual è l'altezza media delle donne americane?»

«Non lo so.»

Mi guardò severo.

«Cinque piedi e otto pollici. Qual è la capitale dell'Italia?»

«Roma!»

«Dov'è il Vaticano?»

«In Italia!»

«Dov'è Parigi?»

«In Francia!»

«Chi era Amleto?»

«Un principe danese.»

«Chi era Yeats?»

«Un poeta irlandese.»

«Qual è la popolazione degli Stati Uniti?»

«Circa duecento milioni.»

«Quanti sono i senatori americani?»

«Non lo so.»

Mi guardò severo ma non mi disse quanti erano. Forse non
lo sapeva neanche lui.

«Chi ha scritto l'*Iliade*?»

«Omero.»

«Chi ha scritto il *Faust*?»

«Goethe.»

«Cos'è il *Corano*?»

«Il libro sacro dei musulmani.»

«Attraverso quali condotti il sangue irrora il corpo umano?»

«Le arterie, le vene, i vasi capillari.»

«Cos'è l'etnologia?»

«Lo studio delle razze.»

«Cosa significa apocrifo?»

«Non autentico, falso, contraffatto. Di solito si dice pei documenti.»

Mi guardò con rispetto: quest'ultima, disse, era una cosa che non sapeva quasi nessuno. Lo ringraziai senza dirgli che il suo test era idiota e qualsiasi bambino avrebbe saputo per tre quarti rispondervi. Lui grugnì e poi prese un'altra tabella su cui era scritto *Similarities*, Analogie. Stavolta dovevo rispondere nel giro di un secondo quali analogie esistevano tra le cose che andava citando. La risposta doveva coincidere con quella contenuta in un libro. Il test, disse, era particolarmente importante per chi vuol andare in altri pianeti.

«Arancia, banana.»

«Sono due frutti.»

Consultò il libro: «Giusto».

«Cappotto, vestito.»

«Sono due indumenti.»

Consultò il libro: «Giusto».

«Cane, leone.»

«Sono due animali.»

Consultò il libro: «Giusto».

«Nord, ovest.»

«Sono due punti cardinali.»

Consultò il libro: «Giusto».

«Aria, acqua.»

«Sono due elementi terrestri.»

Consultò il libro: «Sbagliato».

«Perché sbagliato?»

«Perché sì. Legno, alcool.»

«Bruciano tutti e due.»

Consultò il libro: «Sbagliato».

«Perché sbagliato?»

«Perché sì. Lode, punizione.»

«Due forme di giudizio.»

Consultò il libro: «Sbagliato».

« Perché sbagliato? »

« Perché si. Albero, farfalla. »

« Sono due creature viventi. »

Consultò il libro: « Sbagliato. Ha sbagliato le domande più importanti. Non c'è nessuna analogia tra l'aria e l'acqua, il legno e l'alcool, la lode e la punizione, l'albero e la farfalla. Cosa può esserci in comune tra un albero e una farfalla? ». (Potrei spiegarglielo per un anno, dottore: non ci capiremmo. Forse lei non conosce gli alberi, non li ha mai sentiti respirare, non li ha mai visti fare l'amore: non sa che respirano e fanno l'amore come le farfalle. C'è un cipresso, nel giardino della mia casa di campagna, un altissimo stupendo cipresso: e costui ama, ricambiato, un'altissima stupenda cipressa al di là della strada. La notte si parlano, si gettano semi leggeri che poi cadono nel bosco, nel prato, e a primavera si trovano sempre due o tre cipressini che sono i loro figlioli: nati da quelle notti d'amore. Capita a volte che un cipressino muoia, calpestato dai malvagi ed i distratti, e allora il mio cipresso si scuote, chiama la sua cipressa e ricomincia con lei a far l'amore, a scambiarsi ostinato altri semi, e quando viene l'inverno... Potrei spiegarglielo per un anno, dottore: non ci capiremmo.)
Poi il dottore prese la terza tabella su cui era scritto *Comprehension*, Comprensione. Questa era composta esclusivamente di domande a sfondo sociale e dovevo rispondervi in assoluta sincerità.

« Cosa fa se trova per strada una busta affrancata e non impostata? »

« Può darsi che la raccatti e la metta in borsa. »

« E poi? »

« Poi resta lì. Anche le mie buste affrancate restano lì. Dimentico sempre di impostarle. »

Consultò il Libro, scosse disgustato la testa. Nel Libro era scritto: « La prendo e la imbuco ».

« Cosa fa se è in un cinematografo e questo prende fuoco? »

« Scappo. »

« Scappa?! »

« Si, scappo. »

Consultò il Libro, scosse disgustato la testa. Nel Libro era scritto: « Mi alzo senza dare nell'occhio ed a bassa voce, per non spaventare la gente, cerco un poliziotto e gli dico di chiamare i pompieri».

«Perché le tasse devono essere pagate?»

«Le tasse non dovrebbero affatto esser pagate.»

«Lei non paga le tasse?!»

«Si che le pago: sennò mi appioppano la multa. Ma ogni lira che pago è una maledizione per chi me la fa pagare ed io spero che la maledizione arrivi.»

Consultò il Libro, scosse disgustato la testa. Nel Libro era scritto: «Le tasse vanno pagate perché questo è il primo dovere del buon cittadino».

«Perché le cattive compagnie devono essere evitate?»

«E chi le evita?»

«Come ha detto?»

«Ho detto chi le evita.»

«Lei frequenta le cattive compagnie, intende dire?»

«Certo. Sono le più interessanti.»

Consultò il Libro, scosse disgustato la testa. Nel Libro era scritto: «Le cattive compagnie vanno evitate altrimenti anche noi diventiamo cattivi».

«Perché i bambini devono essere protetti con le leggi sull'infanzia?»

«Perché non diventino astronauti!» scherzai. E fu la fine. Il dottore chiuse il Libro, gelidamente disse che questo esame era andato malissimo, che v'era in me un'eccessiva disposizione a celiare e assumere atteggiamenti asociali, che ciò era indice di intelligenza scarsissima, poi mi mostrò un foglio bianco, mi chiese che fosse. Risposi, prudente, che era un foglio bianco, nient'altro. Esclamò soddisfatto «benissimo, esatto» e tiro fuori le solite macchie di inchiostro, mi chiese quel che ci vedevo. Gli dissi che ci vedevo una cintura pelvica, un topo, la pipa di mio nonno, l'orecchino con la perla che persi a Parigi, una pallottola calibro 22, un anemone, e un pollo. Mi guardò un po' sconcertato ma non fece commenti e mi mostrò la fotografia di un bambino biondo che suonava il violino con aria seccata e assomigliava a von Braun verso i dieci anni, mi chiese di costruirci una storia. Gli spiegai che non era il caso di inventare un bel nulla, solo di far la cronaca, quello era von Braun a dieci anni quando sua madre, la baronessa Emmy von Braun, voleva costringerlo a suonare il violino nel castello di Wirsitz e lui lo suonava facendo le stecche affinché la baronessa dicesse: basta per carità, basta, e lo mandasse nel parco dove lui dava fuoco alle rose per allenarsi a distruggere Londra con i V2. Il dottore, che ammira sfrenatamente von Braun, mi strappò la fotografia dalle mani, sibilò che la mia intelligenza era al di sotto della media, così al di sotto che poteva considerarsi non intelligenza: mi dava 30 ed era anche troppo. Tuttavia gli piaceva narrarmi che gli astronauti hanno una media di 130, molti arrivano a 135 e perfino a 140, uno del secondo gruppo era giunto a 144, solo due erano scesi a 123 che è il livello normale dei piloti, gli astronauti erano uomini di intelligenza superiore, la gente insisteva sempre sulla loro superiorità fisica ma lui insisteva sulla loro superiorità mentale, nient'altro che desiderassi sapere? Nient'altro. Poteva andarsene quindi? Poteva andarsene. Se ne andò infilandosi le dita nel naso. Ricordo che restai un po' turbata a vedere che l'uomo cui andava gran parte di responsabilità nella scelta dei pionieri destinati alla Luna si infilava le dita nel naso. Ma non è detto che chi si infila le dita nel naso sia stupido.

Non è stupido neanche il sistema con cui misurano sentimenti e cervello, del resto: la mia natura totalmente ascientifica, asociale, irrispettosa, era risultata infatti evidente come le mie scarse probabilità di andare su Marte. E i test cui mi ero sottoposta non costituivano che una minuscola parte dell'esame il quale dura almeno otto ore, a volte più giorni, e si conclude sempre con la verità. Non si sfugge all'Esame: per furbo, intelligente, bugiardo, controllato tu sia, l'Esame finisce per stabilire chi sei. Esso è la prova più spietata, crudele che tu debba accettare: più spietata, crudele delle torture fisiche cui ti sottopongono quando studiano il corpo. Con interrogatori, prove scritte e orali, elettroencefalogrammi, la tua anima vien rovesciata come un budello, scrutata come un germe al microscopio, lavata come un panno sporco, profanata, spogliata: finché priva di ogni segreto giace nuda come un corpo nudo dinanzi ai carnefici. Leggi, papà. Questa è l'intervista che ebbi, dopo il mio esame, col dottor Fyfe: uno dei medici che scelgono gli astronauti alla Scuola di Medicina Spaziale di San Antonio.

« Li sottoponiamo anzitutto a un esame neurologico per cercare le anormalità cerebrali che sono visibili solo attraverso strumenti. Poi, a un esame psichiatrico. Infine, a uno psicologico. Psicologico vuol dire tante cose: mentale, sentimentale, morale. L'interrogatorio quindi è lunghissimo. Cominciamo col chiedere perché sono diventati piloti e perché vogliono diventare astronauti: onde avere la matematica certezza che vogliono diventarlo davvero e sanno ciò cui vanno incontro. Consideriamo anche il loro realismo, la loro fantasia. Non abbiamo nulla contro la fantasia ma vogliamo sapere in quale direzione la usano: se per spaventarsi o per aiutarsi. La fantasia è un'arma a doppio taglio: può perderti o salvarti. Supponiamo che uno veda su Marte un oggetto in movimento e non capisca cos'è. Deve affidarsi, ovvio, alla sua fantasia. Ebbene: se l'uomo ha una fantasia pessimista, perderà la testa; se ha una fantasia ottimista, agirà con calma. In secondo luogo chiediamo come se la sono cavata in situazioni avvilenti o difficili: non ci interessano le loro vittorie ma i loro fallimenti. Fallimenti personali, fallimenti collettivi: cerchiamo uomini che sappiano stare soli e allo stesso tempo far parte di un gruppo: è un'arte molto difficile. In terzo luogo vogliamo sapere il loro presente ed il loro passato affettivo: rapporti coi genitori, esperienze sessuali durante l'adolescenza e la maturità, storia coniugale. Naturalmente non possiamo impedire che essi abbiano problemi o complicazioni sentimentali ma è preferibile che non ne abbiano. I conflitti emotivi sono sempre aree di vulnerabilità ed è indispensabile che l'astronauta sia tranquillo durante il volo. Supponiamo che egli abbia un legame intrafamiliare: per essere espliciti, una moglie ed un'amante. Nel novanta per cento dei casi, e anche se è un uomo controllato o freddissimo, ciò rischierà di influire sul suo comportamento durante il volo. Lui può negarlo, noi ce ne accorgiamo lo stesso. A molti, ovvio, questo nostro interesse dà fastidio: dicono che vogliamo controllare la loro vita privata. Rispondiamo che la loro vita privata ci interessa nella stessa misura in cui ci interessano i loro polmoni, il loro fegato, la loro pressione arteriosa. Mi spiego? »

« Si spiega benissimo, dottore. Nel *Mondo Nuovo* di Huxley, nel *1984* di Orwell, le cose andavano press'a poco così.

E il mondo nuovo è già incominciato, al 1984 mancano in fondo pochissimi anni.»

«Le dirò: quando la NASA cominciò a cercare astronauti e ci chiese un parere, discutemmo a lungo sui requisiti psicologici necessari a diventare astronauta e il risultato della nostra discussione fu che essi andavano cercati fra i preti. Preti giovani, sani, laureati in ingegneria, in chimica, in medicina, in geologia. Lo dicemmo alla NASA. La NASA rispose che non voleva preti, voleva piloti. Noi replicammo: allora preti-piloti. Non fummo presi sul serio, la NASA pensò evidentemente a un paradosso, a uno scherzo: ma noi, quando la gente ci chiede come dev'essere un astronauta, continuiamo a rispondere che dev'essere un prete. Un prete giovane, sano, laureato in ingegneria, in chimica, in medicina, in geologia, e capace di guidar bene un aereo. Mi spiego?»

«Si spiega benissimo, dottore. La Missione di San José fu costruita dai frati.»

«Non è solo per ragioni sessuali e sentimentali: malgrado sia convinto che esse siano molto, molto importanti; non è possibile infatti che un astronauta sia tranquillo se non va d'accordo con la moglie o se è innamorato di un'altra donna. Può abbandonarsi a incontri casuali, tutt'al più, a brevi avventure passeggere: ma guai, guai se coinvolge se stesso sul piano degli affetti, guai se si abbandona alla passione. Verrà sempre il momento in cui si distrae, il momento in cui rallenta i riflessi: come un trapezista che non calcola bene la distanza ed il tempo e così non agganta il trapezio e precipita. Un prete non ha tali problemi. Ma non solo per questo. Consideriamo la convivenza cui gli astronauti sono costretti durante il volo. Il viaggio a Marte, nella migliore delle ipotesi, durerà duecentosessanta giorni ad andare e duecentosessanta giorni a tornare: sono tanti per vivere gomito a gomito dentro un'astronave quando non si ha la disciplina interiore di un prete, l'abitudine al sacrificio di un prete, la pazienza di un prete. Lo vediamo nei sottomarini, nelle spedizioni al polo antartico, nei simulatori: otto casi su dieci si matura nel gruppo una disarmonia; l'ansietà, lo spazio ridotto, la solitudine si traducono sempre in antagonismo, inimicizia. Per andar sulla Luna la NASA ha deciso che l'equipaggio debba esser composto di tre astronauti: non siamo affatto d'accordo. Due possono fare alleanza ed escludere il terzo, porsi contro di lui anche se alla partenza erano amici, fratelli. D'altra parte, nei simulatori, noi abbiamo esperimentato un equipaggio di quattro e il risultato non è stato migliore. Due hanno fatto alleanza contro gli altri due. Il tipo più impulsivo e vivace s'è inimicato il tipo più rigido ed autoritario, gli altri anziché far da pacieri hanno parteggiato uno per il primo e uno per il secondo. Attraverso i microfoni e gli apparecchi della TV seguivamo i loro dispetti, i loro repressi litigi: fu necessario interrompere l'esperimento ed erano quattro uomini in gamba, quattro piloti che avevano fatto insieme la guerra, quattro colleghi che si volevano bene. Ci vogliono preti, ci vogliono preti. Ma consideri questo: un equipaggio deve pur avere un comandante, cioè un uomo più qualificato degli altri a dare ordini. Nessun astronauta è più qualificato degli altri a dar ordini, nessuno ne sa più degli altri: sono tutti allenati nel medesimo modo, hanno tutti lo stesso valore e, una volta scelto il comandante, gli altri possono dire perché lui sì ed io no? Non si tira a sorte un generale tra i generali, solo i preti sanno far questo. Nel conclave per eleggere il Papa ogni cardinale può diventar papa e, quando il papa è eletto, tutti i cardinali si inchinano a baciargli la mano. L'umiltà e l'obbedienza son per essi condizioni di vita: per i laici invece sono un pesante dovere. E poi questo comandante non lo eleggono mica da sé, gli astronauti: è la NASA che glielo impone. Le par ovvio rischiare un ammutinamento sulla Luna o su Marte? La polemica non cesserà mai. La NASA preferisce i tipi duri: ecco un ennesimo punto su cui non ci troviamo d'accordo. Noi siamo arrivati alla conclusione che gli estroversi son meglio. Relegati a compiti non di comando, hanno maggior disposizione a obbedire; destinati a un comando, hanno maggior probabilità di farsi obbedire. Infatti sono più cordiali, convincenti, amichevoli. Ed un buon prete non dev'essere forse cordiale, convincente, amichevole?»

Il dottor Fyfe aveva un volto smunto e gentile, vestiva la uniforme di ufficiale come se gli spiacesse e non entrava in una chiesa da decine d'anni. Il suo punto di vista perciò non era influenzato da tare confessionali: era rigorosamente scientifico. Parlando mi faceva visitare la scuola ed ora mi mostrava i simulatori che son scatole d'acciaio, a volte piccole come lo scompartimento di un treno, a volte grandi come una camera o un appartamento di due stanze, e dentro c'è solo una branda, un tavolo, la macchina da presa della TV. Le porte sono massicce come le porte delle casseforti di una banca: una volta chiuso lì dentro, il mondo è un ricordo che forse hai sognato. In compenso sai che ti guardano: il televisore ti inquadra in ogni momento, mentre sbadigli, ti gratti, fai i tuoi bisogni. Per te le pareti sono d'acciaio, la fiamma ossidrica non riuscirebbe a sfondarle, per gli altri sono di vetro. Ti senti spiato, seguito, allo stesso tempo ti auguri d'essere spiato, seguito: perché temi che ti dimentichino. Dio! A tutti fa lo stesso effetto, sai? Tutti ti dicono la medesima frase: «paura che ti dimentichino». La paura che io avevo avuto entrando nella capsula Mercury e nella capsula Apollo. La paura del dottor Celentano. Quante volte, papà, in questo libro hai trovato e ritrovi la parola paura.

«Guardi, in questo rimasi quindici giorni» disse il dottor Fyfe. «Non facevo che sfogliare il calendario, oppresso dal terrore che mi dimenticassero. Erano i giorni di Cuba e sembrava che da un momento all'altro scoppiasse la guerra. Se scoppia, pensavo, perdono la testa e mi lasciano qui. In quello invece rimasi solo due giorni ma fu ugualmente sgradevole.»

Il simulatore cui stava alludendo era un cubo trasparente, tappato da un coperchio e pieno di acqua. Serviva a sperimentare le reazioni psichiche e fisiche in stato di galleggiamento, l'unico che possa dare un'idea sia pur vaga dell'assenza di peso.

«E cosa faceva, dottore?»

«Nulla. Galleggiavo. Respiravo con le bombole a ossigeno.»

«Questo lo immagino. Voglio dire: pensava?»

«No. All'inizio pensavo pochissimo, poi smisi completamente di pensare. Non che stessi male o cose del genere: non riuscivo a pensare, ecco tutto: incredibile come l'ozio del corpo conduca all'ozio del cervello: dopo due giorni ero diventato un idiota. Ecco la ragione per cui, durante il volo, gli astronauti son tenuti sempre occupati, non hanno un minuto di ozio.»

«Questo va bene per andar sulla Luna, dottore. Ma pei viaggi a Venere e a Marte? Come è possibile tenerli sempre occupati per un anno, due anni?»

«Ci abbiamo pensato e la soluzione migliore ci è parsa alternare periodi di logorante attività con periodi di sonno artificiale. Ad esempio un mese di lavoro e un mese di sonno. O sei mesi di lavoro e sei mesi di sonno. Un'astronave è molto più piccola di un sottomarino: bisogna assolutamente evitare la noia. O l'uso eccessivo della fantasia. Anche questa è pericolosa quando gira a vuoto.»

L'ultimo simulatore era una scatola di vetro infrangibile: la camera di decompressione. Serviva a sperimentare la mancanza di atmosfera mediante un brusco abbassamento di pressione. Dentro c'era un bicchiere pieno di acqua.

«Ora le faccio vedere cosa accadrebbe ad un astronauta sulla Luna se si strappasse la tuta» disse il dottor Fyfe. «La pressione dentro la camera, attualmente, è quella terrestre. D'accordo?»

«D'accordo, dottore.»

«Ora io l'abbasso di colpo fino a zero. Stabilisco di colpo, cioè, una mancanza di pressione simile a quella che è sulla Luna. Mi segua.»

«La seguo, dottore.»

Azionò uno strumento da cui si levò uno strano ronzio. E quel che vidi durò un battito di ciglia, neanche. L'acqua schizzò dal bicchiere in schegge di cristallo gelato e rimase attaccata alle pareti, al soffitto.

«Ha capito?»

«No, dottore.»

Ebbe un attimo di smarrimento.

«Certo capirebbe meglio se al posto dell'acqua ci fosse un topo od un cane. Ma...»

La Società Protettrice degli Animali proibisce in America che i cani e i topi siano usati in esperimenti letali. Nessuno si commuove se a San Antonio decine di uomini vengono sottoposti a torture da Inquisizione, tutti gridano allo scandalo se alle stesse torture è sottoposta una bestia. Le cavie sono nascoste alla Scuola di Medicina Spaziale come durante l'occupazione tedesca era nascosti in Europa i giornali che inneggiavano alla libertà.

«Non sono iscritta alla Società Protettrice degli Animali, dottore.»

Il dottor Fyfe esitò.

« Uhm... Considerato che l'esperimento andrebbe fatto comunque... Non urlerà, vero? »

« No, dottore. Non urlerò. Tutt'al più ci resterò male. »

« Anch'io ci resto male. Ogni volta. »

Si tolse il berretto, si grattò la testa, rimise il berretto, chiamò uno studente.

« Prendi il topo. »

Lo studente andò a prendere il topo. Era un topino bianco e pulito, con due occhi rossi e spaventati. Nella mano dello studente non sembrava più grande di un uovo.

« Mettilo dentro » disse il dottor Fyfe.

Lo studente aprì lo sportello della camera di decompressione e mise dentro il topo. Le schegge di ghiaccio eran tornate acqua e nel mezzo c'era una gora. Il topo scansò la gora. Io cominciai a star male.

Perché io non ho nulla contro i topi, lo sai. Tanta gente ha paura dei topi ma io non capisco come si possa aver paura dei topi, specialmente quando sono piccoli come era quello lì. La nostra casa di campagna è piena di topi e tu dici che mangiano i libri, bevono l'olio, divorano i salami e il sabato sera arrivi sempre con una trappola nuova. Il lunedì mattina, prima di tornare in città, raccogli le trappole dove c'è sempre un topo e chiami i gatti. Una cerimonia antipatica, specialmente con le trappole a nassa che hanno un buco nel mezzo e il topo, dentro, è sempre vivo. La mamma dice che sono incoerente. Non è peggio sparare a un uccello che canta, dice, che tendere la trappola a un topo? Un uccello non dà noia a nessuno e un topo sì. La mamma ha ragione, lo so, ma gli uccelli quando vai a caccia non sono più uccelli: sono un bersaglio, gli spari da lontano, senza guardarli negli occhi, e li raccatti che sono già morti. I topi invece son vivi dentro la trappola, ti guardano, ecco, e questa è l'unica cosa che non capisco in te che una volta, durante la guerra, fosti malato sei giorni per aver tagliato il collo a quell'oca.

« Scrivi l'ora, il giorno, e il resto » disse il dottor Fyfe allo studente. Il topo rizzò un capino attento, due occhi addolorati. Sapeva benissimo che stavano per ammazzarlo.

Perché i topi sono intelligenti, lo sai. Secondo me sono più intelligenti dei cani, dei cavalli. Specialmente i piccoli, come quello lì. Ricordi il giorno che sorprendemmo quei due, piccoli, a salir lo scalino del retrocucina? Restammo dieci minuti a guardarli. Lo scalino del retrocucina è molto alto e loro dovevano esser nati da poco perché si trascinavano come i cuccioli di pochi giorni e quando tentavano di fare il gran salto ricadevano giù, con le zampine per aria. Allora uno dei due si appoggiò al muro dello scalino, come se stesse in piedi, l'altro gli andò sopra e si arrampicò sullo scalino. Quando ci fu si mise seduto sul bordo, con la coda ciondoloni, volgendo il dorso al compagno. Il compagno si agguantò con le zampine alla coda, quasi fosse una fune, e si lasciò sollevare dall'altro. Ti ricordi? Era uno spettacolo così intelligente, così commovente che neanche tu alzasti un dito per ammazzarli, anzi dicesti: meritan proprio di vivere quelli. Li ammazzò la contadina gridando: «Il topo! Oddio, il topo!» e poi abbattendo su di loro un fulmine di scopa.

«Decompressione» disse il dottor Fyfe.

Tutti stavano fermi, anche il topo. Cominciò lo strano ronzio, il topo mi guardava. Io abbassai la testa.

Quando la rialzai, il topo non c'era più. C'era solo una gran palla bianca. Grande, diciamo, come i palloni di carnevale. Solo che quelli sono rossi o verdi o viola, e questo era bianco. Quelli son lisci, e questo aveva in quattro punti le unghiette, nel mezzo un minuscolo paio di baffi. E sopra quei baffi c'erano, colmi d'orrore e di accusa, i suoi occhi.

«Non ha sofferto, sa?» disse il dottor Fyfe. «Non ne ha avuto il tempo.»

Sembrava davvero che parlasse dell'esecuzione capitale di un uomo.

«È consolante» risposi.

«Comunque questo è ciò che accade ad un astronauta sulla Luna se gli si strappa la tuta.»

«Capisco, dottore.»

«Un po' meno in fretta, forse. Nel giro di un minuto. Non so se mi spiego: prima il sangue comincerebbe a bollire, poi la pelle si solleverebbe, poi...»

«Sì, sì, capisco, dottore.»

«Non è piacevole parlarne, vero?»

«No. Ma bisogna. E quanto a lungo resterebbe lucido il suo cervello, dottore?»

«Trenta secondi, forse più.»

«Dunque avrebbe il tempo di accorgersi che muore.»

«Tutto il tempo.»

«Ma non il tempo di salvarsi, dottore?»

«Forse. Se il buco fosse molto piccolo, se egli non fosse distante più di cinque o sei metri dall'astronave, se il suo compagno fosse pronto a raccoglierlo, se facesse in tempo a rinchiuderlo nell'astronave, se l'astronave fosse bene equipaggiata... Ma le nostre astronavi sono assai piccole per ora. Il LEM ha appena posto per i due astronauti e i comandi.»

«Capisco, dottore.»

«Be'... usciamo da qui. Ci sono molte altre cose da vedere.»

E così uscimmo di lì, con quella palla bianca che mi rimbalzava dinanzi agli occhi, quella frase che mi martellava gli orecchi e non sapevo chi me l'avesse detta, forse non me l'aveva detta nessuno, la pensavo io in quel momento: «Secondo me un astronauta è automaticamente un eroe. Per il semplice fatto che è un astronauta».

Vidi molte altre cose, quel giorno: ma ti voglio dir delle alghe, papà: le alghe con cui il dottor Fyfe pensa di procurare l'ossigeno agli astronauti, durante i lunghi viaggi spaziali. Le alghe erano foglioline rotonde del diametro di un pisello, e di un bel verde squillante. Il dottor Fyfe le raccoglieva negli stagni, poi le posava dentro vasche d'acqua e qui esse si riproducevano a una velocità pazza. In sei o sette giorni, ad esempio, due foglioline diventavano una vasca di alghe.

«Il procedimento è chiaro» disse il dottor Fyfe. «Le piante assorbono anidride carbonica e restituiscono ossigeno. E poi queste, all'occorrenza, sono buone anche per mangiare.»

«Purché non si riproducano troppo» sorrisi.

«Perché?»

«Così. M'è venuto in mente un racconto di fantascienza. Forse lo scriverò.»

«Che racconto?»

«Be'... la storia di un pugno di alghe che non vogliono esser mangiate. E allora crescono, crescono, si riproducono, si riproducono, finché straboccano dalle vasche e invadono l'astronave e si mangiano gli uomini.»

«Mica male» disse il dottor Fyfe. «Però io ho un racconto

migliore del suo e non è un racconto di fantascienza, è una storia che accadrà.»

«Quale, dottore?»

«Ecco. Lei sa che Venere è completamente coperto di nubi le quali ci impediscono di sapere cosa c'è sotto. Con molta probabilità c'è un pianeta che assomiglia alla Terra, più giovane della Terra, surriscaldato da una temperatura altissima. La temperatura si mantiene altissima perché la coltre di nubi impedisce ai vapori bollenti di fuggir via: pensi a una pentola d'acqua che bolle, ermeticamente chiusa da un coperchio. Mi segue?»

«La seguo, dottore.»

«Bene. Abbiamo ragioni per ritenere che quelle nubi contengano acqua: insomma una percentuale di ossigeno e idrogeno. Bene. Queste alghe hanno una caratteristica: si sviluppano a qualsiasi temperatura, purché abbiano acqua. Abbiamo provato a seccarle poi a gettarle in acqua caldissima o in acqua freddissima e si sviluppan lo stesso. Ciò che pensiamo è un sistema su cui si trovan d'accordo sia gli scienziati russi sia gli scienziati americani: circumnavigare Venere e gettare sulle sue nubi un pugno di alghe. Se è come crediamo, le alghe si riprodurranno fino a creare un gran buco dentro le nubi, e ciò sarà come scoperchiare la pentola. Il vapore bollente che impedisce la vita su Venere fuggirà da quel buco e Venere si raffredderà e attraverso i millenni, i milioni di anni, stabilirà un clima simile al nostro. Quasi certamente è così che la vita incominciò sulla Terra.»

Dio, papà! Dio! Chi gettò le alghe sulla Terra? Da dove venivano le alghe che scoperchiarono la pentola d'acqua bollente chiamata Terra?

# CAPITOLO TREDICESIMO

Mi svegliai sudando angoscia: oggi mi avrebbero messo nella centrifuga. Io che non riesco nemmeno a guardare una giostra che gira. Io che non posso far due giri di valzer senza essere presa da nausea. Io che non tollero l'ascensore, i suoi balzi improvvisi, le sue brusche frenate, e quando devo salire a un quarantatreesimo piano mi sento svenire, una volta lassù non ho più coraggio di scendere, ricorro a ogni pretesto per ritardare quello sconvolgimento allo stomaco, quel tappo che chiude gli orecchi, la gola: io avevo chiesto di essere messa nella centrifuga. Ma perché? Ma che idea avevo avuto? Chi me lo aveva chiesto, suggerito, consigliato? C'è forse bisogno di morire per raccontare la morte? Sarei morta, ecco tutto. Avrei avuto una emorragia cerebrale, o mi sarebbe schizzata la testa, come minimo sarei rimasta cieca per sempre. Eppure non c'era modo di sfuggirvi, ormai. Per condurre a termine questa bella trovata avevo perfino lasciato il mio albergo e m'ero trasferita alla Base Aerea di Brooks dove il maggiore Turbutton mi aveva dato un appartamento nel quartiere degli ufficiali, Sezione Donne. Avrei dovuto passare attraverso una quantità di esami medici, prima: elettrocardiogramma, misura della pressione, radioscopie. Anche per una innocua passeggiatina, così il dottor Fyfe giudicava l'esperimento di tre o quattro g, il mio corpo esigeva condizioni eccellenti. Disperatamente mi augurai che il mio corpo risultasse un rottame, che il mio cuore minacciasse un infarto cardiaco. Barcollando entrai in cucina per farmi il caffè. Il caffè dà coraggio, sostiene la mamma.

Era una cucina davvero moderna, una cucina spaziale. L'acqua si scaldava posando il recipiente di vetro su una molla sottile, senza premer bottoni tantomeno accendere il fuoco: se la quantità dell'acqua era giusta, il peso del recipiente abbassava la molla, l'ebollizione avveniva in dieci secondi, da un congegno automatico cadeva una polvere nera chiamata caffè, e poi tutto andava avanti da solo. Persi un buon quarto d'ora a intuire quale fosse la quantità giusta di acqua, alla fine però ci riuscii e bevvi il caffè. Non servì a nulla. Ci voleva un cognac. Nella cucina c'era anche il cognac, una quantità di liquori. Ogni bottiglia però era fissata con un procedimento magnetico allo scaffale di ferro e per smagnetizzarla bisognava infilare in un buco una moneta da mezzo dollaro. Cercai la moneta. Non ce l'avevo. La cosa straordinaria in America è che tutte le porte si aprono infilando una moneta in un buco ma la moneta dev'esser la giusta e non hai mai quella giusta. Per telefonare ad esempio ci voglion due nickels o un dime: io non ho mai né i nickels né il dime. Per prendere un pacchetto di sigarette alla macchina ci vogliono un quarter, un nickel, e un dime: io non ho mai il quarter, né il nickel né il dime. Per fare pipì ci vuole il dime, il dime e nient'altro, e questa, devo dire, è la cosa più tremenda: bisogna provarla per sapere quanto è tremenda. Tu stai lì, dinanzi a quella dannatissima porta che chiude il gabinetto più pulito del mondo, e non chiedi altro che fare pipì, e non la puoi fare perché non hai il dime. Secondo me, il dramma del nostro futuro sta tutto qui e comunque, per tornare al mio cognac, dovetti uscire, andare al drugstore, cambiare un dollaro, chiedere il mezzo dollaro, infilar la moneta nel buco, finché bevvi ma non servì a nulla: se non a farmi girare la testa. Mezzo dollaro di cognac la mattina alle otto, capisci.

Gli esami medici durarono quasi due ore e stabilirono che ero un campione di salute. Polmoni invidiabili, stomaco forte, un cuore che funzionava come un orologio appena uscito da una fabbrica svizzera. La pressione era bassa ma ciò costituiva un vantaggio. Guardi che sei anni fa mi son rotta una gamba, dottore. Non importa, non conta. Guardi che qui dietro l'orecchio mi manca un pezzo di osso; ebbi l'operazione al mastoide. Non importa, non conta. Guardi che soffro di vertigini a volte. Non importa, non conta. Guardi che il mio baricentro è spostato, il mio equilibrio fa abbastanza difetto. Non importa, non conta. Guardi che non riesco a tollerar l'ascensore, il valzer, la giostra. Non importa, non conta. Non conta?! No, la centrifuga non ha nulla a che fare con l'ascensore, il valzer, la giostra. Lei potrebbe chieder l'applicazione per diventare astronauta, non le manca che il brevetto di pilota, andiamo. No, non potevo sfuggire, ormai. Non c'erano più scuse, pretesti. La centrifuga mi aspettava, inesorabile come il giudizio di Dio. Ti confesso a questo punto che non avevo mai visto una centrifuga. Non immaginavo nemmeno in quale modo funzionasse. Sapevo solo, a occhio e croce, che è una specie di trottola: una grandissima ruota. Scorgerla dalla sala di controllo fu peggio che ricevere una mazzata sul capo.

La stanza che la conteneva era rotonda. Al centro c'era un motore e sul motore era fissato orizzontalmente un braccio di ferro: quasi il palo del frantoio cui vengono legati gli asini per strizzare le ulive. Il braccio era lungo una decina di metri e terminava con una capsula simile a un side-car, la carrozzina delle motociclette. Tutta chiusa però e abbastanza voluminosa da contenere un uomo sdraiato. La stanza era bianca e la centrifuga blu. Lo stesso contrasto di colori aveva qualcosa di minaccioso, di tragico.

«Bella, eh?» disse il dottor Fyfe.

Non risposi.

«Come vede, qui è la sala di controllo. Di qui si aziona la centrifuga, ecco. La parete di vetro serve solo a veder la centrifuga, tutto il resto funziona con un sistema televisivo o elettronico. Questo calcolatore è collegato coi sensori che applichiamo al corpo dell'uomo nella centrifuga e ci informa simultaneamente di qualsiasi cosa gli accada. Se i grafici ascendenti o discendenti ci avvertono che qualcosa non va, interrompiamo subito l'esperimento.»

«Menomale.»

«Questo invece è lo schermo televisivo e ci permette di osservare il soggetto mentre la centrifuga gira: la camera da presa è piazzata direttamente su lui. Niente ci sfugge di ciò che gli accade, o vuole comunicarci. Se a esempio non ce la fa e soffre troppo, alza una mano e noi fermiamo il motore.»

«Menomale.»

«Ha paura?»

«Io?... No, no...»

« Le darò tre o quattro g. Se le sopporta, anche cinque. Non più. »

« Grazie molto. »

« Press'a poco questa velocità. »

Alzò una leva, il braccio di metallo si mise a girare: prima adagio, poi più forte, poi veramente forte. Inghiottii.

« Non è un gran che, come vede. »

« No, no... »

Riabbassò la leva, il braccio perse velocità, si fermò.

« Vogliamo scendere, dunque? »

« Mah!... Scendiamo. »

C'era una scaletta che conduceva dalla sala di controllo alla rotonda della centrifuga. Vista dall'alto sembrava lunghissima, invece era brevissima, in un baleno eri subito giù, in quella rotonda, sotto quel coso dipinto di blu, dinanzi alla capsula che dentro era fatta a conchiglia, una conchiglia per ospitare il tuo corpo disteso, le gambe lì, il dorso lì, la testa lì, la testa da appoggiare su uno stampo identico allo stampo che hanno le poltrone dei dentisti. Dal soffitto della capsula pendeva una lampada accesa.

Anche quel giorno nella sala chirurgica c'era una lampada accesa, papà. E io stavo legata al lettuccio, e guardavo la lampada accesa. Intorno a me c'eran tutti quegli occhi, per via delle garze che coprivano i volti si vedevano solo gli occhi, e una voce diceva sì, forse, forse vivrà. Io volevo vivere invece, volevo vivere senza quel forse e guardavo la lampada accesa...

« Ce la fa ad arrampicarsi da sé? » chiese il dottor Fyfe.

« Sì, certo. »

« Se dovesse sentirsi male ricordi di alzare una mano. »

« Sì, certo. »

...guardavo la lampada accesa e sentivo un gran male. Ma non era il male che mi dava fastidio, lo sai, il male fisico in fondo è assai sopportabile: era l'idea di morire. Perché morire per uno scopo va bene, morire per una persona che ami ad esempio, morire per un'idea in cui credi, morire per una curiosità che ti buca, camminar sulla Luna ad esempio, ma morire perché un pezzo di te è andato a male o perché sei salito sopra una giostra è troppo idiota, perdio!

« Allora salga » disse il dottor Fyfe.

«No!» gridai.

E lo gridai veramente, senza vergogna: ci credi? Non m'importava un bel nulla di apparire ridicola, vile. Non m'importava un bel nulla degli occhi che nella sala di controllo, lassù, mi fissavano ironici. Non m'importava un bel nulla di far brutta figura, al diavolo le brutte figure, al diavolo Venere, Marte, la Luna, su quel coso non ci salivo, non ci ruotavo, non avrei mai saputo quel che si prova, pazienza, sarei rimasta per sempre su questa Terra, pazienza: voltai le spalle e scappai. La scaletta, stavolta, mi parve lunghissima, uno di quei sogni in cui sogni che vorresti scappare ma le tue gambe son piombo, e l'ultimo scalino la salvezza.

«Mi dispiace, dottor Fyfe.»

«Non c'è nulla da dispiacere. Capita a molti.»

«Non ho potuto, non ho proprio potuto.»

«Molti non possono. Uno dei nostri allievi s'è rotto una gamba per evitare d'entrarci.»

«Ma io volevo entrarci, dottore, volevo.»

«Anche lui voleva. Sono tutti volontari.»

«Però è brutto scoprirsi vigliacchi.»

«Non è vigliaccheria, è istinto di conservazione. Se precipita da una finestra non è vigliaccheria tentar di aggrapparsi a qualcosa. Se si sente affogare non è vigliaccheria dire aiuto.»

Era un uomo davvero gentile, questo dottor Fyfe. Come facesse a tormentar gli astronauti denudandogli l'anima, rubandogli ogni segreto, proibendogli di innamorarsi, non lo so davvero. Press'a poco la tua storia, papà, che fosti ammalato sei giorni per aver tagliato il collo di un'oca e poi scagli i topi ai gatti.

«Lei è generoso, dottor Fyfe.»

«Macché generoso! Facciamo così: mandiamoci un altro. D'accordo?»

«Ecco...»

«Dov'è il sergente Jackson?» chiese il dottor Fyfe.

«Sta giocando a palla, dottore. È la sua ora di ricreazione.»

«Chiamatelo.»

«Ma sta giocando a palla, dottore!» implorai.

«E con questo?» disse il dottore.

Il sergente Jackson venne quasi subito. Era un bambino di ventidue anni, coi capelli biondi biondi e gli occhi celesti celesti, un volto cicciuto e simpatico. Indossava una tuta celeste e non sembrava irritato. Solo un po' rassegnato.

«Buongiorno, sergente.»

«Buongiorno, signora.»

Mi porse una mano piena di terra e si scusò perché era piena di terra, non gli avevano dato il tempo di lavarsi le mani, ora però se le lavava.

«Sono io che mi scuso, sergente.»

«Prego, signora. È un piacere.»

«Io sono scappata, sergente, lo sa?»

«Scappai anch'io la prima volta, signora.»

«Però nessuno la sostituì, sergente.»

«No... veramente no.» Sorrise. «Mi riacchiapparono e mi ficcarono dentro.»

«A quanto arrivi, sergente?» chiese il dottor Fyfe.

«A dodici ci arrivo bene, dottore» rispose il sergente.

«Vogliamo provare quattordici o quindici?» chiese il dottor Fyfe.

«Sissignore, se vuole.»

Si lavò le mani, scese la scaletta, si arrampicò sulla capsula e qui gli applicarono i contatti elettrici al cuore, alle caviglie, alle tempie, gli applicarono sotto le labbra una bocchetta di gomma: come fanno ai pugili prima del match. Poi chiusero lo sportello della capsula e fu solo dinanzi alla macchina da presa della TV. Immobile dinanzi allo schermo, lo guardavo negli occhi e lui guardava me. In certo senso quel che era successo col topo. Però non c'era terrore in lui, solo attesa. Attesa e pazienza. Perplessa mi chiesi perché facesse questo mestiere, perché tanti giovani della sua età, in America e in Russia, facciano questo mestiere. Nessuno li obbliga, quando si presentano come volontari c'è chi fa di tutto per scoraggiarli, in qualsiasi momento posson dimettersi, e loro restano lì, come i topi, a offrire quei bei corpi sani alla curiosità della scienza, al cinismo, alle macchine che li sballottano come se fossero macchine. E magari non hanno nemmen la speranza di andar sulla Luna, sugli altri pianeti, perché al massimo il loro diploma è quello delle commerciali e a prender la laurea non ci pensan nemmeno.

«Dottor Fyfe, quanto durerà?»

«Un po' più a lungo di quanto sarebbe durato con lei. Tre o quattro minuti.»

Nella sala di controllo si fece silenzio.

«Sei pronto, sergente?»

«Sono pronto, dottore.»

«Se qualcosa non va, alza la mano, sergente.»

«Certo, dottore.»

«Quattro minuti, quindici g» disse il dottor Fyfe. E alzò la leva.

Un campanello suonò.

Il gran braccio prese a ruotare. Prima adagio. Poi più forte. Sempre più forte, fortissimo.

Cinque g. Sei g. Sette g.

Il volto del sergente era come teso in uno sforzo, le vene del collo gli si eran gonfiate, e dalla bocca serrata i denti sembravano stringere un lungo lamento.

Otto g. Nove g. Dieci g. La velocità diventava fantastica, accelerava sempre di più, ed ora il gonfiore era salito anche al viso che appariva distorto, contorto però, quasi che un vento terribile lo investisse a falciate: la pelle gli fuggiva all'indietro posandosi sopra gli orecchi come melma grinzosa e al posto delle guance c'erano due fitte, quasi le fitte di una palla sgonfiata. Gli occhi apparivano immensi, sul punto di uscire dalle loro orbite.

Undici g. Dodici g. Tredici g. Ormai il braccio di ferro non si distingueva neanche, si vedeva solo un cerchio blu, e il viso del sergente era una maschera informe dove si distingueva male anche il naso, di chiaro non si vedevano che i denti: sporgevano fino a dar l'impressione di schizzare via, ad uno ad uno, allo stesso modo di una collana che si sfila e perde i suoi chicchi. Gli occhi s'erano come appannati, mi guardavano ciechi.

«La smetta, dottore, la prego.»

«Perché? Se sopporta.»

«Ma soffre, non vede?»

«Soffre e sopporta.»

Quattordici g. Quindici g. Perdonami, sergente Jackson. Giocavi a palla, contento, e per colpa mia ti hanno messo lì dentro. È il tuo mestiere, lo so, l'hai scelto e ti pagano, ma io preferirei che tu fossi fuori a giocare con la tua palla. Hai ventidue anni appena, sergente, ventidue anni son pochi per restare senza denti. Basta, sergente. Alza la mano, sergente. Se non alzi la mano questi continuano finché non ti ammazzano: per loro il tuo corpo è come il corpo di un topo, un motore da collaudare, una macchina da perfezionare, vivono nella convinzione che tutto è possibile e puoi anche crepare, non battono ciglio, tanto se crepi loro ne prendono un altro e ricominciano tutto daccapo. Alza la mano sergente, forse quel vento ti impedisce di alzarla e te la getta all'indietro, forse stai troppo male per muovere appena le dita, fai un piccolo sforzo, sergente. Alza la mano, sergente.

« Ce la fa, ce la fa! » disse qualcuno.

« Io dico di no » disse il dottor Fyfe.

« Non ha chiesto di smettere » disse la medesima voce.

« Lo chiedo io » disse il dottor Fyfe.

Il calcolatore elettronico stava segnando qualcosa.

« Chiudere. Stop! » disse il dottor Fyfe.

Il cerchio blu tornò ad essere un braccio di ferro che ruotava veloce, poi meno veloce, ancora meno veloce, poi quasi lento, poi lento, finché si fermò. Tutti si precipitarono giù per la scaletta. Lo stesso dottor Fyfe aprì lo sportello. Il sergente Jackson giaceva svenuto.

Non lo tirarono subito fuori, gli prestaron soccorso lì dentro e passarono venti minuti prima che il dottor Fyfe mi venisse a cercare.

« Vuole vederlo? »

« No, dottor Fyfe. »

« Perché no? »

« Perché no, dottor Fyfe. »

« Io credo che sarebbe gentile vederlo. »

« E io non credo che abbia voglia di vedere me. »

« Gli farà molto piacere, invece. È assai più gradevole aprire gli occhi su un volto di donna, dopo uno svenimento. E qui non capita spesso di vedere una donna. Si pettini. »

Mi pettinai e mi passai anche la cipria sul naso. Il sergente Jackson stava riprendendosi. Il suo volto era paonazzo, i suoi occhi iniettati di sangue, le sue unghie blu come se gliele avessero pestate con un martello, a una a una. Ma stava riprendendosi. Mi donò un sorriso beato, innocente.

« Come va, sergente? »

«Non c'è male, signora.»
«Le sue unghie sono blu.»
«Siamo andati un po' troppo su, questa volta.»
«Mi perdoni, sergente.»
«Ma è il mio mestiere, signora.»
«Mi perdoni lo stesso, sergente.»
«Non c'è nulla da perdonare, signora.»
«Grazie, sergente. Grazie tanto, sergente.»
«Grazie a lei, signora. Grazie d'esser venuta.»
«Addio, sergente.»
«Addio, signora.»

Mi strinse la mano, con quelle dita dalle unghie blu, e io me ne andai. Più tardi il dottor Fyfe mi disse che lo avevano portato all'ospedale, per una piccola emorragia.

La sera stessa lasciai San Antonio. Non avevo più voglia di starci e di guai ne avevo combinati fin troppi: un topo assassinato ed un sergente all'ospedale. I piccioni frullando tra gli alberi non mi dicevan più nulla e Fort Alamos era solo un rudere già visto al cinematografo, dentro il quale si poteva comprar cartoline, berretti di martora alla Davy Crockett, orrendi coltelli da caccia ed immensi volgari bigliettoni da cento dollari (falsi s'intende) su cui stava scritto: «Questo certificato attesta che una calorosa ospitalità è il tesoro del Magnifico Stato del Texas». Il maggiore Turbutton mi accompagnò all'aeroporto e mi regalò per ricordo uno scomodissimo cappello da cowboy: quello che t'ho regalato, papà. Mi dette anche un gran pacco di fogli ciclostilati che gettai subito via e il discorso che Kennedy aveva tenuto alla Base Aerea di Brooks il 21 novembre 1963: ventiquattr'ore prima d'essere assassinato a Dallas, capitale del Magnifico Stato del Texas, centro di calorosa ospitalità. «Sono venuto oggi nel Texas» aveva detto Kennedy «per salutare un gruppo di pionieri, gli uomini della Scuola di Medicina Spaziale alla Base Aerea di Brooks... Ci aspettano mesi e anni di lavoro tedioso, ci aspettano mortificazioni, delusioni, sofferenze di ogni genere ma queste ricerche devono continuare, in questo spazio noi dobbiamo andarci... Lo scrittore irlandese O'Connor racconta in uno dei suoi libri che quando era ragazzo e andava a spasso in campagna con gli altri ragazzi gli capitava di trovar spesso la strada sbarrata da un muro troppo alto, difficile a scalarsi. Allora i ragazzi si toglievano il cappello, e lo buttavano al di là del muro, e a questo punto non v'era altra scelta che scalare il muro per andare a pigliarsi il cappello...»

Quando l'aereo ebbe preso quota appoggiai la testa al finestrino e cercai con lo sguardo la Missione di San José, l'ospedale militare dove il sergente Jackson giaceva con la sua emorragia. Chissà se il sergente Jackson aveva mai letto o udito quel discorso di Kennedy. Anche lui aveva buttato oltre il muro il cappello ma per andare a riprenderlo era caduto facendosi male. Io invece avevo buttato il cappello e per timore di sbucciarmi un ginocchio non m'ero neanche curata di andare a riprenderlo. La differenza tra i veri pionieri e quelli che sognano di diventare pionieri sta tutta qui, pensai un po' avvilita. L'aereo era diretto ad Orlando, Florida, e di qui al luogo che da anni eccitava la mia curiosità: quel punto del nostro pianeta da cui partono i razzi per andar sulla Luna e che un tempo chiamavano Cape Canaveral e che ora chiaman Cape Kennedy. Dal nome dell'uomo che pagò con la vita l'abitudine a gettare oltre i muri il cappello e poi andarlo a pigliare.

# CAPITOLO QUATTORDICESIMO

La tua lettera giunse proprio alla NASA di Coco Beach: la cittadina residenziale che sta fra Cape Kennedy e la Base Aerea di Patrick. La aprii come se dentro ci fosse un pezzo di casa, in un'altalena di buonumore e malinconia. Scusa se me ne servo: ma è una lettera che a me piace molto.

« Non capisco cosa sia questo Coco Beach dove chiedi di scriverti » diceva. « La città di cui parla Jules Verne nel suo libro *Dalla Terra alla Luna* si chiama Tampa, non Coco Beach. È da Tampa, a sud-ovest della Florida, che parte il razzo del signor Barbicane: costruito né più né meno come il razzo del signor von Braun, destinato a spostarsi alla stessa velocità del razzo del signor von Braun, per un viaggio che dura novantasette ore e venti minuti, il tempo stabilito dal signor von Braun. E dire che il libro uscì nel 1865, proprio cento anni fa. Come vedi io son rimasto fermo a Jules Verne ma ne so quanto te su questa inutile sciocca avventura: la fantasia porta sempre la realtà nel suo ventre e Verne aveva compreso perfino questo, che il gran balocco andava lanciato dalla Florida. Poiché amo illudermi che la gratitudine esiste, suppongo che i cocobeachiani abbiano eretto a Verne e al signor Barbicane un bel monumento. E comunque ti invidio: dev'essere un gran bel posto quel Coco Beach-Tampa. Verne lo descriveva fiorito di patate dolci e tabacco, ananassi e aranci: portami i semi di qualche pianta che regga al nostro freddo invernale, l'avocado che prendesti in Brasile è morto gelato. Dev'essere anche un bel posto per andarci a caccia e a pescare, questa Florida: piena di coccodrilli, uccelli, conigli, e soprattutto di pesci. Ah, se i pesci fossero semi! Ti direi di portarmi anche quelli: sai che le trote del torrente sotto il mulino non esistono più? Avvelenate, suppongo. Gli uomini son veramente malvagi. Che gusto provano a sterminare le bestie, mi dico. Vorrei trovarmi in Florida solo pel gusto di veder tante bestie che se ne vanno libere e sane, tra il verde. C'è molto verde, eh?, costà. Immagino i prati. Non per sembrare il solito brontolone scontento ma nel giardino non riesco a far crescere il prato. Il contadino, ricordi, fece uno scasso di almeno ottanta centimetri e concimò bene la terra: non ne è uscito niente. Ritenteremo a primavera ma lui dice che è inutile, l'unico modo è posarci un prato già fatto, di quelli che vendono a strisce. Ah! Piuttosto ci colo il cemento. Beati i cocobeachiani. Ciao, scrivi più spesso. Raccontaci di Cape Kennedy e degli astronauti. Le tue macchine saranno anche interessanti: ma il maggiore interesse dell'uomo, non dimenticarlo, rimane l'uomo. Da quel che mi dici sembrano tipi in gamba, simpatici. Chissà come sono amati dagli americani. Ciao, fatti viva. Tuo pa'.»

Presi un foglio per risponderti subito e mi interruppe un colpo alla porta. Era Gotha Cottee, public-relation man della NASA o meglio l'angelo custode che la NASA mi aveva messo alle calcagna per la durata del mio soggiorno in Florida. Immenso e cordiale, il faccione ombreggiato da un iperbolico cappello texano che si toglieva solo per metter l'elmetto, mi affogava con fogli ciclostilati e notizie. Il pacco che aveva in mano era un'inchiesta del titolo «Donne coraggiose» e conteneva le risposte delle consorti degli astronauti alla donanda: «Il mestiere di vostro marito vi incute paura?». Gettò la busta sul tavolo, si mise a sedere sul letto.

«Stai scrivendo la tua relazione giornaliera per Mosca?»

«No, quella la scrivo di notte quando nessuno mi vede.»

Scherzavamo sempre io e Gotha sul pericolo ch'io fossi una spia russa, giunta, con la scusa di scrivere un libro, da Mosca. Altri invece ci scherzavano meno. Gli americani sono davvero bizzarri: prima raccontano tutto quello che fanno e poi hanno paura che gli si faccia la spia.

«Ora scrivo a mio padre che si chiama Ivan e sta a Kiev. Di', Gotha: non c'è mica un monumento a Verne da queste parti?»

«Verne? Chi è Verne?» chiese Gotha.

« Via, Gotha! Lo scrittore! Il francese! »

« Uhm. Mi par d'averne sentito parlare. Ha scritto un libro su cui hanno fatto anche il film. Ho visto il film. *Ottantamila leghe sotto i mari* o qualcosa del genere. »

« *Ventimila*. Ha scritto anche un libro che si chiama *Dalla Terra alla Luna*. »

« Boh! » disse Gotha. « Ne hanno scritti tanti di libri che si chiamano *Dalla Terra alla Luna* o roba del genere. Il mio amico Saidin ne ha scritti quaranta e uno lo ha dedicato a me. »

« Si, ma Verne lo scrisse cento anni fa. »

« Toh! » disse Gotha, con un po' più d'interesse.

« E in questo libro il razzo è fatto più o meno come il Saturno, e c'è perfino una specie di capsula Apollo, e parte dalla Florida. »

« Toh! » disse Gotha.

« Parte da una città che si chiama Tampa. »

« Tampa è solo a duecento miglia da qui » disse Gotha. « Se non fosse che ora è una grande città, con un mucchio di case e via dicendo, sarebbe anche adatta perché è sulla costa, in mezzo a un arcipelago. Niente montagne e un bel mare davanti. »

« Sai, Gotha: io penso che dovreste farlo davvero questo monumento a Jules Verne. »

« Se dovessimo far monumenti a tutti quelli che scrivono un libro si starebbe freschi » ridacchiò Gotha. « Ma chi ti ha messo quest'idea dentro il capo? »

« Mio padre » dissi.

« Dev'essere un tipo molto strano tuo padre » brontolò Gotha. E se ne andò annunciando che nel pomeriggio ci saremmo trovati al bar per andare a Merritt Island dov'è il cosmoporto pei razzi diretti alla Luna. Io ricominciai a scrivere a te. Scusa se mi servo anche di questa lettera. Ti ho chiesto il permesso, del resto.


« No, pa', qui non vi sono monumenti a Jules Verne, tantomeno al signor Barbicane. Ho interrogato un esperto e mi ha detto che non hanno neanche intenzione di farne. Il mio dubbio è che ignorino totalmente il nome di Verne. Devo deluderti su molte cose, papà, anzitutto sui prati. Qui i prati non ci sono affatto. O meglio: ci sono ma come a Los Angeles, di fibra sintetica. Si comprano nei supermarket un tanto al metro, quasi fossero stoffa. Non ci sono nemmeno le piante, papà: estinti i sugheri, le palme, i lillà, le trecentoventotto specie di alberi che ossigenevano l'aria, non sono rimasti che pochi agrumi. Però si stanno ammalando. Sembra che sia per via delle esplosioni che avvelenano l'aria. Il clima è eccellente, la Florida è baciata da un'estate perpetua: l'aria però è avvelenata, non saprei che semi portarti, servirebbero solo a dilagare il contagio. Non ci sono neanche le bestie, papà. Estinti gli uccelli, i coccodrilli, le lepri, le zanzare, i topi (questo ti piacerebbe), sopravvivono solo i serpenti, va' a vedere perché: forse perché uno di loro inciti a mangiare la mela quando la razza umana ricomincerà il suo viaggio. Sopravvivono anche i pescicani: impiegati dalla NASA, sospetto, per divorare i curiosi che voglion bagnarsi nel mare anziché nelle piscine. Infatti nessuno qui fa il bagno nel mare, tutti gli alberghi hanno una piscina, quelli di lusso come a Miami ne hanno due o tre, una con l'acqua fedda, una con l'acqua calda, una con l'acqua salata: sta attaccando perfino la moda di abbronzarsi al sole artificiale anziché al vero sole; il sole artificiale è nelle piscine chiuse e sembra più igienico del sole vero perché evita le scottature. Quanto agli uccelli, quelli che qui chiamano uccelli non sono uccelli ma razzi, missili, sicché se vai a caccia e dici "ho preso un uccello" finisci dritto in galera per sabotaggio allo stato. Davvero qui non c'è nulla di quello che credi, papà. Sono qui da due giorni, ho girato un po' dappertutto, insieme al tipo che mi sorveglia, e ovunque arrivi non vedo che un sudario di sabbia, di asfalto, di sale marino: la tua Coco Beach-Tampa è così brutta che se tu la vedessi accetteresti di andar sulla Luna dove, se non è meglio, peggio non è. Nel 1950 abitavano in tutta la zona ventitremila persone, oggi solo a Coco Beach ve ne sono duecentomila: un Luna Park di ristoranti, di banche, di distributori di benzina, di motel, di bar, di night club; tutti i ricchi vengono qui, e anche tutti quelli che sperano di diventar ricchi. La corsa all'oro di un secolo fa. Non che ciò accada solo in Florida, accade lungo l'intero Sud: nel Nuovo Messico, nel Texas, nell'Alabama, nella Louisiana, nel Mississippi. La corsa all'oro dell'era spaziale è piombata proprio negli stati più sonnolenti e retrogradi, vale a dire dove c'era più terra a disposizione: non accade sempre così? Ma la Florida è un caso speciale, un po' come il Texas. O di più? I ristoranti e i motel qui hanno nomi come Satellite, Vanguard, Ranger, Polaris. I night club, nomi come *Girls in the Space*, Ragazze nello Spazio. E perfino i giocattoli, pensa, son quelli che i bambini dei cosmopionieri useranno nelle colonie lunari destinate a sorgere nella Vallata dell'Eterna Luce: sai quella dove la mamma vede gli occhi della Luna. Sono piccole tute spaziali, bombolette ad ossigeno, caschi di plexiglas, astronavicelle che prendono il volo per mezzo di batterie solari: ieri il cielo s'è annuvolato di colpo e un'astronavicella m'è caduta sul capo, ho ancora il bernoccolo. Che altro? Le cartoline da spedire agli amici non riproducono fiori, paesaggi, ragazze in bikini: ma razzi, depositi di kerosene, astronauti distesi nelle cosmonavi come mummie egizie. La Terra che ami qui è dimenticata da tempo, nella desolata pianura si scorgono solo le torri di lancio: cattedrali di un'epoca che, avevi ragione, ha sostituito la liturgia con la tecnica. Sono alte e sottili, a loro modo solenni, e a loro modo ti turbano: perché pensi che da ciascuna di esse è partito un uomo. La più lontana, quasi ai bordi del mare, è la torre di Shepard. Poi ci sono le torri di Grissom, di Glenn, di Carpenter, di Schirra, di Cooper: non servono più a nulla ma le tengono lì per ricordo. Questo è commovente, ti pare? Mi chiedi degli astronauti. Sono qui anche per continuare questo tentativo di capire loro. Se non riesco a capire loro non riesco neanche a capire il mondo che ci aspetta, ciò che sta loro intorno. Non conosco i giovani, cioè quelli della seconda e della terza ondata, destinati senza incertezze ad andar sulla Luna: me li descrivon diversi. Dei primi sette posso dirti però che non sono affatto amati, in America, come tu credi. Il motel dove abito, qui a Coco Beach, appartiene a loro: i loro ritratti, ciascuno è ritratto con la tuta spaziale sullo sfondo di un cielo nero e brulicante di stelle, sono appesi all'ingresso. Si chiama Cape Colony Inn, questo motel, e lo comprarono coi soldi di "Life": sai la rivista americana che li ha sotto contratto per pubblicarne le memorie. Be', io l'ho scelto proprio perché appartiene a loro e perché mi par giusto che a guadagnare sul mio soggiorno in Florida sian gli astronauti. A parte il fatto che è un bellissimo motel, dovresti vedere con quale cura tratto asciugamani e robot: ho deciso di non rubare nemmeno una gruccia. Sembra che gli altri clienti, tuttavia, non si comportino così e che nessun albergo abbia mai procurato ai suoi proprietari le amarezze che sta procurando ai sette astronauti il Cape Colony Inn: tanto è vero che vogliono venderlo. Naturalmente il governo fa quello che può perché siano amati, stimati. Funzionari abilissimi si consumano la gola a spiegare quanto sono perfetti, leali, modesti, devoti alla famiglia e alla patria, e cortine di silenzio ne nascondono i difetti con cura. Nessuno ha mai saputo a esempio che un astronauta tradisse la moglie. Ma l'insidia li aspetta a ogni angolo e non passa giorno senza che siano tentati da produttori cinematografici, fabbricanti di dentifrici, fanciulle disposte a sacrificare la propria virtù, attrici in cerca di pubblicità: più me ne raccontano, credi, e meno li invidio.»

Non stavo affatto scherzando. Del resto niente di ciò che ti scrivevo durante il viaggio era frutto di paradosso o di scherzo. La storia del motel me l'aveva raccontata Gotha Cottee e dimostrava da sola che essere eroi è assai più facile in cielo che in terra. Tutta l'America strillò indignata il giorno in cui il Cape Colony fu inaugurato. Senatori osservarono che era uno scandalo, associazioni religiose tuonarono che i sette dovevano esser puniti, il contratto con «Life» revocato. E se non fosse stato per Glenn che durante un weekend sul lago convinse Kennedy a intervenire, il contratto sarebbe stato revocato davvero, certo non rinnovato, e nessuno avrebbe incassato i quarantaquattro milioni pro-capite che invece hanno preso. Il discorso che Glenn fece a Kennedy suonava press'a poco così. «La nostra paga oscilla tra gli ottocentotrenta dollari e i millecentoquaranta dollari al mese (tra le cinquecentomila e le settecentomila lire italiane), le tasse se ne mangiano più di un terzo: per il tono di vita che ci fanno condurre, inviti alla Casa Bianca, viaggi, ricevimenti cui una moglie non può partecipare con uno straccetto, con quel che costa la vita in America dove ti fanno pagare anche sei o sette dollari per un film di prima visione, questi soldi non sono sufficienti. Se ci succede qualcosa lassù, abbandoniamo le famiglie in miseria. Ciò che ricaviamo dalla vendita delle nostre memorie ci serve quindi a garantire alle nostre famiglie un futuro. Nessuno di noi ha accettato di andar nello spazio per diventar milionario, dopo le sue trentatré ore di volo nel cosmo Cooper ha ricevuto ventidue dollari extra (circa quattordicimila lire). E sappiamo benissimo che nei confronti dei ragazzi mandati a combattere giù nel Vietnam il privilegio che godiamo è ingiusto: ma così va il mondo, signor Presidente, e noi non rubiamo nulla a nessuno.» John Kennedy ne rimase convinto, accettò. Tuttavia, quando l'Associazione Costruttori di Houston offrì loro sette villini, gli astronauti dovettero dire no grazie, e nessuno osservò che a Gagarin era stato permesso di ricevere in dono un elegante appartamento nel centro di Mosca. Osannati, portati in trionfo per Broadway, esaltati alla stregua di divi in confronto ai quali i divi del cinema e dello sport appassiscono, gli astronauti pagano ogni momento per questo. E vivon nell'incubo di commettere errori, venir lapidati, finir come il collega che si chiamava Jack Smurch... In seguito all'epico volo su Dragon Fly IIII, il pilota Jack Smurch era diventato un eroe però quando s'accorsero che era soltanto un vanitoso imbecille gli tirarono una spintarella alla schiena e da una finestra d'albergo lo fecero sfracellar sull'asfalto.

«Gotha, e se capitasse anche a loro?»

Gotha Cottee mi aveva fulminato con gli occhi.

«Nessuno di loro è un vanitoso imbecille.»

«Gotha, e se qualcuno lo diventasse? Forse nemmeno Jack Smurch lo era.»

«Nessuno lo diventerà.»

«Chissà come li sorveglierete; per forza.»

«Al contrario. Fuorché dare interviste non ufficiali possono far ciò che vogliono: prendere tutte le indigestioni che vogliono, bere tutto quello che vogliono, correre in automobile quanto vogliono. Funzionano meglio se non sorvegliati, rendono molto di più. E poi li aspettano giorni assai duri: perché farli vivere come condannati a morte dentro una cella imbottita?»

«Non alludo al bere, al mangiare, al correre in automobile, Gotha. Alludo ad atteggiamenti morali, di costume, di gusto.»

«Be', naturalmente non possono prestarsi a speculazioni, reclames. Il regolamento glielo impedisce. Te lo immagini un cartellone pubblicitario a Times Square con la fotografia di

Cooper che fuma una certa sigaretta? *La sigaretta dello spazio! Nello spazio Gordon Cooper fuma solo...* Inconcepibile! »

« E di tradire la moglie glielo impedisce il regolamento? »

Di nuovo Gotha Cottee mi aveva fulminato con gli occhi. « Nessuno di loro tradisce la moglie. »

Chiusi la lettera, uscii sul mare. Il Cape Colony è a due passi dal mare: basta attraversare la strada e sei sulla spiaggia. Una spiaggia sterminata, interminabile, un deserto di sabbia umida e intatta che ti fa esclamare: mio Dio, il mare si sta prosciugando. Così ci cammini affascinato, impaurito, nessun altro cammina all'infuori di te, né davanti, né dietro, né vicino, né lontano, nessun altro si vede, centinaia, migliaia di conchiglie dalle forme bizzarre e dai colori stupendi son sparse ovunque per te, meduse rosa ed azzurre sospirano baciate da un'onda che tenta di riportarsele via affinché vivano; quel mare è il mare del principio del mondo, anche questo silenzio è il silenzio del principio del mondo, hai sbagliato a scrivere ciò che hai scritto a tuo padre, e queste impronte sulla rena che sono? Strano, sembrano i solchi che lasciano le ruote delle automobili. Ma no, vuoi scherzare. E questo rumore cos'è? Strano, si direbbe il motore di un'automobile. Ma no, vuoi scherzare. E all'improvviso fai un balzo: un'automobile sta venendoti addosso. La spiaggia è una spiaggia dove puoi guidare come lungo la strada asfaltata, purché la velocità non sia forte. Poveri eroi. Non possono neanche guardar le conchiglie le meduse le onde senza rischiar di venire ammazzati da qualcosa con un motore. Mestamente rientrai al Cape Colony, mi misi a leggere i fogli di Gotha Cottee, l'inchiesta dal titolo « Donne coraggiose »: « Il mestiere di vostro marito vi incute paura? ».

Risposta di Marjorie Slayton: «Che paura? Io non sono mai stata nervosa pel mestiere di Deke. La versione hollywoodiana della moglie del pilota che piange lavando i piatti in cucina mi ha sempre irritato. Quando Deke era collaudatore di aerei vivevo in mezzo alle vedove. La maggior parte di esse passava il tempo a consolare chi le consolava. Forse noi vediamo le cose troppo da vicino: ci sfugge il lato drammatico della faccenda ».

Risposta di Louise Shepard: «Paura?! Perché? Suppongo di avere nella tecnologia la medesima fede che hanno gli altri americani: la certezza che le ruote girano quando l'automobile passa col semaforo verde e i freni frenano quando l'automobile si arresta dinanzi al semaforo rosso. Se le ruote non girano e i freni non frenano, qualcos'altro funziona».

Risposta di Betty Grissom: «Gus pensa che volare su una astronave sia meno pericoloso che guidare l'automobile e io sono d'accordo. Ha avuto solo un incidente aereo, quello con Gordon Cooper quando volavano insieme sui jet T33: l'aereo si incendiò e precipitò, entrambi se la cavarono senza un graffio. Quando lo seppi restai sorpresa ma non impaurita. Sono cose che succedono».

Risposta di Trudy Cooper: «Non mi preoccupo della possibilità che Gordon muoia su un'astronave più di quanto mi preoccupi che il soffitto mi cada in testa. Sono io stessa una pilota e abbastanza esperta, prima di conoscere Gordon facevo la maestra di volo alle Hawaii. Quando nacque la prima bambina io e Gordon la portavamo a spasso su un Piper». (La signora Cooper possiede metà del Piper Club alle Hawaii, desidera che le due figlie imparino a volare prima dei diciott'anni, e tutti sanno che quando il marito rischiò di bruciare come un fiammifero rientrando nell'atmosfera senza l'aiuto dei comandi automatici che s'erano rotti, disse imperterrita: «Ce la farà». Poi, mentre milioni di persone piangevano, andò a cambiare vestito, truccarsi, prepararsi per la conferenza stampa che avrebbe seguito l'atterraggio. Quanto alle figlie Cam e Jan, la prima di quattordici anni a quel tempo e la seconda di sedici, durante le trentatré ore che il padre trascorse nel vuoto senza bere una goccia di acqua perché s'era rotto l'impianto dell'acqua, fecero quello che facevano sempre: mangiarono, studiarono, giocarono. Alle dieci di sera si misero a letto, si addormentarono come angioletti. Svegliandosi alle sette del mattino, Cam sbadigliò: «È ancora su, quello lì?».)

Donne coraggiose, papà, donne coraggiose. Ma io lasciai cadere quei fogli chiedendomi cosa vuol dire coraggio, cosa s'intende con questa parola: coraggio. Anche la mamma aveva coraggio quando tu rischiavi la vita per la grande illusione che chiami libertà: ma insieme al coraggio aveva paura. Tutte le volte che uscivi di casa poteva essere l'ultima volta che uscivi di casa e lei dicendoti ciao aveva tanto coraggio e tanta paura. Una mattina ti presero. Andavi al deposito delle armi, ti appoggiarono le rivoltelle alla schiena e ti presero. Nemmeno tu sai, papà, quanto fu coraggiosa la mamma. Eri uscito alle nove, e a mezzogiorno non eri tornato. La mamma cuoceva la minestra e piangeva, piangendo diceva: avrà avuto daffare. Venne la sera e non eri tornato. La mamma preparava i letti e piangeva, piangendo diceva: tornerà domani. Non tornasti quel domani e nemmeno il domani dopo, il domani dopo sul giornale era scritto: «Arrestato un capo dei terroristi». La mamma lesse, smise di piangere, e il suo bel volto diventò marmo: un marmo di disperazione, un marmo di paura. Sì, un marmo di paura, signora Cooper, signora Shepard, signora Slayton eccetera. E con quella paura la mamma mise il vestito buono, prese la bicicletta e andò a Villa Triste dove portavano gli arrestati, per torturarli. Dalle cantine uscivano urli, la mamma tremava di paura. Tremava anche parlando a quell'assassino, guardandolo dritto negli occhi, mentre gli diceva: mio marito è innocente. L'assassino aveva un nome buffo per un assassino: si chiamava Carità. Senza carità le rise in faccia e le disse: può mettersi a lutto, signora. Allora la mamma uscì, risalì in bicicletta, cominciò a girare per la città, a cercare false testimonianze per dire che suo marito non cercava le armi quel giorno cercava le medicine per me. La mamma girò giorni e giorni con la sua bicicletta, la sua paura, e non trovò testimonianze, però trovò qualcosa di più prezioso, trovò che uno dei torturatori aveva strappato la fotografia di Mussolini una volta. Così la mamma rimise il vestito buono e tornò a Villa Triste e cercò quel torturatore e gli disse: «Se lei non fa qualcosa per mio marito, io racconto che lei strappò la fotografia di Mussolini». Non ho mai compreso dove trovò quel coraggio la mamma, perché Villa Triste bruciava più di un'astronave che sta per bucare l'atmosfera: forse lo trovò nella paura. E l'assassino ti tolse da Villa Triste, papà, ti relegò in una prigione dove restasti un mucchio di tempo, coi topi. Già, i topi. I topi. La mamma aspettava un bambino, signora Cooper, signora Shepard, signora Slayton eccetera. Quando seppe che il babbo era in prigione, coi topi, ne fu tanto felice che perse il bambino. Signora Cooper, signora Shepard, signora Slayton eccetera: anche mia madre aveva coraggio, però insieme al coraggio aveva paura. Si ammalò di cuore in quei mesi e da allora il suo cuore non fu più lo stesso. Siccome il suo cuore non è più lo stesso, noi evitiamo di tenerla alla televisione quando i vostri mariti salgono in cima al razzo a Cape Kennedy: e se lei vuol vederli comunque, noi le stiamo vicino con le pillole. Perché mia madre non crede alla tecnologia come voi, non ha la cieca fiducia che le ruote girino quando devono girare e i freni frenino quando devono frenare. In compenso ha tanta bontà e mentre voi fissate con ciglia asciutte lo schermo, poi vi truccate per la conferenza-stampa che seguirà, mia madre piange e sospira: «Povero ragazzo, povera creatura, guarda dove lo mettono, guarda cosa gli fanno».

Donne coraggiose, papà, donne coraggiose. Ma io guardavo quei fogli, signora Cooper, signora Shepard, signora Slayton eccetera, quei fogli che fremevan per terra, mossi dal vento dell'aria condizionata, e pensavo che forse non era questione di coraggio: era questione d'amore. O forse, pensavo, aveva ragione Gotha Cottee quando affermava che non merito il tempo in cui vivo e non c'è nulla di straordinario a far l'astronauta: «Devi abituarti a considerare la Luna come un'isola da colonizzare, e il viaggio alla Luna come una linea aerea da inaugurare». O, forse, pensavo, non è vero che la razza umana è immutabile: sta nascendo una razza nuova nel mondo, una razza dinanzi alla quale la nostra, la mia, è destinata a estinguersi, venir dimenticata. E mi sembrava che facesse un gran freddo a Cape Kennedy dove l'inverno non esiste mai e i ricchi terrestri si mettono in costume da bagno a Natale. Un freddo pungente, cattivo. E mi alzai e andai incontro a Gotha Cottee. Gotha era al bar dinanzi a una gran bibita ghiacciata, lucido di sudore.

«Che caldo, eh?»

«Eh, sì, Gotha. Trenta gradi a far poco.»

Insieme a lui c'era un uomo giovane e mite, dagli occhi intelligenti ed allegri. Assomigliava un po' a Glenn.

«Ti presento Bill Douglas, il medico degli astronauti. Verrà con noi al cosmoporto.»

«Gotha sostiene che lei vuole conoscermi» sorrise il dottor Douglas, un po' ironico.

« Si. Non è lei che li sveglia la notte quando devono prepararsi a partire? »

« Sono io. »

« M'è piaciuta tanto una sua frase: "Si svegliano come se invece di andar forse a morire andassero a caccia di folaghe". »

Rise a gola aperta.

« Voleva vedermi per questo? »

« Anche per questo. È così raro trovar poeti nell'era spaziale. Sembra che eccetto qualche scrittore di fantascienza nessuno riesca a dir qualcosa di bello, su questa faccenda. »

« Siamo ancora un po' sbalorditi, impreparati. È successo tutto così in fretta » disse il dottor Douglas. « Ma verrà, verrà. »

« Su, andiamo » interruppe Gotha. « Ci vuole un'ora abbondante per raggiungere Merritt Island. »

# CAPITOLO QUINDICESIMO

Andammo. Gotha guidava lungo una strada dove non c'era nulla fuorché la strada e ai lati un deserto di sabbia. Io sedevo tra lui e il dottor Douglas e la storia della razza nuova che stava nascendo mi bruciava la testa. Non c'era scampo, bisognava adattarsi. Dopotutto che altro facciamo da millenni e millenni se non adattarci? Si nasce nudi, mica con i vestiti. I vestiti li mettiamo dopo. Le corde vocali, in principio, non servivano mica a parlare: servivano a regolare il passaggio dell'aria ai polmoni, solo dopo scoprimmo che potevano emettere suoni, e così inventammo le parole, e le parole divennero lingua. Le mani, in principio, non servivano mica per scrivere, suonare il pianoforte, fabbricare gioielli. Servivano per appoggiarci insieme ai piedi per terra, solo dopo scoprimmo che potevano agguantare le cose, e così le usammo per scrivere, suonare il pianoforte, agguantare gioielli. Adattare il corpo significa adattare i sentimenti e il cervello.

«Sa, dottor Douglas,» esclamai «prima che ci incontrassimo al bar mi chiedevo se non stia nascendo una nuova razza di uomini: una razza di fronte alla quale la nostra, la mia, è destinata a sparire.»

«Oh, no!» mormorò il dottor Douglas. «È ancora la vecchia stessa razza che cambia un pochino. Cambia adattandosi. Ma adattarsi non è affatto facile.» Rimase un po' zitto. «Nel 1915 un uomo uscì da una caverna, sulle colline della California. Era un Indiano ed era l'ultimo della sua tribù. Dimostrava trent'anni, quaranta. Il Dipartimento di Antropologia dell'Università di California lo catturò e lo chiuse nell'Università: come si chiude un uccello preso alla rete, un cavallo preso al laccio. Povero Indiano. Visse solo due anni. Era sano, forte. Lo uccisero le comodità, l'igiene, la malinconia.»

«Fu un cambiamento imposto, brutale. Come mettere me su un'astronave e scaraventarmi su Marte, senza che vi sia preparata. Il cambiamento cui alludo è diverso, più lento, provocato dalle cose anziché dalle persone...»

«Parla del corpo o del cervello?» interruppe il dottor Douglas.

«Di tutti e due. Non sono la medesima cosa?»

«No, non sono affatto sicuro che siano la medesima cosa» mormorò il dottor Douglas.

Gotha sbuffò.

«Uffa. Mi state scocciando. Non potete cianciar di queste cose più tardi, in ufficio?»

Il dottor Douglas rovesciò il capo in una risata e per un poco restammo zitti. La strada filava via liscia e dalle parti continuava a non esserci nulla, né una foglia, né un fiore, nulla. Solo sabbia bianca e sassolini bianchi: conchiglie.

«Allora parliamo del corpo» ripresi. «Cominciamo da quello. Dalla possibilità che il corpo stesso si adatti spontaneamente, darwinianamente, a ciò che sta succedendo. Che impari ad esempio a respirare fuori dell'aria come il pesce imparò a respirare fuori dell'acqua.»

«Impossibile, assurdo. La vita come noi la concepiamo dipende dall'ossigeno: il pesce di Darwin attingeva il suo ossigeno dall'acqua prima di attingerlo dall'aria. L'uomo non potrà mai fare a meno dell'ossigeno: quando farà a meno dell'ossigeno non sarà più uomo, sarà un'altra cosa, e la razza umana sarà finita. Può adattarsi alla mancanza di peso: sebbene nessuno di noi abbia capito quanto a lungo vi si possa adattare. Due settimane, un mese, chissà. Non siamo affatto convinti che la mancanza di peso sia innocua, senza conseguenze a distanza. Può adattarsi alla grande accelerazione, all'immobilità: non alla mancanza di ossigeno. L'uomo non si evolverà mai nel vuoto: è più facile che si evolva nell'acqua. Io ho provato a mettere un cane dentro un recipiente di acqua a forte pressione: sette atmosfere e anche più. Bene, respirava l'acqua e respirava perfettamente. Non so se mi spiego: a quella pressione l'ossigeno e l'idrogeno dell'acqua si scindono e il cane respira l'ossigeno. Lo respirò per mezz'ora.»

«Poi morì?»

«No, non morì.»

Gotha Cottee, stavolta, parve punto da interesse.

«E a cosa serve, Bill?»

«Serve ad andare nell'acqua e nello spazio. Per lo spazio c'è una duplice utilità. Dovendo partire ad accelerazioni assai più violente di quelle attuali ci si chiude dentro un involucro d'acqua ad alta pressione e non ci si rompe. Guarda, ti fo l'esempio dell'uovo. Se butti un uovo per terra, l'uovo si rompe. Ma se chiudi un uovo dentro un recipiente d'acqua e butti il recipiente per terra, l'uovo non si rompe. Metti l'uomo al posto dell'uovo e tutto ti sarà chiaro.»

«Toh!» disse Gotha. «Sicché dovremmo fare astronavi piene di acqua.»

«Esattamente. Astronavi piene di acqua.»

«Toh!» disse Gotha. E ficcò in bocca un chewingum, eccitato, pigiò il piede sull'acceleratore. Istintivamente pensai a Gotha trasformato in un uovo che partiva nel suo involucro d'acqua e precipitava su Marte. Nell'urto si rompeva ogni cosa fuorché Gotha trasformato in un uovo. L'uovo rotolava dolcemente su Marte e ruzzolava in un buco, come una pallina da golf. Dal buco usciva una voce, la voce di Gotha: «Aiuto! Figli di cani! Disgraziati! Cornuti!». Glielo dissi, se n'ebbe a male.

«C'è anche un altro sistema, dottor Douglas» insistetti. «I cyborg. Gli organismi cibernetici. Andare nel vuoto cioè con organi artificiali anziché con i nostri: polmoni artificiali, cuore artificiale, fegato artificiale... In un certo senso lo stesso sistema dei kamikaze giapponesi cui tagliavan le gambe fino al ginocchio perché potessero cavalcar bene i siluri e dirigerli a mano contro il bersaglio.»

«Oh, no!» esclamò il dottor Douglas. «È possibile rimpiazzare gli organi con organi artificiali, lo so, certi miei colleghi sostengono che un organo artificiale funziona assai meglio, che l'uomo è una costruzione fallita, che non c'è limite ai cambiamenti effettuabili sull'uomo: ma i cyborg non sono umani, sono mostri. E noi vogliamo mandare uomini nello spazio, non mostri.»

«Un uomo è mortale, un cyborg no.»

«Io preferisco essere Bill Douglas, mortale, che un mostro

immortale. Io spero che una tal turpitudine non accadrà mai e, se dovesse accadere, spero d'esser morto quel giorno.»

«Lei crede davvero, dottor Douglas, che non accadrà?»

«No» disse funereo. «Accadrà. Purtroppo accadrà. È solo questione di tempo.»

«Uffa. Stavolta mi avete scocciato davvero» urlò Gotha Cottee. «Prima volete trasformarmi in un uovo, scaraventarmi su Marte e farmi rotolare in un buco. Poi mi spaventate con questi dannati cyborg, con la storia che è solo questione di tempo. Che il diavolo vi porti!» E accese la radio. «Musica. Ho voglia di musica. Eccola. Ah!»

Una voce di donna cantava una vecchia canzone.

Era una vecchia canzone, una canzone dell'ultima guerra. Tra il 1940 e il 1945 la fischiavano a Londra i soldati diretti al fronte e un film l'aveva riportata di moda, *Il dottor Strangelove*. Vera Lynn la cantava alla fine, quando è ormai scoppiata la bomba, e la sua voce era l'unico commento al gran fungo che si apriva in un altro fungo e poi in un altro ancora perché tutti morissero, tutti, alberi, bestie, uomini e cose. Era una vecchia canzone e la gente la giudicava una canzone d'amore ma l'amore c'entrava ben poco, o non solo, perché voleva dir tante cose, oltre l'amore, voleva dir tutto.

> *Ci ritroveremo ancora*
> *non so dove, non so quando*
> *ma so che ci ritroveremo*
> *in un giorno di sole.*
> *Sorridi, ti prego, come sai sorridere tu,*
> *sorridi finché il cielo azzurro*
> *scaccia le nuvole nere,*
> *e saluta, ti prego, la gente che conosco.*
> *Digli che non starò a lungo lontano,*
> *li farà contenti sapere*
> *che mentre partivo cantavo questa canzone:*
> *Ci ritroveremo ancora*
> *non so dove, non so quando*
> *ma so che ci ritroveremo*
> *in un giorno di sole.*

Con un gesto secco la spensi.

«Smettila, Gotha.»

Il dottor Douglas ebbe uno strano sorriso.

«Smettila Gotha o smettila Vera Lynn? Canta bene, Vera Lynn.»

«Fin troppo bene, dottore.»

«Ed è una gran bella canzone.»

«Una bellissima canzone.»

«Vuol dir tante cose, vero? Vuol dire tutto.»

«Tutto, dottore.»

Tutto. Noi trasformati in cyborg: polmoni artificiali, cuore artificiale, fegato artificiale. Noi trasformati in uova: uova piene di acqua, acqua a sette atmosfere. Noi trasformati in mostri, mostri immortali, addio uomo. Presto non ti resterà che il cervello, dell'uomo: il tuo prezioso intelligente cervello. Ma il cervello stesso lo capirà diventando il cervello di un mostro, un mostro immortale, sicché solo disperato atterrito goloso d'amore di sapore di odore restituirà l'uomo com'era, limitato e mortale, perciò non addio: arrivederci. Ci ritroveremo ancora, non so dove non so quando, ma so che ci ritroveremo, in un giorno di sole: noi uomini, noi piccoli, noi che oltre all'intelligenza crediamo all'amore, all'odore, al sapore, noi fatti così come siamo, con due polmoni un fegato un cuore e un cervello limitato, mortale.

«Parliamo del cervello, dottor Douglas. Quello è l'unico organo che non possiamo sostituire con un organo artificiale. Come reagirà il nostro cervello, quindi il nostro sistema nervoso, alla vista di altri pianeti?»

«Uffa» disse Gotha.

«Come vuol che reagisca? Come ha sempre reagito dacché la vecchia razza umana ce l'ha. Come reagì la prima volta che scese dentro l'oceano e vide piante che sembravano pesci, pesci che sembravano piante, colori che erano altri colori, abissi inimmaginabili. Il paesaggio marino non incute meno spavento di quello lunare. Reagirà come reagì quando gli occhi videro il Polo Antartico: ghiacciai e ghiacciai, solo ghiacciai, nient'altro che ghiacciai. Il cervello umano ha sempre dovuto adattarsi a nuovi paesaggi e il sistema nervoso non ne soffrirà più di quanto n'abbia sofferto in passato.»

Eh, no, dottore. Scherziamo? Un uomo ha aperto un capsula e scende su un mondo dove nessuno è mai stato. Un mondo lontano migliaia di migliaia di miglia dalla sua Terra. E lo sa. Lentamente, cautamente, fa il primo passo: l'umanità intera, coloro che sono vivi e coloro che sono morti fanno quel passo con lui. E lo sa. Non v'è scoperta di isola né di oceano né di continente, fatta nel suo pianeta, che possa paragonarsi a quel primo lentissimo cautissimo passo. E lo sa. L'oggetto dal quale è disceso potrebbe non ripartire mai più, condannarlo a morire su questo mondo senz'aria, lontano migliaia di migliaia di miglia da casa. E lo sa. Dottore, lei crede davvero che il cervello resisterà? Lei crede davvero che tornerà in un'inerte materia?

«Dottore, lei ha molta fiducia nel cervello umano.»

«Molta. Il cervello umano è un miracolo che mi sorprende ogni giorno di più. Possiamo preveder tutto sulla sopravvivenza dell'uomo come animale: le reazioni biologiche ci son date da fenomeni fisici e chimici che ben conosciamo. Non possiamo preveder molto sulla sopravvivenza dell'uomo come animale intelligente: le reazioni psicologiche sono anche prodotto di esperienze, tradizioni, sensazioni di questo pianeta. Eppure io sono certo che il cervello ce la farà.»

«Anche chiuso dentro quella bara detta astronave? A San Antonio mi hanno spiegato che molti nei simulatori, perdevan la testa.»

«Uffa» disse Gotha Cottee.

«Erano deboli. C'è gente che è stata anni e anni chiusa nella cella di una prigione, e non è impazzita. Anzi ha scritto bellissimi libri. Gente superiore, s'intende. Ma gli astronauti *sono* uomini superiori. Non se n'è accorta?»

«No, non me ne sono accorta.»

«Come non te ne sei accorta?» urlò Gotha, offeso a morte. «Non se n'è accorta, lei. Non se n'è accorta!»

«Perché li ha incontrati in un ufficio, ad un tavolo. Perché non li ha visti come li abbiamo visti noi, il giorno avanti della partenza ad esempio, quando andavano a letto e si addormentavano, io dicevo non è possibile che riescano a dormire, non ci credo, mi affacciavo a guardarli e dormivano: un sonno sano e profondo. All'una o le due del mattino poi li svegliavo. Si svegliavano tutti assonnati e dicevano andiamo, *let's go*. All'inizio non capivo perché. Poi l'ho capito.»

«Perché?»

«Lei è mai stata sotto un bombardamento?» chiese il dottor Douglas.

«Sì.»

«È mai andata a letto pensando che durante la notte ci sarà un altro bombardamento?»

«Sì.»

«E cosa faceva?»

«Mi faccia pensare... Dormivo.»

«Anche loro. Sanno che il bombardamento verrà: quindi tanto vale dormire.»

«Non c'è nulla di superiore in questo.»

«Sì, c'è. Perché quando si svegliano e di nuovo sanno che il bombardamento verrà, sono felici. Sanno anche che possono andare a morire, non lo dicono ma lo pensano, ed io lo so che lo pensano, eppure sono felici. Non sono pronti a morire, chi è pronto a morire? Hanno una voglia disperata di vivere, mangiano quella colazione come se fosse la loro ultima colazione, ma sono felici. Una felicità che ha qualcosa di glorioso, di inspiegabile. La stessa che gli fa strillare, quando sono lassù, "che vista meravigliosa!". Lo strillano tutti. Russi, americani, uomini, donne, tutti.»

«E quando tornano giù? Quando tornano giù saranno ancora più felici.»

«No. È strano. No. Sono contenti d'esser tornati, ovvio. Sono contenti d'essere vivi. Ed anche ansiosi di raccontare. Ma c'è qualcosa che gli offusca gli occhi. Qualcosa... come... ecco: un rimpianto. Si direbbe che gli dispiaccia di non esser più su. Ogni tanto fissano il cielo: come a cercarvi qualcosa che hanno dimenticato.»

Forse la pace, dottore. La pace. Conosce quel racconto di fantascienza, dottore? Quello dell'astronauta che mandano non so dove, rannicchiato dentro la capsula come un feto nel grembo materno. Allo stesso modo di un cordone ombelicale materno, un tubo provvede a tenerlo in vita, nutrirlo. Lui non deve far nulla fuorché staccare quel tubo al momento in cui arriva ed uscir dalla capsula. Il viaggio dura nove mesi: il tempo di una gravidanza. Ed è un viaggio che egli ha già fatto, un viaggio comodo, dolce, pieno di pace, però lui non ricorda quando l'ha fatto. Se ne ricorda nel momento in cui arriva, i nove mesi sono scaduti, e se ne ricorda impaurito: è il viaggio che fece per nascere. Oddio! Ma lui non vuole rinascere, nascere, lui sta bene lì dentro. Se rinasce, se nasce, la prima cosa sarà un lungo pianto: e da quel pianto verrà la fatica di mangiare, di bere, di dormire, la fatica di vivere. No, lui non vuole ritagliare, tagliare il cordone, non vuole uscire alla luce, non vuole vivere, non vuole morire. E resta lì dentro. Pronto, pronto, pronto, chiaman da Terra, pronto, pronto, ci senti? Pronto, pronto, pronto, staccalo il tubo, staccalo! Ma lui non lo stacca e resta lì dentro, per sempre.

«Pagherei anch'io per sapere cosa vedono lassù» dissi al dottor Douglas. Malgrado tutto, il sentimento più forte che provo per loro è l'invidia. La gelosia e l'invidia. Se potessi andar su...»

«Chi gliel'ha detto che non potrebbe andar su?»

«Una centrifuga.» Gli raccontai la brutta figura di San Antonio.

Il dottor Douglas scosse le spalle, ridendo.

«Non significa nulla. È una vecchia storia, la fuga dinanzi alla centrifuga quando la si vede per la prima volta. Io riuscirei a farcela entrare e, in una settimana nemmeno, la porterei fino a sette, otto g.»

«Ma se ho visto un uomo svenirci!»

Gli raccontai del sergente Jackson.

«Perché lo hanno fatto arrivare a quattordici g. Gli astronauti arrivano anche a diciotto, venti, ventuno: ma è una tortura inutile, una crudeltà idiota. Non c'è alcun bisogno di martirizzarli così. Il massimo di accelerazione cui si vien sottoposti alla partenza di un razzo è sei g. Chiunque può sopportare per tre minuti sei g. Macché, non è quello che ci vuole per diventare astronauta. La superiorità fisica non conta nulla: l'importante è che uno non abbia gravi malattie. Se ha qualche piccola malattia, non fa nulla. Grissom soffre di febbre del fieno: è un perfetto astronauta. Schirra ha sempre i polipi al naso: è un perfetto astronauta. Shepard è sempre malato di gola: è un perfetto astronauta. Quanto a Slayton che ha quel difetto al cuore, mi sbaglierò; ma io sarei pronto a partire con lui domattina.»

«E allora cosa ci vuole, dottore?»

«Guardi: anzitutto una gran curiosità, una curiosità sfrenata, totale. Poi, molta intelligenza. E infine, coraggio. Come si possa selezionare il coraggio, non so. Però so che ci vuole. »

« E cosa vuol dire coraggio? Cos'è il coraggio? »

« Il coraggio... guardi, il coraggio è quella cosa che ti fa svegliar la mattina come se tu andassi a caccia di folaghe invece di andar forse a morire. »

« Amen! » gridò Gotha. « Se Dio vuole siamo arrivati a Merritt Island. »

Pare impossibile ma qui c'erano gli alberi. Alberi immensi, gonfi di salute e di ossigeno, e ampie foglie piumose che avvolgevano i rami come carezze. Alberi forti, verdi, bellissimi. Alberi che per secoli avevano resistito ai fulmini, al fuoco, agli insetti, alla pioggia selvaggia, alla siccità, alle vampate di kerosene che avvelenano l'aria. Ci fiorirono addosso come un miraggio ed io mi aggrappai al braccio di Gotha.

« Gli alberi! Gli alberi! »

« Be'? » fece Gotha, sorpreso.

« Gli alberi! Gli alberi! »

Non sapevo dir altro. Io quando rivedo un amico e sono commossa non so dire nulla.

« Sta osservando che ci sono gli alberi, qui » spiegò il dottor Douglas.

« Già » disse Gotha. « Non li abbiamo ancora tagliati. Non ne abbiamo avuto il tempo, ancora. »

Il dottor Douglas mi guardò in silenzio. Poi mi offrì una sigaretta.

Gli alberi si ergevano compatti come una muraglia, l'ultimo confine della Terra, e al di là si stendeva il cosmoporto per andar sulla Luna: un silenzio di sabbia e di acqua, una manciata di isole buttate al settimo giorno da un Dio che non sapeva più cosa farsene. Prima che la NASA arrivasse, il paesaggio doveva far pensare alla Genesi. Ora faceva pensare soltanto a quello che era: un arcipelago di ottantasettemila acri destinati a trasformarsi in città, la più allucinante città che la fantasia umana abbia mai immaginato. Gli aggettivi enorme, gigantesco, ciclopico diventavano dinanzi ad essa senza significato: i grattacieli di New York, birilli per fare i balocchi. L'edificio più alto e più grande sfiorava le nubi.

« Gotha, cos'è? »

« È la Vertical Assembly Building, la più grande costruzione del mondo. »

« E a cosa serve, Gotha? »

« Serve a tenerci i razzi per andar sulla Luna: già montati, s'intende. Naturalmente non ci sarà solo quello, però. Ci saranno eliporti, ferrovie, banche, ospedali, uffici postali, case, negozi, commissariati di polizia, e il quartier generale della NASA. Cape Kennedy sarà abbandonato come una stazioncina di treni a vapore. »

« E quella piattaforma sull'isolotto laggiù, cos'è? »

« Quella è la piattaforma di lancio per il Saturno. È movibile e scomponibile. Sorge sull'isolotto più lontano per evitare disastri al momento della Grande Esplosione. L'isolotto si chiama Complesso 39 ed è unito all'isola della Vertical Assembly Building attraverso un istmo che diventerà un lunghissimo molo: dieci chilometri circa. La torre di lancio scivolerà da qui alla piattaforma di lancio seguendo quel molo. Naturalmente racchiuderà il razzo con gli astronauti già dentro. »

« Straordinario. »

« Solo il Complesso 39 costa un miliardo di dollari » aggiunse orgoglioso. « In italiano quant'è? »

« Oltre seicento miliardi di lire. »

« Mica male, ti sembra? Quella, invece, sarà l'Operations Building dove andranno ad abitare gli astronauti molte settimane prima del volo. »

« Una specie di ritiro spirituale. Come le monache prima di prendere i voti » sorrise il dottor Douglas.

« Come? » disse Gotha. E sbatté gli occhi azzurri: lui non concepiva nemmeno che si potesse far dell'ironia. Indicava quelle allucinazioni di ferro come se fossero la Cappella Sistina, la Torre di Giotto, l'Acropoli, e al suo orgoglio apparivan davvero la Cappella Sistina, la Torre di Giotto, l'Acropoli: opere d'arte cui aveva contribuito un pochino. La sera avanti, sorprendendolo stanco e avvilito, gli avevo chiesto: « Ma perché, Gotha? Chi te lo fa fare? Perché? ». E lui: « Per poter dire io c'ero ». La frase di tutti. Giornalisti che potrebbero firmare sul « New York Times », agenti di pubblicità che trionferebbero ad Hollywood, segretarie che qualsiasi ditta sarebbe felice di avere, lavorano come Gotha Cottee a Cape Kennedy, a Houston, a San Diego, a Saint Louis, Huntsville, El Paso,

Washington, Boston, New Orleans, sfruttati, malpagati, rimproverati, e se gli chiedete: «Perché, chi te lo fa fare, perché?» vi rispondon. testardi: «Per poter dire anch'io c'ero». La loro fede non ha dubbi, il loro entusiasmo è scevro di incertezze. Come i cristiani, i buddisti, i comunisti, i musulmani, gli spaziali costituiscono una setta religiosa: disposta al sacrificio e sorda all'ironia.

«Be'? Non dici nulla?» balbettò Gotha, deluso.

Cosa dovevo dirgli, papà? Non trovavo nulla che lo lasciasse contento. Quelle torri troppo alte, quegli edifici troppo grandi, non erano che la storia dell'uomo, la storia che andava avanti come era destino che andasse. Migliaia di anni avanti uno spettacolo simile avrei potuto vederlo in Egitto, quando i blocchi immensi di pietra venivano alzati a forza di braccia per costruire piramidi, templi, e tu commentavi: «A che serve?». Anche il clima, la sabbia, il desiderio di sbalordire se stessi e gli altri era identico. E il motivo che li muoveva: non una sete di potenza, o non solo quella, non una competizione sportiva, o non solo quella. Inconsapevolmente, fanciullescamente, quegli uomini cercavano Dio.

«Non mi dici proprio nulla?» ripeté Gotha, deluso.

«Non so, Gotha: tutto ciò mi ricorda le piramidi.»

«Le piramidi erano molto più basse e poi le usavano per metterci i morti» disse Gotha, stizzito.

«Tuttavia...»

«Tuttavia?» chiese il dottor Douglas.

«Tuttavia, ecco: m'è venuta in mente una cosa... Dottor Douglas: se un astronauta muore durante il viaggio, i suoi compagni cosa ne fanno? Lo lasciano sulla Luna, lo riportano indietro, o lo abbandonano nel vuoto come i marinai quando seppelliscono il cadavere in mare?»

Gotha si allontanò, come punto. Il dottor Douglas diventò serio serio.

«È un problema da affrontare, noi ci abbiamo pensato. Ma senza arrivare a una conclusione. Secondo me sarebbe bene domandarlo a ciascuno prima che parta: preferisci essere seppellito su un altro pianeta, essere abbandonato nel vuoto, o essere riportato a casa? Se uno muore su Marte o vicino a Marte è consigliabile, ovvio, che venga seppellito su Marte. Se muore sulla Luna, non so. Di sicuro i suoi compagni vorrebbero riportarlo a casa, si cerca sempre di riportare a casa uno che muore: ma un'astronave non è un sottomarino, con la ghiacciaia e tutto il resto. Un'astronave, soprattutto la capsula Apollo, ha lo spazio limitatissimo e... Vede... non è solo il fatto che nell'astronave c'è l'aria, che nella tuta pressurizzata c'è l'aria, e il corpo si decompone. È che viaggiare con un morto vicino, così vicino, sarebbe pericoloso da un punto di vista psicologico. Io credo che abbandonarlo nel vuoto sarebbe la soluzione migliore...»

«E cosa gli accadrebbe, dottore, nel vuoto?»

«Se la sente davvero di saperlo?»

«Sì... cioè no... Ma voglio saperlo.»

«Ecco. Senza la tuta pressurizzata... perché con la tuta pressurizzata si decomporrebbe... gli accadrebbe più o meno quello che si vede nella sala delle mummie, al Museo del Cairo. Diventerebbe insomma come i re seppelliti nelle piramidi.»

«E poi?»

«E poi continuerebbe a girare intorno alla Terra o ad un altro pianeta con la stessa velocità dell'astronave nel momento in cui la abbandonò.»

«Per sempre?»

«Sufficientemente lontano dalla Terra o dalla Luna o da un altro pianeta... abbastanza lontano cioè da non rientrare nella loro orbita gravitazionale... potrebbe girare per secoli, millenni. Fino al momento...»

«Fino al momento...?»

«Fino al momento in cui cadrebbe nel Sole.»

Gotha ascoltava offrendoci la schiena adirata, in silenzio. Si voltò di scatto e disse: «Ma noi, Bill, lo vedremmo?».

«Sì, credo che lo vedremmo» rispose il dottor Douglas.

«E cosa vedremmo, Bill?»

Il dottor Douglas sorrise con dolcezza.

«Vedremmo una stella.»

Così eravamo tutti e tre un po' tesi, al ritorno, come pentiti di aver fatto certi discorsi, e niente serviva ad allentar l'imbarazzo, il silenzio che era sceso fra noi: né la radio, né le sigarette che ci porgevamo, niente. Cercavamo argomenti e non c'erano, tentavamo osservazioni e cadevano. Seduta fra quei due uomini tanto diversi eppur tanto legati fra loro, mi sentivo un'intrusa e anche una sciocca: in fondo ero stata io a rammentare le maledette piramidi, a portar quel discorso sui morti. E così mi bucava un'angoscia indefinibile, strana, quasi un presentimento ma non sapevo di cosa, papà. Di sicuro escludeva la Luna, già visibile malgrado l'azzurro, un riflesso di pallido bianco. Si riferiva piuttosto a me stessa, al viaggio di cui non vedevo la fine, che immaginavo non so perché di interrompere, così facendo contenta la mamma che quand'ero partita scoteva la testa e diceva: ma che idee questa figlia, che pazza, ora vuole andar sulla Luna, sì per darmi un pensiero di più, abbastanza non so mai dove sta, cosa fa, una lettera che sembra un lenzuolo e per mesi più nulla, ed io: macché Luna, mamma, l'America non è mica la Luna. Discorsi. L'America per me è la Luna, una scusa per andar sulla Luna, io lo so che finirai per andarci, e a far cosa, mi dico, a far cosa, non lo sai che la Luna è solo formaggio? Formaggio, mamma? Formaggio, formaggio gruviera. E perché proprio gruviera, mamma? Non lo vedi che è piena di buchi? Alla tua lettera la mamma aveva aggiunto un poscritto: «Stai bene e portami un po' di formaggio coi buchi». Guardai quel riflesso di pallido bianco.

«È già sorto il formaggio.»

«Il formaggio?» si scosse Gotha. «Che formaggio?»

«Se tu non fossi ignorante, sapresti di cosa parla» commentò il dottor Douglas con una risatina di sollievo.

«Io non sono ignorante» brontolò Gotha, ferito.

«Sì che lo sei: perché ignori di cosa è fatta la Luna.»

«La Luna è fatta certamente di roccia, di lava, e di polvere.»

«No» dissi. «È fatta di formaggio.»

«Chi lo dice?» ridacchiò Gotha.

«Lo dice mia madre. La Luna è fatta di formaggio coi buchi.»

«L'ipotesi mi sembra assai saggia,» disse il dottor Douglas «e stabilisce un problema economico.»

«Sarebbe a dire?» domandò Gotha.

«Che lassù c'è una fonte di ricchezza infinita. Un immenso deposito di formaggio coi buchi.»

«Toh!» disse Gotha, eccitato. «Bisogna andare a pigliarlo. Il problema è come si fa.»

«Si ruba il Saturno ed anche la capsula Apollo» dissi io. Ma non mi divertivo. Loro sì, tanto.

«Questo mai» disse Gotha inalberando tutta la sua devozione alla NASA.

«Preferiresti che il deposito finisse nelle mani dei russi?» esclamò il dottor Douglas.

«Oh, no! Noddavvero.» Gotha pensò un poco. «Però se la rubiamo tutti se ne accorgeranno.»

«Evidente che bisogna agir con astuzia» disse il dottor Douglas.

«Io ho un piano» annunciai. «Attaccare la Luna quando è in fase calante, vale a dir sui tre quarti. Attaccarla cioè sul suo quarto oscuro. È un po' scomodo ma tutti i ladri agiscon di notte. E poi avremo le lampade a pila.»

Ma non mi divertivo. Ero come distratta.

«Lampade blu» disse il dottor Douglas. «Io tengo la lampada blu e tu, Gotha, lavori di vanga.»

«Figuriamoci se non tocca a me lavorare di vanga» si lamentò Gohta. «E la ragazza che fa?»

«Io nulla» ripresi. «Io dirigo e sorveglio. Quando il primo quarto è vuotato, si carica il formaggio sul LEM e si porta quaggiù sulla Terra. Nel frattempo si oscura anche il secondo quarto e noi ripartiamo per vuotare il secondo quarto. Stesso procedimento, stesso ritorno per attaccare il terzo quarto. L'ultimo quarto sarà il più difficile perché lavoreremo alla luce e la gente quaggiù sulla Terra comincerà a sospettare che qualcosa non va.»

Ora mi divertivo abbastanza. E loro moltissimo.

«Metteremo in giro la voce di un'eclissi lunare» disse il dottor Douglas. «Io ho un amico astronomo e ci farà questo piacere.»

«Bisognerà dargli qualcosa.»

«Gli daremo un po' di formaggio.»

«L'idea dell'eclissi è eccellente.»

«La gente crederà all'eclissi e non penserà che noi stiamo rubando il formaggio.»

«Tutti saranno per le strade a guardare l'eclissi.»

«Senza capire che stiamo rubando il formaggio.»

«Poi aspetteranno di nuovo la Luna e la Luna non sorgerà.»

«Non sorgerà perché noi l'abbiamo rubata.»

«Tutta.»

«Tutta.»

«Ma che ne facciamo quando l'abbiamo rubata?»

«Ci facciamo panini, cheeseburgers, la grattiamo sulla minestra, e il resto ce la vendiamo.»

«Ad altissimo prezzo!»

«No, a bassissimo prezzo. Così roviniamo la Svizzera.»

Ci divertivamo veramente moltissimo, ormai. Cancellato l'imbarazzo, il silenzio. Finita la mia angoscia, perfino. Impiegammo gli ultimi venti minuti di strada a gettare le basi di un lungo contratto, a vedere chi potevamo accettare come azionisti, gli astronauti ad esempio che son bravi ragazzi e poi lo meritavano, dopotutto gli volevamo rubare l'obiettivo per cui si preparavano tanto, bisognava risarcirli del danno: ah, quanto avrebbe riso la mamma a saper quella storia! Che figlia, avrebbe detto, che pazza, sei riuscita perfino a corrompere il dottore di quei poverini, e poi quel Gotha che dev'essere proprio un brav'uomo, vedi che non ho torto a stare in pensiero quando sei in viaggio, ora mandi in rovina la Svizzera che a me piace tanto perché non fa mai la guerra. Avrebbe riso come sa ridere lei, una risata che arriva fino agli orecchi e riesce solo a chi ha molto pianto: perché solo chi ha molto pianto sa ridere bene.

Sghignazzando presi il telegramma che mi porgeva il portiere: qualche intervista rinviata, accidenti. Sghignazzando lo aprii. Era il tuo telegramma, papà, e diceva: «Torna subito, la mamma è gravemente ammalata».

# PARTE SECONDA

# CAPITOLO SEDICESIMO

La mamma giaceva nel letto e i suoi occhi mi fissavano come gli occhi di chi ha visto il gran buio ma ha fatto in tempo a sfuggirgli: impauriti, stupiti. I suoi capelli d'un nero aggressivo s'erano stinti di colpo in un grigio opaco, le sue mani sempre in movimento ciondolavano bianche, sfinite, senza ossa, le sue labbra tentavano un po' di sorriso.

«Me l'hai portato il formaggio coi buchi?»

Io le guardavo quelle mani, quei capelli, quegli occhi, le reggevo il polso per sentir che era viva, viva, e il mio cuore se ne andava col suo, così stanco. Che mi importava ormai della Luna? Non era mai esistita la Luna. Non era mai esistito Cape Kennedy, Houston, San Antonio, Los Angeles, e il futuro stava in quel polso. Del viaggio interrotto mi restava solo un'ira sorda, un rancore.

«No, mamma, non te l'ho portato il formaggio coi buchi. No, mamma. Mamma, mamma.»

Cosmonavi, tute pressurizzate, centrifughe: ma perché non inventavano invece qualcosa che impedisse l'infarto? Cyborg, urina che torna acqua pura, assenza di peso: ma perché non studiavan piuttosto come guarire un cuore che si rompe? Andavano a gettare la loro manciata di alghe su Venere, andavano a regalare la vita a un altro pianeta, e la vita di mia madre rischiava a ogni vena rotta il gran buio. Servivano a mia madre le alghe? No. Servivano a mia madre i cyborg, l'urina che torna acqua pura, l'assenza di peso? No. Servivano a mia madre le cosmonavi, le tute pressurizzate, le centrifughe? No, no, no! La scienza era solo un balocco con cui bambini vestiti da grandi giocavano i loro inutili giochi. Preparavano le valige per la Luna e per Marte, quei bambini sapienti, e non sapevano ancora curare le malattie della Terra. Ma cosa vuol dire era spaziale se nell'era spaziale il cuore di tua madre si rompe?

«Dovrai tornare a pigliarmelo allora il formaggio coi buchi.»

I loro pretenziosi discorsi. Le loro infantili bugie. «Tra cinquecent'anni l'uomo avrà imparato a sconfigger la morte...» «Ogni causa di morte sarà eliminabile o almeno trattabile: la morte per vecchiaia, la morte per malattia, la morte per incidente...» «La resurrezione del corpo è possibile: sono stati resuscitati spermatozoi di gallo e semi disseccati, è tutto un problema di ingegneria biochimica o di ingegneria chirurgica...» «Il corpo non è ancora morto, quando il cuore si ferma, e il cuore si può rimpiazzare: ci riusciremo assai presto...» Presto? Quando presto? Cosa significa presto? Presto oggi, presto domani, presto fra cinquant'anni o cent'anni? Presto per me vuol dir subito, ora, in questo momento, mentre reggo il suo polso, mentre guardo le sue mani sfinite, i suoi capelli opachi, i suoi occhi impauriti. Siete veramente capaci di fare presto? E allora fate presto, perdio, cacciatelo ora quel buio, assicurategliela subito quella immortalità. Sennò siete soltanto bugiardi, ciarlatani bugiardi.

«No, mamma. Non ho voglia di tornare a pigliartelo, il formaggio coi buchi.»

Il sorriso si fece più largo.

«Io lo so a cosa pensi.»

«A cosa, mamma.»

«Pensi a quelli che vanno nel Sole e non sanno guarirmi il cuore.»

«Nel Sole, no, mammà. Lì brucerebbero.»

«Be', insomma, lassù.»

«Sì, mamma.»

Restò un poco zitta, a cercar le parole. Poi le trovò.

«Un pomeriggio ero in giardino. Leggevo e mi cadde ai piedi un piccione. Così, come un sasso. Mi chinai a raccattarlo e lui boccheggiava, moriva. Io stavo male per lui e avrei voluto guarirlo. Ma non sapevo guarirlo. Nessuno di noi avrebbe saputo guarirlo.»

«No, mamma.»

«Allora pensai a te, a quando studiavi la medicina. Peccato che hai smesso. Forse avresti saputo guarirlo.»

Era il suo modo per dirmi che non avevo diritto di pensar certe cose, imprecare. Non avevo diritto perché non facevo nulla, io, per render la vita immortale. Gli altri almeno tentavano: io criticavo e nient'altro. Il mio mestiere era questo: raccontare e criticare, criticare e raccontare, nient'altro. Una cicala in un mondo di api. Avevo rinunciato a essere un'ape tanti anni fa, quando per la prima volta m'ero messa dinanzi a una macchina da scrivere e m'ero innamorata delle parole che uscivano come gocce, a una a una, poi restavano sul foglio bianco, a una a una, e ogni goccia diceva una cosa che detta a voce sarebbe volata, lì invece si condensava: buona o cattiva che fosse. Era stato come innamorarsi di un uomo mentre ami già un uomo, perder la testa per lui e abbandonar l'altro: ben sapendo che l'altro è un uomo migliore, un uomo più serio, un uomo col quale avresti potuto usar bene la vita. Un tradimento insomma. E quando tradisci un uomo per un altr'uomo che magari vale di meno, il minimo che tu possa fare è non insultare il tradito: portargli rispetto. Questo voleva dire la mamma. E aveva ragione. Però restava il fatto che l'uomo tradito non valeva in fondo gran che. Restava il fatto che era assai meno serio di quanto sembrasse: tutta la scienza era assai meno seria di quanto sembrasse. E non avevo rinunciato a gran che rinunciando al microscopio, al bisturi, alla patologia.

«No, mamma. Non avrei saputo guarirlo.»

Ebbe un lampo di affettuosa ironia.

«Allora quando torni a pigliarmi il formaggio?»

«Non tornerò, te l'ho detto.»

«Oh, tornerai. Tornerai.»

Invece per quattro mesi non ci tornai. Ed è curioso come ricordi quei mesi: come un noioso letargo, come un lunghissimo sonno, papà. Giravo l'Europa e mi annoiavo. Scrivevo di persone giudicate interessanti e mi annoiavo. Frequentavo la gente di prima e mi annoiavo. Mi riscaldavo soltanto quando raccontavo il mio viaggio interrotto, e lo raccontavo solo a voi due: alla mamma ed a te. La mamma s'era a poco a poco ristabilita: perlomeno stava assai meglio. Passava gran parte del tempo in campagna, insieme a te, io venivo ogni tanto a trovarvi e raccontarvi le cose che avevo visto, le persone che avevo conosciuto. Mi divertiva. Mi divertiva anche il modo in cui reagivate: litigandovi per un nonnulla. La mamma, ad esempio, faceva il tifo per Slayton, le piaceva perché era malato di cuore anche lui, e lo difendeva dalla tua indifferenza con furia.

«Poverino, povera creaturina santa che gli fanno i dispetti.»

«Creaturina santa un corno! Ci ha perfin bombardato, quella creaturina santa!»

«Che discorsi! Lo costringevano, no?»

«Ma se era volontario, che dici?»

«Volontario o no, non dovrebbero fargli i dispetti.»

«Il più simpatico secondo me è quello dei cavalli e le vacche, quello Shepard. A quello, guarda, non gliene importa nulla andar su. A quello importa solo dei cavalli e le vacche.»

«Figurati! Ma se si approfittava perfino dell'intervista per venderli! Poteva regalarglieli, no? Ricco com'è! Che ci rimetteva?»

«Lui li alleva per venderli, non per regalarli alla prima che capita.»

«Quello ammalato di cuore glieli avrebbe regalati, è più buono.»

«Illuditi. Tua figlia, piuttosto, non poteva comprarglieli?»

«Ma dove li mettevo, pa', il cavallo e la vacca?! In valigia?»

«Li spedivi, no?»

«Io avrei preso un cavallo» diceva la mamma.

«Macché cavallo! Che te ne fai del cavallo? Io avrei preso la vacca.»

«Il cavallo.»

«La vacca.»

«Il cavallo.»

«La vacca.»

Alla mamma piaceva anche Glenn perché andava alla Messa e diceva quelle bellissime cose su Dio. «A parte il fatto che non fa le corna alla moglie» tagliava corto. Tu invece apprezzavi il dottor Douglas, «l'unico con un po' di comprendonio, direi» e il dottor Fyfe perché ammazzava i topi. Sospettai in quei giorni che la tua caccia al topo non fosse dettata da ragioni igieniche ma odio personale, maturato in prigione: «Non aveva nessuno da mordere quando stava lì dentro e gonfiava, il tuo topo». Poi, irritato, voltavi le spalle. Voltavi le spalle anche in altre occasioni: se descrivevo le meraviglie della capsula Apollo, ad esempio. «Non mi convinci. Non mi interessa.» Però me lo rubasti, eh, me lo rubasti il cibo spaziale che avevo portato da Downey in California.

Erano quattro sacchetti e contenevano rispettivamente aragosta disidratata, toast disidratati, dolce disidratato e polvere di caffellatte. Erano l'unica prova tangibile che il mio viaggio era avvenuto, che non avevo sognato, e così li tenevo ben in vista nel salone dei libri, quasi fossero porcellane cinesi, senza curarmi delle tue proteste. «Mostrare a tutti certe porcherie!»

Il primo a sparire fu il sacchetto dei toast. Un giorno arrivai e non c'era più.

«Chi l'ha preso, accidenti?!»

La mamma mi lanciò uno sguardo supplichevole.

«Se non ti arrabbi, te lo dico.»

«Chi l'ha preso, mamma?»

«Sai, i pesci...»

«Non mi dirai che i pesci sono usciti dalla vasca per prendersi i toast degli astronauti.»

«No. I pesci no. Il babbo sì.»

«Il babbo sì?!?»

«Calmati, ecco, insomma il babbo cercava il pane secco da sbriciolare ai pesci. E non c'era. Allora è andato lì e ha preso i tuoi toast. Ha preso anche il martello per romperli: erano così duri, non si rompevano mica. Io glielo dicevo che ti saresti arrabbiata. Ma lui continuava a tirar martellate e sembrava che tirasse martellate alla Luna.»

Il secondo a sparire fu il sacchetto dell'aragosta disidratata. Un altro giorno arrivai e non c'era più.

«Questa volta chi l'ha preso?» domandai rassegnata.

«Chi vuoi che l'abbia preso? L'ho preso io» dicesti tu, senza scomporti.

«Mi avevi promesso di non prenderne più.»

«Non avevo promesso un bel niente e lo sai che non voglio vedere certe porcherie tra i libri.»

«Cosa ne hai fatto, pa'?»

«L'ho messa nel pastone dei maiali.»

La mamma gemette.

«Un così bel ricordo nel pastone dei maiali. Io non volevo, sai. Non volevo.»

«Ma perché, papà? Perché?»

«Perché, perché, perché! I contadini non danno che crusca e mele, ai maiali. Verranno su stupidi. Anche i maiali hanno bisogno di fosforo. C'è scritto sul libro *Il gentiluomo di campagna*. L'aragosta contiene fosforo, no?» Mi guardasti con diffidenza: «Era aragosta, no?».

«Sì. Era aragosta.»

«Uhm. Vista così sembrava tutto fuorché aragosta. Sassolini rossi e basta. Però nel pastone si sono gonfiati come pane che lievita.»

Ormai non restava che il dolce e la polvere di caffellatte. Decisa a salvarli, li consegnai alla mamma.

«Tieni, mamma. Li regalo a te.»

«Davvero?!?»

«Davvero.»

«Posso farne quello che voglio?»

«Puoi farne quello che vuoi.»

La mamma ne avrebbe avuto rispetto. Mette da parte qualsiasi cosa, la mamma: boccettine vuote, sassolini bizzarri, fiocchi grinzosi, le sorprese delle uova di Pasqua, qualsiasi cosa. Mise i due sacchetti di plastica nella bacheca dove conserva gli oggetti che le porto da ogni viaggio: accanto al sasso del Partenone, la bambolina di Kyoto, la gomma raccolta in Malesia, il topazio comprato in Brasile, l'anello preso a Calcutta. Poi chiuse a chiave la bacheca: perché tu non avessi tentazioni. Tu le avesti ugualmente. E combinasti qualcosa che ritenevo impossibile: riuscisti a corromper la mamma. La corrompesti lentamente, in silenzio, senza chiederle nulla, senza abbandonarti a un gesto. La cronaca di ciò che avvenne è contenuta nel racconto della mamma. Ti dispiace se riporto anche quello?

«Erano giorni che badava a dire: però chissà quale sapore hanno, dopotutto è stato sciocco dare i toast ai pesci e l'aragosta ai maiali, io la curiosità di assaggiar quella roba l'avrei, dopotutto si dovrebbe sapere cosa mangiano questi astronauti. uno a volte parla e non sa di che parla. Magari, vedi, non è roba cattiva, magari è un'invenzione anche giusta, io non son mica fanatico. Si fermava dinanzi alla bacheca, guardava, e insomma andò a finire che lasciai la chiave dentro la serratura. Tu lo conosci, se gli avessi detto: su prendili, non li avrebbe mai presi, è talmente orgoglioso, però di fronte alla libertà di non prenderli avrebbe finito per prenderli, e tu me li avevi dati dicendo che potevo farne ciò che volevo, sì o no? Lasciai la chiave dentro la serratura prima di mettermi a letto, lui la mattina dopo si alzava alle cinque: per andare a caccia. Non udii alcun rumore mentre girava la chiave e prendeva i sacchetti. Non credevo neanche che li avrebbe presi così subito, vedi. Tornò dalla caccia verso mezzogiorno ed era tutto contento: non fornì giustificazioni, nulla. Disse solo: ma sai che era buono quel dolce? Ci ho messo un po' d'acqua come dice tua figlia, ho aspettato un po', ed era davvero buonissimo: quei semini sai di che si trattava? Si trattava di uvette. Era ottimo anche il caffellatte, con lo zucchero e tutto: un po' d'acqua anche in quello e dopo cinque minuti la colazione era pronta. In fondo non son mica stupidi questi americani, lo sai, bisogna dire a tua figlia di portarcene ancora di quei sacchetti quando torna in America: per la caccia al capanno vanno benissimo.» E io scrissi a Downey che me ne mandassero ancora. Me ne mandarono un pacco: saranno stati quaranta. C'era anche la pesca disidratata, il pollo arrosto disidratato, la minestra di cipolle disidratata, e finirono tutti dentro il tuo stomaco: mentre puntavi il fucile sui tordi e i fringuelli. Io mi chiedo cosa direbbe il Senato americano se sapesse che quarantaquattro sacchetti di prezioso cibo spaziale, cucinato con gran spesa e fatica dagli scienziati di Downey, finirono nello stomaco del più acerrimo nemico della Luna, mentre stava al capanno, in un bosco di Greve, nel Chianti. Mio Dio. Come minimo mi toglierebbero il visto.

In quei mesi rividi anche Stig e Bjorn. Il giornale mi mandò in Scandinavia per un reportage sulle monarchie e così li rividi: in un certo senso pagando la promessa mancata di incontrarli a New York. Entrambi mi avevano scritto, dopo avermi cercato invano a New York. Io gli avevo risposto spiegando l'improvvisa partenza e così s'era stabilito fra noi un epistolario che rafforzava la veloce amicizia. Bjorn, che indirizzava le lettere « To the Girl of the Moon », Alla Ragazza della Luna, si dimostrava il più assiduo ed anche quello con cui mi intendevo di più: le sue frasi sudavan rimpianto per il mondo che laggiù disprezzava. Lo trovai all'aeroporto di Stoccolma: sempre gaio e attraente, la macchina fotografica al collo. Mi balzò incontro stritolandomi le ossa e annunciò che la sera stessa saremmo andati a cena da Stig, Stig avrebbe proiettato i suoi fotocolor. Stig trascorreva un periodo di vacanze sui monti, sui monti c'era ancora la neve sicché venne a indicarci il bivio per la sua casa sciando: assomigliava più che mai a James Stewart. La sua casa era calda, la sua moglie dolcissima, le sue figlie simpatiche: in un buffo inglese chiedevano che parlassi di quella Luna su cui Stig non narrava mai nulla. « Non ne vale la pena » diceva. E io le accontentavo: felice. L'atmosfera era quella dei vecchi alpini che si ritrovano per raccontarsi di quando facevano insieme la guerra. E metteva addosso la voglia di tornare in trincea. Dopocena proiettammo i fotocolor: San Antonio, Houston, gli astronauti, la capsula Apollo, e mentre le figlie di Stig urlavano di eccitazione, Stig sembrava dormisse, coglievo lo sguardo di Bjorn. Uno sguardo che conteneva, direi, un pensiero simile al mio: « Ci sbagliavamo. Stig si sbaglia ancora. Ne vale la pena ». Quando la proiezione finì, dissi ad alta voce la frase che in silenzio mi ripetevo da tempo.

« Io torno. Voglio tornare. »

Contribuì un altro fatto a farmi confessare così: quel reportage sulle monarchie. Più mi tuffavo nel mondo scaduto e putrefatto dei re, delle regine, dei loro sciocchi problemi dinastici, dei loro privilegi grotteschi, più capivo la gente di Houston, Cape Kennedy, Downey: li invocavo come una consolazione, una salvezza. D'accordo, la vecchia Europa si preoccupava ancora di certe idiozie, delle principesse screanzate che sposano gli amici del generalissimo Franco, dei principi ereditari cui non si consente di sposare la figlia del calzolaio, della sovrana che ha nuovamente abortito, povera cara, e così le manca l'Erede: ma i popoli giovani pensavano a volare su Marte. E le mie dita bruciavano il bisogno di scrivere cose più vere, più serie, più vicine a ciò che ci attende: l'ira che mi straziava di fronte alla mamma ammalata apparteneva a un passato remoto, il rancore per i bambini sapienti che non sanno guarire un cuore rotto era ormai spento. Come gli spergiuri che quando sono in pericolo si raccomandano a Dio, e promettono d'essere buoni, di far sacrifici, di accendere ceri se riusciranno a salvarsi e poi, quando son riusciti a salvarsi, tornano a essere quelli di prima, e scordan perfino di accendere il cero, così io rinnegavo quegli urli, quel momento di lucidità e di buonsenso, e rinverdivo la fiaba della mia goccia di luce. Tornando a Milano attaccai nel mio studio una gran mappa della Luna inviatami dall'ufficio pubblicità della Farina Lattea Nestlé. Sul Mare di Copernico era stampato: «Nutrite i Vostri Bambini con la Farina Lattea Nestlé»: ma a me sembrava bellissima. La sera, coi cannocchiali che uso per seguire le corse al galoppo, guardavo la Luna. Non vedevo molto di più di quanto vedessi a occhio nudo: ma la vedevo stupenda. E in una notte di luna piena (quant'era struggente quel bianco, quant'era struggente, papà) scrissi alla NASA di Houston per annunciare il ritorno. Tra le cose cui chiedevo di assistere era il lancio di un razzo: non avevo mai assistito al lancio di un razzo, fuorché per TV. Tra le persone che chiedevo di avvicinare erano i nuovi astronauti del secondo e del terzo gruppo: i ventitré insomma cui sarebbe senza dubbio toccato di sbarcar sulla Luna. Mi rispose Paul Haney, il direttore dell'Ufficio Pubbliche Relazioni, colui che mi aveva interrogata con tanta astuzia all'arrivo: di lanci ce ne sarebbero stati due o tre nel mese di maggio, per i nuovi astronauti avrebbe fatto il possibile. «Gli astronauti hanno saputo che vuoi rubare la Luna insieme a Gotha Cottee e Bill Douglas, per cavarne formaggio: godi dunque di una certa popolarità. Alcuni sono ansiosi di sapere se possono partecipare all'affare: dicono che con Bill e Gotha non ce la faresti, un astronauta ci vuole, e si offrono quali piloti al più fantastico furto nella storia del cosmo. Sarai benvenuta.» E a questo punto accadde una storia che mi par lecito raccontare, papà, perché esprime abbastanza bene il rinnovato pasticcio in cui mi stavo cacciando, le crepe di un mondo che rimpiangevo in modo così assillante. Il protagonista della storia è un signore che non ho mai visto ma so che sta a Washington e si chiama Paul Smith. Procediamo con ordine.

Gli americani, lo sanno tutti, sono generosi: senza dubbio il popolo più generoso della Terra. E anche il popolo che ha in maggior rispetto il denaro. Unite le due virtù, considerato che in fondo ero una brava ragazza, il Centro Corrispondenti di New York mi informò che sarebbe stato lietissimo di procurarmi una borsa di studio per il secondo viaggio: al fine di alleggerirne la spesa indiscutibilmente violenta. La borsa di studio veniva fornita da un organismo paraufficiale che ha nome Governmental Affairs Institute e attinge denaro dalla Donazione Ford. Consisteva in venti dollari al giorno, biglietti d'aereo per spostarsi da uno stato all'altro, e durava quarantacinque giorni: non uno di più, non uno di meno. Il Governmental Affairs Institute teneva moltissimo infatti a incoraggiare gli scambi culturali tra i vari paesi, aveva incoraggiato quattromila scambi a tutt'oggi, tra i suoi beneficiati citavano il vice primo ministro polacco Piotr Jaroszewicz nonché il primo ministro del Tanganika Julius Nyerere. La notizia mi condusse alle stelle. Anzitutto giudicavo consolante che a Washington si fossero finalmente accorti di me, del travolgente inimitabile peso che avevo sulla cultura europea e sul viaggio agli altri pianeti. Poi trovavo assai giusto che la famiglia Ford, gonfia di miliardi, pagasse i miei aerei, i miei motel, le mie sigarette. A conti fatti, non collocavo il mio racconto in America ignorando rivali che in materia di spazio, siam giusti, non facevano poi figuracce? Tra me e la famiglia Ford non sarebbe avvenuto, via, che uno scambio di cortesie; a Napoli dicono: «Io do 'na cosa a te, tu dai 'na cosa a me». Risposi onoratissima, grazie, accetto senza esitare. E a questo punto entra in scena il signor Paul Smith. O devo dire Smithovic? Io, più penso al signor Smith, più mi convinco che il mondo va livellandosi negli stessi difetti, papà. Per quel che mi riguarda, il signor Paul Smith potrebbe chiamarsi Paulov Smithovic e vivere a Mosca.

La lettera del signor Smith era garbata. Diceva quanto fosse contento che accettassi la borsa di studio di cui avevano beneficiato il vice primo ministro polacco Piotr Jaroszewicz nonché il primo ministro del Tanganika Julius Nyerere, e accludeva un questionario da riempire. Il questionario era lungo e qualsiasi persona di buonsenso avrebbe capito leggendolo che la cosa più saggia era di non riempirlo. Alcune domande suonavano, infatti, così: «Crede in Dio?», «Quale chiesa fre-

quenta?», «Segue una dieta?», «Quali malattie ha avuto?».
«Soffre di malattie contagiose?». Intendiamoci, chiedere a un
ospite se ha malattie contagiose mi sembra poco carino ma
saggio: tu inviti a cena qualcuno, magari, e il qualcuno ti attacca il raffreddore o la tubercolosi o la lebbra. Chiedergli se
segue una dieta è addirittura legittimo: magari cuoci al tuo o-
spite un bel fagiano farcito e lui si nutre soltanto di risottini in
bianco. E va da sé che il signor Paul Smith non doveva affatto
portarmi a mangiare, doveva soltanto fornirmi i dollari per
comprare ogni tanto due chewingum ed un sandwich. Però
chiedere a un ospite se crede in Dio mi sembra almeno indiscreto. Puoi chiederlo nel corso di una conversazione, non so,
di una intervista: quello sì, lo fo anch'io. Chiederlo invece in
un questionario, sbaglierò: a me sembra indiscreto. A ogni
modo, e mancando di qualsiasi buonsenso, risposi al questionario: non soffrivo di malattie contagiose ma da piccola avevo avuto il morbillo, gli orecchioni, la scarlattina, e da grande
m'ero anche rotta un braccio, un piede, una gamba, inoltre a-
vevo subito un intervento al mastoide. Chiese, non ne frequentavo: nemmen di domenica. La faccenda di credere o
non credere in Dio riguardava solo me stessa: ricerche tanto
drammatiche non hanno nulla a che fare coi risottini. Il signor
Smith rispose con una lettera fredda dove mi ordinava di elen-
care tutte le persone che intendevo vedere, le città, i quartieri,
i villaggi che intendevo visitare, gli imprevisti che credevo di
poter affrontare.

Mi irritò un poco, tuttavia feci l'elenco. Intendevo fermarmi a New York, a Houston nel Texas, ad Huntsville nell'A-
labama, a Cape Kennedy nella Florida, a Los Angeles nella
California. Intendevo incontrare i nuovi astronauti, Wernher
von Braun, Ernst Stuhlinger, cioè l'uomo che costruisce l'a-
stronave per Marte, e intendevo assistere al lancio di un razzo. Gli imprevisti non potevo elencarli: la mia vita era un i-
nesorabile imprevisto. Il signor Smith rispose con una lettera
ancora più fredda nella quale accusava ricevuta di quanto
detto e annunciava che mi sarebbe servito un interprete durante l'intero viaggio. Onde avvertire l'interprete, gradiva essere informato del giorno e dell'ora in cui avrei lasciato Cape
Kennedy per raggiungere, non so, New Orleans, poi del giorno e dell'ora in cui avrei lasciato New Orleans per raggiun-

gere, non so, Kansas City. E allora persi le staffe. Scrissi al signor Smith ciò che segue. Non ho la copia, purtroppo, ma la lettera era press'a poco così:

«Caro signor Smith: la Sua intenzione di darmi un interprete è davvero squisita ma l'interprete io non lo voglio perché l'inglese lo parlo benino e lo capisco ancor meglio; se è necessario, vede, lo scrivo. Inoltre io non voglio l'interprete perché amo star sola: detesto sentirmi osservata, seguita, spiata. Se accade, fuggo con stratagemmi abilissimi. Per la stessa ragione non posso fornirle l'orario preciso dei miei spostamenti: del resto io non so mai quando parto e quando arrivo. Capita, ad esempio, che mi trovi a Saint Louis e all'improvviso mi venga l'idea di correre a Mexico City, per comprarci un sombrero. Così vo all'aeroporto e cinque ore dopo sono a Mexico City. Ciò può apparirLe bizzarro, mio padre dice che è squinternato: ma la gente che scrive è sempre un po' squinternata. Comunque l'FBI, che è un'organizzazione eccellente, saprà informarla con scrupolo sui miei spostamenti. E va da sé che preferirei farne a meno: la ragione per cui non ho mai insistito per raccogliere in Russia il materiale necessario al mio libro è quella lì. Sono infatti sicura che in Russia finirei fucilata dinanzi al Cremlino per Alta Indiscrezione e Profonda Indisciplina. Antipatico quindi pensare che tal cerimonia possa avvenire dinanzi al monumento di Lincoln. Devotamente Sua, eccetera eccetera».

Seguì un silenzio di morte. Quasi che il signor Smith si fosse dissolto nel nulla. Peggio: non fosse mai esistito. Lettere giungevano da tutta l'America, anche da Washington: però mai dal signor Smith. Ed io, lo ammetto, soffrivo. Non per il sospetto, ogni giorno più acuto, di aver perso i dollari della famiglia Ford: ma perché al signor Smith m'ero ormai affezionata, perbacco: non leggerlo più mi faceva sentire una trovatella. Che fosse malato? In fin di vita? Defunto? A metà aprile chiesi sue notizie al Centro Corrispondenti Stranieri: il Centro Corrispondenti Stranieri rispose che il signor Smith stava benissimo, che il Governmental Affairs Institute era ancora lieto di ospitarmi come aveva ospitato il vice primo ministro polacco Piotr Jaroszewicz e il primo ministro del

Tanganika Julius Nyerere, che mi preparassi pure a partire. Sicché piena di fede, di amore per il signor Smith che non voleva evidentemente turbarmi con polemiche odiose, diffusi la notizia che andavo. Andavo con una borsa di studio pagata dalla famiglia Ford: e la frase non cadeva mai nell'indifferenza. Chi si congratulava con slancio, chi mi invidiava geloso, chi mi trattava con maggiore rispetto, chi mi diceva crepa. Imparai in quei giorni a distinguere gli amici dai nemici, i sinceri dai falsi: e anche questo era un merito del signor Smith. Un amico che un giorno aveva confessato con mio enorme imbarazzo «ti amo», mi tolse il saluto: per rabbia. Un altro che giudicavo assai ostile mi abbracciò invece con le lacrime agli occhi. Quanto a Stig e Bjorn risposero annichiliti che ero proprio importante, perbacco, se venivo trattata come il vice primo ministro polacco Piotr Jaroszewicz e il primo ministro del Tanganika Julius Nyerere. E in tale atmosfera telegrafai in USA: «Arrivo, arrivo, arrivo». Poi feci le valige e la mamma scuoteva il capo, indulgente: «Lo dicevo, io, lo dicevo». Tu grugnivi la solita disapprovazione, papà, ma in fondo al cuore eri fiero del fatto che la famiglia Ford sostenesse le spese.

La telefonata dell'ambasciata americana, via USIS, giunse dodici ore avanti la partenza del mio aereo. Diceva, laconicamente, che la borsa di studio era stata annullata.

«Impossibile!»

«Sembra di no.»

«Ma io parto fra dodici ore.»

«Ne siamo desolati, è assai imbarazzante.»

«Non si poteva dirmelo prima?»

«È ciò che abbiamo osservato anche noi.»

«Lo ha deciso Paul Smith?»

«Eh, sì. Proprio lui.»

«E non mi manda a dire nient'altro?»

«Be'... veramente...»

«Su, avanti. Che dice?»

«Dice che se lei va in America per vedere i ciliegi in fiore, arriva tardi: la primavera è finita. Se va in America per vedere i lanci, arriva presto: non si programmano lanci fino all'anno prossimo.»

Simpatico, adorabile signor Smith. Menomale che le banche aprono presto, al mattino, in Italia. Non ci crederai, papà, ma non ero affatto arrabbiata. Anzi ero felice. Una si sente più alta, più bella, più giovane a comprare tutti quei dollari e pensar che così li risparmia la famiglia Ford. Si sente più Ford di una Ford: il suo petto si gonfia, il suo passo diventa spedito, e al suo passaggio la folla si apre come il Mar Rosso dinanzi a Mosè. Simpatico, adorabile signor Smith. Gli dovevo anche questa esperienza: meritava un regalo. Giunta a New York, telefonai alla ditta che ha nome «Ditelo coi fiori» e spedii a Washington un gran fascio di rami fioriti di ciliegio.

# CAPITOLO DICIASSETTESIMO

L'uomo volava nel cielo di New York come nei sogni di quando dormiamo felici e ci par d'essere una farfalla, un uccello, basta muovere appena le dita per alzarsi da terra, leggeri, andar su, sempre più su, li conosci quei sogni? A volte è un nuotare nell'aria mentre l'aria accarezza il viso, frusciando, le braccia son ali che sfiorano i tetti, i campanili, gli alberi; a volte è un lasciarsi andare di piuma, uno scivolare sul vento, silenziosamente, senza muovere nulla: e vorresti che non finisse mai. Invece finisce. Apri gli occhi, ripiombi incollato alla terra e non sei più una piuma, una farfalla, un uccello: sei solo un peso che dice «stanotte ho sognato di volare» poi guarda geloso le piume, le farfalle, gli uccelli.

L'uomo sembrava piuttosto un calabrone: ma bianco. Aveva una tuta bianca, un casco bianco, un manubrio bianco, e bianco era anche il corsetto che gli fasciava il torace, bianche le bombole dietro le spalle, bianchi i tubi di scappamento: sottili, curvati all'ingiù, simili alle antenne di un calabrone. Dai tubi usciva un ronzio continuo e acuto: il ronzio di un calabrone. Come un calabrone volava solo e deciso, quasi cercasse qualcosa da mangiare o da pungere: istintivamente temevi che cercasse te e ritraevi la testa impaurito, impaurito pensavi: ecco arriva, mi punge, mi mangia. Più insetto che uomo, ci mettevi del tempo a capire che non era un calabrone ma un uomo: un uomo identico a te che volava come nei sogni di quando dormiamo felici. Mica nuotando nell'aria, però. E neanche lasciandosi andare sul vento. Stando ben dritto, dritto il capo, dritto il busto, dritte le gambe che teneva unite, in posizione di attenti. Le braccia erano piegate ad angolo retto. Le mani stringevano due manopole collegate al manubrio. I piedi penzolavano un poco perché non li appoggiava su nulla. Calzava stivali marroni che eran l'unica macchia di scuro su tutto quel bianco.

L'uomo si era librato da un tetto e ora girava intorno al mappamondo della Fiera di New York. Un gran mappamondo di ferro, coi meridiani e i paralleli di ferro, i continenti di ferro, niente al posto del mare, e dentro il vuoto. Attraverso la grata che nasceva dall'incrocio dei meridiani coi paralleli lo si poteva vedere, perciò, anche quando volava più basso: dall'altra parte del mondo. Volava ora alto e ora basso, si fermava all'improvviso restando immobile a considerarci, riprendeva di colpo ad andare quasi gli fossimo poco piaciuti, poi d'un tratto cambiava idea e ritornava: per regalarci un sorriso. Girò così, in un alternar di sorrisi e incertezze, per tre minuti: infine scese. Non a caso, però, non con la capriola un po' tragica di chi scende col paracadute e in un goffo intrico di fili: dolcemente, con grazia. Si posò lieve lieve sopra l'asfalto, spense il motore, mi porse la mano e disse: «Sono Robert Courter». Se mi avesse detto: sono una farfalla, sono un uccello, sono un angelo, non avrei battuto ciglio: avrei pensato soltanto la mamma ha ragione, gli angeli esistono. Del resto, cos'altro poteva essere all'infuori di un angelo? Era un angelo: di nome Robert Courter.

«L'ho vista, di lassù» disse l'angelo.

«Oh!» balbettai.

«E sono sceso un po' prima» disse l'angelo.

«Oh!» balbettai.

«Le è piaciuto il mio volo?» disse l'angelo.

«Oh, sì!» esclamai.

«Desidera qualcosa prima che ci mettiamo a parlare?» disse l'angelo.

«Oh, sì!» esclamai.

«Cosa?» disse l'angelo.

«Se anch'io potessi provare!»

«No, non si può» disse l'angelo.

«Perché? È pericoloso?»

«No, non è pericoloso» disse l'angelo.

«È difficile?»

«No, non è difficile» disse l'angelo.

« E allora cos'è? »

« È che costa un mucchio di dannatissimi centoni, questo dannatissimo aggeggio, e se me lo rompe chi ci va di mezzo è il sottoscritto che poi deve sputarli di tasca sua, quei centoni, mi spiego? »

Smise subito d'essere un angelo. E anche una farfalla, un uccello. E fu solo Robert Courter, cittadino americano, anni trentotto, sposato con figli, abitante a Buffalo, di professione uomo-razzo. Prima d'essere uomo-razzo era stato pilota. Come pilota aveva combattuto nella Seconda Guerra Mondiale e in Corea. Qui si trovava perché la Bell Aerosystem Company esibiva quei dannatissimi aggeggi per la dannatissima gente che paga il dannatissimo biglietto nel dannatissimo Padiglione delle Meraviglie, alla dannatissima Fiera di New York. Quanto alla Bell Aerosystem Company, era la dannatissima compagnia che li fabbrica: sì, a Buffalo, vicino alle Cascate del Niagara, fabbrica anche il motore dell'Atlas, insomma il razzo della capsula Gemini, ma a lui che gliene fregava, a lui gliene fregava soltanto di dover stare qui, a questa dannatissima Fiera, menomale che aveva due dannatissimi colleghi che gli davano un dannatissimo cambio: di uomini-razzo in America ce ne sono tre, il che in altre parole vuol dire che ce ne sono tre in tutto il mondo, la Russia non usa per ora gli uomini-razzo. Be', chi erano gli altri due? Erano i due dannatissimi tipi che gli stavano togliendo la cintura-razzo: ché, non li vedevo? Dite salve, ragazzi!

« Salve » brontolò il primo sfilandogli le bombole.

« Salve » brontolò il secondo sollevandogli il corsetto.

Gli assomigliavano molto, soprattutto nel viso. Quei visi, papà, che dimentichi un attimo dopo averli guardati e per ricordar come sono devi guardarli di nuovo o cercarne una fotografia. Io ad esempio non rammento che questo: che si assomigliavano molto e che erano molto abbronzati. O forse no, non lo erano. Però quasi tutti i piloti hanno il viso abbronzato.

« Mi sarebbe piaciuto provare che effetto fa » dissi all'uomo-razzo, insistente.

« Che effetto vuole che faccia? » rispose. « L'effetto di uno che sta su. Punto e basta. »

«Mi chiedevo se uno si sente leggero. Anzi, in che modo leggero» continuai.

«Be', per leggero uno si sente leggero. Dannatamente leggero. Come vuol che si senta?»

«Non so, non riesco ad immaginarlo. Fuorché quando sogno.»

«Quando cosa?» esclamò l'uomo-razzo.

«Quando sogno. Di volare, ad esempio. Lei non sogna?»

«Io dormo sodo, dannatamente sodo. Non sogno robe del genere. Per volare, io volo da desto.»

«Capisco.»

«Be', lo vuol sapere o no come funziona questo dannatissimo aggeggio?»

«Certo, signor Courter. Grazie, signor Courter.»

Il dannatissimo aggeggio funzionava come un normalissimo razzo. L'accensione avveniva girando le manopole del manubrio, simili alle manopole di una motocicletta. Attraverso di esse l'uomo-razzo controllava l'ascesa, la discesa, ogni manovra di spostamento. Poteva andare avanti, indietro, in basso, in alto, girare, e anche star fermo. Il carburante, perossido di idrogeno, era contenuto nei due serbatoi dietro le spalle: grandi come le bombole di ossigeno di un pescatore subacqueo. I tubi di scappamento che avevo paragonato alle antenne di un calabrone restavano abbastanza lontani dal corpo per non danneggiarlo. La cintura-razzo consisteva in quel corsetto che ricordava un po' le ingessature al torace, quando ci si rompe le costole. Era legata al corpo da due cinghie ed agguantava anche le gambe, all'altezza dell'inguine. Era di una fibra vetrosa. L'autonomia di volo durava tre minuti, in futuro però sarebbe stata lunghissima: anche alcune ore. Così affermava il dottor Wendell Moore, cioè l'ingegnere che aveva inventato la macchina. Naturalmente capivo gli infiniti sfruttamenti della cintura-razzo. Tanto per dirne uno, a scopi militari. Con la cintura-razzo si superano fiumi, campi minati, ostacoli di qualsiasi genere, e nelle operazioni di sbarco si vola dalla nave alla spiaggia senza bagnarsi. Non per nulla l'esercito l'aveva acquistata. L'aveva acquistata anche la NASA, per usar sulla Luna. Sulla Luna sarebbe stata utilissima per alzarsi sopra le rocce, i crateri, gli scivolamenti di lava, le pianure di polvere dove è facile affondare. Nello spazio poi sarebbe stata insostituibile: non v'era altro modo per uscire da un'astronave e dirigersi a un'altra astronave. Una volta uscito dall'astronave, un astronauta non può che galleggiare: resta lì come una dannatissima pera su un piatto. Con la cintura-razzo invece si sposta, va dove vuole. L'uomo-razzo aveva volato con il dannatissimo aggeggio per il dottor von Braun che ne era rimasto estasiato. Ne era rimasto estasiato anche l'altro-come-si-chiama, quello della dannatissima nave per Marte, sì, il dottor Stuhlinger.

«E qui sulla Terra, signor Courter, a cosa serve?»

«Be', qui sulla Terra può servire a tante cose, no? Uno l'adopera al posto dell'automobile, dell'elicottero, della bicicletta, dell'autobus. Col vantaggio che atterra dovunque: su un dannatissimo tetto come su un dannatissimo marciapiede, su una dannatissima terrazza come sul davanzale di una dannatissima finestra.»

Mi sembrò di udir la tua voce, papà: ora non potremo dormire neanche con le finestre aperte d'estate; anche abitando all'ottantesimo piano, dormiremo nell'incubo di veder atterrare la gente sul nostro balcone. Ladri, innamorati respinti, maniaci sessuali, che so. Una donna specialmente: ti sembra prudenza? Una sonnecchia tranquilla in cima al suo grattacielo e paf! Eccola lì strangolata, o svaligiata, o impegnata in discussioni penose. Giusto, papà. E gli interpreti del signor Smith, umiliato dai miei fiori di ciliegio? Preoccupatissima guardai l'uomo-razzo.

«Conosce per caso il signor Smith?»

Spalancò la bocca in un sincero stupore.

«Smith?!? Quale Smith? L'America è piena di dannatissimi Smith.»

«Il signor Paul Smith di Washington.»

«Mai visto un dannatissimo Paul Smith di Washington.»

Respirai di sollievo, ma non troppo.

«Suppongo che lei possa insegnare a chiunque come adoperare questa macchina. Tanto per fare un esempio: se un signor Smith le chiedesse di insegnargli ad usarla, lei gli insegnerebbe?»

«Boh! Per me, basta che paghi. Basta che abbia i centoni.»

Tremai. I centoni il signor Paul Smith ce li aveva: tutti i centoni della Donazione Ford. In più i centoni che a me erano stati negati e potevano essere spesi per entrar nella mia camera, soffocarmi con fiori di ciliegio.

«Dica un po', signor Courter: ci vuol molto tempo per imparare a guidarlo, questo dannatissimo aggeggio?»

«Tre giorni, non più»

Il tremito divenne violento.

«Saranno necessarie particolari doti fisiche però: giovinezza, cuore saldo, nervi d'acciaio...»

«Macché. Può guidarlo indifferentemente un vecchio come un bambino.»

«Oddio! E se ne vendono molti, signor Courter?»

«Nessuno... Il dannatissimo oggetto non è per nulla in commercio, per ora. Possono sperimentarlo solo i militari e la NASA.»

Mi accesi come un albero di Natale, papà.

«Sicché se un uomo molto importante lo pretendesse per scambi culturali, non so, non glielo darebbero mica?»

«Scambi... cosa?»

«Scambi culturali.»

«Mai sentiti.»

«Il che conferma che non può essere usato per quelli.»

«Non può essere usato per nulla, un dannatissimo nulla che io non conosca digià. Punto e basta.»

«Menomale, signor Courter.»

«Che dice?»

«Niente, signor Courter.»

«Be', vuol saper altro?»

«No, grazie, signor Courter.»

«Posso andar su?»

«Certo, signor Courter.»

«Tenga un po' di dannatissimi fogli.»

Mi porse una busta piena di spiegazioni e di fotografie, si fece rimettere la cintura dei sogni, si preparò a salire per la dannatissima gente che paga il dannatissimo biglietto nel dannatissimo Padiglione delle Meraviglie alla dannatissima Fiera di New York. La folla gridava, eccitata. Vomitandogli addosso imprecazioni l'uomo-razzo girò le manopole. Si udì un piccolo scoppio, quasi un colpo di rivoltella col silenziatore, poi si udì un ronzio acuto. E l'uomo-razzo si librò verso il cielo. Volteggiò intorno al gran mappamondo, sorrise, andò avanti, tornò indietro, sorrise di nuovo, salì in alto, sempre più in alto, e tornò a essere un bianco calabrone, una farfalla, un uccello. E infine fu un angelo.

# CAPITOLO DICIOTTESIMO

Gli elefanti avanzavano a gruppi, a coppie, a collegi allineati in lunghe file massicce, e ogni volta che mi passavano accanto, annusavo la morte. Cieca di terrore ritraevo le zampine sotto l'addome, acquattavo le antenne, aspettavo d'esser ridotta a una macchia minuscola e informe: i resti di una formica. Poi, sorpresa d'essere salva, li esaminavo allibita. Molti elefanti erano neri, altri gialli, altri color caffellatte, e la maggioranza eran rosa. Non avevano proboscide, né zanne d'avorio, si reggevan su due sole zampe e il loro corpo era più o meno coperto di stoffa: qualcuno avrebbe potuto scambiarli per uomini, donne, bambini. Ma da elefanti barrivano, calpestavano, travolgevano, sordi a tutto ciò che era piccolo, indifeso, malato, ebbri dell'eccitazione selvaggia che li aveva condotti fin qui. Questa era la loro vancanza, la gran festa per cui erano scesi dalle province, dai monti, dai boschi remoti dove era giunta la favola dell'uomo-razzo ed analoghe meraviglie. Oltre a barrire, calpestare, travolgere, gli elefanti ruminavano chewingum, pop-corn, panini imbottiti, cioccolate, gelati, rane fritte, gamberi bolliti, lecca-lecca, si rovesciavano in gola cascate di birra, Coca-cola, Pepsi-cola, Seven-Up che serviva anche a lavarsi la fronte, la nuca, gli orecchi e quando pareva che si diradassero un poco, subito un treno sbucava dal tunnel della sotterranea, spalancava le porte automatiche, ed altri elefanti ne uscivano a mandrie, colpendosi, facendosi male, abbattendosi verso un botteghino con due dollari in mano. Poi immensi, disumani, spietati, avanzavan di nuovo verso di me nascosta dietro una foglia, pregavo il dio delle formiche di aiutarmi, salvarmi. Ma nessun dio poteva far nulla per me.

Faticosamente facendomi strada lungo la zanella del marciapiede, tra bicchieri di carta, bottiglie, salsicciotti appena addentati, dolci appena assaggiati, lo spreco di un popolo ricco che compra il cibo per abitudine e non perché ha fame, cercai il padiglione della General Motors. Non misi molto a comprendere che l'impresa era disperata. La Fiera era vasta quanto una vasta città, a girarla tutta ci volevan due anni, solo gli elefanti riuscivano a vederla in due giorni. E la General Motors chissà dove si trovava. Sventolavano su alti pennoni le bandiere del mondo, la bandiera degli Stati Uniti, dell'URSS, della Francia, del Congo, della Germania, dell'Australia, del Giappone, della Nigeria, dell'Inghilterra, dell'India, del Vaticano, di Hollywood, della NASA, dell'IBM cioè la patria dei Calcolatori Elettronici, della BSC cioè la patria dei Rifugi Antiatomici, della Ford, della Dupont, della Douglas, della Garrett, della North American: ma la bandiera della General Motors non riuscivo a vederla. Una formica si perde in simili immensità. Passavano gli autobus, ad esempio: specialissimi autobus cui sarebbe bastato dire voglio scendere alla General Motors. Ma quando la portiera si apriva gli elefanti si precipitavano, ostruivano compatti il passaggio, e al mio turno il bus era colmo, ripartiva con grande fragore. Passavano strani oggetti rotondi, ad esempio, dischi guidati da un'unica ruota che chiamavano tassì. Ma tentar di fermarli era vano perché bisognava prenotarli con settimane di anticipo. C'erano elefanti-poliziotti, ad esempio. Ma non serviva che gli chiedessi dov'è la General Motors, papà: la mia voce era piccola e non la potevano udire. C'erano elefanti-guida, ad esempio. Ma non era prudente che li chiamassi pizzicandogli un braccio: apocalittica come una valanga, la gran manaccia si abbatteva sulle mie zampine rischiando di spappolarle. Perciò, ferma dinanzi ad un grande uovo di plexiglas che non capivo a cosa servisse, non avevo che una soluzione: telefonare al signor Turton che mi venisse incontro. E dove trovarlo, un telefono?

Mi rivolsi a un elefante-bambino che mi fissava leccando un gelato.

«Scusi, signore, sa dirmi dov'è un telefono, prego?»

L'elefante-bambino dette un'altra leccata al gelato, poi mi esaminò con disprezzo.

«Ti sta dietro il sedere, tonta.»

« Come ha detto, scusi, signore? »

« Non lo vedi che quell'uovo è il telefono? »

« Quello, signore?!? »

« Auf! »

Guardai dentro, attraverso il guscio trasparente di plexiglas. Al posto del tuorlo c'era una macchina che assomigliava a un calcolatore elettronico: completamente liscia fuorché in un angolo dove si annidavano trentaquattro pulsanti celesti, ciascuno con una lettera o un numero. Dinanzi alla macchina c'era una panca foderata di gommapiuma. Ma la porta per entrare dov'era? Mi rivolsi di nuovo all'elefante-bambino.

« Scusi, signore, la porta dov'è? »

« Auf! » rispose l'elefante-bambino. Poi si piantò dinanzi a una scritta che diceva *Entrance*, Entrata, e come per sortilegio l'uovo si aprì.

« Su, marcia. »

« Grazie, signore. »

Con zampine esitanti entrai dentro l'uovo, sedetti in cima alla panca. E ora? Dove stava il ricevitore da alzare e parlarci? Come si usavano tutti quei pulsanti?

Appoggiato alla parete esterna dell'uovo, l'elefante-bambino mi giudicava in silenzio. Lo guardai supplichevole. Lo chiamai ben sapendo che non poteva udirmi. L'uovo s'era automaticamente richiuso al mio sfiorare la panca, e neanche un sussurro ne usciva.

« Scusi, signore, lei sa come funziona? »

« ..... »

« Sto chiedendole dov'è il ricevitoreeeee! »

« ..... »

« Vuoi venire qui dentro per cortesiaaaaa? »

« ..... »

Mi aiutai con i gesti. Capì. Sputò sopra un fiore. Entrò. Sedette vicino a me sulla panca.

« Auffa. Che numero? »

« 888-4000, signore. »

L'elefante-bambino tese l'indice verso i pulsanti, li schiacciò sugli otto, sul quattro e sugli zero come se suonasse tanti campanelli. E li suonava, del resto. Ogni volta che il suo dito premeva, si udiva un drin! Poi, quando l'ebbe suonati tutti, si mise ad attendere. Voglio dire: non toccò altro, non appoggiò la bocca e l'orecchio ad alcun buco. Semplicemente, si mise ad attendere. Zitto. Ero zitta anch'io. Era zitto anche l'uovo. Tutto il mondo per qualche minuto fu zitto. E la voce scoppiò pari a un fulmine, un fragore biblico. Rintronando.

« Hallo! Hallo! »

« HALLO! HALLO! »

Sul Monte Sinai la voce di Dio doveva rintronare così. E dimmi, papà: cosa rispondi quando il Signore ti chiama? E in che modo?

« Be'? Non rispondi? » chiese l'elefante-bambino.

« Dove? » domandai disperata.

« Come, dove?!? »

« HALLO! HALLO! »

« Hallo » feci timidamente, parlando al nulla. E arrossii.

« Qui Harry Turton, Ufficio Pubblicità della General Motors » disse la voce, impaziente. « Chi è? »

« Sono io, signor Turton. »

« Io chi? » si infastidì il signor Turton.

« Io, Miss Fallaci, signor Turton. »

« Be', te la cavi? » brontolò l'elefante-bambino.

« Sì, signore. Grazie, signore. »

« Ciao, tonta. »

« Arrivederla, signore. »

Se ne andò sputacchiando. Il signor Turton capì.

« È in qualche pasticcio, Miss Fallaci? »

« Sì, signor Turton. Un pasticcio terribile. »

« Dov'è? »

« Dentro un uovo, signor Turton. »

« Dentro un uovo?! »

« Sì, signor Turton. Un uovo che dice d'essere un telefono. »

Il signor Turton rise.

« Ho capito. È dentro una cabina stereofonica. Quale? »

« Oh, non lo so, signor Turton. Ce ne son tante, di queste uova. Ma son tutte uguali. Ne ho scelta una a caso. »

Ora parlavo al nulla con disinvoltura, e non arrossivo più. Mi stavo abituando insomma. Come ci si abitua a tutto. Anche a parlare dentro un uovo.

« Ha un punto di riferimento, una indicazione da darmi? » chiese il signor Turton.

« Proprio no, signor Turton. »

« Per l'amor del Cielo! Si guardi intorno! »

Mi guardai intorno. Fuori dell'uovo c'erano gli elefanti, le bandiere, i viali della Fiera, i padiglioni della Fiera, gli orrori della Fiera e poi c'era un enorme schermo quadrato dove numeri composti da lampadine si susseguivano a una velocità vertiginosa: onde informare a quanto ammontasse in quel momento la popolazione degli Stati Uniti d'America. Un sistema elettronico collegato con tutti gli uffici d'anagrafe dei cinquanta stati d'America avvertiva lo schermo ogni volta che nasceva un bambino e immediatamente le lampadine accendevano un numero che includeva quel bambino di più. La cosa straordinaria era che il numero aumentava ogni mezzo secondo: ogni mezzo secondo, cioè l'America metteva al mondo un bambino. Ma il posto per contenerli dov'era? Sfido io che volevano colonizzare altri pianeti.

« Allora? Non trova niente da dirmi? » insisté il signor Turton.

« Posso dirle che è nato il duecentotrentaquattromilionesimo bambino d'America, signor Turton. »

« Porca miseria! » esclamò il signor Turton. « Si esagera, no? »

« Sembra anche a me, signor Turton. »

« È sicura di non sbagliarsi? »

« Sicurissima. Cioè no. È nato il duecentotrentaquattromilionesimo e uno. »

« Accidenti! » disse il signor Turton.

« Signor Turton! »

« Cosa? »

« Erano gemelli! È nato anche il duecentotrentaquattromilionesimo e due! »

« Basta » disse il signor Turton. « Ho capito dov'è. Vengo a prenderla. »

Udii un colpo secco, di ricevitore che si abbassa, e nell'uovo tornò il silenzio. Così mi accinsi a uscirne, però di malavoglia: cominciava a piacermi, quell'uovo. Forse perché mi proteggeva dagli elefanti, non so. Forse perché mi riportava, come la capsula d'acqua del dottor Douglas, nel ventre della mamma e mi pareva di non essere nata, non so. E quando il signor Turton arrivò, con uno dei quei dischi che chiamano tassi, mi alzai quasi con dolore. Era duro nascere. Nascere significava entrare nel padiglione della General Motors.

Il signor Turton era un giovanotto gentile e sorrideva come se fosse stampato su una pagina patinata di «Life», onde offrir sigarette o una marca speciale di whisky! Era devoto alla General Motors come un comunista è devoto al Partito Comunista e mi spiegò una cosa molto importante: lo spettacolo che avrei visto era una visione del futuro anticipato dalla General Motors grazie alla sua ineguagliabile inimitabile insostituibile produzione di macchine; lo spettacolo infatti si chiamava «Futurama». Poi mi spiegò quanto fossi fortunata: c'era gente che faceva sei ore di coda per vederlo, e nell'attesa sveniva. C'era gente invece che non l'avrebbe mai visto e così non avrebbe saputo ciò di cui era capace la General Motors. Dopodiché fummo dinanzi alla General Motors, un edificio immenso quanto il tempio di Ramses, avvolto a spirale da migliaia e migliaia di elefanti che dall'alba attendevano mescolando ruminar di noccioline e barriti, strillar di fanciulli e musica di transistor, cronache sportive, notiziari politici, inneggiamenti pubblicitari, un incubo. Ed entrammo nel Futurama.

A prima vista sembrava il Tunnel dell'Amore: sai, quello del Luna Park dove gli innamorati si abbracciano indisturbati nel buio. Era infatti una tunnel senza luce dove sedili allineati scorrevano lungo un tapis-roulant. Lo spettacolo si svolgeva ai lati sicché per seguirlo bisognava continuamente girare la testa come alle partite di tennis. Una voce lo commentava insieme a una musica eroica: Beethoven, mi parve, suonato sull'organo Hammond. Durava mezz'ora ed era continuato come le proiezioni di un film al cinematografo. Incominciava un cosmo luccicante di stelle mentre la voce gorgogliava commossa: «Benvenuti al viaggio nel futuro, un viaggio per tutti nell'ovunque di domani. Esploriamo insieme il futuro, un futuro di realtà non di sogni: poiché ciò che vedremo è niente in confronto al domani del domani. Ecco, è già domani». Su queste parole infatti partimmo e subito raggiungemmo la Luna che a destra era una palla di plastica sospesa nel vuoto e a sinistra un paesaggio di rocce su cui gli astronauti volavano con enorme cautela servendosi di cinture-razzo identiche a quella di Robert Courter. Gli astronauti avevano le dimensioni dei burattini e tutto ovviamente era su scala ridotta: però molto presto si entrava nel gioco e tutto diventava normale. Era normale anche la disinvoltura con cui si passava dalla Luna alla Terra: dopo qualche minuto scendemmo subito in Terra. Anzi sott'acqua, nel mare. Nel mare c'erano alberghi, sale da ballo, campi da tennis, acquaporti, ospedali, grattacieli, villette intorno alle quali i pesci nuotavano per non farci rimpianger gli uccelli o piante marine crescevano per non farci rimpiangere l'erba. E intanto passavano sottomarini a forma di treni, di tassì, di auto da corsa, di bus. Una normale città dentro il mare. La voce del commentatore tuonò:

«Il mare. Tre quarti della Terra giacciono nelle oscure profondità del mare. Un mondo d'acqua che fino a oggi non abbiamo sfruttato ma che è fonte di ricchezza infinita, nutrimento infinito, e può sostenere una popolazione pari a sette volte quella terrestre. Andiamoci dunque coi treni sottomarini, viviamoci dunque in case sottomarine, spostiamoci con automobili e tassì sottomarini: per i nostri weekend ecco l'albergo Atlantis, un incanto di comodità riunite nei giardini del mare».

«Dica un po': sta scherzando?» chiesi al signor Turton.

«La General Motors non scherza» disse il signor Turton.

«Ma l'albergo Atlantis...»

«L'albergo Atlantis vuol costruirlo Hilton, dentro il mare delle Hawaii. Sarà bellissimo come tutti gli alberghi Hilton e lei ci andrà.»

«E come?!»

«Col treno sottomarino. Ci è già stato ordinato dalla compagnia ferroviaria che gestisce la linea Los Angeles-New York.»

«La smetta, signor Turton!»

«La smetta lei» si stizzì il signor Turton. «Il treno sottomarino comincerà a funzionare assai prima che l'umanità vada ad abitare nell'acqua. Il sottomarino è un veicolo molto più efficiente della nave, molto più veloce. Per andare da Roma a New York il sottomarino atomico impiega quanto un aereo a reazione. O vuole usarlo soltanto per fare la guerra? Eh? Vuole farci soltanto la guerra?»

«Io?!»

«Fino a oggi i sottomarini sono stati usati soltanto per fare la guerra. La General Motors vuol costruirli per la gente in borghese, in tempo di pace. Presto, mi creda, le navi saranno un pittoresco ricordo da mostrare ai bambini come i barconi del Mississippi. La loro fine è ormai prossima.»

«Davvero lei crede che l'umanità possa abitare sott'acqua, signor Turton?»

«In edifici e veicoli costruiti col concetto dei sottomarini, sì, certo. Non avremo altra scelta se continua a nascere un americano ogni mezzo secondo. O il mare o lo spazio: la terraferma non basta più. E il mare, scusi, non ci offre tutto?»

«Già. Lo dice anche Capitan Nemo.»

«Chi è? Un suo parente?»

«No, il comandante del *Nautilus*.»

Il signor Turton mi guardò come mi aveva guardato Gotha Cottee quando gli avevo chiesto se conosceva *Dalla Terra alla Luna* di Verne.

«Non lo conosco.»

«Signor Turton, ha mai letto un libro che si chiama *Ventimila leghe sotto i mari*?»

«No» disse. «È uscito da poco?»

Saltammo fuori dell'acqua, fummo all'Equatore. Rugiadose foreste ci avvolsero: tra uno svolazzare di uccelli, uno strillare di scimmie penzolanti a liane, un profumo sano di erba e di fiori. Stupende orchidee si gonfiavano al sole, dolci banane maturavano in grappoli d'oro. E un mostruoso bull-dozer, avanzando con apocalittiche falciate di morte, tagliava quel paradiso: per costruirvi città. Con un brivido pensai a te, papà. E poi pensai a Scott Turner, il bambino di San Diego che scrisse a John Kennedy la terribile lettera che Robert Cubbedge riporta nel suo bel libro *I distruttori dell'America*.

> *«Caro signor Presidente*
> *noi non abbiamo posto*
> *per andare quando noi*
> *vogliamo andare*
> *fuori nel canyon*
> *perché anche là*
> *quelli costruiscono*
> *le case. Senti per piacere*
> *signor Presidente*

*ti dispiacerebbe dire*
*a quelli di mettere*
*un pochino di terra*
*da parte così noi*
*ci andiamo a giocare?*
*Grazie e tanti bacini*
*dal tuo* Scott. »

Kennedy, dice Roberto Cubbedge, gli fece rispondere da Stewart Udall, Segretario degli Interni. Una lettera lunga che
diceva: «Caro Scott, il Presidente vuole tu sappia che è d'accordo con te perché anche a lui piace andare a caccia di lucertole, e seguire le formiche, e star tutto solo, sdraiato per terra,
a guardare le nuvole che cambiano forma o colore. Perciò il
Presidente tenterà di fare proprio quello che dici, metter da
parte un pochino di terra per andarci a giocare...». Ma Kennedy era morto ammazzato da quelli cui non piace andare a
caccia di lucertole e seguire le formiche e star tutti soli, sdraia-
ti per terra, a guardare le nuvole che cambiano forma o colore: e l'America orfana era padrona ormai di imporre al
mondo la civiltà del chewingum, imitata perfino dai suoi peggiori nemici. Addio, rugiadose foreste. Addio verdi regioni
dell'Equatore.
    «Neanche le verdi regioni dell'Equatore sono state ancora
sfruttate» disse la voce del commentatore. «Ma la tecnologia
ha trovato il mezzo per entrare in quelle foreste, ed abbatterle,
e costruire al loro posto autostrade, ponti sopraelevati che
conferiscono nuova dignità alla giungla selvaggia. Ecco al lavoro i potenti bull-dozer, vere fabbriche su quattro ruote, per
far pulizia.»
    «Quelli li costruisce la General Motors» disse il signor Tur-
ton, orgoglioso.
    «Complimenti, signor Turton.»
    Lasciammo l'Equatore, fummo nel deserto. Cioè in quello
che era stato il deserto amato dai beduini e i poeti. Al posto
delle dune di sabbia, del grande silenzio, sorgevano grattacieli
e villette, macabri filari di funghi seminati a milioni secondo i
nuovi concetti dell'agricoltura industriale. Alternando vampate di sole con acquazzoni di nubi artificiali, i funghi crescevano infatti nel giro di pochi minuti. «La tecnologia» disse la

voce del commentatore «cancellerà anche i deserti. L'acqua del mare, depurata del sale e condensata in nuvole, poi spinta sopra il deserto dal vento meccanico, renderà fertile perfino la sabbia.»

«Dice sul serio, signor Turton?»

«Suvvia! È la General Motors che costruisce le macchine per condensare le acque marine in nuvole prive di sale» disse il signor Turton.

«Complimenti, signor Turton.»

«Costruisce anche le macchine per il vento meccanico, la General Motors» esclamò il signor Turton.

«Di nuovo complimenti, signor Turton.»

E giungemmo alla Città, tappa finale del Futurama. La Città era New York nell'anno 2000. Assomigliava alla New York di oggi quanto la New York di oggi assomiglia a un villaggio marocchino. Abbattuti l'Empire State Building, il palazzo dell'ONU, i grattacieli del Rockfeller Center, cancellate la Quinta Avenue, Park Avenue, Madison Avenue, eliminati i bellissimi ponti sullo Hudson e l'East River, al loro posto si alzavano fantascientifiche torri di trecento piani, strade automatiche, oggetti che non riuscivo a capire, tra cui volavan però donne-razzo e uomini-razzo. E in fondo a un gran pozzo, tapina, una pulce priva di ogni solennità, stava chissà perché la cattedrale di Saint Patrick. Rotta di emozione, la voce del commentatore declamò: «Oh, la Città del Futuro! Oh, la nostra bella Città del Futuro che generosamente peraltro conserva le sue tradizioni, la sua fede cristiana: la cattedrale di Saint Patrick, vedete. Un folgorio di tecnica, di commercio, di sport, di ricchezza, e perché no? di cultura e di arte. Uomini, donne, bambini: il nostro viaggio nel futuro è concluso. Il presente è un istante tra un passato infinito e un futuro che corre, è già qui».

«Ohi!» sospirai «Ohi!»

«Si sente male?» chiese il signor Turton, premuroso.

«Sì, tanto male.»

«Dove? Dica, dove?»

«Ohi, ohi! Dappertutto.»

«Posso offrirle una Coca-cola? Fa bene, sa?» disse il signor Turton.

«Una Coca-cola...?»

« Forse preferisce una Pepsi-cola » disse il signor Turton.
« Una Pepsi-cola...? »

« Ho capito. Lei beve Seven-Up » disse il signor Turton.

E io bevvi Seven-Up. Naturale, avresti brontolato, papà:
cos'altro ti offre, il futuro, fuorché Coca-cola Pepsi-cola Seven-Up? Guarda, un mucchio di cose, papà. Anzitutto, la Firebird IV insomma l'Uccello di Fuoco IV. Che roba è? Ma è
un'automobile, papà. E poi? Poi la Runabout, insomma la
Girintorno. Che roba è? Un'altra automobile, papà. E poi?
Poi la GM Styling, insomma la Stile General Motors. Un'altra automobile?! Sì, papà. Però non ti arrabbiare. Ascoltami,
invece. Come tu non sai, le automobili saranno bandite dalle
città del futuro. Sì, bandite. Per via del parcheggio. Non si sa
più dove metterle, crescono come le alghe del dottor Fyfe e
anche il sistema della General Motors (cioè un grattacielo e-
sclusivamente addetto al parcheggio) sembra insufficiente.
Dovremo quindi imitare il provvedimento di Giulio Cesare
che nel 46 avanti Cristo proibì, dentro le mura di Roma, qualsiasi veicolo fornito di ruote e così risolse il problema del traffico. Le automobili continueranno a essere usate per i lunghi
tragitti e poi spariranno del tutto. Sì, proprio come sparirono
le carrozze tirate dal cavallo. Qualche automobile si vedrà ancora, evidente, ma nei musei o nelle piazze di Roma e di Firenze: pei turisti americani in cerca di emozioni romantiche. Al
posto delle automobili si useranno elicotteri, cinture-razzo, ed
il GEM: una macchina senza ruote che si muove a velocità
fantastiche, sollevata da terra su un cuscinetto di aria. Oppure ci sposteremo lievitati nell'aria, come dice Arthur Clarke:
ciò sarà possibile quando sapremo controllare la forza di gravità. Tuttavia, nell'immediato futuro, l'automobile sarà ancora un veicolo sfruttato. Ma non l'automobile che conosci
tu, insomma quella che usi in campagna e la guida Mario
l'autista.

Come tu non sai, l'automobile del domani non la guiderà
nessuno. Si guiderà da sé. Il cambio e il finestrino posteriore si
annullano già: presto si annullerà anche il volante. Intendo
dir questo, papà: l'automobile diventerà una creatura che
pensa e non ha affatto bisogno di noi. Noi non avremo che da
pigiare un bottone, oppure dirle: « Portami qua - portami là »:
esattamente ciò che tu fai con Mario l'autista. Saprà partire e

fermarsi, questa automobile, entrare nel traffico e uscirne, scegliere una strada anziché un'altra: e non avrà mai incidenti perché i suoi nervi d'acciaio saranno più saldi dei nervi di Mario l'autista. Non avrà neanche i problemi di parcheggio che ha Mario l'autista perché dopo averci lasciato dinanzi all'ufficio o al cinematografo potrà sistemarsi nel punto che vuole, all'altro capo della città per esempio, poi tornare a riprenderci. Sì, capisco: l'idea di un'automobile che attraversa da sola la città ti dà un po' di fastidio. Ma non devi turbarti più di quanto ti turbi un razzo che va sulla Luna da solo: e tu stesso hai seguito il viaggio dei Ranger che partirono senza astronauta, fotografarono senza astronauta la Luna. Le macchine oggi sono molto, molto più brave di noi. Più ingelligenti, più sagge, più tutto. Specialmente sulle strade che funzionano col sistema automatico elettronico.

Come tu non sai, le strade del futuro non saranno costruite come le strade di oggi. Quelle di oggi andranno distrutte: una bella carica di dinamite, e via. Le strade del futuro, pulitissime e silenziosissime, saranno interminabili calcolatori elettronici lungo i quali le automobili procederanno alla stessa velocità ed alla stessa distanza: come vagoni del medesimo treno. Virtuosismi, sorpassi, incidenti non saranno possibili: invisibili rotaie incanaleranno le automobili allo stesso modo in cui le rotaie di ferro incanalano i treni, e ogni inziativa individuale verrà quindi abolita. Le rotaie, non le automobili, decideranno la velocità. Il radar, non gli occhi di chi è al volante, deciderà quando fermare o quando svoltare. Di conseguenza anche i ciechi, gli infermi, i neonati potranno viaggiare senza Mario l'autista; chi viaggerà solo potrà leggere comodamente il giornale, chi viaggerà in gruppo potrà farsi una bella partita a scopone. Come in treno, sì sì. Allora perché non prendere il treno, tu dici. Perché i treni non esisteranno più: semplice. L'ha spiegato Artur Clarke in un articolo: il carbone diminuisce, l'impiego dell'energia nucleare consente alle fabbriche di trasferirsi vicino alle fonti di approvvigionamento, l'industria si decentralizza, di conseguenza non è più necessario trasportare la merce per migliaia di miglia. E i treni, ormai, non servono soprattutto a trasportare la merce? La gente viaggia in aereo, in automobile. Io no, tu dici. Ma tu non sei la gente, papà. Tu sei tu. E alla General Motors, al futuro, non importa nulla che tu sia tu. Se gliene importa è per addolorarti, sconfiggerti. Se gliene importa è per tagliarti i boschi, avvelenarti l'aria, costruirti dinanzi al giardino grattacieli che coprono il sole, le nubi, le stelle. Se gliene importa è per darti fastidio con le loro automobili, con la Firebird IV, la Runabout, la GM Styling.

«Le piace, eh?» disse il signor Turton.

«Sì, signor Turton.»

«Ora le mostro qualcosa che le piacerà ancora di più.»

«Cosa, signor Turton?»

«La Firebird IV!» gioì il signor Turton. «Chiuda gli occhi.»

Li chiusi, inghiottendo Seven-Up.

«Ora li riapra.»

Li riaprii. E a questo punto, vedi, io devo confessare una cosa che mi darà nemici. Se c'è un oggetto al mondo che non mi fa caldo né freddo, questo è l'automobile. Mostratemi un cavatappi qualsiasi: ne resterò impressionata. Mostratemi uno spillo da balia, un amo da pesca, un ago da cucire: griderò d'entusiasmo. Mostratemi un'automobile, e resterò lì come una scema. Il mio disinteresse per le automobili è così totale, istintivo, che non riesco a distinguerne un tipo dall'altro: vedo solo il colore. Qualcuno, e a più riprese, ha provato a spiegarmi che la Ferrari non ha niente a che fare con la Cadillac, la Seicento non ha niente a che fare con la Thunderbird. Ma io, giuro, non son riuscita a capirlo e quando mi chiedono, incauti «che macchina aveva, che macchina ha» io so rispondere solo «Una gialla, una rossa, una blu». Ho perso amici per questo. Una volta ho perso anche un uomo che non mi dispiaceva. L'uomo aveva una virtù: sapeva tutto sulle automobili. Ne passava una bianca ad esempio e lui, senza voltarsi, diceva: «Fiat 1100». Ne passava una nera e lui, sempre senza voltarsi, diceva: «Alfa Romeo». Poi soffriva perché non facevo altrettanto. Così un giorno che stavo partendo per non so quale viaggio, e mi sentivo in vena di tenerezze, scelsi a casaccio un'automobile ferma, puntai il dito e gridai: «Bella!». Non so che automobile fosse: so che era grigia e molto voluminosa. «La trovi bella?» disse lui sorpreso. «La trovo bellissima.» «Io non l'ho mai amata troppo» disse lui, col tono di non voler insistere sull'argomento. «Ti sbagli. Guarda che motore, che linea.» (Non dicono tutti così?) Lui sembrò folgorato:

«Ti piace davvero?» «Ne vado pazza.» «Allora la compro» concluse.

L'uomo aveva un difetto: era ricco. Così la comprò e quando tornai dal viaggio venne a prendermi all'aeroporto con quella. Inutile dire che io non me ne accorsi per niente: mi accorsi soltanto che lui era nervoso. Restò nervoso un buon quarto d'ora e poi disse: «Non vedi nulla?». Io guardai fuori del finestrino, perplessa. «Vedo una strada,» risposi «alcune case e un filare di alberi.» «Non là, qui» disse lui. Lui s'era tagliato i capelli. «Ti sei tagliato i capelli» risposi. «Non io, lei» disse lui. «Lei chi?» dissi io. «La Mercedes» disse lui. «Ti sei innamorato di una che si chiama Mercedes?» dissi io, un po' ferita. «L'ho comprata» disse lui. «Perbacco!» dissi io. «L'ho comprata per te» disse lui. «Per me?!» dissi io. «Ti piaceva» disse lui. «Una che si chiama Mercedes?!» dissi io. E mi offesi fino alla settima generazione. La nostra è sempre stata una famiglia sana, onorata. A nessuna delle mie nonne, bisnonne, bisavole, trisavole, tu lo sai, è mai piaciuta una che si chiamasse Mercedes. E nemmeno una che si chiamasse Francesca, Giovanna, Carlotta. Simili deviazionismi non ci hanno mai toccato, ringraziando Iddio. Perciò esplosi in una pioggia di insulti, di imprecazioni, di parolacce e prima che giungessimo a casa avevamo deciso di non vederci mai più. Ci lasciammo, infatti, gonfi di rancore reciproco, e non ci vedemmo mai più. Lui tornò ad automobiliste più esperte ed io mi dedicai a gentiluomini che andavano a piedi o col jet. E con ciò penso di averti dato un'idea sulla mia faccia quando aprii gli occhi sulla Firebird IV; un oggetto di forma aerodinamica, col cofano a punta anziché tondo o quadrato, così a punta che l'intera automobile sembrava un missile. L'automobile era d'argento. Argento di fuori, argento di dentro. Era d'argento anche dietro dove di solito c'è un finestrino.

«Che gliene pare?» domandò il signor Turton, nemmeno sospettando ciò che voi sapete.

«Non ha il finestrino posteriore» osservai.

«Perché dovrebbe averlo?» replicò il signor Turton.

«Non so. Tutte le altre ce l'hanno.»

«Le altre. Non la Firebird IV, non la Runabout, non la GM Styling. Le altre le guida chi sta alla guida.»

«E questa?»

«Questa si guida da sé. Col sistema automatico elettronico» disse il signor Turton.

«Capisco» risposi con l'aria di capire davvero.

«Di conseguenza non ha affatto bisogno del finestrino posteriore» disse il signor Turton.

«Evidente.»

Non era evidente per nulla ma io risposi cosi.

«E chi ci viaggia può guardarsi la televisione, scrivere lettere giocare a scacchi: senza preoccuparsi di nulla» disse il signor Turton.

«Straordinario.»

«Ecco qua l'apparecchio TV, il tavolo da gioco che può diventare anche un tavolo da scrivere, il frigorifero per le bottiglie e il mangiare. La Firebird è un'automobile da famiglia. Ciò la distingue dalla Runabout che invece è un'automobile per le madri di famiglia. Lei è una madre?» chiese il signor Turton.

«No, sono una figlia» spiegai.

«Peccato» disse il signor Turton.

«Una buona figlia, però. Almeno ci provo.»

«Ciò significa che vuol vederla lo stesso, la Runabout» ammiccò il signor Turton. «Forse le piacerà per sua madre.»

«Naturalmente» mentii.

«Chiuda gli occhi» ordinò.

Io li chiusi.

«Li riapra» ordinò.

Li riaprii. E mi sfuggì un'esclamazione perché la Girintorno era davvero fantastica: aveva solo tre ruote. Una davanti e due dietro: come il triciclo della mia sorellina. Solo che il triciclo della mia sorellina è tutto rosso e la Girintorno era tutta blu.

«Che ne dice?» si informò il signor Turton, contento della mia esclamazione.

«Ha tre ruote!» gridai.

«Esatto: per favorirne la manovrabilità, quindi il parcheggio» disse il signor Turton. «La Runabout può girar su se stessa di 180 gradi ed essere parcheggiata in qualsiasi posizione dinanzi al mercato.»

«Perché dinanzi al mercato?»

«Perché è un'automobile per andare al mercato.»

« E se una non va al mercato non può adoprarla? »

« Per adoprarla, può adoprarla lo stesso » disse il signor Turton con indulgenza. « Però se la compra deve andare al mercato: altrimenti che se ne fa dello shopper? Metà dell'automobile contiene lo shopper. »

Lo shopper è quel coso con le rotelline che si adopra al supermarket, per metterci dentro la roba via via che si compra. Il signor Turton pigiò un bottone e la Girintorno fremette, poi partorì un grandissimo shopper. Lo partorì dal sedere e subito lo shopper se ne andò verso un banco, quindi tornò come un cane ammaestrato. Tornando rientrò nella Girintorno che lo accolse di nuovo nel grembo.

« Stupefacente » sentenziai.

« Non so se ha osservato che salta fuori e dentro da sé. Ciò fa parte del sistema automatico elettronico che nella Runabout non si applica solo alla guida. Tutt'altra cosa la GM Styling dove la guida automatica è molto ridotta, come può osservare. »

Osservai. La Stile General Motors era un'automobile rossa, fatta a forma di razzo: solo che, invece di star verticale, il razzo stava orizzontale. Dietro non c'era il finestrino però c'era una minuscola macchina da presa televisiva la quale trasmetteva ogni cosa a uno schermo televisivo accanto al volante. Il signor Turton mi spiegò che tal congegno era necessario in quanto la GM Styling bisognava guidarla, praticamente, all'antica: con le mani sul volante eccetera.

« Perché? » chiesi scandalizzata.

« Perché certi individualisti vogliono ancora guidare da sé » rispose il signor Turton con amarezza.

« Bisognerebbe eliminarli » gridai.

« È quel che penso anch'io. Rappresentano un pericolo sulle strade automatiche elettroniche. »

« Signor Turton... »

« Sì, dica. »

« Ma quelle strade, le faranno davvero? »

« Suvvia! » disse il signor Turton. « Se ne occupa la General Motors! Certo che le faranno: il sistema è ormai perfezionato e gli esperti di traffico l'hanno giudicato eccellente. Naturalmente ci vorrà qualche anno per applicarlo: ma nel frattempo useremo il treno sospeso. »

241

E così vidi l'ultimo miracolo: il treno sospeso, ciondoloni nel vuoto. C'era un ponte sottile e sul ponte correvano due monorotaie: una sopra e una sotto. Su quella di sopra correva un treno e su quella di sotto correva un altro treno, incanalato dalla parte del tetto. Quando si incontravano, uno sopra e uno sotto, non sembravano neanche due treni: sembrava un treno solo che si rifletteva nell'acqua.

«Ma perché, signor Turton? Perché?»

«Per guadagnare spazio, evidente.»

Con un lungo fruscio il treno sospeso frenò rasente una piattaforma, apri le portiere e una mandria di elefanti lo invase.

«Vuol salirci?» chiese il signor Turton.

«No!» dissi.

«Perché no?»

«Perché ho paura.»

«Paura?!? Paura di che?»

«Che si stacchi, che caschi.»

«Staccarsi? Cascare?» disse il signor Turton, allibito. «Come fa a staccarsi, cascare? Lo costruisce la General Motors!»

Ciò mi convinse che potevo salire ma ormai era troppo tardi: il treno stava ripartendo. Chiuse le portiere, sospirò un altro lungo fruscio, partì. Dai finestrini gli elefanti salutavano agitando le mani, felici.


Ringraziai il signor Turton e, di nuovo formica, arrancai verso il cancello Numero Sette, mi insinuai fra le grate, fui fuori: ormai salva. Fuori ebbi i miei problemi per farmi notare da un tassi ma finalmente lui mi notò e potei perfino entrarci: arrampicandomi fino al sedile. Il tassi percorreva già la *freeway* per Manhattan quando mi accorsi d'aver dimenticato, nell'ufficio del signor Turton, i dannatissimi fogli dell'uomo-razzo. Allora dissi al tassista di tornare indietro, riportarmi al cancello Numero Sette, e il tassista sbuffando tornò ma il cancello Numero Sette non c'era più. Non c'era nemmeno il cancello Numero Sei. Non c'era nemmeno il cancello Numero Cinque, o Numero Quattro, o Numero Tre, o Numero Due, o Numero Uno. Irrigidite nei sensi unici, nella razionale organizzazione del traffico, le strade che conducono alle numerosissime entrate della Fiera di New York ci deviavano sempre in una direzione sbagliata: o in aperta campagna, o di nuovo sulla *freeway*. Non che la Fiera fosse svanita, a mo' di miraggio: la Fiera esisteva ancora, potevamo vederne il gran mappamondo, le bandiere al vento, il treno sospeso, il padiglione del Futurama. Potevamo anche fiancheggiarne il recinto col filo di ferro. Ma non potevamo più entrarci. Tutte le strade che annunciavano qualche cancello portavano allo stesso tempo la scritta «Ingresso vietato», «Girare a destra», «Girare a sinistra». Noi giravamo a destra, o a sinistra, ed eravamo daccapo: nell'incubo. Come Caino intorno alla Luna ci trovavamo sempre al medesimo punto e questo durò un'ora e tre quarti: fino a quando cioè il tassista mise il piede sui freni ed entrambi fummo due creature agonizzanti, perdute in un tassi.

«Be'? Che facciamo?» lui disse. E sudava.

«Non lo so» gli risposi.

«Non è per i fogli o per lei. È che non mi va di rinunciare» disse il tassista.

«È quel che penso io» gli risposi.

«Divento pazzo, all'idea.»

«È quel che penso io.»

«Mi pare una beffa, uno scherzo.»

«È quel che penso io.»

«Lei ci è entrata una volta, no?» chiese un po' sospettoso.

«Sì, ci sono entrata. E comunque ne sono uscita: lo ha visto.»

«Questo è vero» ammise. «Ne è uscita. Se ne è uscita, vuol dir che c'è entrata.»

«È quel che penso io.»

Il tassista indicò il recinto col filo di ferro.

«Ci facciamo un buco?»

«Non lo bucherebbe nemmeno la fiamma ossidrica. Nemmeno la bomba all'idrogeno» dissi.

«Lo scaliamo?»

«È insormontabile. È più alto dell'Everest» dissi.

Forse al di là del recinto c'era davvero un miraggio. Forse non c'ero mai entrata, non ne ero mai uscita. Forse era stato tutto un sogno un po' assurdo.

«E allora?» chiese il tassista. «Allora che facciamo?»

«Allora nulla» risposi. «Non facciamo nulla.»

« Andiamo a Manhattan? » lui disse, avvilito.

« Ma sì. Andiamo a Manhattan. »

Lentamente rimise in moto, partimmo. E per tutto il tragitto restammo in silenzio. Quasi ci odiassimo.

Ero tornata in ogni senso dentro il futuro. E ricominciavo a pentirmi.

# CAPITOLO DICIANNOVESIMO

Manhattan era un ricamo di vecchi grattacieli, il ricordo di una passata civiltà. A un quarantatreesimo piano di Fifth Avenue, chiusa dentro il mio ufficio, aspettavo il dottor Willy Ley, scrittore di scienza e amico di Wernher von Braun. Aspettandolo mi affacciai alla finestra: sulla terrazza del grattacielo di fronte un signore annaffiava le piante del suo giardino pensile, gerani, rododendri, azalee. Le annaffiava con gesti premurosi, compunti. Tutti i giorni a quest'ora, le cinque del pomeriggio, egli annaffiava le piante del suo giardino pensile: e sempre con quei gesti premurosi, compunti. Una volta lo avevo incontrato nella sotterranea e glielo avevo detto: «Lei è quel signore che tutti i giorni alle cinque annaffia le piante del suo giardino pensile, con gesti premurosi, compunti». E lui m'aveva risposto: «Sì, amo tanto le piante». E con questo? Che c'è di straordinario, dirai. Oh, nulla, quasi nulla. Piove così poco a New York: uno deve annaffiarle, le piante. Specialmente se sono gerani, rododendri, azalee. Ma le sue piante, papà, non avevan bisogno di acqua: si trattava di piante che non eran mai nate e non sarebbero nemmeno mai morte. Piante senza sete, né vita. Piante di plastica: come i prati di Los Angeles, ricordi? Cosa? Quel signore era pazzo? Oh, no! Non era pazzo per niente, o non più di coloro che telefonano dentro le uova. In una città come New York è impossibile far crescere piante che siano autentiche piante e lui che amava i gerani, le azalee, i rododendri, le teneva di plastica. Ma per non impazzire, ecco, per non impazzire, ogni giorno alle cinque lui le annaffiava.

Per una ragione non troppo diversa io aspettavo di incontrare Willy Ley: un uomo di cui tutti parlano con stima e rispetto, in America, e che tutti consigliano sempre di conoscere. Fuggito a ventott'anni dalla Germania perché non era nazista, Willy Ley si rifugiò nel 1935 a New York e qui vive con seimila libri e i suoi lucidi annunci del futuro. Lo chiamano infatti il Profeta del futuro e la ragione per cui lo incontravo era chiedergli aiuto: togliermi da ogni incertezza prima di continuare il viaggio. Così gli avevo detto al telefono. E lui mi aveva risposto, gentile: «Va bene. Vengo io da lei. Domani alle cinque». Arrivò, puntuale, alle cinque: un vecchio pesante e massiccio, con l'asma che gli sollevava il gran ventre e lo sguardo più inquietante che avessi mai visto. Sotto le sopracciglia bianchissime infatti, i suoi occhi eran pressoché ciechi. Sbuzzavano fuori quasi dovessero, da un minuto all'altro, cascare. E tuttavia vedevano. Né ci volle troppo a capire che vedevano molto lontano: al di là dell'azzurro e delle parole. Vide anche la domanda che gli rivolgevo in silenzio: «Ma ho fatto bene a tornare, signor Ley? È poi interessante il futuro che ci aspetta?». Abbandonò il corpaccione sopra una sedia che scricchiolò, mi buttò addosso quegli occhi ciechi e mi disse: «Ha fatto bene a tornare. Fa bene a riprendere questo viaggio perché ci aspetta un futuro molto interessante. Molto, molto interessante».

Allargai le braccia.

«Non lo so, signor Ley. A momenti ne sono affascinata e a momenti disgustata. A momenti mi sento piena di coraggio e a momenti piena di paura. A momenti mi scappa da ridere e a momenti da piangere. Anche l'altra volta successe così.»

«Ma in questo io non posso aiutarla: né lei deve chiedermi aiuto. La risposta ai suoi dubbi lei deve trovarla in se stessa, in ciò che vede e capisce, col tempo.»

«Lei l'ha trovata, signor Ley?»

«Sì, io l'ho trovata: insieme alla verità. E la verità non sta né ad un estremo né ad un altro estremo. Non sta nemmeno nel mezzo: come s'è detto per secoli. Sta piuttosto da una parte, la verità: dalla parte del futuro. Io ci credo nel futuro, ci credo da trent'anni, con ottimismo, con fede. Ci credo perché so quel che porta.»

«Sì, sì: ma quelle cinture-razzo, quelle automobili, quei sottomarini al posto delle navi...»

Annui con un dondolare di testa, accese un sigaro, sorrise del mio stupore.

«Certo che i sottomarini sostituiranno le navi.»

«Ma...»

«Le navi a vapore non sostituirono forse le navi a vela?»

«Ma...»

«Le automobili non sostituirono forse i cavalli?»

«Ma...»

«L'altro cambiamento fondamentale avverrà nei viaggi aerei. Ovvio che razzi saranno usati al posto degli aerei. La ragione è che gli aerei supersonici vibrano troppo, fanno troppo rumore, e non sono abbastanza veloci. Il jet più veloce impiega due ore e cinquanta per spostarsi da Roma a New York. Un razzo impiega solo quaranta minuti, quarantacinque: perché vola nella stratosfera. Io e von Braun, sei anni fa, abbiamo disegnato un progetto di Rocket-line, Razzolinea, e siamo d'accordo nel sostenere che nel 1990 ci saranno più razzolinee che aviolinee. No, i passeggeri di un razzo non hanno affatto bisogno d'essere forti come astronauti. Attualmente l'accelerazione cui si è sottoposti alla partenza è di sei o sette g e dura tre minuti e mezzo: ma col sistema che ha in mente von Braun, l'accelerazione sarà di appena tre g e durerà solo un minuto. Chiunque la potrà sopportare senza indossare tute pressurizzate e giocare ai piloti spaziali. L'atterraggio, nemmeno quello costituirà alcun problema. Una capsula che atterra, oggi, è un fatto drammatico: però i razzi, oggi, son primitivi. Quelli che ha in mente von Braun per le razzolinee avranno le ali come un normale jet e quindi potranno atterrare su pista come un normale jet. In altre parole, partiranno col sistema dei razzi e scenderanno col sistema degli aerei.»

Nella terrazza del grattacielo di fronte l'omino continuava ad annaffiare le sue piante di plastica, per non impazzire.

«D'accordo, signor Ley: ma a che prezzo pagheremo tutto ciò?»

«Ci aspetta, inevitabilmente, una società tecnologica: la nostra è un'epoca di ingegneria. Nel Milleottocento la scienza più avanzata era l'astronomia, poi toccò alla chimica, poi alla biologia, poi all'ingegneria: e nessuna scienza si è mai sviluppata rapidamente come l'ingegneria. Questo non è che l'inizio, però, e quando l'ingegneria avrà invaso il campo di qualsiasi altra scienza...»

Lo interruppi, esasperata.

«...nessuno dirà più *io*, tutti diranno *noi*. Nessuno si riferirà più all'individuo, tutti si riferiranno a un gruppo. Il collettivismo sarà totale, signor Ley, e avremo perso la libertà di star soli. Le sembra decente, signor Ley?»

«Più che decente mi sembra logico» disse. «Non potremo, non possiamo più permetterci di stare soli. In una società tecnologica, cioè basata sull'ingegneria, il lavoro dev'essere fatto da molta gente insieme e di conseguenza ogni individuo è destinato a far parte di un gruppo, dire *noi* anziché *io*. Beethoven poteva essere solo mentre scriveva le sue sinfonie, von Braun non può essere solo mentre costruisce i suoi razzi. Non può perché il Saturno è troppo grosso per essere costruito da una persona sola. Neppure von Braun conosce il Saturno dal primo all'ultimo bullone: ne conosce una parte. E il suo assistente X ne conosce un'altra parte, il suo assistente Y ne conosce un'altra parte ancora, e von Braun non può dire: "*Io* ho costruito il Saturno"; deve dire: "*Noi* abbiamo costruito il Saturno". All'inizio von Braun parlava come lei: diceva sempre *io*. Poi passò a dire *io ed i miei assistenti*. Ora dice *noi*. Ha capito cioè che neppure un genio, oggi, può dire *io*: anche un genio, oggi, deve parlare in termini di collettività. Perché senza la collettività egli non è un genio: è un aspirante genio.»

«Dobbiamo rallegrarcene, signor Ley? Dobbiamo accendere candele al Signore per averci mandato von Braun anziché un altro Beethoven?»

«Sì, perché Beethoven ce lo aveva già mandato ed oggi non abbiamo più bisogno dei Beethoven: abbiamo bisogno dei von Braun.»

«Per fare cosa, signor Ley?»

«Anzitutto per costruire una base sulla Luna. Non basta atterrare sulla Luna: bisogna costruirci una base col telescopio, i laboratori. E Beethoven non saprebbe costruire una base sulla Luna, i von Braun invece sanno costruirla. E poi abbiamo bisogno dei von Braun per andare su Venere, su Marte, per investigare gli asteroidi: avremo un gran daffare nei prossimi trent'anni. Infine abbiamo bisogno dei von

Braun per andare su Alfa Centauri. Beethoven non può portarci su Alfa Centauri. Io amo Beethoven. Lo amo molto più di von Braun. Ma voglio andare su Alfa Centauri. E non a occhi chiusi, ascoltando una sinfonia: ad occhi aperti. Così.»

Sulla terrazza del grattacielo di fronte l'omino continuava ad annaffiare le sue piante di plastica, per non impazzire.

«Su Alfa Centauri non può portarci neanche von Braun, signor Ley. Ci vogliono quattro anni luce per raggiungere Alfa Centauri e non riusciremo mai a viaggiare con la velocità della luce.»

«Sciocchezze. Certo che ci riusciremo: non nei primi viaggi, evidente. I primi viaggi ad Alfa Centauri dureranno non meno di dieci anni e...» Riaccese il suo sigaro che s'era spento. Si mise a tirar boccate, pensoso. «Dieci anni per andare, dieci anni per tornare. Venti anni di viaggio. Sono tanti. Nessuna nave è mai stata in viaggio vent'anni, qui sulla Terra. Che problema, che problema. Non da un punto di vista tecnologico, evidente: da un punto di vista psicologico. Cosa faranno quegli uomini chiusi per dieci anni in un'astronave, e poi per dieci anni ancora? Dormiranno, risponde von Braun. Dormiranno col sonno artificiale: sei o sett'anni all'andata, sei o sett'anni al ritorno. Non sono d'accordo. Non si può chiedere a un uomo di dormire ininterrottamente dodici anni della sua vita. Io sostengo e sosterrò sempre che dovranno star svegli e fare una vita normale. Dovremo imbarcare uomini e donne su quelle astronavi: poi farli procreare in viaggio, affinché non si annoino.»

«Procreare in viaggio, signor Ley?! Mettere al mondo figli, in un'astronave?! Far crescere figli in un'astronave?»

«Sì, certo. Figli che tornino quindicenni, diciottenni, ventenni: e quindi addestrati più dei genitori a sostenere i viaggi interplanetari. Astronauti perfetti.»

«Creature che non hanno visto gli alberi, il mare, i pesci, gli uccelli, i prati, le case, il cielo azzurro, signor Ley! Ma non immagina cosa vorrebbe dire nascere e crescere dentro una astronave, nel buio perpetuo, nel vuoto perpetuo?! Cosa accadrebbe ai loro poveri occhi, cosa accadrebbe ai loro poveri cervelli il giorno in cui tornassero sulla Terra senza conoscerla?!»

«Non cosa accadrebbe: cosa accadrà. Non sto fantasti-

249

cando, mia cara. Accadrà questo: scopriranno un paradiso che noi incominciammo a guardare da piccoli e perciò non apprezziamo. Lo scopriranno e saranno felici e diranno ecco, è come nascer due volte.»

Sulla terrazza del grattacielo di fronte l'omino continuava ad annaffiare le sue piante di plastica, per non impazzire.

«Senta, signor Ley: ma se è così bello questo pianeta, perché andare su Alfa Centauri?»

«Perché questo pianeta morirà, si raffredderà allo stesso modo in cui s'è riscaldato, e bisogna prepararci a partire prima che giunga la nuova Era Glaciale. Il nostro sistema solare ha cinque miliardi di anni: durerà almeno altri cinque miliardi di anni. Però prima di quella scadenza il Sole avrà cominciato a perdere luce, a spengersi insomma, e noi dovremo avere imparato a raggiungere altri sistemi solari. Non altri pianeti come Venere e Marte, legati al nostro stesso destino: altri sistemi solari.»

«Terre simili a questa, cioè. Quanta gente me ne ha parlato, ormai. E se fosse una fantasia, una speranza, e nient'altro?»

«Macché speranza, macché fantasia. È matematicamente sicuro che la nostra galassia comprenda altre Terre, è matematicamente sicuro che la nostra galassia sia abitata da creature intelligenti come noi. Forse non fatte come noi: ma senza dubbio con un cervello o qualcosa che assomiglia a un cervello, situato nella testa o in qualcosa che assomiglia alla testa. Lo sapremo presto.»

«Presto, signor Ley?!?»

«Io credo che sarò ancora vivo quando lo si saprà: comunicandoci, ovvio. È da tempo che tentiamo di comunicarci coi messaggi radio del Progetto Ozma. Il guaio è che i nostri strumenti sono turbati da continue interferenze e non sono abbastanza sensibili. Comunque, quando avremo la base sulla Luna, tale ostacolo non esisterà più. E il giorno in cui saremo dinanzi a loro e gli diremo...»

«Ma come glielo diremo, signor Ley?! Come?!?»

«Con la matematica. La matematica non cambia col cambiare dei cicli biologici: due più due fa quattro in tutto il cosmo. Con la chimica. La chimica non cambia col cambiare della temperatura e del resto: cambiano le reazioni. Con...»

Si alzò per andarsene e sorrise un tremendo sorriso. Un sorriso che mi riempì di terrore perché m'era venuto un sospetto, un assurdo irrazionale sospetto, papà. Sicché pazzamente, disperatamente sperai che se ne andasse via subito, subito, subito! Sapeva troppe cose quell'uomo, era troppo sicuro di ciò che affermava. Erano troppo diversi dai nostri occhi, i suoi occhi. Non erano occhi terreni. Mio Dio! Da dove veniva quell'uomo? Da dove? E cosa stava per dirmi? Cosa? Questo.

Levò un dito.

Lo puntò verso il cielo.

Mi guardò fin dentro il cervello.

Mi disse in silenzio: non avere paura.

«Con un dito. Puntando un dito verso il cielo. Come a dire: Fratello, io vengo di lassù.»

Quando l'ascensore se lo portò via, frusciando un vento di ghiaccio, ero come paralizzata, incapace perfino di accorgermi che stava facendo ormai buio e che l'ultima parte della conversazione s'era svolta quasi nel buio. Le segretarie avevano lasciato l'ufficio alle cinque, poco prima che egli arrivasse. Al quarantatreesimo piano non restavo che io. E tuttavia, tuttavia, il terrore era come svanito in uno sbalordimento di sogno. Sedetti. Guardai il telefono che suonava. Non risposi. Non desideravo parlare a nessuno e non desideravo vedere nessuno. Non desideravo andare in albergo e non desideravo mangiare. Non desideravo nulla di nulla fuorché starmene lì, sola, e pensare. O non pensare. Chissà. New York era un bagliore di finestre accese: migliaia e migliaia di stelle quadrate nel nero del cosmo. La mamma, te, le persone che amavo eran lontane migliaia di miglia, papà. Tutti i miei ieri, lontani migliaia di anni. E questo ufficio era già un'astronave partita per un viaggio lunghissimo: qualche pianeta remoto, lassù. «Sostengo e sosterrò sempre che dovrete star svegli e fare una vita normale: procreare in viaggio onde non annoiarvi.» «Sì, signor Ley.» «Mettere al mondo figli che tornino quindicenni, diciottenni, ventenni, quindi addestrati più dei genitori a sostenere i viaggi interplanetari. Astronauti perfetti.» «Sì, signor Ley.» I miei compagni erano in qualche cella vicina, a dormire. Ma presto uno si sarebbe svegliato, uno a caso, e su quel divano di plastica avremmo concepito, senza amore, secondo gli ordini del signor Ley, un figlio da riportare indietro ventenne: mio figlio. Giorno per giorno, mese per mese, anno per anno, dentro questa astronave, mio figlio sarebbe cresciuto: senza mai vedere l'azzurro o qualcosa che assomigli all'azzurro, senza mai vedere il mare o qualcosa che assomigli al mare, senza mai vedere gli alberi, le case, le bestie o qualcosa che assomigli agli alberi, le case, le bestie, senza mai vedere la Terra o qualcosa che assomigli alla Terra. Giorno per giorno, mese per mese, anno per anno, io avrei tentato di raccontargli la Terra e questa sarebbe stata la favola per addormentarlo da piccolo, per istruirlo da grande. Da piccolo mi avrebbe creduto, avrebbe sorriso alle fate dall'aspetto di pesci, di mosche, ma da grande mi avrebbe deriso dicendo son vecchio per le favole ormai. Allora gli avrei fatto leggere i libri, gli avrei proiettato le fotografie e i film, gli avrei detto no, figlio, non mento, laggiù esiston davvero le bestie, le case, gli alberi, il mare, l'azzurro, la luce: finché lui si sarebbe convinto, e mi avrebbe guardato con odio, un rancore che esclude il perdono, e mi avrebbe risposto allora perché mi hai fatto nascere qui, dentro il buio? E sarebbe diventato cattivo. Avrebbe ignorato la pietà, il sacrificio, l'amore: questo figlio concepito senza amore, sul divano di plastica di un'astronave, secondo gli ordini del signor Ley. Né io né suo padre saremmo riusciti a spiegargli dove sta il bene e dove sta il male perché tutto il bene e tutto il male si sarebbe sintetizzato come una prugna secca in ciò che accadeva fra noi, e nello sterile linguaggio dei libri. Né io né suo padre saremmo riusciti a spiegargli il bello e il brutto perché tutto il bello e tutto il brutto si sarebbe diluito fino alla rarefazione nel vuoto ed in ciò che vedeva nel vuoto attraverso gli oblò. Né io né suo padre saremmo riusciti a insegnargli nulla di nulla fuorché i numeri e ciò che deriva dai numeri, e così avrebbe saputo tutto di matematica, certo, tutto di chimica, certo, avrebbe scoperto chissà quali equazioni, chissà quali reazioni: ma solo su queste avrebbe costruito la vita fino a vent'anni. Poi, dopo vent'anni, lo avremmo riportato sulla Terra, questa creatura della Terra che non conosceva la Terra, e gli avremmo sbattuto negli occhi la favola che gli raccontavo quand'era bambino: le bestie, le case, gli alberi, il mare, l'azzurro. Gli avremmo scoppiato negli orecchi il sibilare del vento, lo sciaguattar delle onde, il frusciar delle foglie. Gli avremmo vomitato nel naso il profumo dei fiori, sul ventre il caldo di un abbraccio in un letto, sicché come un temporale, una catastrofe orrenda, la verità sarebbe esplosa su lui, la verità che tutti, anche i poveri hanno: e che lui non aveva mai avuto. E lui sconvolto, impreparato, impaurito, non avrebbe chiesto che di ripartire, tornare nel buio, nel silenzio, nel nulla. Così sarebbe partito lasciando noi sulla Terra, noi troppo vecchi per riandarcene via, e all'inizio avrebbe provato sollievo ma a poco a poco il rimpianto di ciò che aveva visto, udito, annusato, capito lo avrebbe reso infelice: e giorno per giorno, mese per mese, anno per anno avrebbe imparato a pentirsi di non esser rimasto, ne avrebbe sofferto, ne avrebbe pianto con ira, e tutto sarebbe ricominciato daccapo. Su un divano di plastica egli avrebbe concepito a sua volta un figlio da riportar sulla Terra, ventenne, coi libri e le fotografie gli avrebbe narrato la favola sempre più favola dell'azzurro e del verde, nemmen lui gli avrebbe creduto, sarebbe cresciuto senza credere all'azzurro ed al verde, alla pietà, al sacrificio, all'amore: finché un giorno, di colpo, come un temporale, una catastrofe orrenda, la verità sarebbe esplosa anche su di lui, e lui ci avrebbe maledetto gridando. Avrebbe maledetto se stesso, la vita, la Terra, il Sole che si stava spengendo, il maledetto destino di andare a cercare altri Soli, Dio no! No! No! No! Col gesto di uno che si aggrappa cadendo, accesi la luce, chiamai l'ascensore, scappai giù nella strada: l'incubo nero finì. Le fantasie fioriscono bene quando si è soli e la lampada è spenta. Ma eran poi fantasie? Lo sono davvero, papà?

Un'allucinante realtà ce lo nega e dimostra che nel mio incubo non v'era niente di impossibile o assurdo. Niente, papà. Neanche il sospetto (riesaminato a freddo, grottesco), che il signor Ley venisse da molto lontano. Viaggi di dieci anni all'andata e dieci anni al ritorno avverranno: ne avverranno anche di più lunghi. Far procreare nelle astronavi equipaggi di uomini e donne è un progetto avanzato da molti: il signor Ley non vaneggiava follie. Non vaneggiava neanche parlando di altre Terre abitate da creature con un cervello o qualcosa che assomiglia a un cervello, situato dentro la testa o qualcosa che assomiglia alla testa. I più sani, i più buoni trasformano tale certezza in problema e memori di ciò che facemmo agli indiani d'America chiedono: lo faremo anche a loro? Ruberemo anche a loro i monti e le valli, le sorgenti ed i boschi? Stermineremo anche loro con le pallottole e il whisky? Ridurremo anche loro in riserve cintate o in schiavi? Vivevano in pace, gli indiani d'America, erano una razza felice. Sbarcammo noi, con la nostra certezza di essere più bravi, più intelligenti e più colti, e li giudicammo selvaggi, inferiori, eliminabili. I loro volti di terracotta ci parvero brutti, il loro linguaggio ci parve ridicolo, il loro cervello qualcosa che assomigliava a un cervello situato dentro qualcosa che assomigliava a una testa. Sicché privi di ogni pietà, sordi a ogni diritto, gli prendemmo il verde e l'azzurro, li cacciammo come lepri o bisonti, li avvelenammo come scarafaggi o zanzare, e costruimmo sul nostro assassinio la più eroica delle epopee: la gloriosa novella dei pionieri che andavano a cercar nuovi Soli. Piangemmo sulle nostre teste scuoiate, giustamente, santamente scuoiate, innalzammo sui nostri tumuli lapidi e croci: coi corpi di terracotta facemmo invece concime ai campi di granoturco. E ai nostri figli spiegammo che ciò era un nostro sacrosanto diritto perché noi eravamo più belli, più bravi, più colti, più intelligenti, avremmo inventato il chewingum, il juke-box, la Coca-cola, la Pepsi-cola e il Seven-Up, i fiori di plastica, i cervelli di plastica: perché avevamo un vero cervello situato in una vera testa.

No, non v'era nulla di impossibile o assurdo in ciò che avevo appreso quel pomeriggio: e il signor Ley poteva esser nato benissimo in un paese molto più remoto della Germania. L'allucinante realtà andava oltre la General Motors e le automobili teleguidate, le razzolinee e mio figlio nato in un'astronave: c'era gente, per esempio, a New York, che reclamava leggi interstellari. Di già. Gente lucida, fredda, col capo bene avvitato sopra le spalle, magistrati, avvocati, non sognatori, poeti. C'era l'avvocato Andrew Haley, consigliere generale della American Rocket Society, anni settanta, ufficio in Park Avenue, che studiava un codice di diritto interstellare. Di già. Il diritto interstellare, diceva, è uno studio di cui va compresa tutta l'urgenza: esiste forse una Metalegge che regoli i rapporti fra gli abitanti dei vari pianeti, un Tribunale Intersiderale che giudichi i futuri rapporti fra le varie galassie? Nientaffatto. Esiste solo un regolamento stabilito nel 1919 dalla Convenzione di Parigi e secondo il quale «ogni potenza è sovrana esclusiva dello spazio sopra il suo territorio». Ma nel 1919 non si pensava a raggiungere Venere e Marte, Alfa Centauri, il concetto delle distanze perciò era diverso. Fin dove arriva lo spazio? Fino al limite dell'atmosfera? Oltre la stratosfera? Fino all'infinito? Una stazione spaziale che ruota e galleggia fra Venere e la Terra qual cielo occupa? Il cielo di Venere, il cielo della Terra, il cielo in condominio della Terra e di Venere? Il diritto di colonizzare quei pianeti, la Luna, chi ce l'ha? Il primo che vi pianta la bandiera o colui che ne occupa in seguito la superficie? Colombo era un italiano al servizio di una regina spagnola quando scoprì l'America: non per questo l'America appartiene all'Italia o alla Spagna. Amerigo Vespucci era un altro italiano, Giovanni da Verrazzano era un altro italiano: non per questo in America si parla italiano.

Nel 1956, al primo Congresso Internazionale Astronautico, tenuto a Parigi, Andrew Haley, fece un lungo discorso sulla carenza di leggi per regolare i viaggi spaziali e la proprietà dei pianeti. Se una nazione possiede il cielo contenuto fra la Terra e il limite dell'atmosfera, osservò, la stratosfera diventa regno di nessuno, la Luna diventa la Luna di nessuno, e chiunque può reclamarne il possesso: anzitutto perciò è necessario che lo spazio, la Luna, i pianeti disabitati siano considerati territorio indipendente sotto il controllo dell'ONU che dovrà regolarne anche il traffico, la colonizzazione, il battesimo delle regioni. In una recente pubblicazione però l'avvocato si è spinto oltre: affrontando il problema degli Indiani del Cielo. Bisogna regolare giuridicamente gli eventuali incontri con gli eventuali abitanti di altri pianeti, egli ha scritto, siano essi più intelligenti o meno intelligenti di noi, più giusti o meno giusti. Il solo mezzo che abbiamo per giudicare l'intelligenza è la nostra intelligenza. Il solo mezzo che abbiamo per giudicare la giustizia è la nostra giustizia. Entrambe sono il frutto di una certa evoluzione, la nostra evoluzione. Bisogna dunque prepararci ad affrontare una intelligenza e una giustizia frutto di evoluzioni diverse. Bisogna dimenticare ad esempio la nostra norma che dice: «Non fare agli altri ciò che non vuoi sia fatto a te» oppure: «Fai agli altri ciò che vorresti fosse fatto a te», stabilire al suo posto una norma che dica: «Fai ad essi ciò

255

che essi vogliono sia loro fatto». La prima cosa che vogliono, dal momento che son vivi, è vivere: quindi non bisogna ammazzarli, non bisogna sbarcare sulle loro terre in modo da danneggiarli, non bisogna addirittura andarci se non ci hanno invitati. D'accordo: ma a questo punto entra in gioco il problema di comunicare con loro, sapere se ci vogliono o no, mi dirai. Esatto, papà. Ma la NASA ha pensato anche a quello. Si chiama Programma Biologico, lo dirige il dottor Dale Jenkins, studia il modo per parlare ai venusiani e ai marziani. In che modo? Ecco qua.

Anzitutto, i delfini. Il primo passo si fa nell'acquario dove il neurofisiologo John C. Lilly, in contratto con la NASA dal 1962, dirige il Progetto Delfino. Escluso l'uomo, dice il dottor Lilly, i delfini sono gli animali più intelligenti del nostro pianeta. Se avessero le gambe e le braccia, o almeno le mani col dito pollice, ci darebbero filo da torcere. Capiscono tutto, imparano tutto: se non altro ciò che si può fare senza le gambe e le braccia, senza le mani col dito pollice. Ed hanno un completo linguaggio vocale: parlano, cantano, ridono, piangono, sia pure a una velocità che supera di tre volte la nostra. Registrando su magnetofono i loro discorsi e poi rallentando ad un terzo l'andatura del nastro, si ascoltano conversazioni o litigi il cui solo mistero consiste nel fatto che son pronunciati in una lingua a noi sconosciuta. Se riusciamo a decifrarne la lingua, con lo stesso meccanismo possiamo decifrare la lingua di creature che vivono in altri pianeti. E va da sé che il dottor Lilly è ottimista: il suo sistema è (a parer mio) insufficiente a comunicar coi marziani quanto le capsule di Glenn e di Cooper erano insufficienti per raggiungere Marte. Supponiamo ad esempio che un astronauta laureato all'acquario atterri su Marte, incontri un marziano, e gli parli col meccanismo che usava per parlare ai delfini. Come minimo il marziano lo pesca, lo infarina e lo frigge. L'astronauta e i delfini infatti hanno in comune qualcosa: un linguaggio che come il tatto, l'olfatto, l'udito, la vista, deriva dall'evoluzione terrestre. Se i marziani, prodotti di una evoluzione completamente diversa hanno un tatto, un olfatto, un udito, una vista, e quindi un linguaggio senza punti in comune col nostro, a che diavolo serve parlargli col meccanismo che si usa per parlare ai delfini? Tanto vale parlargli in inglese o in russo o in etiopico. O telepaticamente: progetto, questo, di cui perfino il nome è segreto e che i russi, sembra, studiano seriamente da tempo. A New York lo conducono alcuni professori della Columbia University dove è possibile assistere, mi giurano, a scene del genere. Ogni tanto un professore si alza, e quasi attratto da una forza magnetica esce dal laboratorio, raggiunge il collega da cui si sente chiamato e gli dice: «Sì, cosa vuoi?». Al che quello risponde, sorpreso: «Io? Nulla. Chi vuole nulla?». Altre volte invece, ma è raro, riescono a chiamarsi davvero e la scena diventa più imbarazzante.

«Sì. Cosa vuoi?»

«Nulla.»

«Come nulla? Mi hai chiamato.»

«Sì. Ti ho chiamato per nulla.»

«Mi hai chiamato per nulla?»

«Oh! Ti ho chiamato per chiamarti.»

«Idiota!»

«Idiota sarai tu.»

Finiscono a pugni, malgrado quell'aria severa. E in tal caso è assai meglio il Progetto Ozma di cui parla Willy Ley. Diretto dal dottor Frank D. Drake e iniziato per la NASA nel 1960, il Progetto Ozma consiste nel lanciare messaggi intersiderali col radiotelescopio dell'osservatorio di Greek Bank in Virginia ma ha un grave difetto: è assai lento. Il giorno in cui il dottor Drake spedì il primo messaggio, un giornalista gli chiese quando pensava di aver la risposta e il dottor Drake esclamò: «Fra non meno di cinquant'anni, evidente. L'ho spedito su Andromeda». Né valgono a niente i consigli di alcuni scienziati come l'astronomo inglese Otto Struve. «Non sono affatto convinto che sia bene sollecitare messaggi o rispondervi. Siamo il pianeta più giovane della nostra galassia e non siamo stati civilizzati che per un breve attimo della nostra storia. Stiamo zitti, per carità. Se scopriamo civiltà più avanzate di quella terrestre, nelle riserve cintate finiamo noi perché nessuno mi toglie il sospetto che gli Indiani del Cielo siamo proprio noi.» Tuttavia quei consigli nessuno li ascolta, papà. Non si può più consentirci un tal lusso. Rallentare la corsa spaziale sarebbe come fermare in mezzo all'oceano una nave carica di passeggeri e di merce: porterebbe qualsiasi paese al disastro economico. E la psicosi della partenza è ormai in tutti.

Scherzando ma non troppo, «Newsweek» pubblicò tempo fa un *Celestial Baedeker*, vale a dire una guida per chi vorrà visitare di qui a cent'anni, duecento, i pianeti del nostro sistema solare. Io l'ho letto e la sensazione che se ne ricava è di perplessità. Dopotutto, uno pensa, è proprio il caso di riderne? O non è il caso di metter quei fogli da parte? Potrebbero tornare utili, c'è un mucchio di notizie lì dentro. Mercurio vi è sconsigliato, ad esempio: «È vicino al Sole appena ventinove milioni di miglia e un'astronave rischia di essere attratta dalla gravitazione solare. Inoltre Mercurio ha una faccia perennemente rivolta verso il Sole, una faccia perennemente nell'ombra, e la sua temperatura oscilla tra i 750 gradi Fahrenheit e i 400 sotto zero». Plutone vi è sconsigliato con violenza perfino maggiore: «È il pianeta più lontano dal Sole, qualcosa come tremilasettecento milioni di miglia, e se ne sa troppo poco: solo che ci fa un freddo cane». Da affrontar con cautela anche Nettuno ed Urano. Intorno a Saturno invece varrebbe la pena di fare un giretto: «Gli anelli che lo circondano all'equatore sono stupendi, una ciambella di arcobaleno, e sono stupende anche le sue nove Lune. Visto da acconce stazioni spaziali, Saturno potrebbe diventare un'attrazione turistica eccezionale: le Cascate del Niagara del nostro sistema solare». Il *Celestial Baedeker* consiglia anche Giove: «Affascinante per le sue dodici Lune e perché è assai probabile che ci sia vita. Una forma di vita basata sull'ammoniaca, l'idrogeno e l'elio che lo compongono. Per andarci bastano dodici anni». Quanto a Venere, non ha che da essere bonificata delle sue nubi: «Cacciate le nubi, Venere può offrire paesaggi di grande bellezza, villeggiature piacevoli. Un po' troppo simili, semmai, a quelle terrestri». Marte vi è consigliato, infine, con entusiasmo: «Forse il più attraente centro turistico, Marte raggiunge all'equatore una comoda temperatura di undici gradi e il suo giorno dura ventiquattro ore e mezzo, appena mezz'ora più del giorno terrestre. Tra le sue meraviglie scenografiche vi sono le rocce rosse, le cappe polari bianche, i boschi azzurri. Il cielo lì è verde e le piante sono azzurre. Il contrario insomma di ciò che è sulla Terra». Quanto alla Terra, v'è dipinta come un insignificante pianeta: il terzo in ordine di distanza dal Sole. «Una fascia di gas chiamata atmosfera e composta di ossigeno, biossido di carbonio, vapore acqueo e nitrogeno, la circonda con un anello azzurro: abbastanza grazioso a vedersi ma non paragonabile agli anelli di Saturno. Un viaggiatore che desiderasse fermarsi su questo pianeta sarebbe sicuro di trovarci un gran caldo ma anche ghiacciai bianchi e mari blui che ricoprono i quattro quinti della sua superficie. Vi troverebbe anche una stupefacente varietà di vita che va da bacteri invisibili a un animale detto balena. E, situato tra il molto piccolo e il molto grande, insomma tra il bactero e la balena, un sentenzioso presuntuoso sacco vertebrato e pieno di liquido che chiamano Uomo.»

Un sentenzioso presuntuoso sacco vertebrato e pieno di liquido che chiamano Uomo. Non scherzando affatto, quel sacco sta studiando la possibilità di tentare l'impresa più blasfema e fantastica che animale intelligente abbia mai osato col solo pensiero: trasportare l'intero globo terrestre, col suo involucro di atmosfera, in un altro sistema solare. I calcoli, basati sullo sfruttamento dell'energia elettrica ricavabile dal mare, li stanno facendo coi cervelli elettronici alcuni scienziati dell'IBM a Cambridge nel Massachusetts: «Se il Sole dovesse spengersi prima che fossimo pronti a raggiungere con le astronavi Alfa Centauri, se ci dispiacesse troppo lasciare questa nostra casa di verde e di azzurro, potremmo forse salvarci così. E non ci accorgeremmo neanche di andarcene via scansando, in un cosmico slalom, gli altri pianeti».

Un sentenzioso presuntuoso sacco vertebrato e pieno di liquido che chiamano Uomo. Nessun miracolo, nessuna eresia gli è proibita. Nell'era spaziale non si può forse generare la vita senza quell'atto che la specie vivipara chiama atto d'amore? Non si può forse congelare la morte, resuscitare il corpo? La gestazione in vitro che Aldous Huxley profetizzava ne *Il mondo nuovo* è vista con favore crescente: il giorno in cui nasceremo in bottiglia, già selezionati, collaudati, organizzati, non è esageratamente lontano. Come il giorno in cui potremo resuscitare, diventare fisicamente immortali. Se ne sono accorti gli studiosi della NASA mentre cercavano il sistema per spedir gli astronauti in sistemi solari lontani centinaia di anni. Cosa succede se arrivano morti? Si resuscitano, chiaro. Dio, c'è da impazzire, signor Ley. A lei queste cose non fanno effetto, lo so. Lei è venuto da tanto lontano, e nel luogo in cui nacque, chi lo sa quale, chi lo sa dove, chi lo sa come, suppongo che simili cose accadano già. Ma da noi si è solo al principio, e così c'è chi ha paura: la stessa paura che colse me quando mi accorsi che i suoi occhi quasi ciechi potevan vedermi perfino nel buio. Così c'è chi teme d'impazzire: lo stesso timore che mi prese la sera dopo il nostro incontro a New York, quando...

Questo si chiamava Costantino Generales e aveva conosciuto von Braun nel 1935, a Zurigo, dove l'uno studiava medicina e l'altro ingegneria. Abitavano nella stessa pensione e il loro passatempo preferito consisteva nello studiare gli effetti che l'accelerazione ha sul corpo umano. Legavano un topo alla ruota di una bicicletta, i due screanzati, e facevano girare la ruota fino a 21 g: una sorta di centrifuga, insomma. Il topo scoppiava come un petardo, sporcando di sangue le pareti della camera. Il passatempo durò fino al giorno in cui la padrona della pensione, particolarmente gelosa della tappezzeria, li cacciò urlando: «Fuori di qui». In seguito a ciò la medicina spaziale subì una battuta d'arresto ma i due rimasero amici e lo rimasero al punto che l'ultimo figlio di von Braun si chiama Costantino, una quantità di libri scritti da Generales sono dedicati a von Braun e una quantità di libri scritti da von Braun sono dedicati a Generales. I due si vedono anche assai spesso sebbene l'uno abiti a Huntsville, nell'Alabama, e l'altro a New York; il suo studio è in Central Park. Qui infatti lo vidi: un cinquantenne secco, dal lungo naso fanatico, la vocetta petulante, due mani che sfogliavano non sono quali attestati per dimostrarmi che il suo quoziente di intelligenza era 183, qualcosa di paragonabile insomma al quoziente di Leonardo da Vinci ed Einstein messi insieme.

«Quanto può durare un'astronave?» mi aggredì il dottor Generales allorché gli parve d'avermi sufficientemente convinto sulla sua intelligenza.

«Non lo so, dottore.»

«Come non lo sa?»

«No, dottore.»

«E lei va dal mio amico von Braun ignorando quanto dura un'astronave?!»

«Sì, dottore.»

«Allora glielo dirò io: dura anche un secolo, due. E un corpo umano quanto può durare?»

«Ottant'anni, novanta.»

«Facciamo settanta: tenendo conto che un astronauta a cinquant'anni non vale più un fico.»

«Sì, dottore.»

«Ora prendiamo un astronauta sui trent'anni e mandiamolo ad Alfa Centauri. Ma non alla velocità della luce: a trentamila o quarantamila miglia all'ora, diciamo. Cosa succede?»

«Succede che l'astronave arriva e lui no.»

«Benissimo. Arriva ma cadavere, tutt'al più centenario. Perché arrivi adulto o in grado di comprendere bisogna farlo partire bambino, d'accordo? Ma allora cosa sa, cosa fa?»

«Nulla, dottore.»

«Nulla. Benissimo. Ma se prendiamo l'astronauta di trent'anni, lo mettiamo nel frigo alla temperatura dell'elio liquido, lo congeliamo in una morte apparente per la durata dell'intero viaggio, poi lo decongeliamo e lo restituiamo alla vita nelle vicinanze di Alfa Centauri, egli atterra alla stessa età in cui è partito. Chiaro?»

«Chiaro, dottore.»

«Allora perché non applicare lo stesso sistema qui sulla Terra? Ciò che noi definiamo morte non è morte completa, è soltanto il cuore che si ferma: lo sappiamo tutti. Le cellule, sia pure deteriorandosi, continuano a vivere per un bel po'. Se dunque refrigeriamo un corpo morto prima che le cellule si deteriorino, quel corpo si conserva all'infinito e la morte diviene qualcosa di temporaneo: un'attesa per resuscitare. Resuscitare è facilissimo quando le cellule rimangono intatte: si riportano continuamente alla vita microrganismi ibernati, l'unico ostacolo per ora è il cervello. Infatti il cervello si sciupa subito: pochi minuti dopo la morte clinica. Vero è che il mio collega James Connell del Saint Vincent Hospital qui a New York è certissimo di risolvere il problema in meno di cinque anni. Se non lo risolve, non c'è che un mezzo.»

«Quale, dottore?»

«Come quale? Semplicissimo: morire con l'esperto di congelamento accanto al letto. Insomma morire e ficcarsi di corsa nell'elio liquido, che è come dire nel frigo.»

« Capisco, dottore. »

« Dopotutto il frigo è più attraente di una bara. »

« Certo, dottore. »

« Secondo me tutti dovrebbero farsi mettere nel frigo, anziché farsi seppellire. Dovrebbero esistere Banche di Ibernazione, anziché cimiteri. Ma fra una cinquantina d'anni, vedrà, esisteranno. Ogni ospedale, ogni commissariato di polizia sarà attrezzato con una Banca di Ibernazione dove non costerà nulla restare fino al giorno in cui sapremo curare il malanno da cui fummo uccisi. »

« Certo, dottore. »

« Ma ammettiamo che costi: mille dollari, duemila, che ne so. Possiamo comprarcelo a rate, il posto nella Banca di Ibernazione. Non si comprano a rate i televisori, le automobili, le vacanze nelle isole Bahamas? A maggior ragione possiamo comprarci a rate l'immortalità. »

« Certo, dottore. »

« C'è anche un'altra applicazione di questo sistema: farsi mettere nel frigo prima di morire e stabilire quanto vogliamo restarci. Vent'anni, cinquanta, un secolo, due. Poi farsi decongelare. Uno si toglie la curiosità di vedere come sarà il mondo di lì a cinquant'anni, cento, duecento, e nel frattempo si fa una bella dormita. »

« E se poi dimenticano di decongelarlo, dottore? Che guadagno ci fa? »

« Quello fa parte dell'imprevisto. L'imprevisto c'è sempre. L'unico fatto su cui non vi sono imprevisti è che resuscitare è possibile e nel futuro la morte sarà una parola priva di senso. »

« Allora anche la vita, dottore, sarà una parola priva di senso. »

« Stupidaggini! Produrremo tanta di quella vita, anche artificiale, che non sapremo dove metterla: ad un certo punto dovremo sterilizzare la gente perché non produca più vita. D'altra parte è meglio non morire che nascere, no? »

« Non lo so, dottore. »

Non lo so, dottor Generales. A lei, dottor Generales, a lei, signor Ley, a tanta altra gente, simili cose non fanno né caldo né freddo: a noi sì, invece, papà. E mi si piegavano le gambe uscendo dal suo ufficio in Central Park. Camminavo e anziché i muri delle case vedevo tutti blocchi di ghiaccio, uno accanto all'altro, uno identico all'altro: e dentro ogni blocco un cadavere giallo che aspettava a occhi chiusi la Resurrezione del Corpo. I blocchi stavano ritti, così i cadaveri stavano in piedi, giovani, vecchi, bambini, ai piedi di ciascuno ciondolava un cartello col nome, il cognome, l'età, l'anno della sua morte, 1965, 1978, 1993, 2000, ma a intervalli precisi un blocco faceva crac, si sbriciolava in piccoli cubi di ghiaccio, un cadavere apriva gli occhi e se ne andava inosservato piangendo. Era l'anno 2000 e New York era già la città che ci annunciano: il cielo frullava di uomini-razzo e donne-razzo, l'aria era avvelenata di carburanti, e io mi spostavo con un marciapiede movibile perché ero vecchia vecchia vecchia e tanto stanca. Mio figlio nato nell'astronave era ripartito con la sua favola di verde e d'azzurro, il suo stupore e la sua disperazione: presto sarebbe tornato, vecchio anche lui, e io non volevo vederlo, non volevo vedere il suo rimprovero, e così mi lasciavo trasportare dal marciapiede movibile e chiedevo solo una cosa, morire. L'idea di morire mi dava una pace, una felicità mai provate, mi dava un riposo di cui ero assetata: però bastava che guardassi quei blocchi di ghiaccio per ricadere nella stanchezza perché lo sapevo che non mi avrebbero permesso di morire, che mi avrebbero condannato a vivere. Ovunque fossi andata a nascondere il mio corpo, loro l'avrebbero trovato: e subito, in tempo per metterlo dentro un blocco di ghiaccio, all'ospedale o al commissariato di polizia. E lì sarei rimasta, come una maledizione perpetua, in attesa di resuscitare, di aprire gli occhi su mio figlio e sul figlio di mio figlio: nemici. Quella sera, signor Generales, stavo davvero per impazzire: lo sa cosa mi salvò, signor Ley? Una cosa che voi amici di Wernher von Braun non avete, mi pare: il senso dell'umorismo. E sa dove lo trovai? Nell'osservazione di un tale che si chiama Frederick Pohl e scrive di fantascienza. Vuol saperla, signor Ley? No? E io gliela dico lo stesso. Immaginate, dice Frederick Pohl, di avvelenar vostro zio, quello ricco, per beccarvi l'eredità: poi vivere cent'anni nel lusso e farvi congelare altri cento anni per vedere com'è il mondo dopo. Bene. Ma se un imbecille vi congela lo zio avvelenato, o il Congelamento Defunti è obbligatorio per legge, dite un po': come la mettiamo? Come ve la cavate cioè il giorno in cui risuscitate e dinanzi a voi sta il vecchio bastardo, resuscitato anche lui, che aspetta di vedervi aprir gli occhi per portarvi in prigione? Male, cari miei. Malissimo. Bestemmiando fino a diventar rochi all'indirizzo di chi inventò questo scherzo.

Dopotutto c'era gente spiritosa a New York. Preparai le valige per andare ad Huntsville.

# CAPITOLO VENTESIMO

Era una piccola verde città, come se ne trovano ancora nell'Alabama e in altri stati del Sud. I suoi boschi brulicavan di cervi, volpi, scoiattoli, i suoi pascoli ingrassavano mucche, tori, vitelli, e i suoi campi eran tutti coltivati a cotone. A maggio, quando le bacche del cotone scoppiavano in batuffoli candidi, quei campi sembravano nubi scese per terra, una soffice coltre di bambagia dove i raccoglitori affondavano e poi tornavano a galla. I raccoglitori erano negri. Immersi fino alle spalle in quel bianco spuntavano scuri come tronchi di alberi e le loro braccia eran rami che con sveltissime dita strappavano via la bambagia e la chiudevano in sacchi. Lavorando, cantavano accorati spiritual che rendevano i gesti simultanei e uguali: «Jesus-Jesus, Alle-luja! Jesus-Jesus, Alle-luja!». E ad ogni alleluja le nubi si diradavano un poco, la soffice coltre scemava, il bianco si ridipingeva di terra. A settembre, quando tutto il cotone era colto, e si seminava i crescioni, incominciava la gara degli allevatori di mucche per scegliere la candidata che sarebbe andata a Saint Louis, nel Missouri, dove ciascun anno si elegge la Mucca Campionessa d'America per la Produzione del Latte. A volte per questo esplodevano risse, inimicizie, e duravano per intere stagioni. Ti sarebbe piaciuta Huntsville, a quel tempo, papà.

La via più lunga si chiamava Via del Latte, la via principale si chiamava Via del Cotone, e qui sorgevano le case di legno col tetto a pan di zucchero, le tendine di organza alle finestre, le poltrone a dondolo sulla veranda. Sulla veranda, di sera, ci stavano i vecchi a fumare la pipa o le donne a fare la calza. Le case di legno appartenevano a quelli che non erano né ricchi né poveri. Le case dei ricchi invece sorgevano su una collina chiamata Snob Hill ed erano in stile neoclassico, con le colonne greche sulla facciata, alte siepi di verde intorno al parco. Le case dei poveri, cioè le case dei negri, stavano ai bordi delle piantagioni ed erano capanne di bandone o di sassi. Capitava ogni tanto che un negro si stancasse di vivere in capanne di bandone o di sassi, e si mettesse a bere per dimenticarlo, e così desse fastidio a un ricco di Snob Hill, oppure che un ricco di Snob Hill si stancasse di essere infastidito da un negro e lo facesse picchiare: ma non per questo la città era infelice. Bianchi e negri sapevano che certe cose succedono in qualsiasi parte del mondo, a volte succede di peggio, e non si può pretendere il paradiso terrestre. Non esistevano recinti per la razza e il colore a Huntsville: bianchi e negri, poveri e ricchi, buoni e cattivi si assomigliavano tutti e la domenica mescolavano i loro peccati alla Messa. Dopo La Messa, passeggiavano insieme intorno alla piazza. Nella piazza c'era il municipio: di pietra e mattoni, con le vetrate a losanghe gialle e azzurre, una gran scalinata per dargli importanza. Sulla scalinata tubavano sempre i piccioni e la gente ci sedeva d'inverno per prendere il sole, d'estate per prendere il fresco. Davanti al municipio c'era la statua di un uomo accigliato, coi baffi e il fucile: il veterano della Guerra di Indipendenza John Hunt che nel 1805 aveva fondato la città. La statua, ritta su un gran piedestallo, era alta appena novanta centimetri, la statua meno pomposa che si potesse innalzare, ma a loro bastava e comunque per via di John Hunt la città si chiamava Huntsville.

John Hunt ci aveva messo trent'anni per costruire Huntsville: dopo altri trent'anni era scoppiata la Guerra di Secessione e le truppe federali avevan distrutto ogni cosa. Ma gli huntsvilliani l'avevan rifatta com'era, con le sue case di legno, le sue ville neoclassiche, le sue capanne di bandone, e tutto era tornato come prima: un posto piccolo, verde, tranquillo, senza ambizioni e senza curiosità. L'unica ambizione delle donne era trovarsi un marito, l'unica curiosità degli uomini era sapere quale mucca sarebbe andata a Saint Louis. Per gli uni e per le altre il mondo finiva laggiù oltre i boschi pieni di cervi, volpi, scoiattoli: la Luna era una fiaccola accesa per illuminare le strade, le stelle erano lustrini cuciti nel cielo per impreziosire le notti. Il sospetto che le stelle fossero pianeti come la Terra, il dubbio che la Luna fosse un luogo su cui si potesse atterrare, non li sfiorava neanche: né li sfiorava l'idea che le bombe servissero a volare nel vuoto. Era scoppiata una guerra, nel 1940, assai più catastrofica della Guerra di Secessione. Ma era scoppiata lontano, in Europa, nel Pacifico, e quasi non se n'erano accorti. Insomma non aveva lasciato alcun segno, solo l'assenza di alcuni ragazzi che non sarebbero tornati mai più. Però nessuno li aveva visti morire, nessuno li aveva visti composti dentro una bara: sicché in fondo era come se fossero emigrati a New York o nel Canadà. Era giunto un tedesco, in America: un tedesco che si era portato molti altri tedeschi e viveva a Fort Bliss nel Texas dove lanciava, dicevano, diabolici razzi. Il suo nome era von Braun. Però nessuno lo aveva visto questo tedesco, nessuno li aveva visti questi razzi: sicché in fondo era come se lui continuasse ad abitare in Germania e i razzi non esistessero. E in tale indolenza o ignoranza o felicità (non è forse questa la felicità?) si giunse a quel giorno del 1950.

Quel giorno Huntsville era in festa per il fatto più straordinario che potesse accadere sul globo terrestre: Lily Flagg, la mucca del colonnello Sam H. Moore, aveva vinto per la terza volta il titolo di Campionessa d'America per la Produzione del Latte. Per la terza volta: lo aveva già vinto nel 1948 e nel 1949. Partecipavano le mucche migliori dei cinquanta stati, perbacco, decine di mucche, centinaia di mucche, mucche grasse, mucche forti, mucche dalle mammelle gonfie come palloni, dure come salami: ma Lily Flagg le aveva sbaragliate tutte, cosi. Avanti, poteva succeder qualcosa che distraesse da un tale trionfo Huntsville? No davvero. E per questo era un gran giorno, un giorno di festa. Osserviamo insieme, papà, la scena che riempie la piazza. In mezzo, incoronata di rose e di fiocchi, lavata e strigliata più di un cavallo da corsa, sta Lily Flagg. Ai piedi della statua, una lapide con una dedica incisa.

A LILY FLAGG
CAMPIONESSA D'AMERICA
LA POPOLAZIONE E IL MUNICIPIO
PONGONO
GRATI ORGOGLIOSI COMMOSSI

Intorno alla statua c'è la banda municipale che suona l'inno di Huntsville: «Huntsville, città d'eroi, Huntsville, città di prodi...». A sinistra c'è il popolo che alza cartelli: «Lily, ti amiamo», «Lily sei tutti noi» e si prepara al pic-nic. A destra c'è un palco con le bandiere e le autorità, in prima fila il sindaco che tiene un discorso. «C'è chi festeggia la vittoria su una nazione o il successo di una battaglia,» dice il sindaco «noi festeggiamo la vittoria per la produzione del latte e il successo di una mucca.» «C'è chi manda belle ragazze ai concorsi o robusti giovanotti alle Olimpiadi,» dice il sindaco «noi mandiamo Lily Flagg ai concorsi e Lily Flagg alle Olimpiadi.» «Ne abbiamo abbastanza di bombardamenti e vanità mondane,» dice il sindaco «preferiamo bombardarci di latte e pavoneggiarci di burro. Viva Lily Flagg, la nostra eroina.» «Viva Lily Flagg, la nostra eroina!» rispondono gli huntsvilliani alzando i cartelli. E nei campi le bacche del cotone scoppiano in batuffoli bianchi, le nubi sembrano scese per terra: una soffice coltre di bambagia dove i raccoglitori affondano e poi tornano a galla. Coi placidi occhi mansueti Lily Flagg guarda la folla e cola un altro bicchiere di latte: sotto di lei è un gran lago bianco, odoroso di panna. Il pic-nic incomincia. Uno splendido pic-nic: suonano gioiose le fanfare, friggono le ciambelle, scoppiano i petardi. Ma d'un tratto si udì uno scoppio più grosso, poi un rombo, poi un sibilo, e mentre tutti fuggivano rovesciando ciambelle, cartelli, bandiere, mentre Lily Flagg sveniva tra le rose e tra i fiocchi, la festa finì. Von Braun aveva lanciato il suo primo missile Redstone.

Da allora (quante decine d'anni, quanti secoli sono passati?) Huntsville non è più Huntsville: è Rocket City, Città del Razzo. Via del Latte si chiama Via del Motore, via del Cotone si chiama Via dell'Acciaio, nelle aiuole dove s'ergon le statue di Lily Flagg e John Hunt si innalzano cupi missili di pietra: le statue agli Atlas ed ai Redstone. Ve ne sono dovunque e sembrano stele di un cimitero spaziale: vedere i piccioni che ci fanno la cacca è l'unico conforto di chi amava Huntsville. I piccioni, chissà perché, sono i soli animali sopravvissuti alla strage: quando i boschi furono rasati come una barba villana (disturbavano infatti il lancio dei razzi) cervi volpi e scoiattoli si estinsero. L'allevamento delle mucche è finito: come Lily Flagg che morì di spavento, senza avere più dato una goccia di latte, si ritrovarono tutte con le mammelle vuote. I campi di cotone sono un bianco ricordo: per migliaia di acri il terreno è stato acquistato dalla NASA che ci ha steso un lenzuolo di asfalto. Sparite le case di legno, le capanne di bandone, le ville neoclassiche, non resta che il municipio che si pensa di abbattere per ricostruirlo in modo funzionale e moderno. Ogni abitante vive ormai in un edificio funzionale e moderno: non c'è più differenza tra poveri e ricchi, tra bianchi e tra negri. L'automatismo ha realizzato senza spargimento di sangue gli antichi sogni di uguaglianza sociale. La Luna non è più una fiaccola accesa per illuminare le strade, le stelle non sono più lustrini cuciti nel cielo per impreziosire le notti: la Luna è uno stato da colonizzare, le stelle son mondi da conquistare. Espertissimi di astronomia e di scienza balistica, gli huntsvilliani ne parlano con prosopopea; alla Butler High School i ragazzi in attesa di udire la campanella che annuncia la fine delle lezioni misurano il tempo facendo la conta a rovescio: «... meno quattro... meno tre... meno due... meno uno... driiin! Via libera!». E son gli stessi ragazzi che imparano a portare l'ovatta dentro gli orecchi, per non diventar sordi quando parte un missile. Missili ne partono sempre, di giorno e di notte, l'aria è continuamente strappata dalle esplosioni, dalle vampate rossastre: si vive a Huntsville, anzi Rocket City, sotto un perpetuo bombardamento, un incubo di rumori, di urli.

La voce più orrenda ce l'ha quel Saturno che va sulla Luna ed è alto una volta e mezzo la Statua della Libertà, grande ottanta volte la capsula che portò negli spazi John Glenn. Una voce di orco, rombante come le Cascate del Niagara in autunno. Quando sussurra qualcosa, la terra trema per colline e vallate, le mura oscillano, i vetri si spaccano, i timpani dolgono fino allo spasimo. Vi sono più sordi a Huntsville che in qualsiasi altra parte del globo terrestre, e nessuno si commuove per loro. Di chi è la colpa, rispondono, se non misero ovatta dentro gli orecchi? Lo aveva detto la NASA: mettete l'ovatta dentro gli orecchi, mettete l'ovatta. Disubbidirono ed ora son condannati al perpetuo silenzio. Poveretti? E perché? Posson sempre emigrare col risarcimento statale. Molti emigrano. Li riconoscete, nella sala d'aspetto dell'aeroporto, perché hanno complicatissimi occhiali da sordi e malgrado gli occhiali non capiscono nulla: al momento in cui l'altoparlante annuncia il volo, restano fermi a guardare il soffitto. Qualcuno allora li chiama, gli fa cenno di andar sulla pista, e loro rispondono grazie, non ho voglia di prendere il sole, preferisco star qui. E così perdon l'aereo. Chi rimane, per rassegnazione o pigrizia, odia talmente la Luna che non alza mai gli occhi a guardarla e, se per caso la vede, ci sputa.

Non avevo mai visto un uomo che sputa alla Luna, papà. Ma la sera che giunsi a Huntsville vidi anche questo. Camminavo, ricordo, intorno al mio motel e la Luna era limpida. In mezzo al parcheggio delle automobili sostava un uomo con le mani in tasca. Immobile, con le mani in tasca, fissava la Luna. D'un tratto rovesciò la testa all'indietro e fece spuh! Uno sputo violento, diritto: quasi un piccolo razzo a kerosene. Come un razzo infatti partì verso l'alto e, per quanto mi sforzassi di osservare dove ricadeva, non ricadde più giù. Allora mi avvicinai, affascinata, e tentai di attaccare discorso. L'uomo mi ascoltò senza udire e poi si mise a parlare da sé. «Ci sputo» diceva. «Ci sputo, ci sputo! Quella puttana di Luna!» Una pausa. «E quel ruffiano di razzo, Saturno!» Un'altra pausa. «E quei nazisti di...»

Il padre di Saturno si chiama Wernher von Braun. Lo zio di Saturno si chiama Ernst Stuhlinger. I suoi parenti sono tutti tedeschi malgrado posseggano dal 1955 la cittadinanza americana. Centoventi tedeschi dai gesti secchi e la voce sferzante che si inteneriscono solo a parlare di Saturno: detto con infinita dolcezza: *our baby*, il nostro bambino. Oppure: *our biggest baby*, il nostro bambino più grosso. Durante la Seconda Guerra Mondiale, quando vivevano a Peenemunde in Germania, partorivano infatti bambini più piccoli, definiti con altrettanta dolcezza V2. V per vendetta: Arma della Vendetta Numero Due. I V2, lo sappiamo, bombardavano Londra. In sette mesi tremila morti, seimilaottocento feriti. Non a caso Hitler considerava von Braun lo scienziato più prezioso del secolo. Il capitolo paradossale nel romanzo del viaggio alla Luna incomincia da qui e da quest'uomo che gli americani non hanno ancora deciso se amare o se odiare.

Una gran percentuale, è ben vero, lo ama: per esempio i giovani nati dopo la guerra, per esempio i filotedeschi che negli Stati Uniti son tanti. Amandolo guardano a lui come a un Cristoforo Colombo dello spazio, a un eroe da fantascienza, e gli attribuiscono tutte le virtù del mondo: la passione, la capacità organizzativa, l'ottimismo, la fantasia, lo stesso merito di aver riscattato l'America dalla brutta figura fatta col primo Sputnik. Un'altra gran percentuale lo odia: per esempio gli adulti che non sanno perdonare al nazismo, per esempio gli scienziati ebrei che scamparono al forno. E ripetono che non ha inventato un bel nulla, questo von Braun che stringeva così volentieri la mano di Hitler, non ha fatto che rubare le idee di Robert H. Goddard, il padre della missilistica americana. Sì, sarà un buon ingegnere questo von Braun, un meccanico esperto, ma è anche un opportunista tremendo. Quando si trovò a dover scegliere tra gli americani ed i russi che avanzavano da opposte direzioni verso Peenemunde scelse gli americani, d'accordo. Ma solo perché gli sembravan più forti e ora si mangia le dita al sospetto d'aver commesso un errore. No, non è affatto simpatico che questo von Braun diriga praticamente l'avventura spaziale. Non è affatto simpatico che sia salutato come un eroe e, all'occorrenza, portato in trionfo. Lui e i suoi centoventi compari che a Huntsville vivon tutti arroccati nello stesso quartiere come se fosse un fortino e in vent'anni non hanno imparato a parlare correttamente l'inglese: in casa e fra loro parlano ancora il tedesco. Non pochi, anche fra i giornalisti, si vantano d'aver scritto volumi sul viaggio alla Luna senza mai aver citato von Braun, Stuhlinger, i suoi amici.

Sinceramente, papà, a me sembra ridicolo. E malgrado io sia una che non dimentica, che non perde occasione per rinfrescar la memoria agli immemori, questo lo sai, trovo disonesto e ingiusto negare a von Braun ciò che è di von Braun, ignorarlo in un tale racconto. Tu non sei forse d'accordo ma io la penso così. Guardiamoci dritto negli occhi, papà: uomini netti come Fermi e Oppenheimer non costruirono forse l'atomica che polverizzò Nagasaki e Hiroscima? Eran scienziati, dirai: e la scienza non ha niente a che fare con l'etica. Lo so. Ma von Braun non era anche lui uno scienziato? Ciò che dispiace in von Braun, papà, ciò che dispiace nei centoventi di Huntsville non è il fatto che abbiano costruito i V2: è il fatto che vent'anni dopo raccontino: «Il 6 settembre 1944, quando il primo V2 cadde a Chiswick sul Tamigi noi brindammo con lo champagne». Non lo so, non mi va. Io non credo che Fermi e Oppenheimer si siano ubriacati di whisky o di Chianti il giorno in cui la Bomba ammazzò centomila persone. Al contrario: hanno avuto crisi di coscienza, se ne sono vergognati. Ma questi tedeschi non si vergognano mai? A loro le crisi di coscienza non vengono mai? Non ce l'hanno mai il dubbio che se la scienza non ha niente a che fare con l'etica, uno scienziato ha a che fare con l'uomo, lui stesso è un uomo? Non lo so, non mi va. Non mi va neanche il fatto che essi fossero iscritti al partito nazista, e non mi fa né caldo né freddo che ora vengano a dire: iscritti sì, nel cuore no.

Lo dice perfino Erik Berghaust, autore di un ottimo libro su Wernher von Braun: *Reaching the stars*. Cittadino americano ma fino a ventiquattr'anni cittadino norvegese, Erik Berghaust ebbe parenti massacrati nei campi di concentramento in Germania, fu arrestato dalla Gestapo, picchiato, partecipò alla Resistenza in Norvegia: è un antinazista convinto. Però vuol molto bene a von Braun e von Braun vuol molto bene a lui: l'amicizia, come l'amore, rende a volte un po' ciechi. Senza trapanare il cuore di von Braun vorrei proprio scoprire se fosse o no un nazista sincero. Ho premesso tali ragionamenti, papà, per chiarire che non scrivo questo capitolo per farti dispetto: lo scrivo anzi con molte riserve. E ciò mi permette di dedicargli lo spazio e la considerazione che merita, addirittura di affermare che è abbastanza simpatico. Ciò ti stupisce? Stupisce anche me. Ma ecco quello che scrissi sul mio taccuino subito dopo l'incontro: «Intervistato von Braun. È altissimo e immenso: con spalle da lottatore, stomaco massiccio, faccia florida da bevitore di birra. Bella faccia, però. I suoi capelli sono molto biondi, i suoi occhi sono molto celesti, i suoi denti sono molto bianchi: ovvio che piacesse a Hitler. È il tipico rappresentante della pura razza germanica: chissà come la pensa sui negri che gremiscono Huntsville. Parla con indiscutibile accento prussiano, riesce a rendere dure le parole più dolci: come *Moon*, Luna. Parlando si tiene dritto come un generale che si rivolge a una recluta tonta e il suo sorriso è talmente gelido che anziché un sorriso sembra una minaccia. Strano: avrebbe tutto per riuscire antipatico e non lo è. Per mezz'ora mi sono sforzata di considerarlo antipatico. Con totale sbalordimento mi sono sorpresa a concludere proprio il contrario». Il punto è che nessuno gli negherebbe una personalità travolgente, una intelligenza violenta, una capacità demoniaca di suggestionare chi lo guarda e lo ascolta. S'intende di tutto, si occupa di tutto, è pilota, scrittore, paracadutista, corridore, violinista, nuotatore, alpinista, sciatore, pianista, cacciatore, conferenziere, pescatore, subacqueo, tennista, teologo e tante altre cose che non mi stupirei se fosse anche un ottimo cuoco, ricamasse con grazia all'uncinetto, cantasse benissimo: *Figaro qua*, *Figaro là*, traducesse in un batter d'occhio dal sanscrito. Tipi così se ne trovano, a volte: né per questo sono migliori degli altri. Ma una cosa è certa: sono diversi dagli altri. L'uomo non è un uomo qualsiasi.

Non lo è mai stato, a giudicare dalla sua biografia. E va da sé che la vita è sempre stata generosa con lui: oltre a regalargli fisico e mente robusti, gli regalò un padre di nome Magnus von Braun, barone, banchiere, proprietario terriero, ministro dell'Agricoltura, nonché lo stupendo castello di Wirsitz nella Prussia Orientale dove nacque il 23 marzo 1912 con gran gioia dell'intera famiglia. Anche se fosse un secondo Leonardo da Vinci (si fa così per dire), a Leonardo andrebbe il vantaggio d'essere nato illegittimo da una contadina ignorante. La madre di Wernher von Braun non era una contadina ignorante: era la marchesa Emmy von Quistorp, ricca, energica e notissima astronoma. Il giorno in cui Wernher fu battezzato con rito luterano, aveva circa otto anni, la marchesa Emmy non gli comprò l'orologio d'oro com'è tradizione: anche perché l'orologio d'oro Wernher ce l'aveva già. Gli regalò un telescopio con cui studiare le stelle. E lui le studiò. A tredici anni ne sapeva già tanto da porsi il problema di inventare un veicolo per approdare alla Luna: infatti comprò il libro di Hermann Oberth, *Il razzo per gli Spazi Interplanetari*, e cominciò a leggerlo. Ma debole in fisica, debolissimo in matematica, non ci capì nulla. Così andò da Oberth, gli disse che non ci capiva un bel nulla, e Oberth gli consigliò di studiar meglio matematica e fisica. Sette anni dopo era già laureato in matematica e fisica, all'Istituto di Tecnologia di Charlottenburg. «Mi riempiva il desiderio romantico di librarmi nel cielo ed esplorare l'universo. La sera mi incantavo a guardare la Luna e mi ripetevo quanto fosse vicina, vicina.»

Quella Luna vicina, vicina, lo incitava ad approfondire i suoi studi di astronomia: andò a Berlino e si iscrisse alla facoltà di astrofisica. Qui però si convinse che il problema non era andar sulla Luna ma far sopravvivere durante il viaggio il corpo e la mente dell'uomo. Lasciò Berlino e si trasferì all'Istituto Federale di Tecnologia di Zurigo dove conobbe Costantine Generales, e faceva gli esperimenti sul topo. Poi tornò in Germania e lo assunsero come impiegato civile dell'esercito per la costruzione di razzi a propellente liquido. Aveva ventun anni. A ventiquattro sarebbe diventato direttore di Peenemunde. Fu la marchesa Emmy a suggerirgli la scelta di Peenemunde. Wernher cercava una zona disabitata e ricca di acque per sparare in pace i suoi razzi e lei disse: «Perché non Peenemunde? Il nonno ci andava a caccia di anitre per stare solo». Strano come a Peenemunde accadesse quel che sarebbe accaduto quindici anni dopo ad Huntsville; v'è in quest'uomo il destino di rovinare tutti i posti tranquilli. Dice Berghaust che a Peenemunde voleva studiare i viaggi spaziali. Nella primavera del 1939, però, quando Hitler gli strinse per la prima volta la mano, von Braun non accennò per niente alla Luna. Spiegandogli le caratteristiche dell'A5, una anticipazione del V2, disse che era un'arma formidabile, un'arma per polverizzare il nemico. (Abbastanza beffardo, vero, papà, che le cosmonavi per andar sulla Luna siano in fondo le stesse che servivano a Hitler per ammazzare la gente.) Gli disse che i bombardamenti aerei erano nulla al confronto e fu un incontro abbastanza bizzarro quello tra il dittatore nazista e il Cristoforo Colombo dello spazio. Hitler era trentacinque centimetri più basso di von Braun e, forse infastidito da tanta mole, si comportava con sufficienza, parlava col tono di chi ha capito già tutto. Una frase bastò a rilevare però che razza di presuntuoso si nascondesse dietro quei baffi: non sapeva neanche com'è fatto un razzo e come funziona.

«Bene, dottor von Braun, bene. Tuttavia non capisco perché questo razzo a propellente liquido abbia bisogno di due serbatoi differenti.»

«Führer... I due serbatoi servono a contenere l'uno l'ossigeno e l'altro il carburante.»

«E che bisogno c'è dell'ossigeno?»

«Ma... Führer... Un razzo funziona in assenza di aria. In

altre parole, per bruciare il suo combustibile, non usa l'ossigeno dell'atmosfera.»

«E con questo?»

«Führer... con questo... il razzo deve portar dentro il suo involucro sia l'ossigeno che il carburante. E questi sono contenuti in due serbatoi staccati.»

«Capisco. Ma perché non usate l'ossigeno dell'aria?»

La fronte imperlata di sudore, von Braun ricominciò da capo: un razzo non brucia il suo combustibile con l'ossigeno dell'atmosfera, come un aereo o un'automobile... Hitler non capì lo stesso ma brindò al successo del razzo: con un bicchiere di acqua minerale. E ordinò che il dottor von Braun fosse aiutato, finanziato, lo seguì nei suoi sforzi per trasformare l'A5 in A4, vale a dire un razzo capace di volare a velocità supersonica e raggiungere in un batter di ciglia l'odiata Inghilterra, gli suggerì l'idea di chiamare l'A4 «Arma della Vendetta». Anzi, «Arma della vendetta Numero Due»: V2. Che il dottor von Braun costruisse immediatamente trentamila V2 con cui sbriciolar Londra, e poi altri trentamila con cui sbriciolar Mosca, e poi altri trentamila con cui sbriciolare New York. E il dottor von Braun si mise a costruire V2 per sbriciolar Londra, Mosca, New York, il mondo intero fuorché la grande Germania. Non trentamila, però: per quanti sforzi facesse, da Peenemunde non uscivan più di trenta V2 giornalieri. Ne costruì quindi tremila: e in tal modo si giunse a quel 6 settembre 1944 quando il primo V2 cadde su Chiswick, vicino al Tamigi. Dopo Chiswick ne caddero millecentoquindici sull'Inghilterra, cinquecentodiciotto nel centro di Londra. L'ultimo cadde il 27 marzo 1945: un mese prima della morte di Hitler. «Se i tedeschi avessero lanciato i V2 sei mesi avanti,» ebbe a dire Eisenhower «l'invasione dell'Europa ci sarebbe stata molto difficile, forse addirittura impossibile.» Ecco la storia che dovremo narrare ai marziani e ai venusiani quando, colmi di ammirazione, ci vedranno scendere con le nostre astronavi e ci chiederanno: «Ma come avete fatto, perbacco? Come capitò?».

Capitò che nel gennaio del 1945 la grande Germania fosse ormai sull'orlo della disfatta. I russi avanzavano da est, gli americani da ovest, e l'artiglieria tuonava sempre più vicina a Peenemunde dove sia gli uni che gli altri avevano fretta d'arrivare per i V2: sia gli uni che gli altri sapevano che il villaggio preferito dal barone von Braun per cacciare le anitre racchiudeva un tesoro. Intorno a Peenemunde erano state alzate barricate di cemento armato, i documenti erano stati rinchiusi in casse piene di acido che li avrebbe distrutti automaticamente al primo sollevar del coperchio, un migliaio di V2 erano stati evacuati in caverne sicure: von Braun riunì quelli di cui si fidava di più e, afferma Erik Berghaust, tenne il seguente discorso: «La Germania ha perso la guerra. Ma il nostro sogno di andar sulla Luna e sugli altri pianeti non è morto. I V2 non servono solo come armi da guerra, posson essere usati pei viaggi spaziali. Per uno scopo o per l'altro, russi e americani vorranno sapere ciò che sappiamo. A chi dei due sarà meglio lasciare la nostra eredità e il nostro sogno?». O meglio (scusi, eh, signor Berghaust): «La Germania ha perso la guerra. Qui ci fanno la pelle. O ci impiccano gli americani o ci fucilano i russi. Con chi dei due pensate che potremmo cavarcela offrendogli in cambio questi efficacissimi razzi?». La risposta fu unanime: «Gli americani!». Gli americani non avevano visto le proprie città bombardate, i villaggi bruciati, i bambini deportati, gli uomini e le donne fucilati. Gli americani non coltivavano odio o vendetta. Gli americani erano ricchi. «Gli americani!» Esattamente ciò che pensava von Braun: Sigismund, il suo fratello maggiore, era all'ambasciata tedesca presso il Vaticano quando la Quinta Armata aveva preso Roma, da oltre un anno quindi stava con gli americani e ci stava benissimo. Magnus, il fratello minore, ascoltava sempre la radio alleata e diceva che, fosse stato per lui, gli americani avrebbero già preso Berlino. «Gli americani!» Bisognava assolutamente tentare di arrendersi agli americani. E il caso li aiutò: in febbraio il colonnello Walter Dornberger, comandante militare di Peenemunde, ricevette l'ordine di evacuare a Bleicherode i cinquemila uomini di Peenemunde e i missili rimasti. L'evacuazione avvenne pochi giorni prima che i russi entrassero in Peenemunde.

A questo punto il capitolo più paradossale nel romanzo del viaggio alla Luna si colorisce di un episodio d'amore: l'addio tra Wernher von Braun e la cugina Maria von Quistorp, figlia di Alexander von Quistorp cioè il fratello di Emmy von Braun. Wernher a quel tempo aveva trentatré anni, Maria solo quindici. Ma Wernher amava Maria dal giorno in cui l'aveva vista battezzare, avvenimento che suppongo accadesse con rito luterano quando Maria aveva otto anni, e nessun'altra donna contava per lui. Così andò a salutarla, nel castello dei von Quistorp vicino al Mar Baltico, e ci fu quest'addio wagneriano. Lui enorme e biondo, lei esile e bionda. Lui che la guarda con occhi celesti, lei che lo guarda con occhi celesti. Lui che le dice: «Auf Wiedersehn, Maria», lei che gli dice: «Auf Wiedershen, Wernher». Dinanzi le onde del mare che si infrangono contro la roccia, in lontananza il cannone che tuona. Chi ha descritto la scena prima di me ne ha cavato pagine bellissime, davvero commoventi. A me non riesce. È la terza volta che ci riprovo e ogni volta ci metto meno sentimento: chi ne ha più di me, aggiunga il suo. Lo sai bene, papà: non è ch'io non rispetti i sentimenti degli altri. È che, per quanto mi sforzi, non riesco a commuovermi su Wernher von Braun e sulla sua scena d'amore nel castello dei von Quistorp. Sono scortese, capisco: nello stesso momento in cui dico a me stessa sei scortese, scortese, mi tornano in mente altri addii avvenuti mentre il cannone tuona. Per esempio l'addio di una ragazzina italiana a un inglese caduto dal cielo, che parte per tentar di raggiunger le linee. La ragazzina è bionda, ha sì e no quattordici anni, l'inglese è il primo uomo che le abbia accarezzato una guancia. L'inglese è biondo, ha sì e no ventun anni, la ragazzina è la prima donna che abbia pianto per lui. Si sono trovati per caso, tra le macerie di una casa, e lei gli ha dato il suo letto, è andata a dormire in cucina: per quindici giorni. Non è successo nulla ed è successo tutto, in quei quindici giorni. Poi lui ha detto: «Devo partire» e lei, attraverso i posti di blocco tedeschi, lo ha accompagnato fin qua dove tuona un cannone. «Allora, ciao» dice la ragazzina. «Ciao» dice l'inglese. «Speriamo che non piova» dice la ragazzina. «Speriamo che non piova» dice l'inglese. «Se la guerra finisce, ritorna» dice la ragazzina. «La guerra finirà e io ritornerò» dice l'inglese. E i suoi occhi sono lucidi lucidi, così lucidi che sembran sott'acqua. La ragazzina li guarda e vede che una goccia di acqua gli scende giù per il naso, poi sulle labbra, poi giù per il mento, non ha mai visto una lacrima lunga come la lacrima di questo inglese, e la lacrima si perde infine nel collo: ricordi, papà? C'eri anche tu, papà. Quando la lacrima gli arrivò al collo, si voltò e andò via. Io lo guardai andare via, biondo, secco, indifeso, un ragazzino quasi come me, e la mia infanzia fu di colpo finita, finiti i miei quattordici anni, la mia capacità di perdonare: né sarebbe tornata ridendo giocando piangendo per uomini che non erano questo. Ero diventata adulta in un attimo e in un attimo diventai vecchia: fu due mesi dopo quando ci dissero è morto, lo hanno trovato nel bosco, con due colpi alla gola, lo hanno fermato i tedeschi, lui ha tentato di fuggire, e i tedeschi gli hanno sparato due colpi alla gola. Proprio lì, dove s'era persa la lacrima. Insomma mi vengono in mente altri addii quando tento di scrivere l'addio wagneriano di Wernher e Maria, e non me ne importa nulla della loro tristezza dinanzi al Mar Baltico. Si rividero, loro, ora sono sposati e se la passan benissimo nella villetta di Huntsville. Se von Braun ha la violenta intelligenza che credo e se un giorno, per caso, gli capiterà di veder questo libro, comprenderà: me lo auguro. Chiusa la parentesi romantica. Torniamo al convoglio di Peenemunde che viaggia verso Bleicherode.

Quello sì che è drammatico. A Bleicherode stanno per giungere gli americani e von Braun è pieno di sollievo. Guidando nella notte pensa che le angosce stanno per finire, che potrà finalmente consegnare se stesso e i V2 al generale Patton che avanza verso i monti Harz, e mentre pensa così gli viene un gran sonno, si accascia sopra il volante, l'automobile si rovescia in un fosso. Si risveglia ingessato e con un grande dolore alla spalla sinistra che è rotta, al braccio sinistro che è rotto. Chiede se questa è Bleicherode e il colonnello Dornberger gli dice sì ma devono evacuare di nuovo: stavolta in un campo di Oberammergau, ai piedi delle Alpi Bavaresi. Egli ha un'ora per scegliere tra i cinquemila di Peenemunde cinquecento persone, tecnici e scienziati, strapparli alle loro famiglie, partire. Lui, Dornberger, caricherà intanto le casse dei documenti e il materiale più prezioso sopra tre camion: per nasconderli in una cava segreta dei monti Harz. Von Braun si alza da letto, sceglie i cinquecento. Dorberger carica i camion, a tre miglia dalla cava allontana autisti ed SS, poi con un gruppo di fiducia nasconde il materiale e le casse da cui toglie l'acido per distruggere i fogli: gli americani infatti li troveranno ben conservati. Poi, via ad Oberammergau. Qui il campo è cintato dalle SS che non si fidano più di nessuno, nemmen di von Braun, ma Dornberger riesce ugualmente a farne uscire von Braun: con una ambulanza, insieme al fratello Magnus. Lo porta a Oberjoch, un villaggio vicino. L'artiglieria brucia il cielo e la terra, i francesi sono soltanto a un'ora di distanza. Disteso su un letto, con quel dolore alla spalla e al braccio, von Braun discute il modo di non farsi prendere prigionieri dai francesi. A scuola gli piaceva il francese, in guerra i francesi non gli piacciono affatto. Hanno addosso l'odio dei russi. Sai quanti ragazzi di ventun anni, tra loro, sono morti nel bosco con due fucilate alla gola: proprio lì, dove s'è persa la lacrima.

«Bisogna assolutamente piazzare il bambino nelle mani giuste» dice von Braun. Per bambino leggi V2, per mani giuste leggi americani. È il 30 aprile 1945, la radio annuncia che «Hitler è morto da eroe nella battaglia di Berlino» e quasi tutta l'Europa è ormai liberata dall'incubo. Come angeli vestiti da militari gli alleati tagliano il filo spinato dei lager, liberano fantasmi di creature affamate, umiliate, orrende a guardarsi, e la morsa si stringe, si stringe, si stringe. Vengono dappertutto questi liberatori o vendicatori che siano, vengono dal nord, dal sud, da est, da ovest, sono americani, sono russi, sono francesi, sono inglesi, e nel mezzo ci sono loro, tedeschi: come topi presi dentro una trappola e aggrappati a un inutile pezzo di cacio. Potersela cavare offrendo in dono quel cacio! Von Braun manda Magnus a discutere con gli americani i termini della resa. Fra tutti Magnus è quello che parla meglio l'inglese. Parte in bicicletta e dopo qualche ora ritorna: «È fatta. Questi sono i lasciapassare per sei automobili. Tra poco arriverà la jeep di scorta». È andata bene? «Benissimo. Avevan tutta l'aria di aspettarci e comunque sembravano felici di vedermi.» Poi la jeep di scorta arriva e von Braun si ritrova nelle baracche del generale Patton, dinanzi a due ufficiali che lo interrogano con molta, molta gentilezza. Uno è il dottor Richard W. Porter che, come un cacciatore di talenti hollywoodiano, cerca «elementi validi» da condurre in America. L'altro è il generale Hoger Toftoy, coordinatore del Technical Intelligence Service in Europa ed incaricato di requisire ciò che è rimasto dell'equipaggiamento nemico. Ha già racimolato molti carri armati Tigre ed ora vuole i bambini, i V2.

Von Braun gli spiega dove stanno: parte nella cava segreta dei monti Harz e parte in una fabbrica di Nordhausen. Il generale fa un balzo: Nordhausen sta per essere trasferita ai russi. Lesto interrompe il colloquio e agguanta il telefono: i russi avranno Nordhausen ma non quel che contiene la fabbrica. Nel giro di un giorno cava e fabbrica sono vuotate, i bambini spediti a New Orleans. Ci vorranno sedici navi Liberty per caricare quell'asilo d'infanzia e quando l'asilo verrà finalmente sbarcato a New Orleans, di lì trasferito nel Nuovo Messico, Toftoy sarà capo del Reparto Razzi.

Come capo del Reparto Razzi ha il compito di scegliere cento fra tecnici e scienziati per mandarli in America insieme a von Braun. Va perciò a interrogarli nella ex scuola di Witzenhausen dove essi vivono accomodando biciclette, apparecchi radio. Toftoy è un brav'uomo e un uomo assai ingenuo. Si chiede se troverà fra i cinquecento di Peenemunde i cento che vogliono andare in America e per non rischiare insuccessi domanda a ciascuno: «Lei preferisce lavorare coi russi o con gli americani?». Immancabilmente quello risponde: «Gli americani! Gli americani!». Ci vogliono andare tutti in questa America che contavano di sbriciolare coi loro V2, sembrano ebrei cui è stato offerto un passaggio per la Terra Promessa. Lusingato, desolato, sorpreso, Toftoy si rivolge a von Braun che propone un gruppetto di centoventotto. L'accordo è raggiunto su centoventisette, quello che manca è Dornberger. Gli inglesi lo considerano un criminale di guerra e lo vogliono quale capro espiatorio dei millecentosedici V2 lanciati sulla Gran Bretagna. Toftoy lo consegna agli inglesi e sembra proprio che il comandante di Peenemunde finisca a Norimberga, con un cappio al collo. Invece finirà per due anni a raccattar le macerie di Londra. Lo hanno salvato quell'acido tolto dalle cassette dei documenti, quell'impegno messo nel consegnare i bambini a Toftoy, la testimonianza di von Braun. Dieci anni dopo avrà anche lui il passaporto americano e lo sai cosa fa oggi, papà? Fabbrica le cinture-razzo alla Aerobell System di Buffalo. Sì, sì: le cinture-razzo dell'angelo che volava alla Fiera. Anche questo dovremo narrare ai marziani ed ai venusiani quando, allibiti dal nostro racconto, esclameranno: «Ma che tipi strani siete laggiù sulla Terra, fate cose proprio dell'altro mondo. E poi?».

E poi il primo gruppo di venti tedeschi partì per l'America, guidato da von Braun. Era il settembre del 1945. Il gruppo si fermò a Boston, dopo Boston a Washington, infine proseguì in treno per Fort Bliss nel Texas. Von Braun era felice: ancora una volta la vita era stata generosa con lui. Gli altri toccavano il cielo col dito. Mentre il treno attraversava foreste e deserti non facevano che guardare dal finestrino e sembrava dicessero: «Meno male che più di trenta bambini al giorno non li potevamo partorire». E nel vagone ristorante sembrava dicessero: «Quant'è bello perder la guerra!». Viaggiavano, s'intende, in segreto e ciascuno scortato dal suo guardiano: Toftoy non era ancora sicuro che la popolazione reagisse favorevolmente, stava attento a non rivelare chi fossero. Né la popolazione lo seppe, escluso il misterioso viaggiatore che da Saint Louis a Texarkana divise la cabina letto con von Braun. L'episodio è narrato dallo stesso Erik Berghaust. Von Braun era scortato dal maggiore Hamill, uomo di fiducia di Toftoy ma, per non dare nell'occhio, si ritrovava con lui soltanto a mangiare. Capitò dunque che il compagno di cabina attaccasse discorso e ad un certo punto chiedesse a von Braun da dove veniva. «Svizzera» rispose von Braun. L'uomo conosceva bene la Svizzera, chiese che città della Svizzera. «Zurigo» rispose von Braun. L'uomo conosceva bene Zurigo, chiese che lavoro facesse a Zurigo. «Commercio in acciaio» rispose von Braun. L'uomo si intendeva d'acciaio, chiese in che ramo dell'acciaio. «Cuscinetti a sfere» rispose von Braun. L'uomo si intendeva di cuscinetti a sfere, si lanciò in una polemica sul modo di vendere i cuscinetti a sfere in Svizzera, in particolare a Zurigo. Von Braun zittì e si rannicchiò in un angolo a far finta di dormire. A Texarkana un colpetto alla spalla lo svegliò. Era l'uomo che sapeva tutto sulla Svizzera, su Zurigo, sull'acciaio, sui cuscinetti a sfere, e ora scendeva. Von Braun gli strinse la mano, l'uomo gli restituì la stretta di mano, prese le valige e sussurrò con un canagliesco sorriso: «Se non era per voi svizzeri, non so come avremmo fatto noi americani a mettere in ginocchio quei tedeschi».

Il secondo gruppo giunse nel gennaio del 1946: direttamente a El Paso di cui Fort Bliss è una provincia. Di El Paso videro prima di ogni altra cosa i negozi di cibo, e diventarono matti. Per anni avevano sofferto la fame: quel Niagara di bistecche, di polli, di crema, ora li sconvolgeva come una patata sconvolgeva gli ebrei racchiusi nei lager. Insistevano per comprare qualcosa, comprare era loro proibito, quando finalmente il permesso fu dato si vide qualcosa che solo i contadini cinesi son usi a vedere quando nubi di cavallette si abbattono sui campi di grano e lo mangiano. In pochi minuti vuotarono tutti i negozi di El Paso, fecero pacchi, li spedirono ai parenti in Germania. L'ufficio postale dovette assumere venti impiegati di supplemento. Il terzo e ultimo gruppo giunse nell'aprile del 1947, con tutte le famiglie. Erano anch'esse sotto la custodia militare ma non gliene importava un bel nulla. Gli importava soltanto ottenere la cittadinanza degli USA e in questa speranza accettavano tutto, imitavano usi, costumi, malcostumi. In America si mastica sempre chewingum? E loro masticavan chewingum. In America si beve il whisky? E loro bevevano il whisky. In America si ascolta il jazz? E loro ascoltavano il jazz. L'America è una piovra che inghiotte chiunque ci abiti più a lungo di un mese. Non v'è paese, non v'è religione che assorba e trasformi come l'America, sai? Dopo un mese di America credi di essere ancora europeo, o africano, o asiatico, credi di aver resistito, di non esserti lasciato inghiottire, assorbire, trasformare: ma un mattino ti svegli e ti accorgi d'essere più americano di un americano nato a Chicago. È successo agli italiani, è successo ai cinesi, è successo ai russi. E tuttavia non è mai successo che un gruppo di europei si inserisse nella società americana con la disinvoltura e la velocità con cui si inserirono i centoventisette di Peenemunde e le loro famiglie. Il congresso gli fece aspettare dieci anni la cittadinanza degli USA, poteva dargliela dopo sei mesi. Incontravi un tedesco che parlava inglese come un tedesco e gli chiedevi, tanto per divertirsi: «Scusi, lei da dove viene?». Lui rispondeva: «Sono un texano». Non a caso durante i sei anni che i tedeschi trascorsero a Fort Bliss non accadde mai un incidente, un litigio sgradevole. Tutt'al più capitava che un bambino cui un altro bambino aveva detto «nazista!» tornasse a casa piangendo e dicesse alla mamma: «Mutter, was meinst du mit den Nazi?». Ma la mamma diceva: «Niente, una parola passata di moda». E il bambino smetteva di piangere. «Credevo che fosse una parolaccia, Mutter.» «Parolaccia?! Perché?» La parolaccia non venne mai detta, comunque, alla figlia di Wernher von Braun: ormai padre e marito. Nel 1947 von Braun aveva scritto a Maria se voleva sposarlo, Maria aveva risposto sì certo, von Braun era andato in Germania a sposarla, e la nuova famiglia a Fort Bliss comprendeva una bimba di nome Iris: nata un anno dopo il matrimonio. Bellissima, bionda come mamma e papà.

Malgrado ciò von Braun fu in quegli anni abbastanza infelice. Non c'era molto da fare a Fort Bliss fuorché sparare nel cielo i V2 e tenersi agli ordini della Marina o dell'Aviazione. E von Braun si annoiava. Per vincer la noia studiava un progetto di spedizione su Marte, insieme a Ernst Stuhlinger, e scriveva un libro sullo stesso argomento: *Progetto Marte*. Quando l'ebbe finito lo spedì a un editore di New York che lo respinse così: «Impossibile ed inverosimile». Lo spedì allora ad un altro editore e anche lui lo respinse così: «Impossibile e inverosimile». Diciotto editori lo respinsero come «impossibile e inverosimile»: sarebbero passati cinque o sei anni prima che il libro venisse pubblicato in Germania, poi tradotto in America dove ancora oggi è un bestseller. In compenso gli stessi editori chiesero a Wernher von Braun un romanzo di fantascienza e lui glielo fece: la storia di certi astronauti che sbarcan su Marte e vi trovano una gran civiltà di uomini verdi. Gli uomini verdi sono abbigliati come antichi romani e vivono in edifici di cristallo. Imparano immediatamente l'inglese e uno di loro riparte con gli astronauti, per stabilirsi in America. Von Braun se ne vergogna moltissimo, ormai. Stuhlinger, che vi collaborò, ne va invece assai fiero. Stuhlinger è un personaggio molto particolare: vedremo. A Peenemunde misurava la velocità dei V2 ma se ne stava appartato: l'unica cosa che gli premesse era andare su Marte e a questo scopo studiava un sistema a propulsione elettrica che pei bombardamenti sarebbe servito ben poco. A Fort Bliss continuava il suo studio: l'America valeva per lui la Turingia, dov'era nato, o la Papuasia o la Russia. «L'importante» ripeteva «è andare su Marte.» Von Braun trovò in lui un grande amico: la sera guardavano insieme le stelle. Talvolta, con loro, c'era la baronessa Emmy von Braun.

Il barone e la baronessa avevan seguito il figlio nel Texas, dopo il suo matrimonio con la cugina Maria. In seguito all'accordo di Yalta, il castello e le terre nella Slesia eran passati alla Polonia, i baroni non possedevano ormai che le macerie di una casa a Berlino e trasferirsi a Fort Bliss era parsa una soluzione accettabile. Vi stavano come dipendenti di Wernher, però, e senza entusiasmo. Cultori di Bach e di Brahms, impallidivan d'orrore ogniqualvolta udivano il jazz, il motto «Arrangiati da solo» li scuoteva in brividi e in un desiderio di servitù. Invano il figlio tentava di convertirli all'era spaziale, alle abitudini del grande paese che accoglie chiunque: essi lo fissavano con occhi celesti ed acquosi poi ripetevano voglio tornarmene a casa. Ci tornarono, infatti, nel 1953. In America von Braun non ebbe fortuna coi vecchi. A un certo punto ci volle Oberth, il professore che lo aveva spinto a studiar matematica, il grande Oberth che insieme all'americano Goddard e al russo Tsiolkowsky resta uno dei tre maestri della missilistica. Oberth venne, fu ricevuto con grandi onori, e dopo sei mesi annunciò che sarebbe tornato in Germania. L'adattabilità di von Braun, il suo spirito di avventura, si addiceva ai giovani: con quelli ebbe infatti fortuna. I fratelli Magnus e Sigismund lo seguirono senza esitazione e rimasero. Magnus divenne ingegnere alla Chrysler, e Sigismund si stabilì a Washington come ambasciatore della Germania Occidentale. Ed eccoci a Huntsville, a Lily Flagg che sviene tra le rose ed i fiocchi.

Von Braun ed i centoventisette tedeschi vi si trasferirono da Fort Bliss in sordina, dopo lo scoppio della guerra in Corea. Quando il primo Redstone salì in cielo e provocò quel subbuglio, gli huntsvilliani sapevan sì e no cosa stava accadendo. Sapevano solo che c'erano in città quei tedeschi e, qualsiasi cosa facessero, non li gradivano affatto. «L'ultima volta che i nostri ragazzi hanno visto i tedeschi è stato per spargargli addosso in Germania, e non ci teniamo per niente ad averli» aveva dichiarato il sindaco. E la città aveva raccolto il suo grido. Le porte si chiudevano in faccia agli intrusi, per strada voltavan loro le spalle, nessuno voleva affittargli una casa. Parafrasando i cartelli già apparsi in Sud Carolina e in Georgia quando interi villaggi si sbriciolavano sotto i bulldozer per far posto alle costruzioni dei centri atomici, una vecchia signora che aveva inteso parlare di razzi appese alla finestra questa scritta straziante: «È difficile capire perché la nostra pace dev'esser distrutta per distrugger la pace di altre città ». I centoventotto non batterono ciglio. Si comprarono pezzi di terra, ci costruiron da soli le case, con pazienza teutonica attesero la cittadinanza degli USA. Cinque anni sono il tempo che basta a ottenerla: dopo cinque dovettero aspettarne altri cinque, a Washington non si sentivano pronti a quel passo. Poi a Washington furono pronti e la cerimonia fu come una resa: la resa di tutti coloro che amano il verde e le mucche e gli uccelli e sanno dire: « È difficile capire perché la nostra pace dev'esser distrutta per distrugger la pace di altre città ».

Si svolse nell'Auditorium della Scuola Superiore, presenti milleduecento huntsvilliani, e nessuno pianse, nessuno fischiò. L'atmosfera era quella del pic-nic interrotto il giorno di Lily Flagg. Bandiere, trombe, allegria. Il sindaco ritto sul palco. L'orchestra municipale che suona *Ja-da* e *Tè per due*. E, al posto di Lily Flagg, i Nuovi Cittadini: con un garofano bianco all'occhiello. Il sindaco, non più irato, scoppiava di soddisfazione. « Sono felice » disse « che abbiate scelto noi. Non ho ricordo di un gruppo che scegliendo l'America ci abbia fatto altrettanto piacere. Voi aggiungete forza e vitalità alla nostra cittadina. » Poi prese la parola Toftoy e disse che in trentasei anni di vita militare non aveva mai conosciuto una comunità migliore di quella composta dai centoventotto tedeschi. Poi si alzò von Braun e tutta l'alterigia del suo aristocratico ceppo sembrava svanita in una giovialità di paesano. Massiccio, abbronzato, celeste, lo avresti detto sul punto di aprire una partita di baseball: le donne se lo mangiavano con gli occhi. Sul palco spalancò le braccia, sorrise: « Questo è il giorno più bello della mia vita. Questo, sapete, è come sposarsi la seconda volta ». E, l'indomani, l'editoriale del « Hunstsville Times » gocciolò tenerezza: « Non dimentichiamo che dieci anni fa noi li bombardavamo a tappeto, questi poveri tedeschi ». Il direttore del « Huntsville Times » non era a Londra durante la guerra. Non era neanche in Polonia, in Cecoslovacchia, in Danimarca, in Norvegia, in Francia, in Italia. E per questo, forse, si sentiva tanto cristiano. Si fa presto, vero, papà, a dire vogliamoci-bene-siam-tutti-figli-di-Dio. Si fa presto quando tra il 1938 e il 1946 si è vissuto a Huntsville, Alabama. Un palco, due fiocchi, un'orchestra che suona *Ja-da* o *Tè per due* e via, basta con questi rancori, basta con questi ricordi, pensiamo a Marte piuttosto, alla Luna, porgi l'altra guancia: disse Gesù. A ogni modo è bene quel che finisce bene, vero, papà, e il capitolo più paradossale del romanzo del viaggio alla Luna si conclude qui. Io entro dentro l'enorme edificio del Marshall Space Flight Center, insomma il Centro Voli Spaziali, e mi presento con un bel sorriso a Joe Jones, publicity man, che mi accompagna dal dottor Wernher von Braun.

# CAPITOLO VENTUNESIMO

Piombò all'improvviso e di colpo la stanza fu piena come un uovo pieno sebbene fosse una stanza assai grande, di quelle col tavolo lungo per le riunioni, le pareti divennero un fragile guscio che egli poteva incrinare con una spallata e l'aria mancò. Con un solo respiro se l'era risucchiata e al posto di essa stagnava un lieve odor di limone. Vagamente turbata mi chiesi dove avessi annusato di già quell'odor di limone: ma non lo ricordai. Era un odore di tanti anni fa.

Indossava un impermeabile grigio con la cintura e un ciuffo di capelli gli cadeva sull'altissima fronte. Forse per via di quel ciuffo dimostrava meno dei suoi cinquantadue anni: quarantacinque all'incirca, non più. Sottobraccio teneva una borsa. Mise la borsa sul tavolo e mi guardò con quegli occhi così chiari da sembrare ciechi. Poi tese una mano immensa, da strangolatore, e cercò la mia. Per trovare la mia dovette piegarsi: gli arrivavo appena allo stomaco. La voce scendeva da un punto lontano, inaccessibile.

«Non ho parole per scusarmi. Sono in ritardo di undici minuti.»

«Non importa.»

«Importa E mi spiace: perché posso darle non più di mezz'ora. Io non arrivo mai in ritardo.»

«Lo so.»

«Lo sa?»

Sorrise dell'involontaria ironia. Si tolse l'impermeabile, lo gettò su una sedia, tornò verso di me col tono di aver dimenticato qualcosa.

«Mi chiamo Wernher von Braun.»

«So anche questo.»

Sorrise di nuovo. Incrociò le braccia, fissandomi.

«E lei?»

Glielo dissi. Lo ripeté assaggiandolo piano come si assaggia un vino per giudicare se è buono.

«Oriana... Bel nome, proustiano. Fallaci... Fallasci o Fallaci?»

«*Ci*. Non *sci*.»

Non scherzava. Cercava l'esattezza. Gli fornii l'esattezza. «Dire *sci* al posto di *ci* è un fiorentinismo. Sono fiorentina.»

«Florenz! Ah, Florenz! Una yankee allora.»

«Una yankee?»

«Una yankee, del Nord. Particolare importante. Gli yankee sono sempre fieri d'essere yankee, insomma del Nord. Gli italiani del Nord guardano gli italiani del Sud come gli yankee guardano i texani.»

Non scherzava neanche adesso. Continuava a cercar l'esattezza. Raddoppiai l'esattezza.

«Firenze non è a Nord e non è a Sud. Firenze è un'isola nel mezzo dell'Italia, un regno a parte.»

«Una specie di aristocrazia, eh?»

«Sì, questo è ciò che crediamo.»

«E questa è la ragione per cui parlate male di tutti.»

«Anche di noi stessi, però.»

«Per civetteria, non per convinzione.»

«Ci conosce bene, signor von Braun.»

«Certo. Tutti i tedeschi conoscono Florenz. I tedeschi sono romantici. Vogliamo cominciare?»

Andò al tavolo delle riunioni, sedette al posto del presidente, cioè al suo. Nello stesso momento arrivò un ometto dalla faccia rossa, ossequiosa, e le spalle curve, ossequiose anche quelle: il suo Coordinatore di Pubblicità, Bart Slattery. Era in ritardo anche lui ed affannato. Chiese perdono con disperazione, si precipitò a presentarci. Von Braun lo chetò con un gesto secco della mano.

«Già fatto, Slattery. Già presentati da soli. La signorina è una yankee. Viene da Florenz. Già fatto, Slattery.»

Slattery si rifugiò in una sedia che lo inghiottì. Aveva un'aria tapina e ubbidiente, un volto spento ed ansioso. Guardava von Braun come uno schiavo guarda il padrone e sembrava chiedesse: «In cosa posso servirti, mio signore?». Ecco, poteva servirlo ricordandomi che Wernher von Braun non ha tempo da perdere, Wernher von Braun dà mezz'ora al massimo. Di nuovo von Braun lo chetò, con un gesto secco della mano.

«Già fatto, Slattery. Già fatto.»

Slattery si lasciò inghiottire ancora di più dalla sedia, schiacciato dalla sua inutilità, e guardò il cronometro: a indicare che la mezz'ora partiva da questo minuto. Poi guardò von Braun che stavolta assentì con un impercettibile movimento di ciglia. Meno tre... meno due... meno uno... via! Presi fiato e attaccai.

«Signor von Braun, lascio ogni preliminare e le rivolgo subito una domanda» attaccai. «La domanda è questa...»

Un foglietto bianco mi scivolò davanti, sul tavolo, e approdò alla mia mano interrompendo il discorso. Veniva da Slattery che ci aveva scritto: «*Dottor* von Braun. *Non* signor von Braun». La parola dottor era vergata con forza irosa ed a lettere molto maiuscole: DOTTOR. Lo fissai con la faccia in fiamme, stupita, e lanciai un'occhiata a von Braun con la segreta speranza che gli desse di fesso. Ma von Braun stava considerandosi un'unghia, alla maniera di uno che non si è accorto di nulla. Forse non s'era accorto di nulla.

«La domanda è questa, signor von Braun. Qui si parla del viaggio alla Luna come di un viaggio da Huntsville a New York e si ripete che avverrà, almeno per gli americani, entro il 1970...»

Un altro foglietto bianco mi scivolò davanti, spedito da Slattery. Un infuriatissimo Slattery. «DOTTOR von Braun!!!» Ma von Braun stava considerandosi un'unghia. Chissà mai cosa aveva in quell'unghia.

«Avverrà davvero entro il 1970, *dottor* von Braun?»

Slattery annuì, soddisfatto, e gongolò nella seggiola. Von Braun lasciò perdere l'unghia: finalmente convinto che dentro l'unghia non ci fosse nulla di interessante.

«Se il popolo americano è disposto a pagare: sì, non v'è dubbio. L'impresa costa centinaia di miliardi di dollari, cioè migliaia di miliardi di lire, e può attuarsi solo se il Congresso continua a finanziarla. Il mio grande *se* è proprio questo. Un *se* finanziario, non tecnico. Da un punto di vista tecnico non prevedo ritardi. Esistono, ovvio, alcune difficoltà: ma tutte superabilissime. Il viaggio è breve: otto giorni fra andata e ritorno. Recarsi sulla Luna è un pic-nic.»

«Un pic-nic?»

«Un pic-nic, una quisquilia, un giochetto.»

«Sulla carta, per lei, non ne dubito. Per gli astronauti che vi atterreranno, un po' meno.»

«No! Io sono parzialmente convinto che si possa atterrare quasi dappertutto, sulla Luna, e senza eccessive difficoltà. Certo vi saranno zone inaccessibili ai nostri veicoli; la Luna è un posto abbastanza grande e la superficie lunare non è uniforme: vi sono montagne, sulla Luna, pianure, zone dense di polvere e zone scivolose come neve ghiacciata. Ma vi sono anche zone dove è possibile muoversi con relativa facilità. Almeno lo spero. Si sa quasi tutto sulla Luna: non tutto, però. Si sa che sulla Luna quasi certamente non esiste vita, qualche spora al massimo, si sa che la forza di gravità è ridotta ad un sesto, ma non si sa tutto. E per questo ci andiamo.»

«Già. E la percentuale di pericolo, *dottor* von Braun?» Di nuovo Bart Slattery gongolò nella seggiola. «La percentuale di pericolo per i tre astronauti, qual è?»

«Uhm... Il cinquanta per cento del pericolo è che prima di andarci muoiano in un incidente automobilistico qui sulla Terra: guidano come pazzi. Uhm. L'altro cinquanta per cento è che muoiano ad andare sulla Luna. Uhm?»

«Con la differenza che per un incidente automobilistico non sempre si muore, per un incidente sulla Luna si muore in quattro e quattr'otto. Uhm? Un buco nella tuta spaziale e via. Uhm?»

Bart Slattery si agitò. Prese un foglietto, poi il lapis, e sembrò sul punto di spedirmi un altro messaggio. Ma non lo inviò, tanto capì che avevo capito. Niente fare *uhm* quando il dottor von Braun fa *uhm*. Uhm lo fa il dottor von Braun e basta.

«Un buco nella tuta, dice lei. Anche se c'è un buco nella nave che galleggia sul mare si va a fondo e si affoga. Anche se c'è un buco nell'aereo l'aereo precipita. Teoricamente un aereo può precipitare ogni volta che lei ci viaggia. Davvero non vedo nessuna differenza tra gli aerei o le antiche navi dei fenici o le cosmonavi e le tute spaziali di oggi. Solcare il Mediterraneo sui fragili vascelli dei fenici era assai più rischioso che solcare il vuoto col razzo Saturno e la capsula Apollo. Se i marinai di quei vascelli capitavano in una tempesta o finivano contro una roccia, morivano come gli astronauti che capitano dentro una tempesta interstellare o si strappan la tuta contro una roccia della Luna.»

«Ma lei ci andrebbe sulla Luna, dottor von Braun?»

«Io sì, subito. Immediatamente ci andrei. Senza esitare un minuto.»

Bart Slattery annuì, conquistato. Cominciava proprio a infastidirmi, questo Bart Slattery. Gli gettai uno sguardo cattivo che lui restituì. Rigido e immobile, le braccia incrociate e le gambe accavallate, von Braun seguiva la nostra schermaglia senza parteciparvi.

«Strano, allora, che un posticino per lei non ci sia nella capsula. Apollo. Uno scienziato farebbe comodo, no?»

«È quel che dico anch'io: quella di includere o no uno scienziato è una discussione bruciante che dura da anni. Io per esempio sono pronto a sostenere che un buon geologo può osservare aspetti della superficie lunare che nessun astronauta, per bravo che sia, può notare. La particolare formazione di una roccia, ad esempio. Sicché ripeto che gli scienziati devono essere inclusi. Però mi si risponde che lo scopo del primo viaggio è solo questo: riuscire a mandare tre uomini e riportarli vivi sulla Terra, farsi dire da questi tre uomini cos'è che non va nella cosmonave e cos'è che va. Ingegneri capaci. Uomini abbastanza giovani e freddi da cavarsela in caso di emergenza. Collaudatori d'aerei. Tipi che non hanno paura a gettarsi da un aereo in fiamme o ad uscire dalla cosmonave per riparare un guasto. E, come collaudatore di aereo, temo proprio di non avere i requisiti adatti. Io... Forse mi accetteranno nel volo numero Dieci come si accetta un vecchio zio brontolone, per farmi contento.»

Bart Slattery sospirò, onde dimostrare quanto partecipasse al dispiacere del suo signore. Von Braun non lo degnò di uno sguardo.

«Magari farà a tempo a recarsi su Marte, dottor von Braun.»

«Marte è un'altra storia. La differenza principale tra un viaggio alla Luna e un viaggio su Marte è che Marte si trova enormemente più lontano: di conseguenza l'assenza dalla Terra è lunghissima. Calcoliamo due anni fra andata e ritorno. No, andare su Marte non sarà un pic-nic di otto giorni. Ed anche se ha ragione Stuhlinger quando sostiene che bastano nove mesi per andare e nove mesi per tornare, è sempre un anno e mezzo di viaggio. Più un mese da trascorrere su Marte. Ci vorremmo stare almeno un mese, no? Questo esigerà un equipaggiamento straordinario, una conoscenza centuplicata dello spazio: Stuhlinger le spiegherà meglio di me, lui vive solo per Marte. E poi bisognerà spedire molta gente, su Marte: una vera e propria flotta con medici, scienziati, archeologhi. Un archeologo almeno ci vorrà se per caso scopriamo su Marte le tracce di una civiltà estinta. Un medico almeno ci vorrà, con tutti quegli astronauti: succederà pure che a un astronauta faccia male un dente o la pancia. E come fa a guidare la cosmonave se gli fa male un dente o la pancia? Deve abbandonare i comandi? Insomma, per andare su Marte dovremo raggiungere un livello tecnologico molto più alto ed io temo proprio che un simile volo non sarà possibile che dieci o dodici anni dopo il primo viaggio alla Luna.»

Lo disse con la stessa disinvoltura con cui avrebbe detto: temo proprio che un simile volo non sarà possibile che due o tre secoli dopo il primo viaggio alla Luna. E lì per lì pensai che scherzasse: ma non scherzava per niente, non c'era neanche un sorriso su quel volto di ferro. La sua voce era cattedratica, grave. La voce di un maestro che tiene lezione a un bambino un po' stupido. Come un bambino un po' stupido cercai conferma a quel che avevo udito.

«Non so se ho ben capito, dottor von Braun. Vuol dire che potremo andare su Marte verso il 1985 o il 1990?»

«Esatto. Verso il 1985 o il 1990. Le sembra troppo lontano, uhm?»

«Mi sembra spaventosamente vicino, dottor von Braun.»

«Al contrario, direi. Dovremmo esser capaci di andarvi assai prima. Se solo ci fossimo decisi avanti a studiar queste cose...» E sorrise, stavolta: con incrollabile fede. Galilei doveva parlare così quando diceva: «La Terra si muove. Eppur si muove». Colombo doveva parlare così quando diceva: «La Terra è rotonda e giungeremo alle Indie». Con la velocità di una luce che si accende e si spenge al solo pigiare un bottone, la mia ostilità diventò rispetto. E per un attimo, sia pure un attimo, non m'importò proprio nulla che egli avesse donato a Hitler i V2. Immemore, affascinata, mi abbandonai a una curiosità fanciullesca, un entusiasmo puerile. Marte coi suoi canali, le sue colline azzurre, i suoi ghiacciai di diamante. Marte col suo mistero, le sue città sepolte, le sue città forse intatte. E noi, fra trent'anni, laggiù. Se non mi fosse caduto un aereo, se non mi fosse venuto un malanno, se non mi fossi sparata per sbaglio, fra trent'anni sarei stata viva ed avrei visto il primo viaggio su Marte. Sarei morta pensando: ho fatto in tempo a vedere il primo viaggio su Marte. Che mi importava perciò del passato, delle sue ingiustizie, i suoi errori? Che mi importava se il futuro mi prometteva un sogno così straordinario? Lo aggredii d'entusiasmo.

« Parli, dottor von Braun. Parli. Si aspetta anche lei di trovar vita su Marte? »

« È indubbio che su Marte esistono almeno forme inferiori di vita. Astronomi molto responsabili notano senza possibilità di equivoco che col cambiare delle stagioni la vegetazione su Marte sboccia o appassisce. C'è vegetazione, su Marte. Quale vegetazione non so, non sappiamo: ma a primavera essa si gonfia, si allarga, d'autunno si restringe, si secca. Esperimenti sulla Terra dimostrano che certi bacteri possono vivere e propagarsi anche in un ambiente ostile come quello di Marte. Naturalmente quando parlo di vita su Marte alludo a una forma di vita diversa dalla nostra, una vita che ha avuto duecento milioni di anni per svilupparsi o morire. Può darsi che Marte abbia avuto, in un passato per noi remotissimo, alte forme di civiltà. Può darsi perfino che se ne possa trovare le tracce, atterrandovi: se i milioni e i milioni di anni non hanno spazzato anche quelle. Io sono convinto che fra duecento milioni di anni, anzi fra centocinquanta, la vita terrestre sarà press'a poco come quella marziana di oggi. »

« Cioè niente? Più niente? »

« Proprio niente, no. Bassa vegetazione, forme inferiori di vita animale. Gli ultimi singulti di qualcosa che si spenge. »

« Ma niente che assomigli all'essere umano, dottor von Braun? Non alludo a qualcosa che sia costruito anatomicamente, chimicamente, fisiologicamente come il corpo umano: alludo a qualcosa che si muove e possiede intelligenza... »

Lui scosse la testa. « Quella sulle creature intelligenti di

Marte è una vecchia polemica ma io insisto col credere che su Marte si possa trovare, oggi, solo bassa vegetazione. Non mi aspetto di trovarci piccoli uomini verdi, no. E tuttavia... tuttavia... ecco: non voglio essere definitivo su queste cose. Nessuno può esserlo: tutto è possibile, sa? Bisogna andare lassù, per sapere. Potrebbe anche darsi...»

«Potrebbe anche darsi?...»

«Non so, non so...»

«E i dischi volanti? Quei dischi volanti di cui si è parlato per anni? E se non fossero fantasia? Se esistessero?...»

Di nuovo scosse la testa. «Ho letto un rapporto ufficiale su quelli che lei chiama dischi volanti e che noi chiamiamo UFO, Unidentified Flying Objects, oggetti volanti non identificati. Il rapporto parlava di seimila casi. Solo una percentuale del due per cento non era spiegabile.»

«Il che significa centoventi dischi volanti che forse non erano frutto di fantasia, forse non erano illusione ottica, forse erano davvero oggetti giunti da altri pianeti.»

«Uhm!»

«Perché uhm? Ha un'altra spiegazione, dottor von Braun?»

«No, ma non me la sento di avere dubbi su quel due per cento. Una vita spesa a esperimentare razzi e missili teleguidati mi ha insegnato a essere estremamente cauto con le testimonianze visive. Se interroga tre spettatori dopo il lancio di un razzo e chiede loro come è salito il razzo, se a destra o a sinistra o diritto, nessuno dei tre le dirà la medesima cosa. Gli occhi ingannano e su questi oggetti extraterrestri che ogni tanto entrano e volano dentro la nostra atmosfera io posso dire soltanto che non li ho mai visti e che non credo alla loro esistenza fino al momento in cui li vedrò.»

«Torniamo ai piccoli uomini verdi, dottor von Braun. Quando stava a Fort Bliss lei scrisse un libro di fantascienza la cui storia si svolgeva proprio su Marte, abitato da piccoli uomini verdi.»

«Lo feci per divertirmi. Un libro ridicolo e scemo, superato oltretutto da ciò che sappiamo. Da giovane leggevo molta fantascienza, oggi non più: la fantascienza è ormai superata dalla realtà, ciò che stiamo facendo è molto più eccitante e incredibile di ciò che la fantascienza prevedeva anni fa. La realtà viaggia più svelta della fantasia: nel 1945, quando io e Stuhlinger parlavamo di andare su Marte, tutti ci ridevano dietro. Oggi ci si prepara ad andare su Marte e il viaggio alla Luna e già demodé. Ci prepariamo ad andare su Venere...»

«Su Venere?!?»

«Sì, ci arriveremo.»

«E se trovassimo qualcuno arrivandoci? È un'ipotesi assurda, lo so, ma non così assurda se Venere ha davvero atmosfera e ossigeno e acqua, se Venere assomiglia alla Terra.»

«Non così assurda.»

«Bene. E se trovassimo qualcuno, allora, come faremo a spiegare chi siamo e da dove veniamo e cosa vogliamo?...»

Zitti di colpo e quando di nuovo parlò, sembrava parlasse a se stesso di un angoscioso problema che non troverà mai soluzione. «Parlare ai venusiani, spiegar loro chi siamo, da dove veniamo, cosa vogliamo: mio Dio. Potrei rispondere con una battuta, dire è tanto difficile comunicare fra noi che certamente è più facile comunicar coi marziani: ma non sarebbe una risposta scientifica né onesta. Sicché...»

«Sicché potremmo portare fotografie e spiegarci con quelle» disse la voce importuna di Slattery. «Oppure fare disegni per terra.» Povero Slattery, era riuscito a star buono per un mucchio di tempo. Così buono che m'ero perfino dimenticata di lui. Ma ecco che usciva, inesorabile, dalle nebbie della sua malagrazia e sciupava ogni cosa. Come in un colpo di vento, spazzati dalla sua voce, svanivano i canali di Marte, le sue azzurre colline, i suoi ghiacciai di diamante, svanivano i fiumi di Venere ed i mari e le pioggie e le creature senza volto cui non sapremmo dire chi siamo e da dove veniamo e cosa vogliamo, svaniva l'incanto, la poesia che c'è in questa avventura: e tornava la Terra, tornavano i V2, tornava perfino quell'odor di limone, la mia domanda dove l'ho già annusato, la mia risposta non me ne ricordo. In un odor di limone, von Braun incenerì con lo sguardo il povero Slattery.

«Ottima idea, Slattery. Ottima idea. Ne terremo conto.»

Slattery si fece piccolo piccolo, cercò il perdono rendendosi utile.

«Posso fare un'osservazione, signore?»

«Osservi, Slattery, osservi.»

«Mancano dieci minuti allo scadere della mezz'ora, signore. Anzi nove.»

«Bene. Slattery. bene.»

Quell'odor di limone. Quella domanda dove l'ho già annusato. Quella risposta non me ne ricordo. Ricordavo soltanto che era un odore di tanti anni fa. Di tanti anni fa. Ma chi lo aveva addosso, ma chi? Dovevo dimenticarlo. Cercai di dimenticarlo.

«Torniamo alla Luna, dottor von Braun. E mi dica: quali sono le probabilità che gli americani vi approdino prima dei russi? Alludo a una frase che lei disse un giorno a un mio collega che le chiedeva cosa avrebbero trovato gli americani sulla Luna. "I russi" rispose lei.»

«Era una battuta: non so fino a che punto i russi appoggino il programma lunare. Hanno anche loro problemi di soldi e temo che nemmeno loro sappiano fino a che punto la Russia potrà sostenere il costo di una simile impresa. Insomma ignoro se ad essi prema. come a noi, atterrar presto sopra la Luna. Del resto ciò che noi vogliamo è riuscire ad atterrarci, non arrivarci a ogni costo per primi: la Luna in se stessa non è l'unico scopo del nostro lavoro, è un momento del nostro programma, una esercitazione. La Luna ci serve per imparare a recarci da un pianeta all'altro, recarci e tornare indietro: niente di più. Ha mai visto i calciatori che durante la settimana si allenano sul campo facendo ginnastica? Ecco, la Luna è la nostra ginnastica. Come disse Kennedy, dobbiamo imparare a navigar nuovi oceani e ognuno impara a navigar come vuole.»

«Vuol dire che i russi possono imparare senza andar sulla Luna? Vuol dire che i russi scavalcheranno la Luna?»

«Voglio dire che possono scegliere tappe che non sono la Luna. Per esempio se i russi dicessero: "Vogliamo costruire una immensa stazione spaziale abitata, questo è il punto focale del nostro programma, a noi la stazione spaziale interessa più che andar sulla Luna", ciò non sarebbe meno importante che andar sulla Luna. Vede quindi che non ha molto peso arrivarci primi o secondi. Ha peso solo imparare a navigar nuovi oceani. L'oceano chiamato spazio è colmo di isole e quando due uomini costruiscon due navi per navigar separatamente un oceano, non è detto che entrambi voglian raggiungere la medesima isola. Può darsi benissimo che il primo decida di andare su una e il secondo su un'altra. In tal caso quale importanza può avere il fatto che uno arrivi primo e l'altro secondo? Non ne avrebbe nemmeno se entrambi approdassero alla medesima isola. L'importante è che ci arrivino e ci arrivino vivi. Spero di esser stato chiaro.»

«Chiarissimo.»

Quell'odor di limone. Dio, quell'odor di limone.

«Ma resta il fatto che questa è una corsa, dottor von Braun, e che gli occhi del mondo sono su questa corsa, e che come in tutte le corse chi arriva primo si prende gli applausi e l'alloro. Questo da un punto di vista scientifico può essere sciocco, lo so, ma da un punto di vista umano e politico non lo è per niente.»

«Ma è proprio per questo che Kennedy scelse la Luna: perché tutti sanno cos'è la Luna e dov'è e tutti comprendono cosa diciamo quando parliamo di andarci. Quanti sanno che Marte è un pianeta? Quanti si rendono conto di cosa sia una stazione spaziale? La maggior parte della popolazione terrestre ignora perfino che al di là della atmosfera la forza di gravità cessa di esistere, perlomeno nella misura terrestre, e così non sa immaginare una stazione spaziale che resta nel vuoto anziché ricader sulla Terra. Spero di essere stato chiaro.»

«Chiarissimo.»

Quell'odor di limone, Dio, quell'odor di limone.

«E qual è, secondo lei, la ragione per cui gli americani son dietro ai russi nella corsa spaziale?»

Von Braun aspirò, in un soffiare di mantice, come certi pugili prima del combattimento.

«La semplice verità è che i russi cominciarono a sviluppare il programma di missili a lungo raggio ed a scopo militare cinque anni prima degli americani, e così ora ci son superiori in un campo molto importante: il lancio di veicoli pesanti. Non è un campo accessibile dalla mattina alla sera e in esso non possiamo raggiungerli dalla mattina alla sera. Cinque anni si recuperano male. Mi spiego: la guerra era appena finita quando i russi cominciarono a occuparsi del lancio di veicoli pesanti, dei missili a lungo raggio, eccetera, e gli Stati Uniti che disponevano ancora di una aviazione potente, capace di difendere il paese nonché di bombardare lontano, pensavano che non ci fosse bisogno di spendere tempo e denaro nel lancio dei veicoli pesanti o dei missili a lungo raggio. A torto o a ragione, direi a torto, si contentarono di mantenere efficienti i loro aeroplani mentre Stalin costruiva una forza missilistica capace di portare sugli Stati Uniti pesantissime bombe nucleari. Dopo, di conseguenza, fu facile ai russi convertire quelle armi da guerra in veicoli spaziali ed esserci superiori. Non superiori su tutto, però: solo nel tonnellaggio delle cosmonavi e nella durata dei voli umani. Nelle ricerche scientifiche spaziali, ad esempio, siamo all'avanguardia noi: abbiamo lanciato più satelliti artificiali noi che i russi. Abbiamo lanciato Tyros e Relay e Syncom e Telstar ed Echo, sicché siamo molto più avanti nel sistema di comunicazioni via satellite, nei satelliti meteorologici, nei... »

Ecco quando avevo sentito quell'odor di limone: durante la guerra. Ma dove? Ma a chi? Ma che giorno?

« Dica, dottor von Braun, lei pensa che le conquiste spaziali rendano più facile il pericolo di una guerra o lo diminuiscono? E pensa che la Luna possa essere usata per scopi militari? »

« Non sono nella posizione più adatta a commentare gli usi militari della Luna: ma tutti sono d'accordo nel dire che la Luna di per sé ha un interesse strategico assai limitato, direi nullo. Un uomo sulla Luna non può servire che alla esplorazione scientifica della Luna: solo lo spazio nella immediata vicinanza della Terra può servire a usi militari. Quanto al pericolo aumentato o diminuito di una guerra, non lo so: questa è una domanda tremenda cui nessun ingegnere o filosofo o scienziato potrà mai rispondere. La mia speranza ed anche la mia convinzione è che navigare nello spazio diminuisca le probabilità di una guerra: in quanto una guerra spaziale sarebbe un suicidio collettivo, una rovina completa anche per chi la scatenasse. Secondo me questi razzi che possono essere armi tremende di distruzione sono o possono essere anche i più potenti guardiani della pace. Sì... è ben vero che le più grandi scoperte tecnologiche sono state provocate dalla guerra, pensi alla fisica nucleare e all'aviazione, alla radionavigazione e alla medicina, in tempo di guerra si esige il massimo rendimento dagli scienziati e dalle industrie... »

Ecco. Quel giorno di luglio. Addosso ai soldati tedeschi.

Nel convento abbandonato dove eravamo nascosti. Ecco dove avevo sentito quell'odor di limone. Si lavavano tutti con un sapone disinfettante che sapeva odor di limone e quando te ne passava uno accanto, per strada, sentivi subito quell'odor di limone: un odore acre, pungente, che ti penetrava nelle narici raggiungendo subito il cuore e il cervello; odiavamo tutti l'odor di limone. Puoi capire se un tale è collaborazionista se sa di limone, dicevi, papà. Se sa di limone vuol dire che si è lavato con le saponette dei tedeschi, se si è lavato con le saponette dei tedeschi vuol dire che frequenta i tedeschi. Il mio compagno di banco, a scuola, sapeva di limone e tu dicevi ecco, per questo vuol sempre sapere dove siamo sfollati. Quel giorno di luglio la scuola era finita da un mese. C'era un sole caldo e noi stavamo nell'orto che era cinto da un muro e nessuno poteva vederci. Nell'orto avevamo piantato i fagioli, il grano già colto si ammucchiava vicino al pozzo: presto lo avremmo battuto e poi lo avremmo dato al fornaio, in cambio della farina. Per un sacchetto di grano il fornaio ci aveva promesso mezzo sacchetto di farina. Io pensavo dove avremmo nascosto i giornali quando il grano sarebbe diventato farina: sotto il grano c'erano i giornali che parlavano di libertà. C'era un sole caldo, quel giorno, le cicale frinivano e d'un tratto si udì un gran rumore di camion. Io mi arrampicai sopra il muro e i tedeschi scendevan dal camion: grandi uccelli vestiti di verde marcio, col mitra in ispalla. «Avverti i due iugoslavi», dicesti e volasti via: dalla parte dei campi. Sarebbero passati moltissimi giorni prima di rivederti e sapere che non ti avevano preso. I due iugoslavi stavano al primo piano del convento ed era ormai troppo tardi per scappare dai campi quando li raggiunsi, gli dissi: «I tedeschi». Mi seguirono giù per le scale, nell'orto, e si calarono nel pozzo. Il pozzo era vuoto di acqua e per calarsi ci si calava benissimo perché i mattoni sporgenti funzionavano a mo' di scala. Così si calaron nel pozzo, veloci, e poi mi dissero di chiudere bene il coperchio che era di ferro e pesante. Io non ci riuscivo perché era pesante, così ci misi un po' e quando ebbi finito il primo tedesco stava già entrando nell'orto. Forse mi vide e questo li perse. Forse mi vide ma non disse nulla e rimase lì fermo, con gli altri che entravano e si mettevan lì fermi, col mitra impugnato: come si fa per circondare un posto quando si cerca qualcuno. C'era un sole caldo, quel giorno, ma all'improvviso sentivo un gran freddo e nel freddo sfilai i giornali di sotto il grano e ne riempii l'annaffiatoio che era grandissimo e verde. Poi portai l'annaffiatoio nella cella dove dormivamo e la mamma si mise a bruciare i giornali dentro la stufa che era accesa per farci il pane. Li bruciava e li toccava con un pezzo di ferro affinché facessero più presto a bruciare: io li guardavo bruciare e mi pareva di gettar via un cibo prezioso quando si ha fame. Era costato tanto rischio, tanta fatica, stamparli portarli nasconderli. C'era un sole caldo, quel giorno, i giornali bruciando facevano ancora più caldo, la mamma era tutta sudata di paura e di caldo, io invece avevo un gran freddo: di fondo al corridoio si udivano i loro passi, così inesorabili e pesi che era come se al posto di uno ce ne fossero cento. Rintronavano come una cascata d'acqua, un torrente, e la mamma diceva toccando i giornali: «Dio vengono, Dio speriamo che brucino presto, Dio vengono, oh, vengono». Venivano battendo alle porte, ogni cella era chiusa e loro ci battevano coi calci dei mitra gridando a voce roca di aprire, nessuno apriva perché non c'era nessuno lì dentro fuorché noi e gli iugoslavi, e così sfondavan le porte che facevano crac! Poi giunsero alla nostra porta, i giornali eran cenere ormai, la colpirono con gli scarponi gridando di aprire, ed io aprii fissando la mamma perché si calmasse. Aprii e mi avvolse quella zaffata di odor di limone. Acre, pungente, quasi un gas che ti penetrava nelle narici raggiungendo subito il cuore e il cervello...

«...ma è anche vero che i voli spaziali sostituiscono perfettamente lo stimolo che di regola vien dalle guerre. A parte il fatto che consentono una collaborazione: nel campo dei satelliti meteorologici la collaborazione coi russi esiste di già. In futuro potremmo accordarci coi russi sullo sviluppo di una base lunare: tu voli coi tuoi razzi ed io volo coi miei, quando siamo lassù costruiamo insieme una base. Molti dicono: ma come si fa a vivere lassù sulla Luna dove non c'è aria né acqua né niente di ciò di cui abbiamo bisogno per vivere? Si fa come dentro un aereo, rispondo, dove mangiamo la nostra bistecca, beviamo il nostro champagne, siamo assistiti da una hostess graziosa. Una volta fornito l'involucro terrestre, l'uomo può vivere ovunque. E lo farà. Ci abitueremo alla Luna come ci siamo abituati agli aerei e il vecchio discorso che l'uomo è fatto per star sulla Terra non vale più. L'uomo è fatto per stare in qualsiasi posto vuol stare e per andare in qualsiasi posto vuole andare.»

«E allora vien lecito chiedersi dove ci porterà questo andare, dottor von Braun. Come un bambino curioso la scienza va avanti, scopre cose che non sapevamo, provoca cose che non immaginavamo: ma come un bambino incosciente non si chiede mai se ciò che fa è bene o è male. Dove ci porterà questo andare?»

«Molto lontano: come ci hanno portato lontano le scoperte di nuovi mari, di nuovi continenti, la colonizzazione di nuovi paesi. E se questo ci porterà al bene o al male nessuno può prevederlo. Fino a oggi l'uomo non ha fatto che provocare un mucchio di infelicità: ma proprio attraverso quelle infelicità l'uomo è avanzato e al posto delle civiltà distrutte ne ha sempre costruite di nuove. Così io non credo che ciò che facciamo sia male. Gli uomini devon andare sempre più lontano, devono allargare i loro spazi e i loro interessi: questa è la volontà di Dio. Se Dio non volesse non ci avrebbe dato il talento e la possibilità di avanzare, mutare. Se Dio non volesse, ci fermerebbe. Sì che son religioso. Guardi, ho conosciuto molti scienziati e non ho mai conosciuto uno scienziato degno di questo nome che riuscisse a spiegar la natura senza la nozione di Dio. La scienza cerca di capire la creazione ma la religione cerca di capire il Creatore e nessuno può fare a meno di cercar di capire il Creatore. È un ben povero scienziato colui che si illude di poter fare a meno della religione e di Dio: uno scienziato che sfiora la superficie e non guarda nel fondo. Io tento di guardare nel fondo e ci vedo del bene...»

Loro, invece, guardarono nel fondo e ci videro i due iugoslavi. Sollevarono leggeri il coperchio che a me sembrava tanto pesante, poi si affacciarono al pozzo e ci videro i due iugoslavi. Io e la mamma capimmo che li avevan trovati per il modo in cui i tedeschi ridevano. Non dimenticherò mai, dottor von Braun, mai finché vivo, il modo in cui i tedeschi ridevano quando videro i due iugoslavi. Ridevano a gole spalancate, pazzi di divertimento, uno aveva lasciato andare il mitra e si reggeva la pancia pel ridere. Anche i due iugoslavi, dottor von Braun, credevano in Dio. Quello più anziano una volta aveva avuto una gran discussione col babbo e gli aveva detto proprio così: che non si può spiegar la natura senza la nozione di Dio. E dicevano che Dio è buono e sta dalla parte dei buoni, che se Dio non volesse ci fermerebbe eccetera. Ma Dio non fermò quei tedeschi che puntarono i mitra verso il fondo del pozzo e ordinarono ai due iugoslavi di tornare su. Dio gli lasciò fare tutto, a quei tedeschi, e così i due iugoslavi tornarono su, arrampicandosi ai mattoni sporgenti che funzionavano a mo' di scala, raccomandandosi a Dio perché Dio non li facesse ammazzare: ma Dio non li udì e i tedeschi se li portarono via, insieme al loro odor di limone.

«...ci vedo dell'etica. Due stimoli sono necessari all'uomo per accettar l'etica: uno è il credere nel Giudizio Universale, quando ciascuno di noi dovrà dire a Dio come usò sulla Terra il dono prezioso della vita, l'altro è il credere nell'immortalità cioè la continuazione della nostra esistenza spirituale dopo la morte. Poiché abbiamo un'anima...»

Oltre all'anima i due iugoslavi avevano anche un tubetto di esplosivo: che avevano dimenticato di abbandonare nel pozzo. Era un tubetto poco più grande di un mozzicone di candela e me l'avevano rubato dal tombino dove l'avevo nascosto. Glielo trovarono in tasca al più anziano, si seppe, e il giorno dopo tutti e due erano su un vagone piombato che li portava in Germania e dalla Germania non ritornarono più, vero, papà?

«...abbiamo una coscienza e sappiamo che niente della natura può sparire senza lasciar traccia. La natura non conosce estinzione, conosce solo la trasformazione: se Dio applica il suo principio fondamentale a tutto l'universo, e lo applica, non v'è dubbio che l'immortalità esiste. E in questa coscienza dell'immortalità noi lavoriamo, soggetti all'eterno ciclo della vita e della morte, vero legame tra il passato e il futuro. Il futuro delle generazioni a venire dipende da ciò che noi oggi scopriamo, convinti di fare il bene, con l'aiuto di Dio. Spero d'essere stato chiaro.»

«Chiarissimo, dottor von Braun. Chiarissimo.»

«Sono trentotto minuti, otto più del previsto» disse Slattery.

«Ora devo andarmene» disse von Braun.

«È stato interessante» dissi io.

«Molto interessante» disse Slattery.

« Il futuro è sempre interessante » disse von Braun.

« Più del passato » dissi io.

« Molto più del passato » disse Slattery.

« Ovvio » disse von Braun. E se ne andò, in un odor di limone, lasciando la stanza vuota come un guscio vuoto, come un pozzo vuoto. Non dovremmo mai ricordare il passato: ma v'è sempre un odor di limone che ce lo riporta insieme ai detriti, come le onde del mare, papà.

# CAPITOLO VENTIDUESIMO

Era stato per sfuggire ai detriti, quell'odor di limone, che ero andata a New Orleans. Quando un ricordo ti pesa non hai che cambiar aria e io non mi sentivo di restare a Huntsville, udire altre voci sferzanti come fruste, secche come fucilate, l'incubo di tanti anni fa. Un'esclamazione rauca, un'andatura rigida bastavano ormai ad irritarmi: i miti occhi spaventati, Joe Jones mi guardava senza capire, mi offriva caffè con lo zucchero. Era successo qualcosa nell'ufficio di Joe Jones, subito dopo l'intervista con Wernher von Braun. Un uomo era entrato, io voltavo le spalle, e Joe gli aveva detto: «Sì, è lei, un'italiana». Allora l'uomo s'era un po' avvicinato, io voltavo ancora le spalle, e in tono festoso m'aveva sparato alla nuca un: «Puon Ciorno, Zignorina». In tono festoso: ma io m'ero tutta aggricciata ritirando la testa, le braccia, il movimento dei fucilati nell'attimo in cui le pallottole colpiscon la schiena e sembrano diventare più corti, e non ero riuscita a girarmi, rispondere immediatamente: «Buongiorno.» Infine avevo risposto e l'uomo, forse soltanto sopreso, forse a sua volta ferito, stava ormai allontanandosi: una testa grigia sull'abito blu.

«Chi era, Joe?»

«Il dottor Ernst Stuhlinger, lo scienziato che costruisce l'astronave per Marte. Ma che t'ha preso, dimmi?»

«Ero distratta, Joe. Mi dispiace.»

«Dovrai dirglielo quando lo vedi. Hai l'appuntamento domani.»

«Domani?»

«Sì, domani. È un brav'uomo, sai? È il migliore di tutti. Non dovevi trattarlo così.»

«Mi dispiace, Joe. Non l'ho fatto apposta.»

«Non capisco. Ma che t'hanno fatto i tedeschi?!? »

«Niente, Joe. Niente.» E senza neanche disdire l'appuntamento con Stuhlinger, la sera stessa ero andata a New Orleans: decisa a trascorrervi i giorni che mi separavano da Houston e dai nuovi astronauti.

M'era piaciuta, New Orleans. È così bella, papà. La città più bella d'America. L'unica dove il tempo sia passato senza lasciare offese, ferite... M'eran piaciuti i balconi di ferro che vestono le case bianche in delicatissimi pizzi, trasparenti mantiglie, e ti regalan verande, porticati, dolcezza. M'eran piaciuti i patios spagnoli coi pozzi verdi di edera e le vasche colme di ninfee, la frescura che invita all'ozio. M'eran piaciute le strade lastricate di pietra, coi lampioni di duecento anni fa ed i vecchi nomi francesi, rue St. Anne, Vieux Carré, i negozi degli antiquari, pieni di piccole cose squisite. M'eran piaciute le carrozze tirate dai cavalli col cappellino, e il baldacchino a frange per ripararsi dal sole. M'era piaciuto il quartiere dei ricchi con le sue ville immense, le ville di *Via col vento*, raffinate, superbe, le colonne neoclassiche sulla facciata e le mansarde sul tetto, giardini abitati da un silenzio di spiriti. M'era piaciuto il quartiere dei poveri, coi negri ammassati sugli usci a covar odio e sporcizia, grappoli d'occhiate nemiche e orgogliose. M'era piaciuto il Mississippi, questo fiume che ora diventa un lago, ora un mare, ora di nuovo un fiume, e scorre lento, grasso di acqua, le navi lo solcano, e al tramonto c'è ancora uno Show-Boat che passa lieve, un gran fantasma con la musica dentro. M'eran piaciute le querce piantate nel 1783 dal colonnello Denis de la Ronde, ormai cattedrali dove le piante parassite si avvolgono e poi ciondolano in brandelli di velo marrone, quei parchi! M'eran piaciuti i suoi ristoranti, il suo cibo francese e spagnolo, le ostriche ripiene e cotte su piatti di sale, le micidiali bevande di ghiaccio e rum da sorseggiare nell'afa, facendosi fresco con il ventaglio, mentre un tram passa scampanellando ed è ancora un tram che si chiama Desiderio: ci sono ancora ottantacinque tranvai a New Orleans. E poi m'era piaciuta Bourbon Street dove si ascolta l'ultimo vero jazz della Terra, quello che non sentirai mai nei teatri, coi dischi, e sta per morire perché i giovani non vogliono più suonare la tromba, il pianoforte, il contrabbasso: la NASA che ha portato anche qui l'industria spaziale paga più della musica. Nella taverna dov'ero rimasta fino al mattino, la pianista aveva settantun anni, il suonatore di tromba settantasei, quello di contrabbasso settanta. Erano negri e suonavano perché gli dava gioia, non soldi. Chi voleva ascoltarli sedeva su seggiole rotte, panche di legno, e non era costretto a pagare. Dal muro pendeva un cartello.

CINQUE DOLLARI PER CHI ANDRÀ IN PARADISO
DUE DOLLARI PER CHI È MOLTO RICCO
UN DOLLARO PER CHI CE L'HA
NIENTE PER CHI NON HA NIENTE

Quando erano stanchi uscivano per ubriacarsi di whisky, o di droga. Quando sentivano il diavolo in corpo tornavano per mandarci alle stelle. Il vecchio alla tromba era cieco, sotto le palpebre aveva due buchi. Parlava solo francese e gli piacevano le canzoni un po' sporche. D'un tratto scaraventava la tromba, balzava in piedi con un balzo di scimmia ed urlava: «Le cochon, hop! Le cochon, hop!». La vecchia ogni tanto piangeva, chissà perché. Sì, m'era piaciuta New Orleans. M'era piaciuto perfino lo scarafaggio trovato nel bagno del mio costosissimo albergo: nero, panciuto, simpatico nel suo procedere dignitoso e insolente, fatemi largo igienisti, sono una blatta! Avrei trascorso mesi e mesi in quella città sonnolenta e sudata: con la stessa voluttuosa pigrizia che ci fa assaporare i lenzuoli caldi nei mattini d'inverno quando non vorremmo mai alzarci. E tuttavia stavo sopra un aereo che mi riportava a Huntsville.

Era andata così. Appena giunta a New Orleans m'aveva colto il sospetto d'esser stata villana con Ernst Stuhlinger, e gli avevo telefonato per chiedergli scusa: inventando una storia. Un'amica che non vedèvo da anni e abitava a New Orleans giaceva in ospedale, gravissima. Ero qui per vederla e contavo di stare con lei fino a venerdì pomeriggio, poi avrei proseguito per Houston dove eran fissate le interviste coi nuovi astronauti. Mi dispiaceva moltissimo eccetera. Con garbo paziente Stuhlinger mi aveva pregato di porgere i suoi auguri all'amica, inaspettatamente aveva concluso: «Sarò a sua disposizione a partire da venerdì pomeriggio. Se arriva venerdì sera io e mia moglie saremo felici di averla ospite a cena.

Telegrafi in tempo se viene». Addio Bourbon Street, Addio Show-Boat che solchi il Mississippi. Addio ostriche cotte su piatti di sale, bicchieri di rum da sorseggiare nell'afa. Addio rue St. Anne, Vieux Carré, balconi di ferro che veston le case in trasparenti mantiglie. Era venerdì sera e l'aereo si abbassava su Huntsville, i suoi boschi bruciacchiati dai razzi. Fissando quei rami arsi, ormai gialli, mi chiedevo che tipo d'uomo fosse quest'uomo che prima mi spaventava col suo *puon ciorno* germanico e mi faceva scappare a New Orleans, poi mi induceva a tornare come un bambino pentito; prima si lasciava offendere e poi mi invitava a cena. In fondo ignoravo tutto sul tedesco che costruisce l'astronave per Marte, eccetto due cose per me molto belle: andava in bicicletta e non era stato un nazista. Già. E mi dispiaceva che l'aereo avesse ritardo: circa un'ora perbacco. I tedeschi son così puntuali: ciò mi avrebbe costretto a disagevoli richieste di scuse. Scesi la scaletta, cercai con lo sguardo il telefono, e la solita voce mi mitragliò: in pieno petto, stavolta.

«Puona zera, zignorina. Zignorina Fallaci?»

Di spalle, mentre si allontanava, m'era sembrato alto: forse perché camminava rigido, dritto. Invece era basso. Di spalle m'era sembrato anche robusto: invece era secco. Di spalle aveva i capelli grigi: di fronte invece era calvo, appena qualche filo alle tempie.

«Sì, sono io. Lei è il dottor Stuhlinger, vero?»

Un viso scolpito a colpi d'ascia nel legno, tutto pieghe e curve improvvise, senza nulla di troppo e nulla di troppo poco, con un gran naso, una gran bocca, e due occhi infossati, nascosti come due acquamarine preziose sotto il boschetto delle sopracciglia. Di sotto il boschetto luccicavano, attenti ed ironici, in bagliori di fiamma ossidrica.

«Zì, zono io. Come sta zua zignora amica?»

Non si poteva mentire a quegli occhi. Non seppi rispondere. Lui rispose per me.

«Ho capito. Zuonava divinamente la tromba.»

Poi rise. E fu come se udissi per la prima volta un tedesco che ride. Fu come far pace, di colpo, con un nemico cui dai la caccia da oltre vent'anni, che non perdoni, non vuoi perdonare, poi eccolo lì che ti tende la mano, dice riposiamoci, facciamo almeno una tregua, e tu gli dai la mano, ridi con lui. Sì, in fondo al cuore un rimorso ti buca, non buttare via il tuo rancore, tu pensi, giurasti di non buttarlo mai via, di restar fedele al tuo odio, rispondere a ogni colpo di frusta con un colpo di frusta, a ogni fucilata con una fucilata, di non essere debole, distratta, cristiana: ma insieme al rimorso un'idea si fa strada, forse anche lui giurò quelle cose per te, forse anche lui non vorrebbe buttar via il suo rancore, forse anche un suo fratello fu ucciso da un tuo fratello, però ti è venuto incontro, e ti ha aspettato oltre un'ora sebbene abbia tante cose da fare, deve costruire l'astronave per Marte ad esempio, e ti ha prenotato il motel e, guarda, si china perfino a prendere la tua valigia che è pesa, e poi ride!

«Suonava bene anche il contrabbasso, dottor Stuhlinger.»

«Il pianoforte, no?»

«Anche quello.»

«E il clarino? Come lo suonava il clarino?»

«Quello poi, come un angelo.»

Non udivo nemmeno più le sue consonanti sbagliate, non le avrei udite più. Vedevo soltanto un uomo spiritoso e gentile che sollevava la mia valigia rifiutando il facchino, si avvicinava a una Volkswagen scusandosi di aver solo quella, così scomoda per chi è abituato alle grandi automobili, ora lasciavamo la valigia al motel dove mi potevo cambiare, poi andavamo a casa, non sarebbe stato un gran pranzo avrei gradito quello che c'era: ma sì, dottor Stuhlinger. Non emanava per niente, per niente, quel triste odor di limone.

«E la bicicletta, dottor Stuhlinger?»

«È a casa. Volevo venire con quella ma poi ho pensato che c'era il bagaglio.»

«Dunque ci va per davvero.»

«Sì che ci vo. A volte ci vo perfino all'ufficio.» Una pausa. «Da giovane, ogni estate venivo in Italia con la bicicletta. Partivo da Tuebingen, la mia città, e attraverso Innsbruck scendevo a Milano, da Milano raggiungevo la Riviera: Santa Margherita, Bordighera, Rapallo. Viaggiavo con le mie cose in un sacco e spesso incontravo quei giovanotti con la maglietta a colori, per divertirci facevamo le gare e magari vincevo io con il sacco. Dopo Rapallo andavo sempre a Firenze o a Venezia: Giotto e Masaccio, Tiziano e Raffaello. Stavo ore a guardar quegli affreschi, quei quadri, ed erano estati stupende. Giotto e Masaccio, Tiziano e Raffaello... Poi scoppiò la guerra e... non venni più.» Altra pausa. «Per molti anni mi mancarono, sa? Noi abbiamo altre cose, abbiamo Bach e Brahms e Beethoven, ma non abbiamo Giotto e Masaccio, Tiziano e Raffaello. Lei è di Firenze, vero? Sono sempre lì Giotto e Masaccio? Ora è tutto... a posto?»

«Sì, dottor Stuhlinger, ora è... tutto a posto.»

«Dovrò rivederli prima o poi. È che non ho tempo. Questo viaggio alla Luna si porta via tutto il tempo. Dopo la Luna ci sarà Marte e così...»

Arrivammo al motel. Posai la valigia, mi cambiai in fretta, ripartimmo subito sulla sua Volskwagen.

«A proposito della Luna: avevo promesso a un gruppo di bambini che vanno a scuola coi miei figli di mostrargli la Luna al telescopio, stasera, e non ho potuto rimandare l'impegno. Dopo cena perciò dovrò fare una scappata al telescopio: ma non ci vorrà più di un'ora. Lei ha mai visto la Luna da vicino?»

«No, dottor Stuhlinger.»

«Allora, forse, non le dispiacerà venire a vederla.» Sembrava parlasse di una signora cui saremmo andati a far visita e lei ci avrebbe offerto una tazza di tè. «Naturalmente preferirei che vedesse Marte: al telescopio è una delusione però. Una piccola palla luminosa e nient'altro. La Luna invece è interessante, al telescopio.»

«Solo al telescopio?»

«Io non ho mai pensato alla Luna, ho sempre pensato a Marte. Avevo in testa di andare su Marte quando studiavo i raggi cosmici a Berlino, avevo in testa di andare su Marte quando lavoravo a Peenemunde, e von Braun era d'accordo con me. Ovvio che andando su Marte ci fermeremo a dare uno sguardo alla Luna, diceva, invece ora s'è affezionato all'idea della Luna ed io sono rimasto solo a sognare Marte.»

«Sì, dottor Stuhlinger, lo so.»

Infilammo una lunga strada a spirale che si arrampica tra pareti di boschi. Stuhlinger puntò l'indice verso un bosco più alto.

«Quello è Monte Sano. Ci abitiamo tutti dal 1954.» Mi

lanciò un'occhiata: «Voglio dire io, von Braun, gli altri tedeschi».

«Sì, dottor Stuhlinger, lo so.»

«Il posto l'ho scoperto io. Ma eravamo tutti amici, compa-
trioti, e così pensammo di stare insieme.»

«Sì, dottor Stuhlinger, lo so.»

Gli restituii l'occhiata. Mi piaceva questa messa a punto,
questo ripetermi: guarda anch'io sono uno di loro, uno di Peenemunde. Giotto sì, Masaccio sì, Raffaello sì, Tiziano sì: ma
anch'io fabbricavo i V2.

«Appena fummo trasferiti a Huntsville presi un piccolo aereo e insieme a mia moglie volai su quelle montagne, scelsi
una grande quercia e dissi: qui, la casa voglio farla qui. Dieci
anni fa la zona era disabitata: solo serpenti e scoiattoli. Oggi è
un quartiere residenziale. Disegnai il progetto da me, rizzai le
mura con l'aiuto di tre o quattro operai. Irmgrad, mia moglie,
mi dette una mano per abbattere gli alberi. Ne buttammo giù
pochi, giusto quelli per far posto alla casa e al giardino. La
grande quercia, naturalmente restò. Mi piacciono gli alberi.
Una ragione per cui preferisco andare su Marte anziché sulla
Luna è che su Marte spero di trovare gli alberi e sulla Luna so
che non ci sono.»

Mi lanciò un'altra occhiata mentre la Volkswagen girava
in un vialino di ghiaia in fondo al quale c'era un prato e un bel
bungalow. Rallentò un poco per dirmi ciò che voleva dirmi
prima di giungere al bungalow.

«Von Braun non crede agli alberi su Marte: strano come
non si riesca a trovarci d'accordo su questo. Sul resto abbiamo molti punti in comune. Il modo in cui ci siamo rifatti una
vita, ad esempio, il modo in cui ci siamo sposati. Quasi contemporaneamente. Quando prendemmo la decisione, ad El
Paso, lui aveva trentasette anni e io trentasei. Lui scelse la cugina Maria, io un'amica di infanzia. Irmgrad abitava non lontano da me a Tuebingen, i suoi parenti frequentavano i miei,
suo padre era amico di mio zio: insegnavano tutti e due geologia, anche Irmgrad è laureata in geologia. Il padre di Irmgrad
veniva spesso a trovarci con questa bambina timida e bruna,
io ero già un giovanotto e le dicevo scherzando: appena sei
grande ti sposo. Da El Paso le scrissi, poi chiesi una settimana
di permesso e andai in Germania a trovarla. Non la ricono-

scevo neanche: era una donna ormai. Tre ore dopo averla rivista le chiesi se fosse disposta a creare una famiglia con me. Lei rimase sorpresa e disse che doveva pensarci. Replicai che il tempo per pensarci non c'era e ci sposammo. Poi tornai a El Paso e Irmgrad mi raggiunse più tardi. Ecco Irmgrad» concluse indicando una signora dall'abito a fiori, ferma ai bordi del prato. «Ed ecco i miei figli.»

La signora Stuhlinger venne avanti e pareva assai timida. Timidissimamente recitò il benvenuto e spiegò che questa era Susan, anni dodici, questo era Chris, anni otto, questo era Til, anni quattro e mezzo. Esaurita la cerimonia mi portò in casa e, per l'unica volta durante tutto il viaggio, fui nella famiglia di un uomo impegnato nella Grande Avventura. Desideravo da mesi togliermi questa curiosità: per ingenuo che possa sembrare, non ho mai capito come sia possibile allestire il viaggio su Marte e ascoltar la moglie che dice Chris ha male alla pancia, Til non vuole dormire, le uova son rincarate, accidenti. Problemi simili li aveva anche Brahms, li aveva anche Marx, li aveva anche Tolstoi, gente carica di mogli e figlioli, ma conciliare un compito grosso con realtà tanto terrene a me è sempre sembrato qualcosa di eroico. Non è una questione di convivenza, conti da pagare, rumori, è una questione di solitudine interna, di silenzio interiore: e cosa pensava al mattino Stuhlinger lavandosi i denti? Pensava bisogna comprare a Susan un paio di scarpe nuove o pensava l'evaporazione degli atomi ionizzati dovrebbe provocare una velocità sufficiente a orbitare Venere e poi puntare su Marte? Pensava: Irmgrad ha un capello grigio sulla tempia sinistra, povera Irmgrad sta invecchiando anche lei, o pensava alla radice cubica di alfa su gamma moltiplicato per ipsilon? O pensava le due cose insieme, ma allora...

«Ernst, caro, devo dirti una cosa importante» disse Irmgrad arrossendo.

«Sì, Irmgrad» rispose Stuhlinger e immediatamente sparì nel suo studio.

«Fa sempre così» mormorò Irmgrad congiungendo le mani. «Dice: sì, Irmgrad, e poi si dissolve dentro quello studio. Non si riesce mai a dirgli una cosa, non ha che Marte nella sua testa.»

«Sì, Irmgrad» ripeté Stuhlinger quando riapparve, con la

fotografia di un oggetto assai misterioso. Ma anziché rivolgersi a Irmgrad venne verso di me e sventolò la fotografia: «Eccola, eccola la mia astronave per Marte».

«Ernst, caro, non li ho trovati i crescioni» mormorò Irmgrad e di nuovo arrossì.

«Ciò che non si può capire da qui è la grandezza dell'astronave» osservò Stuhlinger. «Da una estremità all'altra e comprese le pale della centrifuga sono centocinquanta metri abbondanti.»

«Ernst, mi ascolti?» ripeté Irmgrad.

«Sì, cara. Ti ascolto. Il peso ovviamente è ciclopico. Ovvio che una simile astronave non si può sollevare con un sistema a propulsione chimica.»

«I crescioni, Ernst. I crescioni!»

«I cosa?!?» chiese Stuhlinger fissando la moglie come se fosse fiorita dal nulla.

«I crescioni» balbettò Irmgrad. «Oggi hai detto che volevi i crescioni perché sono la verdura tipica di Huntsville e a Miss Fallaci sarebbe piaciuto assaggiare la verdura tipica di Huntsville.»

«Oh! Ah! Sì. Già» dichiarò Stuhlinger senza capire una virgola di ciò che Irmgrad stava spiegando.

«Non c'erano, Ernst.»

«Oh! Ah! Uh! I crescioni. Prima che giungessimo noi ad Huntsville crescevano solo crescioni. Cotone e crescioni» mi informò.

«Non c'erano, Ernst. Siamo fuori stagione.»

«Ah!»

«Perciò ho preso i piselli» concluse Irmgrad, stremata. Povera Irmgrad. A che le serviva la sua laurea in geologia. Che l'aveva studiata a fare l'origine di una roccia se ora doveva impazzire a cercare i crescioni per me. Anche questa è una cosa che non ho mai capito: perché una creatura debba sprecare i suoi anni migliori a studiar l'origine di una roccia, di un fiume, se poi le tocca occuparsi di piselli e crescioni.

«Hai fatto benissimo, Irmgrad» dichiarò Stuhlinger nella disperata speranza che se ne andasse. Poi tornò a rivolgersi a me. «È mia convinzione che un'astronave così pesante non possa sollevarsi neanche col sistema a propulsione nucleare e perciò sono fermamente convinto che l'altro sistema, quello per cui mi batto da anni, il sistema a propulsione elettrica, sia l'unico adatto. Gli americani non fanno che lamentarsi perché i russi hanno un carburante migliore, anche von Braun ripete sempre: ma i russi hanno un carburante migliore. D'accordo allora perché non adottiamo la propulsione elettrica, rispon...»

«Papàaaaaa!» urlò Chris. «Dice la mamma che è pronto!»

«Chi è pronto?» fece Stuhlinger, quasi spaventato.

«Ma il mangiare, papà!»

«Oh! Ah! Già. Il mangiare. Bisogna mangiare.»

«Certo, se fosse per lui, si dimenticherebbe perfino di mangiare» si lamentò Irmgrad.

«Lui dice che gli basta una bananaaa!» urlò Chris.

«Però la notte gli vien fame e va a mangiarsi la roba più buona nel frigorifero!» rivelò Susan.

«Bambini!» protestò la signora Stuhlinger. Poi ci guidò in giardino, la tavola era apparecchiata in terrazza. Quando tutti ci fummo seduti anch'essa sedette. Una bava di vento le alzava e abbassava un capello grigio sulla tempia sinistra.

«Perché non adottiamo la propulsione elettrica, rispondo a von Braun, e lui dice che costa. Per costare, costa: d'altronde non ci illuderemo di andare su Marte con modica spesa. Lo ripeto dai tempi di Fort Bliss: fu a Fort Bliss che mi venne in mente il sistema a propulsione elettrica. Ne parlai con von Braun e...»

«Mangia, caro» supplicò Irmgrad.

«Mangiaaa, papàaa!» urlò Chris.

«...ci trovammo immediatamente d'accordo: fuorché sul fatto che costava troppo. Già a Peenemunde io e von Braun cercavamo un sistema del genere. Ma non potevamo occuparcene: lì avevamo i V2. Poi smettemmo di occuparci anche di quelli, gli alleati avanzavano, ma questo non ci dette più tempo o più voglia per studiare il viaggio su Marte. Ci muovevamo senza speranza, ci lasciavamo andare come una barca senza remi, sballottati qua e là, e a un certo punto io mi trovai staccato da von Braun. Giunti gli alleati, mi rifugiai a Tuebingen dov'erano i miei genitori, la mia università...»

«Mangia, papàaa!» urlò Chris.

«Zitto, Chris!» sussurrò Irmgrad.

«Sei stata tu la prima. Gli hai detto: mangia Ernst. Ora

glielo dico io e tu mi dici zitto » protestò Chris, logico.

« Vuoi chetarti, Chris? »

« E va bene, mi cheto! Mi cheto! »

Susan non diceva nulla. Ascoltava e forse non ascoltava: Peenemunde per lei era più lontana delle Guerre Puniche. Til invece teneva gli occhi celesti e innocenti incollati sul padre.

« Vede, Miss Fallaci, alcuni non capirono e non capiscono perché noi accettammo di venire qua: diventare cittadini americani eccetera. Parlo dei nazionalisti più accesi. Altri, come lei, antinazisti ovviamente, non capiscono perché stavamo a Peenemunde: e ci giudican male per quello.»

« Sì, dottor Stuhlinger.»

« Sì. Ma vede: noi stavamo a Peenemunde per la stessa ragione per cui siamo venuti in America dove non siamo più tedeschi ma americani. Peenemunde, l'America erano, sono tutti strumenti per realizzare il sogno di raggiungere Marte, gli altri pianeti. Per me almeno è così. Io non sapevo che Peenemunde esistesse, non conoscevo neppure von Braun quando mi tolsero dal fronte russo e mi portarono là. Non capii nemmeno perché mi scegliessero, pensai che reclutassero i laureati in fisica e conoscessero i miei studi sui raggi cosmici. Ma appena giunto mi dissi: son nel posto che serve a me. La stessa cosa di quando, finita la guerra, venne quell'ufficiale americano a Tuebingen e mi domandò se volevo mettermi al servizio degli Stati Uniti. Non capii nulla di ciò che voleva ma capii una cosa: negli Stati Uniti avrei potuto riprendere il mio lavoro interrotto. Gli americani sono avventurosi, curiosi, non ci avrebbero preso per pazzi se avessimo detto vogliamo andare sulla Luna, su Marte, su Venere. Gli americani volevano usare i V2 a scopi militari ma io lo sapevo che i V2 servivano anche a qualcos'altro: ad andare lassù. Oh, Miss Fallaci! Il mio sogno riprese vita mentre quell'ufficiale parlava! Io non so perché gli altri accettarono, io accettai comunque per ques...»

« Mangia, caro » supplicò di nuovo Irmgrad.

« Lo vedi? Prima gliel'ho detto io e tu mi hai ordinato di stare zitta. Ora glielo dici tu e non fai che ripetere ciò che io avevo già detto » chiarì Chris sempre più logico.

« Chris! Silenzio! »

« Non ha mica torto » intervenne Susan.

« Silenzio tutti e due! »

Conciliante, Stuhlinger mise in bocca qualcosa.

« E così ci ritrovammo tutti a Fort Bliss, nel Nuovo Messico. Miss Fallaci: hanno scritto tante cose su Fort Bliss e nessuno ha mai scritto la cosa più giusta. Quei mesi nelle baracche furono i mesi più belli della nostra vita, quando ne parliamo ci luccicano gli occhi come ai bambini che vedono accendere l'albero di Natale. Non solo perché la guerra era finita, non solo perché avevamo tutto quel mangiare, tanto mangiare che potevamo spedire i pacchi alle nostre famiglie in Germania. Non solo perché non avevamo orari né preoccupazioni né obblighi e ci sentivamo tutti fanciulli, uguali e fanciulli. Ma perché potevamo occuparci dell'unica cosa che ci interessasse. Io e von Braun abbiamo studiato più in quei mesi, su Marte, che in tutti gli anni seguenti. Le basi del nostro lavoro furono gettate allora. E quando potremo andarci, su Marte, quando potremo colonizzarlo... »

« Ma lei crede davvero che potremo colonizzarlo, dottor Stuhlinger? Dice Willy Ley... »

« Non come dice Willy Ley. Sì, conosco bene Willy Ley. Ciò che dice Willy, intendiamoci, accadrà: ma non così presto. Per "colonizzare Marte" io intendo "sopravvivere su Marte", vivere cioè come viviamo al Polo Antartico: mille persone d'estate e non più di cento d'inverno. Persone specializzate, allenate... »

« E la ferisce pensare che non potrà essere tra quei mille, quei cento? »

Stuhlinger guardò la moglie che stava andando in cucina a prendere qualcosa e si accertò che non udisse. Poi guardò i figli che, ad eccezione di Til, si dedicavano a uno scoiattolo. Prudentemente abbassò la voce, fino a renderla un sussurro. Sorrise.

« Ma io ci sarò, Miss Fallaci. Glielo dico ora che Irmgrad non sente, sennò si arrabbia. Un giorno ha capito che pensavo di andare e s'è arrabbiata, s'è arrabbiata proprio! Glielo dico ora: su Marte no, non ce la farò purtroppo. Avrò passato i settant'anni e sa com'è. Ma sulla Luna ci vado di certo. Scusi: ho quarantanove anni, tra dieci anni ne avrò cinquantanove. Non saranno mica troppi se mi mantengo in forma, continuo ad andare in bicicletta e tutto il resto. Tra dieci anni non sarà

315

mica necessario far gli astronauti, sa, per andare sulla Luna. Tra dieci anni ci andrà anche lei.»

«Io?!?»

«Sì, lei. Non vuole andar sulla Luna?»

«Vorrei ma non c'è posto per chi non è un tecnico, dottor Stuhlinger: ecco la crudeltà della nostra epoca. Non c'è posto per chi usa parole al posto dei numeri.»

«Questo lo dice lei. Il mondo è sempre appartenuto ai tecnici: ai politici e ai tecnici. Mai a chi fa la poesia, mai a chi protesta. Eppure il mondo ha sempre avuto bisogno di chi fa la poesia e di chi protesta. E lo sa perché? Perché quelli sono i soli che sanno spiegare le cose. Io, uomo senza incertezze, non so spiegare perché è giusto andare su Marte. O sulla Luna. O su Alfa Centauri. Lei, che ha probabilmente incertezze, può invece spiegarlo. Il mestiere di tecnico...»

Irmgrad tornò con una torta di fragole e si mise a distribuirla. Subito Susan e Chris dimenticarono lo scoiattolo e si gettarono voracemente sulla torta di fragole. Til invece non la guardò per niente e, sempre senza staccare gli occhi dal padre, ruppe il silenzio che aveva mantenuto per tutta la sera. Aveva una vocetta che sembrava il pigolio di un pulcino.

«Papà, tu che mestiere fai?»

«Noioso!» brontolò Susan con la bocca piena di fragole. «Me l'hai chiesto anche ieri e io t'ho detto che papà costruisce l'astronave per andare su Marte.»

Til la guardò come se lei avesse detto che la sintesi dialettica della metafisica hegeliana porta a concludere che il romanticismo storico è una realtà accertata e accertabile. Poi ripeté la domanda.

«Papà, tu che mestiere fai?»

«Io sono nell'industria dei trasporti, Til» rispose Stuhlinger.

«Come il conduttore dell'autobus che ci porta a scuola papà?» chiese Til.

«Più o meno» disse Stuhlinger.

«Perché più o meno, papà?»

«Ecco, Til: diciamo che io costruisco l'autobus» disse Stuhlinger.

«Ed è importante, papà?»

«Sì che lo è» disse Stuhlinger.

«Perché, papà?»

Stuhlinger prese Til sulle ginocchia.

«Vedi, Til, quello del trasporto è sempre stato il problema centrale, per gli uomini.»

«Per gli uomini e basta, papà?» chiese Til.

«Per gli uomini, per le donne e per i bambini. Ma prima di inventare l'autobus c'è voluto un mucchio di tempo. Devi sapere che i primi cinquecentomila anni gli uomini, le donne e i bambini hanno avuto solo le gambe per andare nei posti.»

«Quanto sono cin... cin... tomila anni, papà?»

«Molti, Til. Moltissimi. Sono più di diecimila. E solo diecimila anni fa gli uomini, le donne e i bambini scoprirono che si poteva usare il cavallo per andare nei posti. Il cavallo, l'asino, il cammello, l'elefante: insomma le bestie buone. Mi segui, Til? Ecco. Press'a poco nello stesso periodo, gli uomini, le donne e i bambini scoprirono che si poteva andare sul mare usando la barca. La barca, la zattera, la nave: insomma quelle cose lì. Mi segui, Til? Ecco. Poi successe una cosa: settemila anni fa. Successe che gli uomini, le donne ed i bambini inventarono la ruota e così scoprirono che si poteva anche andare in carrozza.»

Til fissò suo padre, smarrito.

«Papà! Cos'è una carrozza, papà?»

«Una carrozza» disse Stuhlinger «è una specie di automobile tirata da un cavallo.»

«Io non l'ho mai vista» disse Til.

«Non hai mai visto una carrozza, Til?» gridai.

«Nemmeno io» disse Chris.

«Nemmeno io» disse Susan. «Però papà ha promesso di portarmi a New Orleans dove ci sono le carrozze. Di', come sono le carrozze di New Orleans? Dice la mamma che tu vieni da New Orleans.»

«Sono belle» dissi. «Sono tirate da un cavallo ed hanno un baldacchino con le frange, tutto bianco. Quando va il cavallo, le frange tremano come le foglie e gli zoccoli del cavallo fanno cloc! cloc! cloc!...»

Mio Dio, papà! Te ne accorgi? Stavo raccontando una favola. Una carrozza tirata da un cavallo era già una favola. Til infatti non mi capiva neanche. Non poteva neppure immaginare di cosa parlassi. Un giorno, da grande, avrebbe visto una carrozza in qualche museo e l'avrebbe guardata coi medesimi occhi con cui ora guardava me, l'aria di dirmi «Ma che vuoi?! che stai dicendo?!». Si rivolse a suo padre.

«Papà! Vai avanti, papà!»

Stuhlinger mi lanciò un'occhiata che non compresi.

«Poi, all'improvviso, settemila anni dopo la carrozza tirata dal cavallo, gli uomini, le donne ed i bambini scoprirono il motore e così nacque il treno. Dopo il treno nacque l'automobile e...»

«Dimmi, papà,» lo interruppe Susan «ma come facevano prima a vivere senza automobile?!?»

«Bene facevano» disse Stuhlinger. «Esattamente come fanno oggi in tanti paesi che non sono l'America. C'è un mucchio di gente, al mondo, che non ha l'automobile.»

«Vuoi scherzare» rise Susan. «Non raccontarmi balle, papà! Nessuno può vivere senza automobile. L'automobile è come le gambe!»

Di nuovo Stuhlinger mi lanciò quell'occhiata. Poi tornò a dedicarsi a Til che seguiva la sorella col tono d'esser d'accordo.

«...e da questo momento, dicevo, tutto proseguì molto alla svelta. Molto, molto alla svelta. Si inventò immediatamente l'aereo, Til: ciò accadde solo cinquanta anni fa. Pensa, Til: solo cinquanta anni fa. E dopo l'aereo si inventò immediatamente il razzo. Questo accadde solo venti anni fa, Til. Tu lo sai, Til, cosa è un razzo?»

«Un razzo è un aeroplano senza le ali!» strillò Til.

«E tu sei una bestia!» disse Chris.

«Bestia!» ripeté Susan.

Til cominciò a piangere.

«Me lo ha detto la mamma che il razzo è un aeroplano senza le aliii!»

La signora Stuhlinger si agitò sulla sedia, imbarazzata. Susan e Chris la considerarono con severità.

«Mamma! Oh, mamma! A quattro anni e mezzo dovrebbe sapere che un razzo non ha niente a che fare con un aereo! Mamma! L'aereo vola nell'atmosfera, il razzo vola nella stratosfera!» spiegò Susan, scandalizzata. Poi si rivolse a Til che si leccava l'ultima lacrima. «Tanto è vero che il razzo porta l'astronave! Ora non dirmi che non sai cos'è l'astronave! Cretino!»

«L'astronave è quella di Glenn» sospirò Til, avvilito. «È fatta a punta come il mio affila-matite ed è così piccola che Glenn ci deve star dentro tutto piegato.»

«L'astronave può essere fatta in mille modi e può essere grandissima come quella di papà» disse Chris. Poi si alzò, prese la fotografia che Stuhlinger tentava di spiegarmi quando era successo l'incidente dei crescioni e la porse a suo padre. «Fagliela vedere, papà.»

Stuhlinger la mostrò orgoglioso al suo Til.

«Ecco, Til. Questa la costruisce papà, un po' per volta. Dalla fotografia non si vede ma questa è molto grande: grande come la nostra casa, però a due piani...»

Til si chinò a guardare l'astronave di papà. Poi si illuminò tutto e strillò: «Questa è una girandolaaa!»

«No, Til. Non è una girandola» rispose Stuhlinger. «È un'astronave per andare su Marte.»

«Su cosa, papà?»

«Sulla Luna» mentì Stuhlinger.

«Tu ci andrai sulla Luna, papà?»

Stuhlinger guardò la moglie che stava rimproverando Chris per qualcosa perciò era distratta. Poi si chinò veloce su Til.

«Sì, Til. Ci andrò.»

Til aggrottò la fronte.

«Perché, papà?»

«Come perché?!» fece Stuhlinger.

«Sì, papà. Perché vuoi andare sulla Luna, papà?»

La signora Stuhlinger rizzò la testa dimenticando le colpe di Chris.

«Cosa state dicendo?!»

«Si parla in generale» disse Stuhlinger. E sembrò smarrito: non so bene se per la moglie o per il figlio. Ma piuttosto per il figlio, direi. Dimmi, che si risponde a un bambino di quattro anni e mezzo che chiede: perché vai sulla Luna?

«Oh, Til! Non ti ci mettere anche te, figlio mio!»

Til insistette, spietato.

«Perché vuoi andare sulla Luna, papà?»

« Oh, accidenti! E tu perché vuoi andare nel prato quando ci vuoi andare? » si stizzì Stuhlinger.

Il bambino restò un poco zitto, a pensare. Poi gli brillarono gli occhi.

« Perché c'è, papà! »

Ci fu un attimo di silenzio. Poi anche a Stuhlinger brillarono gli occhi.

« Ecco, Til. Io voglio andare sulla Luna per la stessa ragione per cui tu vuoi andare sul prato. Perché c'è. »

« Non mi torna » concluse Til scendendo dai ginocchi di suo padre. E se ne andò a mangiare la sua torta di fragole.

« È una bella risposta » osservai. « Qualcuno la dette a proposito dell'Everest, mi pare. Ora mi dica, dottor Stuhlinger: quando gli altri le rivolgono la stessa domanda di Til, lei cosa dice? »

« Dipende » replicò pensieroso. « Dipende da chi me lo chiede. Le ragioni da addurre sono tante e dice bene von Braun quando dice che si dura meno fatica a costruire i razzi che a spiegare le ragioni per cui si costruiscono. Guardi, c'è la ragione degli economisti: tanto per cominciare. La ragione insomma che ne dà il direttore della NASA il quale non è un tecnico e neanche un sognatore. Il mio obiettivo principale, egli dice, è stabilire una realtà economica nell'industria americana e la tecnologia spaziale stabilisce questa realtà. La tecnologia spaziale sviluppa tutte le altre tecnologie, compreso quella medica e quella biologica, e così porta alla produzione di macchine migliori: migliori aerei, migliori automobili, migliori radio, migliori transistor... »

« Sì, ma non mi sembra una buona ragione. »

« Per alcuni è una buona ragione. »

« Una buona ragione, non *la* ragione. »

« D'accordo. Poi c'è la ragione dei politici: quelli almeno che credono alla pace. La corsa agli armamenti, essi dicono, impegnò centinaia di migliaia di americani nella costruzione di bombe, cannoni, aerei da guerra. Dimezzati gli armamenti, almeno la metà di quegli americani si incanalò nell'industria spaziale. Bene. Se smettessimo di fabbricare astronavi essi dovrebbero tornare a fabbricar bombe, cannoni, aerei da guerra: la sola cosa che sanno fare. Se li fabbricassero, prima o poi dovremmo usarli. E scoppierebbe la guerra. Il discorso è valido anche per i russi.»

«Questa è una buona ragione. Un'ottima ragione. Ma non è *la* ragione.»

«Esatto. Poi c'è la ragione degli scienziati puri, quelli che parlano cioè in termini squisitamente scientifici e dicono andare sulla Luna significa saperne di più sull'origine e la struttura dell'universo, sull'origine e la struttura della Terra.»

«Anche questa è una buona ragione. Ma non è *la* ragione.»

«E infine c'è la ragione degli avventurosi, dei romantici, dei pazzi come me che vogliono andare dove gli altri non sono mai andati o tornare dove gli altri sono andati con pena: e lo vogliono per la stessa ragione per cui vogliono andare sulla cima dell'Everest, per la stessa ragione per cui scalano le montagne rischiando a ogni chiodo di precipitare, per la stessa ragione per cui si calano in fondo al mare o giù nelle grotte, anche se ignorano come andrà a finire, forse con una catastrofe, ma bisogna andare lo stesso perché lo spirito di avventura è in noi, la curiosità è in noi, e il destino degli esseri umani è andare più lontano possibile, espandersi come il gas che uscendo dal suo involucro si spande più lontano possibile... E questa è la ragione. La vera ragione. La mia ragione e la sua ragione quando si purgherà di ogni incertezza. È la ragione che ci fa tollerare tante cose che non ci piacciono, tante persone che non ci piacciono, la ragione per cui lei perdona a von Braun ed a me di aver fatto i V2 e io perdono a lei di perdonare von Braun e me di aver fatto i V2...»

«Ernst, caro, farai tardi se vuoi vedere la Luna» disse Irmgrad.

Stuhlinger guardò l'orologio, si alzò svelto.

«Su, andiamo, bambini: sennò perdiamo la Luna. Vieni, Susan.»

Susan alzò le spalle.

«L'ho vista tante volte, la Luna, papà. La so a memoria. Viene Chris a vederla.»

Chris alzò le spalle, anche lui.

«La so a memoria anch'io» disse. «Ci va Til.»

Andammo con Til. La notte era dolce e Til era contento. Ero contenta anch'io di vedere la Luna ed era contento anche Stuhlinger che guidava lungo una strada assiepata di pini e poi i fari illuminarono un filo teso a sbarrare il passaggio e intorno al filo c'erano nove bambini, tre o quattro genitori, una donna incinta. Stuhlinger scese, tolse il filo, e caricò la donna incinta che era molto bellina e diceva di voler guardare la Luna perché la Luna piena fa bene alle donne incinte. Gli altri invece proseguirono a piedi e dopo qualche minuto ci ritrovammo con loro su uno spiazzo in mezzo al quale sorgeva una specie di capanna in cemento, sormontata da una gran cupola: il telescopio. Lui, von Braun e qualche altro s'erano costruiti quel telescopio da sé, disse Stuhlinger, pezzo per pezzo, ed Irmgrad aveva dipinto la porta. Poi aprì la porta e fece entrare i bambini in una stanza assai piccola, con la scala di legno. La scala era rotta e la donna incinta si mise a fare un mucchio di storie, le scale rotte le facevan paura, se aveva paura abortiva, se abortiva era inutile che vedesse la Luna che quando è piena fa bene alle donne incinte eccetera. Così tutti sperammo che non salisse ma purtroppo salì e ce l'avemmo con noi: mentre Til aiutava il padre a sistemare la gente e le cose. Til era stato al telescopio altre volte e sapeva che fare. Con gesti da adulto si arrampicò su uno sgabello, tirò certi fili, girò una manovella, aprì la cupola e faceva un certo effetto osservare questo bambino che non immaginava neanche come fosse fatta una carrozza tirata dal cavallo e poi maneggiava con tanta disinvoltura gli arnesi di un telescopio. Infine, quando tutto fu pronto, Stuhlinger radunò grandi e piccoli: gli tenne una piccola lezione sulla Luna.

«Quando voi avrete trent'anni o quaranta, bambini, l'uomo sarà sbarcato da tempo su Marte. Andare sulla Luna perciò sarà molto facile e ripensare al primo sbarco vi farà un poco ridere. Ma voi non dovrete ridere perché dovrete pensare che andare sulla Luna a quel tempo era molto insidioso, molto difficile, e i nostri astronauti sapevano di andar forse a morire. Lo ricorderete, bambini?»

«Io lo ricorderò» disse Til, serio.

«Lo ricorderò anch'io» disse un altro bambino. «E poi io farò l'astronauta.»

«Anch'io farò l'astronauta» disse una bambina.

«Uffa, la guardiamo o no questa Luna?» disse la donna incinta. «Mi sento male, ho bisogno di guardare la Luna.»

Stuhlinger mi lanciò una delle sue occhiate. Poi mi chiese come mi sentivo io. Io mi sentivo come il giorno che la mamma mi aveva portato a vedere il mare.

«Dottor Stuhlinger, cosa si prova a guardarla?»

«Non lo so» disse. «Non l'ho mai capito. Una volta chiesi a von Braun cosa provasse, lui, a guardarla. E anche lui mi rispose: non lo so, non l'ho capito. Però tutti e due ci trovammo d'accordo sul fatto che staccarsi dal telescopio dava dispiacere. Un grosso dispiacere.»

Poi si rivolse al suo pubblico.

«Siamo pronti? Via! Prima i bambini.»

«Poi le donne incinte» squittì la donna incinta.

«Poi i babbi e le mamme» sentenziarono i babbi e le mamme dei bambini.

«Buoni ultimi i pazzi, gli avventurosi e i romantici» concluse Stuhlinger. E spiegò che naturalmente non avremmo visto tutta la Luna ma un pezzo di Luna perché quando si guarda con un canocchiale le cose si vedono molto più grandi ma non si vedono intere perché intere non ci stanno nel canocchiale. «D'accordo?»

«D'accordo» dissero in coro i bambini.

E cominciarono a guardarsi la Luna: piccoli aghi per tormentare la mia impazienza. Una volta appoggiato l'occhio al telescopio non lo staccavano più e Stuhlinger ripeteva: basta, su, basta, ma loro si agguantavano a qualche sporgenza di ferro, puntavano i piedi, e bisognava aspettare ancora un pochino. Infine si allontanavano, con la fronte aggrottata, una perplessità da adulti, e restavano zitti in un angolo. Chiamai Til.

«Til, tu l'hai vista, vero?»

«Sì.»

«Dimmi, Til. Com'è da vicino?»

«È bella. È molto bella» disse Til.

«Va bene. E poi?»

«Poi cosa?» disse Til.

Poi cosa. Anche la mamma rispose così il giorno che mi portò a conoscere il mare e salimmo sul treno per andare a Viareggio, papà. «Mamma, tu l'hai già visto, vero?» chiedevo. «Sì.» «Dimmi, mamma. Com'è da vicino?» «È bello. È molto bello.» «Va bene. E poi?» «Poi cosa?» Il treno non arrivava mai. Ogni poco fermava in qualche stazione e prima che ripartisse ci voleva un mucchio di tempo, perché uno aveva da comprare il gelato, un altro aveva da comprare il giornale, ed io fremevo, ed avrei voluto pigiarlo con le mani, quel treno. «Mamma, quando arriviamo?» E la mamma: «Noiosa!». Infine arrivammo ma la stazione non era sul mare e il mare non si vedeva. Se ne udiva soltanto il rumore, quasi un ruggito, e la mamma per fare più presto chiamò la carrozza. La carrozza puzzava di fieno e gli zoccoli del cavallo erano martellate dentro gli orecchi ma il ruggito del mare diventava sempre più grosso, a ogni giro di ruota superava le martellate, io diventavo impaziente, in quella impazienza percorremmo una strada, poi un'altra strada, poi un'altra ancora, infine fummo in un largo viale, e al di là del viale era il mare, il mare ci fu all'improvviso davanti: come uno schiaffo sugli occhi. Grigio, sterminato, liscio liscio. Un cielo caduto per terra.

«Tocca a lei, signora» disse Stuhlinger guidando la donna incinta verso il telescopio.

«Un momento, un momento. Mi devo mettere gli occhiali!» squittì la ragazza incinta. «Il mio Johnny dice che devo mettere gli occhiali!»

Abbassai il capo quando vidi quel cielo per terra. Era così sconcertante che il cielo fosse caduto per terra. Allora la mamma mi porse una mano e mi disse: «Scendi, andiamo a vederlo proprio da vicino». Lasciammo la carrozza e ci avviammo sulla spiaggia, noi due sole, tenendoci per mano. La spiaggia era grande e deserta perché era ottobre e al mare d'ottobre non ci sta nessuno, diceva la mamma, fa freddo e nessuno ci viene. La spiaggia, sai, io non l'avevo mai vista, neppure quella, perché non avevo mai visto il mare, così non riuscivo a camminarci e duravo molta fatica: mi entrava la rena dentro le scarpe e le scarpe pesavano. Allora la mamma mi tolse le scarpe e proseguii senza scarpe, però senza alzare la testa, senza guardare il mare, perché il mare mi faceva paura. Invece del mare mi guardavo i piedi che affondavano sempre di meno dentro la rena, infatti la rena diventava sempre più umida e dura, diventando più dura cambiava il colore che adesso era grigio, un grigio sempre più scuro, quando fu un grigio scurissimo la rena tornò quasi molle e i miei piedi lasciavano piccole pozze di acqua che svanivano subito, in un gorgoglio senza suoni.

«Oh!» squittì la ragazza incinta. «È quella la Luna?»

«Sì, signora. È quella la Luna» disse Stuhlinger, molto paziente.

«Sembra di plastica!»

«Come ha detto, signora?»

«Ho detto che sembra di plastica. Mi farà bene lo stesso?»

«La plastica non fa mai male, signora» disse Stuhlinger. Poi chiamò me. «Tocca a lei, Miss Fallaci.»

D'un tratto però non svanirono più, quelle pozze di acqua, perché avevo i piedi nell'acqua, nell'acqua del mare. L'acqua del mare era pulita pulita, e veniva verso i miei piedi come se fosse curiosa, li volesse assaggiare, quando li aveva assaggiati si ritraeva impaurita, come se i piedi bruciassero, e intorno ad essi restava un piccolo vortice, poi nemmen quello. Così mi feci coraggio, alzai finalmente gli occhi e guardai il mare, il mare che mi scappava e... non ricordo quanto tempo restai lì a guardarlo. Dovetti restarci moltissimo perché ogni poco, sai, la mamma mi toccava le spalle e con la voce di Stuhlinger diceva: «Su, basta, ora basta». Ma io non le obbedivo, e non le obbedivo perché era la seconda volta che vedevo il mare per la prima volta, e non volevo che mi scappasse di nuovo. Cosa sentissi a guardarlo non so, non lo capivo, non lo capisco, papà. Stuhlinger aveva ragione, aveva ragione anche von Braun, posso dirti soltanto ciò che vedevo, e ciò che vedevo era il mare. Grigio, sterminato, liscio liscio fuorché pei crateri rotondi, così perfettamente rotondi che sembravano fatti con il compasso, e ricordavano i buchi che avvengono per un i-stante nell'acqua quando ci si butta una pietra. Però aveva una cosa, quel mare, una cosa terribile: era un mare immobile. Un mare che non veniva avanti, che non tornava indietro, che non faceva nulla di nulla: un mare senza mare. Più che al mare, direi, assomigliava a una spiaggia, una spiaggia lucida, una spiaggia dura secca di smalto. Di colore era grigio ma un grigio così grigio che non era neanche più grigio: era morte. E non era neanche più morte: era nulla.

«Su, basta. Ora basta» ripeté dolcemente Stuhlinger.

Mi strappai con rimpianto dal nulla.

«Com'è?» chiese Stuhlinger.

«È grigia» risposi. «Io credevo che fosse bianca e invece è grigia.»

«No» disse Stuhlinger. «Non è grigia. Quel grigio è una illusione ottica, un effetto di luce.»

«Oh! È davvero bianca?»

«No» disse Stuhlinger. «È nera. Nera del nero più nero che possa mai immaginare. Nera come il buio più buio, come... non so. Tenti di immaginare il nero dei neri. E quella è la Luna.»

Dimmi se non resti male a saperlo, papà: io ci restai molto male. La bianca Luna. Bianca come la Luna. Di un pallore lunare. E invece era nera. Nera del nero più nero: tenti di immaginare il nero dei neri e quella è la Luna. Ci restai molto male. Pensai, ti par buffo?, che non sarei più riuscita a leggere Saffo o Leopardi senza pensare macché bianca se è nera. Pensai che a volte è meglio non saperle le cose, restare ignoranti, tanto in fondo alla verità c'è sempre un dispiacere.

«Non ha mica torto, dottor Stuhlinger, a puntare su Marte anziché sulla Luna.»

Stuhlinger allargò le braccia, rimase un po' zitto, infine si versò del caffè. Eravamo tornati a casa sua, e stavamo con Irmgrad sulla veranda a bere il caffè. I bambini dormivano.

«Si capisce. Marte è più interessante da ogni punto di vista. Fosse per me, punterei su Marte anziché sulla Luna. Senza esitare. Tanto, guardi: fra cinquant'anni la Luna sarà una stazione abbandonata, la gente andrà a vederla come si va a vedere il Colosseo. Abbiamo fatto perfino il conto di quel che costerà ad un privato recarsi sulla Luna nel 1980: andata e ritorno ventimila dollari, il prezzo di una casa prefabbricata. Ma loro insistono: andiamo sulla Luna ed io mi stringo nelle spalle. Pazienza. Però rizzo un dito e aggiungo: attenzione, sistemata questa storia della Luna, dovremo prepararci a volare su Marte.»

«E se fosse una delusione anche lui.»

«L'unica delusione che potevamo avere l'abbiamo già avuta: l'atmosfera su Marte è molto bassa, l'uno per cento riguardo all'atmosfera sulla Terra. Noi speravamo di trovarne il venti per cento: quella rarefatta cioè che si trova su montagne altissime. Speravamo di poter camminare su Marte senza la tuta pressurizzata, senza le riserve di ossigeno: invece non potremo neanche esporre la pelle perché il sangue si metterererebbe a bollire come sulla Luna o quasi. Vero è che simili calcoli son stati fatti sugli esami spettrografici e i calcoli posson sbagliare. »

« E se fossero sbagliati? »

« In quel caso, l'ospitabilità di Marte sarebbe buona: acqua, sia pure poca, ce n'è. I suoi poli sono coperti da sottili cappe di neve. Ossigeno, sia pure poco, ce n'è. La temperatura all'equatore è di trenta gradi sotto zero la notte ma di dieci o quindici gradi sopra zero di giorno. »

« Però niente vita, niente omini verdi, dice von Braun. Solo una bassa vegetazione che potrebbe coprire i resti di una antichissima civiltà. »

« Ai resti di una antichissima civiltà credo anch'io: Marte è un pianeta assai più vecchio della Terra. Quando dico vecchio non intendo dire che si è formato prima della Terra: i pianeti del nostro sistema solare si sono formati più o meno contemporaneamente. Intendo dire che è invecchiato con più rapidità della Terra. Prenda l'esempio di un cane e di un uomo che nascono il medesimo giorno. Il cane vive al massimo fino a quattordici anni, l'uomo può vivere fino a cent'anni e più: perché il cane invecchia con più rapidità dell'uomo. A una civiltà presente non credo: tutto ciò che è vita è energia. Tutto ciò che è energia è movimento. Tracce di movimento su Marte non se ne vedono, fuorché l'espandersi della vegetazione a primavera e il suo appassire d'autunno. Se esistessero città, per esempio, in un modo o nell'altro esse sarebbero illuminate: perciò le vedremmo. Ammenoché non siano città sotterranee: l'ipotesi non è affatto sciocca. Però le piante ci sono e, secondo la nostra concezione della vita, dove ci sono le piante ci sono animali che mangiano le piante. E dove ci sono animali che mangiano le piante... Miss Fallaci, bisogna essere molto prudenti quando si parla di certe cose. Si rischia di andare nel fantastico e di essere giudicati pazzi o visionari. »

« Io non la giudico né pazzo né visionario, dottor Stuhlinger. »

« Lei no. Ma chi leggerà, sì. »

« Continui lo stesso, la prego. »

« E va bene. Stavo per dire questo. La vita come noi la concepiamo può esistere solo attraverso due cicli chimici: quello nostro e quello delle piante. Quello nostro si nutre di ossigeno per restituire anidride carbonica, quello delle piante si nutre di anidride carbonica per restituire ossigeno. D'accordo? Ma se Marte ha poco ossigeno e quindi poca anidride carbonica, come vivono le sue piante? Con il nulla, no di certo: l'energia non si può creare dal nulla, nulla si crea dal nulla, e questo principio è valido in tutto l'universo. Le piante marziane potrebbero vivere, quindi, creando esse stesse la loro atmosfera dentro un involucro: un involucro trasparente onde attingere luce, una specie di bolla di sapone cioè, un uovo di vetro. Ma... ma se questa ipotesi è accettabile per le piante, è accettabile anche per gli animali. E se gli animali esistono, su Marte, con probabilità esistono anche... anche animali intelligenti. »

« Oh, Gesù! Uomini dentro le uova? »

Le uova, le uova, le uova! Finisci sempre col parlare di uova, con questi spaziali. Si direbbe che siano perseguitati dall'idea delle uova, dalla forma delle uova, e che vivano in un incubo tondo di uova, di un uovo. Perché? Ma perché?

« Uomini, no. O non esattamente uomini. O comunque non uomini con la nostra pelle, la nostra circolazione sanguigna, la nostra forma... Guardi, lo sapremo fra vent'anni. Von Braun dice che non andremo su Marte prima del 1990 ma io ho scommesso che ci andremo entro il 1986. Gli anni buoni per andare su Marte, cioè gli anni in cui Marte è più vicino alla Terra, sono 1971, il 1986, 1990. Per il 1986 possiamo farcela. L'unico guaio è che tutti, almeno in America, si occupano della Luna e lasciano indietro Marte. La NASA non ha neanche un progetto preciso per Marte: si limita a tenere sotto contratto alcune industrie e il mio sistema a propulsione elettrica. Lei ha capito, vero, di cosa si tratta? »

« No » dissi candidamente. « Proprio no. »

« Allora glielo spiego: evaporando atomi ionizzati... »

« Non importa, non si disturbi. »

« No, no: glielo spiego. »

Vide l'espressione del mio volto, scoppiò a ridere e, graziaddio, rinunciò. Poi chiese a Irmgrad se i bambini stessero veramente dormendo e si alzò per andare a prendere il modellino della sua astronave: minacciato, di giorno, dalla curiosità di Til, di Chris e di Susan. Attraverso i vetri del suo studio lo vedemmo aprire un armadio, poi guardarsi sospettosamente dintorno, aggualtare un giocattolo. Quando l'ebbe in mano spense la luce e in punta di piedi, coi gesti silenziosi di un gatto, il suo giocattolo stretto sul cuore, tornò verso di noi.

«Povero Ernst, ci tiene tanto al suo modellino» sussurrò Irmgrad. «Lo chiude sempre a chiave, per timore che i ragazzi lo prendano. Una volta lo presero infatti e lo ruppero.»

«Ecco» disse Stuhlinger posando l'astronave vicino al bricco del caffè. «Con questa andremo su Marte. La guardi attentamente, la prego.»

Guardai e anzitutto devo dire che Til ha ragione: si tratta, né più né meno, che di una girandola. Consiste infatti in due ali molto appuntite, unite insieme alla base, e sormontate da un oggetto posto su un tubo perpendicolare, nel mezzo. L'oggetto è il razzo vero e proprio, il razzo cioè che porta l'astronave su Marte: col sistema della propulsione elettrica. Le ali appuntite sono una gigantesca centrifuga che ruotando provoca nel vuoto una forza di gravità pari a quella che abbiamo sulla Terra. L'astronave, simile a una bottiglia di Coca-cola, è avvitata in posizione orizzontale sulla punta di un'ala: come il carrozzino avvitato in fondo alla pala della centrifuga di San Antonio. Razzo e girandola agiscono simultaneamente: il che fa pensare ai dischi volanti che secondo von Braun non esistono e non possono esistere.

«Con la mia astronave il viaggio a Marte può esser compiuto in cinquecentosettanta giorni: duecentottantacinque ad andare e duecentottantacinque a tornare» spiegò Stuhlinger. «Il periodo da trascorrere su Marte ovviamente non è calcolato. Può durare un mese come due anni. Due anni se gli astronauti perdono la coincidenza con la Terra: la coincidenza capita appunto ogni due anni, a volte ogni sei. Ed ora ecco perché va costruita così: sappiamo che il corpo umano non può galleggiare per cinquecentosettanta giorni, cioè più di un anno e mezzo, in assenza di peso. È necessario che gli astronauti vivano in modo normale ed abbiano il loro peso come se fossero sulla Terra: questa che Til chiama girandola serve appunto a restituire il peso terrestre. L'astronave è a due piani: a parte la cabina di comando, il laboratorio, la cambusa eccetera. Lo spazio riservato agli uomini è il medesimo di questa casa. E cioè: tre camere da letto con bagno, una cucina, un soggiorno, una palestra. Ogni stanza contiene televisione e telefono, il soggiorno dispone anche di un cinematografo. Penso che basti.»

«Io penso di no» disse Irmgrad. «Se è uguale a questa casa noddavvero. Te lo dico sempre che questa casa ha bisogno di una stanza in più. Vedrai che quei poverini avranno bisogno anche loro di una stanza in più.»

«Noi siamo cinque e loro saranno tre» replicò Stuhlinger con l'aria di avere udito quell'osservazione più volte. Poi si rivolse a me: «Per tre persone è anche troppo: nei sottomarini, di posto ne hanno assai meno. Le stanze sono ampie: le ho fatte ampie perché in caso di disastro ogni astronave possa ospitare altri uomini. Cinque ad esempio, o dieci, o anche quindici...».

«Allora ci vuole una stanza in più. Lo vedi che ci vuole?» ripeté Irmgrad, ostinata.

Stuhlinger sospirò e non le rispose.

«La flotta sarà composta di cinque astronavi, ciascuna astronave avrà tre uomini, il che fa un totale di quindici uomini. Secondo il calcolo delle probabilità è molto difficile che tutte e cinque le astronavi abbiano incidenti o siano distrutte. Una almeno dovrebbe restare intatta. E in tal caso toccherebbe a questa raccogliere i superstiti. Se quattro astronavi vanno distrutte ma i dodici uomini sopravvivono, la quinta astronave può ospitarli insieme agli altri tre.» Si interruppe cogliendo al volo un gesto di Irmgrad. «Irmgrad non ricominciare. Qualcuno dormirà sui divani, perbacco!»

«E il mangiare, il bere» insisté Irmgrad.

«Ogni astronave ne ha abbastanza per quindici persone!» urlò Stuhlinger.

«E va bene, Ernst, va bene. Io lo dico per te: sei così distratto, così poco pratico, tu. Magari si sistemano per dormire, quei poverini, e poi soffrono la fame. E la sete.»

«Non soffriranno nulla» sibilò Stuhlinger.

«Soffriranno a star sempre chiusi» azzardai. «Due anni o quasi son lunghi.»

«Usciranno» spiegò Stuhlinger. «Indossando la tuta pressurizzata potranno muoversi nel vuoto, andare da un'astronave all'altra. Il sistema per uscire è identico a quello dei sottomarini: attraverso un cubicolo si passa in un'anticamera, attraverso questa in un'altra, e finalmente si è fuori. Fuori useranno le cinture-razzo. Non so se le ha viste.»

«Sì» dissi. «Le ho viste.»

«Belline, vero?»

«Sì, belline.»

«Personalmente trovo le cinture-razzo più comode dei tassi-spaziali ed anche meno costose. Ad ogni modo faremo anche i tassi-spaziali e ciò le dimostra che il problema di spostarsi nel vuoto, fuori della astronave, non esiste davvero. L'unico problema resta la temperatura. Nello spazio non c'è temperatura: la temperatura dipende dalla luce o dall'ombra. Se uno si muove nell'ombra dell'astronave, rischia di trasformarsi in un cubetto di ghiaccio. Se uno si muove alla luce del sole, rischia di bruciare come un fiammifero. Bisognerà inventar tute...»

«E tu vorresti andare!» brontolò Irmgrad. «Vogliono tutti andare in questa famiglia. Lui vuole andare, Chris vuole andare, Til vuole andare, perfino Susan vuole andare. Accidenti a Marte!»

«Non dire accidenti a Marte!» disse Stuhlinger.

«Accidenti a Venere, allora.»

«Non dire accidenti a Venere» disse Stuhlinger.

«Accidenti alla Luna» concluse Irmgrad, sempre più testarda.

«Boh!» commentò Stuhlinger con un'alzata di spalle.

Facemmo le due del mattino su quella terrazza, dinanzi al giocattolo che Susan, Chris, e Til minacciano sempre di rubare a papà. Parlammo degli astronauti, Stuhlinger li conosce bene, e di cose lontane: come i viaggi agli altri sistemi solari. Stuhlinger non era ottimista come Willy Ley: viaggiare alla velocità della luce, diceva, è quasi impossibile. Gli scienziati non escludono mai totalmente, non usano mai l'aggettivo impossibile, ma in tal caso si poteva usare l'aggettivo impossibile. Perfino il sistema elettrico richiederebbe diecimila anni per raggiungere Alfa Centauri: non meno di trecento generazioni cioè. E costruire astronavi capaci di durare diecimila anni si può. Si può anche procreare nelle astronavi, per trecento generazioni: ma chi ci assicura che la trecentesima generazione avrebbe un'anima come la nostra? Chi ci assicura che un'anima, un'anima qualsiasi, l'avrebbe? Il paradosso era questo: sapevamo un mucchio di cose sul cosmo, i mondi lontani. E non sapevamo nulla di quel piccolo mondo a portata di mano, detto cervello.

Così ci alzammo, noi che volevamo andare nel cosmo ma non sapevamo nulla del nostro cervello, e Stuhlinger disse che mi avrebbe accompagnato al motel. Prima però voleva farmi vedere qualcosa, perciò mi condusse dentro il suo studio: una scrivania, una sedia, un divano, alcuni scaffali di libri scientifici, infine un tavolo basso e rotondo, coperto da un velluto marrone.

«Qualcosa di molto bello» disse Stuhlinger preparandosi a sollevare il velluto.

«Qualcosa che è stato trovato nel cielo?» gli chiesi.

«No.»

«Qualcosa che viene da un altro pianeta?» gli chiesi.

«No.»

«Qualcosa che cresce in terra?»

«Non esattamente.»

«E dove allora?»

«Nel mare» rispose togliendo con gesto da prestigiatore il velluto. Sotto il velluto c'era un tavolino a bacheca, protetto da un vetro. Sotto il vetro, conchiglie. Conchiglie tonde, schiacciate, a spirale, a bottone, trasparenti, fosforescenti, gialle come petali di girasole, rosa come unghie di bimbo, azzurre come brandelli di cielo, cavallucci marini, coralli...

«Sono la sua mania» disse Irmgrad. «Quando ci porta al mare non sta mai con noi, sempre con le conchiglie. Oppure ci costringe a cercare conchiglie. E ne è così geloso. Più geloso delle sue conchiglie che della sua astronave.»

Stuhlinger le accarezzava con gli occhi.

«Quanto sono belle! Belle come il mare. Il velluto è perché restino al buio e mantengano i colori che avevano laggiù dentro il mare. Ogni tanto però lo sollevo e le guardo.»

Spostò il vetro, ne prese una che sembrava un fiore di porcellana. L'avvicinò al grande naso.

«Che profumo. Sa ancora profumo di mare. E dentro c'è una sirena che canta. Ascolti.»

Ascoltai. La sirena cantava.

«Canta davvero.»

«Sì, tutte le notti. Di giorno tace.»

«Caro, mettila a posto, caro. Si romperà» disse Irmgrad.

Stuhlinger fece quel che diceva la moglie. Mise a posto il vetro, lo ricoprì col velluto marrone, poi andò verso la porta, deciso.

«Su, sbrighiamoci. Tra poco saranno le tre del mattino.»

Ringraziai Irmgrad, salii sulla Volkswagen. Lentissimamente la notte cominciava a sbiadirsi d'azzurro e la Luna era bianca, bianca, bianca. In silenzio scendemmo lungo la strada a spirale, passammo davanti alla casa di von Braun, una gran villa, infilammo la *freeway* che porta al motel, e a questo punto notai che mi dispiaceva lasciarlo questo tedesco che vuole andare su Marte e poi colleziona conchiglie. Attraverso la impermeabilità del mio rancore era passato, per miracolo o per sortilegio, un amico. Davvero, papà. E mi dava tristezza che quello fosse già il motel, che la Volkswagen frenasse. La Volkswagen frenò. Io scesi e anche Stuhlinger scese, gli porsi la mano. E nello stesso momento sentii tra la mia palma e la sua palma qualcosa di liscio: come un fiore di porcellana. Così aprii la mano e c'era la conchiglia.

Ecco. Una conchiglia è solo una conchiglia. E di conchiglie ne avrei trovate tante, settimane più tardi, sulla spiaggia di Cape Kennedy, con gli astronauti. Infatti ne ho tante, anche raccolte da loro, alcune le ho perfin date via dicendo guarda questa la trovò un astronauta. Ma la conchiglia di Stuhlinger non riuscirei mai a darla via: perché è la più bella di tutte. È la conchiglia dell'uomo che per la seconda volta mi fece vedere il mare per la prima volta, poi mi dette un dispiacere dicendo che la Luna non è bianca ma nera.

«Grazie» gli dissi.

«Stare piccolizzimo memento» rispose.

Mise in moto la Volkswagen e sparì.

# CAPITOLO VENTITREESIMO

«Ma non c'è luce in questa camera!»

«No, non c'è.»

«È completamente buio, si inciampa!»

«Sì, si inciampa.»

«Ma dove sono le lampade?»

«Le lampade sono rotte.»

«Rotte?!»

«Sì, rotte.»

«E perché sono rotte?»

«Perché bisogna accomodarle.»

«Le accomodi, dunque!»

«Io sono il facchino. Un facchino porta le valige, non accomoda le lampade.»

«Riporti via le valige.»

«Io non riporto via nulla.»

«E perché non riporta via nulla?»

«Perché il direttore del motel ha detto: Numero 203. E questo è il Numero 203.»

«Riprenda le valigeeee!»

Riprese le valige e la luce della strada illuminò il suo volto nero e ostile. Camminava strascicando le gambe, le sue spalle eran curve. Oh, perché gli facevo riportar le valige all'ingresso, perché? Di notte c'è forse bisogno di lampade? Di notte si dorme e quella era o non era una stanza per dormire? Gli urlavo perché era nero, ecco perché. Arrivano pieni di boria, questi bianchi, e subito ti fanno andare su e giù per le scale con le loro valige. Con un gran sospiro posò le valige per terra, dinanzi al direttore del motel: il solito Holiday Inn of America. Il direttore era una donna: sui quaranta, brutta, vestita di blu. China su un foglio, scriveva dei numeri.

«Signora, la mia camera è senza luce.»

Silenzio.

«Signora, la mia camera è completamente al buio.»

Silenzio.

«Tutte le lampade sono rotte, signora.»

Silenzio.

«Mi ascolta, signora?»

Mosse le labbra continuando a scrivere numeri.

«Si?»

«Dicevo, signora, che la mia camera è senza luce.»

«Si.»

«Completamente al buio.»

«Si.»

«Tutte le lampade rotte.»

«Si.»

«Cosa vuol dire si?!?»

«Si.»

Strinsi i pugni, frenai l'irresistibile desiderio di spaccarle la faccia, sperai ardentemente che fosse sorda, ricominciai da capo la storia.

«Signora, otto giorni fa ho prenotato una camera a questo motel. Si tratta di un pessimo motel, io lo so perché ci sono già stata una volta. Tuttavia ho prenotato lo stesso una camera: telefonando da New York. E la prenotazione è stata accettata.»

«Si.»

«Per camera io intendo una camera fornita di lampade. Le lampade sono una cosa che quando si accendono fanno la luce. Le lampade del Numero 203 non fanno la luce perché sono rotte.»

«Si.»

«Signora, lei capisce il mio inglese?»

«Si.»

«Lei capisce che esigo una camera fornita di lampade che quando si accendono fanno la luce?»

«Si.»

«E allora cambi le lampade, perdiooo! Allora mi dia un'altra cameraaa!»

« Non c'è nessun'altra camera. »

« Dev'esserci, invece, perché io ho prenotato una camera. »

« Quella è una camera. »

« È una camera senza luce e quindi non è una camera. »

« È una camera. »

« Io voglio una camera con la luce. »

Un uomo si fece avanti, con qualche esitazione: un altro cliente del Holiday Inn.

« Mi sembra che questa ragazza non abbia torto. Mi sembra che avanzi una richiesta assai ragionevole. »

Silenzio.

« Se non vi sono altre camere, cambi le lampade a quella lì. »

Silenzio.

« Quando si accetta una prenotazione, sono incluse le lampade. »

« Questo non è affar suo » disse la donna continuando a scrivere numeri.

L'uomo si ritirò, tutto rosso. Io continuai.

« Signora, è l'una del mattino. Vengo dall'aeroporto e sono stanca. Ho bisogno di una camera e di una camera che abbia la luce. »

« Prenda un tassi e vada a un altro motel. »

« Signora, non ho alcuna intenzione di cercarmi un altro motel all'una del mattino. Questo motel è una disgrazia e lei è una mascalzona, signora. La mascalzona più sciocca che abbia mai incontrato, la più ottusa, signora. Ma io voglio lo stesso una camera perché l'ho pagata e mi spetta. »

La donna dimenticò finalmente i suoi numeri e alzò un volto brutto e voglioso, pieno di bollicini. Poi ridacchiò insieme a un'altra donna che stava nell'ufficio. Ridacchiò, niente altro. Non sembrava offesa di nulla, gli insulti scivolavan su lei come acqua sul vetro. Smarrita, incredula, rimasi a guardarla. Poi mi girai in cerca di aiuto e dalle nebbie della mia disperazione un uomo fiorì: un altro cliente del Holiday Inn of America. Aveva un'aria gentile, educata. Mi sorrise, gli sorrisi. S'inchinò, m'inchinai.

« Dormiamo insieme? » ghignò.

Il tassi mise molto ad arrivare perché un motel è sempre lontano dalla città e quando arrivò erano quasi le due del mattino. Spiegai la faccenda al tassista, il tassista osservò che non c'era nulla di strano, la gente oggigiorno se ne frega, è così, infine mi chiese qual era la zona di Houston che avrei frequentato: per cercarmi un motel relativamente vicino. La NASA, dissi. La NASA? Ma allora il Holiday Inn of America non andava mica bene, disse. Come non andava bene, la NASA era qui a due passi. Qui a due passi? Quando c'ero stata l'ultima volta? Quattro mesi fa c'ero stata, solo quattro mesi fa. Oh, quattro mesi sono un lungo periodo di tempo. Lungo? Sì lungo, lunghissimo. Insomma la NASA aveva cambiato indirizzo, la NASA ormai stava a Clear Lake City. E ora dove mi portava? Mi portava a Clear Lake City. Lontano? No, vicinissimo: quarantacinque minuti lungo la *freeway*. Ma arriveremo alle tre! Eh, sì: arriveremo alle tre. Ma è un'altra città! No, non è un'altra città: è un sobborgo di Houston. Un bel sobborgo del resto: non c'è nulla fuorché la NASA ed un motel. Che motel? Un motel coi fiocchi, il Kings Inn: la Locanda dei Re. Caro? Eh, sì, caro: il lusso si paga. Quanto? Venti dollari, venticinque, anche più.

Anche più? Sì, ma allora sono suites. La direttrice del Kings Inn, una ragazza elegantissima, uscita per sortilegio da una pagina di « Harper's Bazaar », mi esaminava garbata e un po' critica. Sentendomi veramente miserabile, accettai una camera da diciotto dollari, e finalmente fui a letto. Un letto d'oro in una camera d'oro e subito ricordai il Holiday Inn of America, mi venne in mente di averci lasciato il beauty-case col profumo, i sali da bagno, le inutili cose che si portano dietro le donne. Irritatissima telefonai al Holiday Inn, la telefonista rispose che non avevo lasciato un bel nulla. Ma no, signorina, ma guardi, dev'esser rimasto sul letto, era buio, l'ho appoggiato ricordo mentre cercavo la luce, signorina, il profumo può anche tenerlo, ma i sali da bagno son sali da bagno francesi e... Francesi? Perché non compravo i sali da bagno americani se avevo preso i sali da bagno francesi? I sali da bagno americani erano i migliori sali da bagno del mondo, ed anche il profumo americano era il migliore profumo del mondo, qualsiasi cosa che fosse fabbricata in America era la migliore del mondo, sissignora, anche lei era la migliore telefonista del mondo, perché? Perché, signorina, ci son tanti modi per andare in Paradiso. Una volta, a Gerusalemme, non so se te l'ho mai raccontato, papà, vidi una donna molto grassa che andava in Paradiso passando attraverso un corridoio di colonne non più largo di trenta centimetri. La sua religione diceva che chiunque riuscisse a passare attraverso quelle colonne andava in Paradiso e lei, non so come, vi si insinuò: restandone subito imprigionata. Non poteva andare né avanti né indietro, tornare indietro del resto significava accettare per sempre l'Inferno, e le colonne eran lì che la stringevano come una morsa, le schiacciavano la cassa toracica e il ventre, il ventre sembrava dividersi in due, una colonna lo tagliava proprio nel mezzo, la donna urlava di dolore e piangeva, baciava le colonne dicendo colonne vi supplico, fatemi passare, colonne, voglio andare in Paradiso, colonne, e le colonne tacevano premendola sempre di più. Tacevano tutti. Io avrei voluto gridarle: signora, perché vuole andare in Paradiso, signora, non lo vede che il Paradiso fa male, torni all'Inferno, signora, l'Inferno è più comodo: e invece tacevo, con gli altri. Tacevo e guardavo, piena di rispetto, di pena, e d'un tratto la donna cacciò un urlo che non era dolore ma gioia e riuscì a liberare le spalle, dopo le spalle riuscì a liberare anche il ventre per donarlo a una nuova colonna che glielo tagliava nel mezzo, e lentissimamente, penosissimamente, baciando, piangendo, pregando arrivò all'ultima colonna, la fine del corridoio, e cadde sfinita per terra e fu in Paradiso. Sì, ci sono tanti modi per andare in Paradiso. Io ad esempio me ne guadagnavo un pezzetto ogni volta che arrivavo a Houston, Texas. Questo era Houston virgola Texas.

E questa era la NASA virgola Clear Lake City: una città trasportata, nel giro di quattro mesi, quaranta miglia più in là. Così: allo stesso modo in cui si prende un fagotto da un tavolo e lo si appoggia su un altro tavolo. A non saperlo non ci si accorgeva nemmeno che non stava più nel medesimo posto: l'unica differenza era il bianco. Come un miraggio, un'assurdità, la NASA ora sorgeva su una distesa di bianco tutto uguale e calcareo.

«Ma è impossibile, Paul!»

«È possibile, invece: dal momento che lo abbiamo fatto.»

«E quel bianco, Paul: cosa è?»

«Conchiglie. Le portiamo dal Golfo del Messico, le usiamo

per materiale da costruzione e per ghiaia. Tutti i muri, qui, sono impastati di conchiglie.»

«Impastati di conchiglie?»

«Sì. Prima le tritiamo, però. Per l'edificio degli astronauti abbiamo tritato nove tonnellate di conchiglie.»

Mi chinai a raccoglierne una, pensando a Stuhlinger.

«Ma sono belle! Guarda che forma, che grazia.»

«Sì, sono belle.»

«E voi le tritate.»

«E noi le tritiamo.»

Paul Haney rideva, orgoglioso: il mio stupore, la mia indignazione non lo irritavano affatto. Gli americani per esser felici non chiedon che questo: stupire, indignare. E Paul è americano, ricordi l'interrogatorio tra serio e scherzoso cui mi aveva sottoposto la prima volta? Alto e massiccio mi indicava con l'indice teso i mostruosi edifici che eran le sue colonne per il Paradiso e ogni mio strillo di ammirazione lo allontanava un po' dall'Inferno.

«Per la centrifuga invece ne abbiamo tritate ancora di più: tredici tonnellate all'incirca. Lo vedi quel grande edificio rotondo? È la centrifuga a tre: contiene tre uomini invece di uno. I tre uomini della capsula Apollo. Ora guarda il motore. Il motore più potente della Terra. E più pesante. Una volta montato, non riuscivamo nemmeno a spostarlo. Ci provammo coi camion: si strapparono come un velo da sposa. Ci provammo con le gru: si stroncarono come stecchini da denti. Niente sembrava riuscire a sollevarlo, trascinarlo, niente!»

Il motore più potente e pesante della Terra, simile a un gran tino d'acciaio, così simile anzi che veniva voglia di rovesciarci le ceste dell'uva, stava su un tappeto di rulli: in attesa di venir calato nel buco al centro della stanza rotonda, della centrifuga.

«E allora, Paul? Chi lo ha trascinato fin qui?»

«Una storia incredibile. Fu un operaio a suggerirlo: un siciliano, mi pare. Disse: perché non provate coi rulli? Fate un tappeto di rulli, poi rotolate i rulli e il motore va avanti con loro. Geniale. I nostri ingegneri provarono e dissero che era geniale. Cosa hai da ridere?»

«Oh, Paul! Oh...!»

«Davvero non ci trovo niente di buffo.»

«Oh, Paul! Oh...!»

«Insomma, si può sapere cosa ci trovi di buffo?»

«Ma Paul! Ma è così che furono costruite le Piramidi!»

«Le Piramidi? Cosa c'entrano le Piramidi?!»

«Le Piramidi, Paul, e i templi egizi, e la Grande Muraglia cinese, e il Colosseo, e le chiese gotiche, tutto! Facevano un tappeto di rulli e ci spostavano i blocchi di pietra, di marmo. C'era proprio bisogno di un piccolo operaio siciliano che lo ricordasse ai vostri ingegneri?»

«Noiosa! Tu e il tuo passato!»

E per un attimo mi parve di vederlo stretto fra due colonne che gli schiacciavano la cassa toracica, il ventre. Ma lui con abile contorcimento ne uscì, «Se fosse per te e pei tipi come te andremmo ancora in bicicletta, anzi a piedi», e io continuai in penitenza il mio pellegrinaggio a Gerusalemme: salutata ogni volta come un figliol prodigo che torna a implorare il perdono, o un convalescente che viene a cercar guarigione. Parenti e dottori uscivano dai vari uffici con aria festosa e va da sé che i malati sembravano loro, in quattro mesi s'erano incanutiti di almeno quattr'anni: le preoccupazioni, la noia, chissà. Ricordi Jack Riley? Ciao, Jack. Ricordi Ben Gallespie? Ciao, Ben. Ricordi Howard Gibbons? Ciao, Howard. Ricordi... Katherine? Ciao, Katherine. Katherine (non la chiamavo così?) s'era sposata e ciò l'aveva fatta ingrassare senza toglierle la scontentezza: di sicuro il marito non era astronauta. Gibbons non ostentava più il broncio da sergente che ha perso l'elmetto, se faceva uno sforzo riusciva perfino a sollevare le labbra in qualcosa che assomigliava a un sorriso, e con quel sorriso mi annunciò una sorpresa: spiegò che Bob Button era qui, trasferito dalla California. La porta lì accanto, sì. Spalancai la porta con una ventata.

«Bob! Che piacere rivederti, Bob!»

«Ehi» mormorò Bob senza muoversi.

«Bob! Come sta, caro Bob?!»

«Uhm.»

«Bob!? Non mi riconosci, Bob?»

«Sì, certo, salve.»

«Come salve? Salve e basta?»

«Benvenuta.»

S'era come avvizzito, anche lui: una foglia staccata dall'albero e accartocciata nel sole. Apaticamente porgeva una mano e le sue dita pendevano più inerti dei baffi. Ormai diradati, i peli dei baffi sembravan sul punto di andarsene, uno per uno, a morire.

«Oh, Bob! Ma cosa t'hanno fatto, Bob?!»

«Eh?»

«Bob! Da quanto tempo sei qui?»

«Tre mesi.»

«Capisco.»

«Eh?»

«Bob, mi aiuterai: spero. Sono tornata per via del libro e avrò molto bisogno di aiuto.»

«Uhm.»

«Mi ascolti, Bob? Ti sto dicendo che ho bisogno di aiuto.»

«Il capo qui è Howard Gibbons. Sopra di lui c'è Ben Gallespie. E sopra di tutti c'è Paul Haney.»

«Ma cosa ti prende, Bob?!»

«Niente, mi prende.»

«Quand'è così. Ciao.»

Mi alzai. Mi avviai verso la porta. Mi fermò il suo vocino avvilito.

«Oriana...»

«Sì?...»

«Mi auguro che tu capisca...»

«Capire cosa?!?»

«Mi auguro che tu capisca che Houston non è Santa Monica e che a Houston mi sarebbe difficile conciliare la mia amicizia per te con la lealtà verso i miei superiori.»

«Conciliare? Amicizia? Lealtà?»

«Tengo molto al mio nuovo incarico e il dovere m'impone...»

«Ma va' all'inferno, Bob!»

Uscii sbatacchiando la porta e tutti chinarono svelti la testa sui fogli, fingendo di non avere udito né visto. Tutti fuorché lei. Quindi mi stupì non averla notata arrivando e mi stupì anche che Paul non avesse fatto le presentazioni, prima di andarsene. Un'occhiata infatti bastava a capire che non si trattava di un tipo come gli altri. Anzitutto per gli occhi: perfidi, intelligentissimi, verdi d'un verde smeraldo. Poi per il volto: magro, duro, aureolato di capelli rosso carota. Infine per il sorriso che impercettibilmente piegava le labbra sottili. Un sorriso sprezzante e ironico che commentava da solo le cose ed escludeva ogni mollezza, ogni acquiescenza a quel mondo. La mamma quando era giovane e meno propensa al perdono sorrideva così. E porgeva la mano così: dall'alto, come una regina, per farti un favore. Mi porse la mano, mi disse il suo nome. Il nome era un nome qualsiasi, Sally Gates, ma per me sarà sempre il nome di una regina: davvero curioso il posto che Sally, sconosciuta funzionaria nella NASA, ha in queste memorie, papà. Viaggiando dentro il futuro io trovai poche donne, e mai interessanti: si direbbe che il futuro le esclude, ha bisogno di loro solo per partorire e allattare. Ma una delle persone che me lo resero accettabile a parte Ray Bradbury fu una donna, fu Sally. Non avrei accettato molte cose se Sally non fosse stata laggiù. Non avrei capito molte cose se Sally non mi avesse porto la mano, e inconsapevolmente copiando una mania della mamma, non avesse detto che avevo un'aria affamata e doveva portarmi a mangiare.

Il ristorante era il ristorante della NASA: dove anche gli astronauti vanno verso mezzogiorno a mangiare. Funzionava con la legge dell'Arrangiati-da-te ed entrando si prendeva un vassoio, si metteva forchetta coltello cucchiaio sopra il vassoio, si scivolava il vassoio dinanzi a un'esposizione di cibo già cotto, si posavano i piatti prescelti sopra il vassoio, si sollevava imprecando il vassoio e lo si portava a un tavolo dove finalmente ci si accingeva a mangiare. L'intera faccenda era odiosa, il concetto di uguaglianza applicato con il self-service è sempre stato un mistero per me, non capisco perché i camerieri non debbano servire me col loro mestiere quando io servo loro col mio. Sally Gates tuttavia mi convinse che l'importante non è come si mangia bensì con chi si mangia. Era nata a Filadelfia, mi disse, era stata educata a San Francisco: le due città più raffinate d'America. Era moglie di un generale e aveva vissuto per anni in Europa: il self-service la irritava nella stessa misura in cui irritava me.

«E tu perché stai fra questa gente, Sally? Nata a Filadelfia, educata a San Francisco, moglie di un generale: perché lavori alla NASA, perché abiti a Houston?»

«Per dire da vecchia che c'ero, per partecipare a questa cosa.»

« È quello che dicono tutti. »

« È la ragione per cui ci stanno tutti. »

« Anche i tipi come Bob? »

« Anche i tipi come Bob. »

« Anche i tipi come Howard? »

« Anche i tipi come Howard. »

« E allora perché hanno quell'aria così scontenta, ammalata, impaurita? »

I perfidi occhi di Sally ebbero un lampo.

« Anzitutto perché sono uomini americani e gli uomini americani muoiono a quarant'anni: la gioventù qui è una cosa che finisce a vent'anni. Si sentono vecchi e quindi son vecchi e si comportan da vecchi. E poi perché hanno paura. Paura di compromettersi, paura di far troppo e troppo poco, paura di uscire dai limiti del loro incarico. Il loro incarico non comanda calore o vivacità: comanda disciplina. Nient'altro. E loro non danno nient'altro. Perché dovrebbero? La Luna, mia cara, non è la romantica avventura che credi: la Luna è un grosso affare industriale. »

« Un affare industriale?!? »

« Un affare industriale. Perché ti scandalizza? Ciò non toglie nulla al suo fascino. Essendo un affare industriale, però, si nutre più di disciplina che di entusiasmo: e ovunque è disciplina è paura. La paura sta di casa, qua dentro. Il discorso vale per me, per Bob, per Howard, per gli astronauti, per tutti. Lontano da Houston siamo tutti più coraggiosi, più vivi. Sappiamo ridere, sappiamo gettare per aria i cappelli se incontriamo un amico. A Houston ci irrigidiamo come soldati di una caserma, ragazzi di un collegio. Ci controlliamo a vicenda, ci spiamo a vicenda, e il terrore d'esser cacciati ci spenge. Ci sentiremmo nudi come Adamo ed Eva se ci cacciassero da questo orribile Paradiso Terrestre: perché non potremmo più partecipare alla Cosa. Naturalmente vi sono eccezioni: ma le eccezioni son rare e... »

« Parli di me, Sally? » interruppe, dietro di noi, una voce festosa.

La voce veniva da un uomo piuttosto basso e tarchiato, coi lineamenti pesi del meridionale. Erano pese le guance, ad esempio, e le labbra cicciute. Erano pese le sopracciglia, così folte da sfiorare le palpebre, ed era peso anche il colore della sua pelle: fra la terracotta e la ruggine. Lungi dal dare fastidio, però, quel peso diventava in lui un'espressione di forza e infatti l'uomo era forte, attraente: con forti bicipiti che uscivano dalle maniche corte della maglietta, fortissimo collo e fortissimi denti. I denti li usava per sorridere un sorriso simpatico che travolgeva anche gli occhi, neri come carboncini e sfavillanti come gioielli. Tra le mani stranamente curate l'uomo reggeva un vassoio di piatti vuoti. Vedendolo Sally arrossì di piacere: ed a un punto tale che non si capiva dove finisse il suo viso e incominciasse la testa rosso carota. Diventò una carota: con due foglioline verdi per guardare il mondo, le sue pupille.

«Wally! Oh, Wally, tesoro! Certo che parlavo di te: di chi altro avrei potuto parlare?» Poi me lo presentò: «Wally Schirra, l'astronauta più bello d'America».

L'astronauta più bello d'America si inchinò pieno di gratitudine per un complimento che sapeva di non meritare del tutto. Mi piacque per il modo in cui s'inchinava: come se non reggesse il vassoio. E poi mi piacque per la sua voce: grassa, raschiante, da uomo che fuma molto, beve molto, mangia molto e fa molto l'amore.

«Italiana? Sono stato più volte in Italia: Roma, Napoli, Genova, Venezia. Mai in Sicilia, però.» Uno sfavillare di occhi. «Sono italiano anch'io, se consente: mio padre emigrò dalla Sicilia.»

«Consento.»

«Molti dicono che non è la medesima cosa. Non siamo molto amati, o mi sbaglio?, in Italia. Come ci chiamate a Firenze? Ter...ter...»

«Terroni.»

«Terroni. Io sono un terrone.» Altro sfavillare di occhi. «Non sono mai stato neppure a Firenze. Avevo solo mezza giornata ed ero incerto tra Firenze e Pisa. Scelsi Pisa, per via della Torre. Feci bene?»

«Fece malissimo.»

«Eh, noi terroni... E poi la Torre di Pisa non è di formaggio.»

«Di cosa?» strillò Sally.

«Di formaggio. Ho udito una certa storia di formaggio» spiegò Schirra. «Ma i fiorentini non vogliono propagandarla.

I fiorentini sono avari, non generosi come noi siciliani.»

«Chi ha detto che i fiorentini sono avari?» strillai. Mi piaceva questo terrone il cui padre andò a cercare fortuna in America e in America mise al mondo un figliolo che sarebbe andato pei cieli. Chissà quanti Schirra in Sicilia ignoravano che il famoso astronauta era loro parente. Li avrei cercati volentieri, a uno a uno, per dirgli: sapete?, quel Schirra che va sulla Luna è un vostro parente. «Chi ha detto che i fiorentini sono avari?» ripetei.

«Stendhal» lasciò cadere quel tecnico.

Va sulla Luna ed ha letto anche Stendhal, avrei detto agli Schirra. È una bella soddisfazione, sapete, esser suoi parenti. Gli americani non leggono mica Stendhal. E i tecnici come lui ancora meno.

«Stendhal era un bugiardo.»

«Tutti gli scrittori lo sono. Io posso provarle ad esempio che la Luna non è di formaggio. A ogni modo il Progetto Formaggio mi garba. Più del Progetto Apollo. Ci sto, se mi accetta.»

«La accetto.»

«Accetto anch'io» disse un'altra voce alle spalle. Era Shepard, anche lui col vassoio tra le mani. S'inchinò ma in tutt'altro modo da Schirra: come se il vassoio gli pesasse. «Salve. Come va?»

«Va che mio padre vuole la vacca.»

«La compri.»

«Mia madre invece vuole il cavallo.»

«Lo compri.»

«E ambedue sostengono che farebbe bene a regalarceli.»

«Fossi matto. Costano, sa?»

«Ma di cosa parlate?» si lamentò Sally.

«Della sua tirchieria» spiegò Schirra. «È il tirchio più tirchio che capiterà mai di incontrare fuori delle mura di Firenze. Lui vende e basta. Ma vende caro: non dategli retta quando afferma che i suoi prezzi son buoni. Sono altissimi, invece. Io lo so perché ha provato anche con me. Ma con me non attacca. Noi terroni non sappiamo che farcene dei suoi cavalli e delle sue vacche.»

Il torace gettato all'indietro, il naso ritto a captare chissà quali odori, Shepard sembrava soffrire un poco di quel tono confidenziale. E si ergeva tutto, diventando altissimo accanto al piccolo Schirra che lo batteva comunque di molte lunghezze e mi piaceva sempre di più. Vero è che non ho mai trovato nessuno cui Schirra non piacesse moltissimo: tutti a Houston e altrove sembrano avere una particolare predilezione per Schirra che fra i primi sette è quello con maggiore umorismo, giovialità, carica di simpatia. Gli piace la gente, gli piace farsi ascoltare e gli piace far ridere: viaggiando colleziona storielle e non ha pace finché non le ha raccontate, della vita coglie sempre il lato più buffo. Fra tutti è quello che si dà meno arie, il mestiere di astronauta per lui non ha nulla di eccezionale. Guglielmo Schirra, suo padre, diventò un asso dell'aviazione durante la Prima Guerra Mondiale e finita la guerra seguitò a fare acrobazie col suo piccolo aereo. La moglie le faceva con lui. Incinta di Guglielmo Jr., cioè di Wally, la signora Schirra si arrampicava sulle ali del piccolo aereo e svitava bulloni, versava benzina, poi si metteva ai comandi e ne combinava da pazzi. Nato Wally, i coniugi Schirra gli curavano qualsiasi malanno con l'aeroplano: ottocento metri di altezza per il raffreddore, mille metri per il morbillo, milleduecento per la scarlattina. Ovvio che Wally non si prenda sul serio perché vola un poco più in alto. Ed ovvio che non prenda sul serio chi si prende sul serio.

«Hai detto che accetti. Che accetti?»

«L'affare. Di qualsiasi affare si tratti» concesse Shepard.

«Di qualsiasi affare si tratti, è un affare che non ti riguarda.»

Poi si rivolse verso di me: «Io passo gran.parte del tempo a Saint Louis: se ha bisogno di aiuto, mi cerchi. Non accetti chiunque nel Progetto Formaggio. Soprattutto non accetti lui: ci ruberebbe il posto e l'idea, finiremmo cowboys nel suo ranch o fattorini nella sua banca. E con ciò la saluto: i miei omaggi».

Si inchinò di nuovo, quell'inchino leggero e senza vassoio, se ne andò seguito da Shepard, e fu come se cento persone se ne andassero via insieme a lui. Sally lo guardò uscire con occhi adoranti.

«Ecco, lui sì: è un'eccezione. La paura in lui non attacca. Dovresti parlarci più a lungo. Con chi hai chiesto di parlare questo pomeriggio?»

«Con Slayton.»

«Ah!» Sally ebbe un guizzo un po' strano. «Credevo che tu lo conoscessi di già.»

«Infatti. Ci voglio riparlare per questo.»

«Ah!»

«Non sei d'accordo, Sally?»

«Certo. Lo troverai un po' cambiato.»

«Cambiato?»

«È l'uomo più importante di Houston, ormai. Anzi, uno degli uomini più importanti della NASA. Da lui dipendono gli astronauti, i programmi degli astronauti, gli spostamenti degli astronauti, ogni cosa. Nessuno muove più un dito senza il permesso di Deke.»

«E ciò lo ha cambiato?»

«No, non questo.» Anche la voce di Sally era strana. Sembrava, non so, che l'appuntamento le dispiacesse o la impaurisse: e perciò tentasse di non farmi andare. Ma non capivo perché. «A che ora hai l'appuntamento?»

«Tra dieci minuti.»

«Be'? Allora che aspetti? Vuoi farlo aspettare? Cosa credi? Che lui ti possa aspettare? Su, presto. Su, via!»

Mi agguantò per un braccio e quasi fossi un bambino che fa tardi a scuola mi trascinò all'edificio degli astronauti, mi consegnò a un accompagnatore di nome Don Green. Tra corridoi, ascensori, altri corridoi, altri ascensori, costui mi condusse all'ufficio del Capo. E no, non dovremmo mai, mai ricercare chi ci disse qualcosa. Non dovremmo mai, mai ripetere qualcosa che ci è molto piaciuto. È uno sbaglio: vero, papà? Noi due lo sappiamo perché io commisi già una volta lo sbaglio: con gli eroi della mia fanciullezza.

La mia fanciullezza è piena di eroi perché ho avuto il privilegio di esser bambina in un periodo glorioso: lo sai bene, tu. Ho frequentato gli eroi come gli altri ragazzi collezionano i francobolli, ho giocato con loro come le altre bambine giocano con le bambole. Gli eroi, o coloro che mi sembravano tali, riempirono fino all'orlo undici mesi della mia vita: quelli che vanno dall'8 settembre 1943 all'11 agosto 1944, l'occupazione tedesca di Firenze. Credo di aver maturato a quel tempo la mia venerazione per il coraggio, la mia religione per il sacrificio, la mia paura per la paura. Tu combattevi con loro, papà, con loro mi usavi per piccoli servizi come portare giornali e messaggi: di conseguenza li incontravo ogni giorno i miei eroi, per casa, per strada, in campagna. Ero una bambina senza illusioni, a quel tempo, una bambina dura e cosciente, niente mi veniva taciuto e niente mi veniva minimizzato: ogni volta che li incontravo, i miei eroi, sapevo che poteva essere l'ultima volta. Li amavo a tal punto, per questo, che mi sarei lasciata morire per ciascuno di loro: senza aspettare l'arrivo degli alleati, del pane bianco e della cioccolata. Li rispettavo a tal punto che quando la guerra finì essi rimasero in me come un gioiello prezioso: o una droga. Una droga. Qualsiasi cosa mi capitasse di fare, di vedere, di udire, io la misuravo usando quel metro: perfino l'amore, mio Dio. Ormai donna, sciupai i primi anni della giovinezza paragonando gli uomini che via via conoscevo ai miei eroi: rifiutandoli perché non somigliavano affatto ai miei eroi. Poche creature, io temo, sono state perseguitate da un ricordo o da un equivoco quanto lo son stata io. Poi, diciassette anni dopo quell'agosto lontano, mi venne in mente di scrivere un libro su questo: di raccontare i miei eroi. E commisi l'errore: andai a ricercarli. A uno a uno, quelli che non erano morti... Ecco: non ho ancora scritto quel libro, papà, e tu lo sai. Non l'ho ancora scritto e mi chiedo se mai lo farò. Il libro è qui, chiaro nella mia mente, lucido come poche altre cose che mi riguardano: ma a me manca il coraggio di tradurlo in parole. Le parole son così pese, più pese dei sassi, e gli eroi vanno a male: lo sai? Se non vanno a male, ingrassano. Se non ingrassano, invecchiano. E scoprirlo ferisce, papà, raccontarlo ferisce due volte, disgusta. Quando non ferisce commuove e questo è ancora più pericoloso perché la ferita è un malanno e la commozione è un sentimento. I malanni si curano e i sentimenti no. Con ciò vogliamo tornare al mio eroe tutto nuovo?

Sally aveva ragione. Il Capo era diventato davvero un tipo molto importante. Il suo ufficio era all'ultimo piano (tutti gli uffici delle persone importanti in America sono all'ultimo piano), protetto da due segretarie graziose (tutti gli uffici delle persone importanti in America sono protetti da due segretarie graziose), arredato con una bella moquette, quattro telefoni, un tavolo da riunioni (tutti gli uffici delle persone importanti in America hanno una bella moquette, quattro telefoni, un tavolo da riunioni). Entrarci era come entrare in qualcosa di andato a male, di grasso e... No, lui no: non era andato a male e non era ingrassato. Gli eroi che scegliamo da adulti non si sfaldano così facilmente: li passiamo al setaccio, prima di accettarli, li esaminiamo al microscopio, li filtriamo col nostro cinismo. Ma, lo stesso, non era più il mio eroe tutto nuovo: era invecchiato. In un mondo dove in ventiquattr'ore accade ciò che altrove accade in un mese, quattro mesi eran passati su lui devastandolo come quattr'anni. Il suo corpo appariva stanco, appassito. Le sue spalle sembravan curvate da un sacco di piombo. I suoi occhi già pieni di ironia e di tristezza avevano dimenticato ogni ironia per conservare solo la tristezza. Ben poco in lui ricordava la gioventù vigorosa e scontrosa nella quale avevo trasferito i miei eroi andati a male. Perfino il modo in cui dava la mano era mutato: anziché aperta la porgeva con riluttanza, quasi non si fidasse. E la stretta non era più tanto dura: era la stretta di un uomo cui non importa più stabilire amicizia, confidenza, altre cose.

« Bentornata. »

« Grazie... »

« Fa caldo, eh? »

« Sì, fa caldo... »

« Qui meno, però... »

« Qui meno. È un bell'ufficio... »

« Così dicono. »

Girò intorno uno sguardo distratto ed era chiaro che non gliene importava nulla dell'ultimo piano, della moquette, del tavolone, dei telefoni, e, forse, chissà, nemmeno delle segretarie graziose.

« Sono cambiate un mucchio di cose qua dentro... »

« Niente è cambiato, niente. »

Si alzò, andò alla scrivania, pigiò un bottone, avvicinò la bocca a un microfono: « Avvertite Grissom d'essere qui fra mezz'ora. Per mezz'ora ho da fare ». Grissom, non Gus. Ed aveva incaricato le segretarie di dirglielo. Quattro mesi avanti avrebbe chiamato l'amico da sé: « Ehi, Gus, ho da fare per mezz'oretta: tieni alla larga per mezz'oretta, va bene? ». Grissom sarebbe stato il prossimo ad andar su, col Progetto Gemini. Istintivamente pensai a Stig e Bjorn quando li avevo visti a Stoccolma: «Hai visto? Alla fine dell'anno si inaugura il progetto Gemini: stavolta Slayton va su. Abbiamo preparato anche la copertina. A colori». La copertina era bella: Slayton vi appariva su uno sfondo di nuvole bianche e guardava il cielo: Bjorn me l'aveva, gaio, sventolata sul viso: «Guarda il tuo eroe, il tuo eroe!». Ripigiò il bottone, si staccò dalla scrivania, tornò verso di me. Mi guardò con l'aria di dire: su, spara. Sparai.

«Allora è Grissom che va su.»

«Già. È Grissom.»

«Siamo rimasti tutti sorpresi. Credevamo tutti che ci andasse lei. Ci è dispiaciuto.»

«Grazie.»

«Ma non è lei che sceglie gli uomini per andar su?»

«Anch'io.»

«Allora non poteva scegliere se stesso?»

«L'ho provato. L'ho suggerito. Non è servito a nulla. La decisione definitiva spettava a Washington.»

Ebbe uno scatto, uno scatto che non mi aspettavo da quella stanchezza.

«Niente è cambiato, niente! Tantomeno quelli che dicevano no. Si continua a parlare, a negoziare, e loro rispondono no. Si va da altri, si chiede la loro dannata opinione, e loro rispondono con la loro dannata prudenza, rispondono no. Meglio no. Perché rischiare. Perché giocare d'azzardo. È un campo sconosciuto. Si sa tutto e non si sa nulla. Il fatto che siano in due non ci basta. Se quello muore per aria. Che figura si fa. Superconservativismo! Superprudenza! Superidiozia! Prima erano solo i medici dell'aviazione, ora sono anche i politici. Qualcuno ad alto livello deve avergli soffiato negli orecchi le medesime storie. Meglio no. Perché rischiare. Perché giocare d'azzardo. Eccetera, eccetera, eccetera! All'inferno, io sto bene, gli dico. Sto benissimo. Senta! Senta il polso.»

Mi porse il polso. Era bianco bianco, sotto la peluria marrone. Si sarebbe detto che non prendeva sole da un mucchio di tempo, quel polso. Stava troppo in ufficio, quel polso. Appoggiai due dita sopra l'arteria. Tun-tun. Tun-tun. Tun-tun. Tutta la delusione del mondo dentro quel polso, dentro quell'arteria. Glielo restituii.

«Va bene, mi pare.»

Lui lo ascoltò a sua volta: con la fronte corrugata.

«Va benissimo. Benissimo! Ma a loro che importa? È così facile dire di no e restare un esperto. La conosce questa filosofia?»

«La conosco.»

«Così difficile invece prender posizione, rischiare. A volte si perde il posto a rischiare!»

«Sì: ma perché sta qui dentro? Perché non è fuori ad allenarsi con gli altri?»

«Mi alleno. Faccio questo e quell'altro. Certo... l'altro un po' meno. Manca il tempo. E ogni giorno che passa è un po' peggio. Partito Glenn, siamo ventinove. Quando siedono tutti a quel tavolo, per le dannatissime riunioni... Tutti hanno proposte, proteste, problemi. Io li devo risolvere. E trovare il tempo per allenarsi diventa sempre più difficile.»

«È quello che pensavo.» Pensavo anche ti sei lasciato imbrogliare, maggiore: ti sei fatto mettere qui, tra questi telefoni, questa bella moquette, queste segretarie graziose, e ora chi ti ci rileva?

«D'altronde qualcuno lo deve pur fare il lavoro di ascoltarli, dirigerli. Non siamo più un piccolo gruppo di amici: siamo una caserma, un collegio. I nuovi son tanti.»

Parlando continuava a tenere la mano sul polso, contandone i battiti. Non so come facesse a contare e parlare nel medesimo tempo: eppure lo faceva. E si guardava le scarpe. Già: lui che prima ti fissava negli occhi come a leggerti dentro il cervello. Era successo lo stesso con Rio, uno dei miei eroi. Rio aveva un modo di fissarti negli occhi che sembrava leggerti dentro il cervello ma quando lo avevo ritrovato, quel giorno di diciassette anni dopo, si guardava quasi sempre le scarpe. Nemmeno Rio era andato a male, no. Non era ingrassato, non aveva tradito. Ma la vecchiaia s'era abbattuta su lui come un acquazzone, bagnandolo tutto, annacquandolo tutto in rimpianti, amarezze, rancori. E parlando si guardava quasi sempre le scarpe.

«Devo vederne alcuni, dei nuovi. Son tornata per questo.»

«Ah! Ora ha fatto un piccolo salto. Ma una cosa da niente, pressoché impercettibile.»

«Come sono i nuovi?»

«Ecco, è già tornato normale. I nuovi? Mi piacciono. Bravi

ragazzi. Forse, in confronto a noi, hanno meno esperienza di volo: in compenso hanno più cultura. La loro educazione è stata migliore della nostra, non hanno perso tempo alla guerra e via dicendo. È di tipi così che abbiamo bisogno. »

« Tipi, vuol dire, che non hanno fatto la guerra? »

« Tipi giovani: che l'abbiano fatta o no, la guerra. Oh, che serve aver fatto la guerra. A nulla, serve. Aver studiato, serve. Tra i nuovi, due vengono dal Massachusetts Institute of Technology: Schweickart e Scott. Il primo ha trent'anni, s'è laureato con una tesi sulle radiazioni stratosferiche. Il secondo ne ha trentadue, si è laureato con una tesi sulla navigazione interplanetaria. Sono giovani, sani, intelligenti. Sono quel che ci vuole. Aver studiato navigazione interplanetaria serve più che aver bombardato i bambini, no? »

Mi guardò dentro gli occhi, sorrise, per un attimo mi restituì quel volto straordinario e scolpito nel legno. Poi una delle segretarie graziose bussò, si affacciò ad annunciare che Grissom era lì: con un poco di anticipo.

« Un momento » rispose lui, secco.

Mi alzai. Non volevo vederlo con Grissom. Grissom che gli aveva portato via la speranza. Grissom che gli aveva dato a firmare il foglio della speranza perduta.

« Sto disturbando. Meglio che vada. »

« Non disturba affatto. Si sieda. »

« Allora le chiedo una cosa. »

« La chieda. »

« Quanto durerà questa storia? Questo tira e molla cioè. Questo aspettare ed essere ogni volta deluso. »

« Non lo so. Non lo sappiamo. Aspettiamo, ecco tutto. E speriamo che venga. »

« Cosa? »

« La risposta positiva. »

« E se non venisse mai? »

Restò a lungo zitto. Poi si guardò le scarpe. Poi guardò la moquette, poi guardò i telefoni. E poi rispose.

« Se non venisse mai, continuerei a far quello che faccio. A star qui. »

« Capisco. »

« È molto interessante anche questo, sa? E nessuno alza le mani, nessuno cambia mestiere per un po' di sfortuna. Nessuno uscì dal programma perché Glenn andò su al posto di un altro.»

«Capisco.»

Di nuovo mi alzai e stavolta si alzò anche lui: accompagnandomi stancamente alla porta. Dio, non dovremmo mai ricercare chi ci disse qualcosa, non dovremmo mai ripetere qualcosa che ci è molto piaciuto, pensavo. Ferisce. Se non ferisce, commuove. E ciò è ancora peggio perché la ferita è un malanno e la commozione è un sentimento. Anche il coraggio morale si paga, papà. Si paga più caro dell'altro, ed a un certo momento lo pagano anche coloro che stanno a guardare. Perché finiamo sempre col soffrirci, a guardare.

«Allora ciao. Ciao e grazie.»

«Ciao.»

«Spero di rivederla.»

«Certo.»

Mi aprì la porta. Fuori della porta c'era Grissom: piccolo, abbronzato e felice. Scherzava con le segretarie e saltava e aveva il diavolo addosso. Smise subito quando udì la voce del Capo: grave, rassegnata, con una goccia di rimprovero dentro.

«Entra, Grissom.»

# CAPITOLO VENTIQUATTRESIMO

Sally ascoltava come chi sa già tutto e quindi non se ne stupisce. Le sopracciglia rialzate scoteva la testa e gli orecchini a pendaglio facevano tin-tin! Negli intervalli tra un tin-tin e un altro, beveva. È una gran bevitrice Sally. Ti butta giù sei Martini in un'ora restando tuttavia inalterata: solo gli occhi cambiano un po', le diventano più verdi e più lucidi. Quando questo avviene, non parla. Infatti Sally è convinta che bere sia un rito e che un rito non debba esser profanato dalle parole. È anche convinta che sia impossibile far bene due cose contemporaneamente: se bevi bene, non parli bene; se parli bene, non bevi bene. Per parlar bene, bisogna arrivare al terzo Martini. Ed esaurito il terzo Martini parlò.

«Non te l'avevo detto per non influenzarti. Deke detesta, disprezza il ruolo di personaggio patetico. La sua dignità non gli consente di accettare un ruolo patetico: sbagli perciò a paragonarlo ai tuoi eroi. I tuoi eroi non avevano più dignità. Deke ce l'ha raddoppiata. I tuoi eroi erano ex eroi, Deke comincia ora a essere un eroe, comincia ora a dimostrarsi il migliore di tutti. Non so quanti altri sarebbero riusciti a sopportare la sconfitta col coraggio di Deke. Non so quanti altri sarebbero riusciti a chiudersi in un ufficio e firmare il nullaosta pei compagni che ti rubano il posto. Perbacco! Sono venticinque anni che Deke si guadagna la vita facendo il collaudatore di aerei, rischiando di morir sugli aerei: ed ora che potrebbe morire in un modo glorioso lo legano a una seggiola perché si spenga di crepacuore.»

«Ecco, Sally: è spento.»

«Macché spento! È offeso, ferito. Quando ci parlasti la prima volta sperava ancora di andare su, ora non ci spera e ciò

354

lo schiaccia. Non pensa che a quello, non sogna che quello: andar su. Nient'altro al mondo gli importa: potrebbero farlo presidente degli Stati Uniti d'America e sarebbe lo stesso. Macché spento! Solo, vuoi dire: e deciso a restare solo. Comunicare con lui è diventato impossibile: ha alzato un muro e quel muro è invalicabile, ormai. Anche per chi lo conosce bene, da anni. Uno va lì, vorrebbe dirgli qualcosa, magari mi dispiace Deke, e le parole gli si strozzano in gola: perché c'è quel muro. Chi lo scavalca quel muro? Arriva fino al cielo: nessuno può farcela. Nessuno fuorché lui. Ma lui non lo scavalca: perché il rancore lo frena. Ricordi quando ti dissi che la Luna è un grosso affare industriale? Ecco. Più che un'avventura romantica, più che una speculazione politica, la Luna è un grosso affare industriale: e gli affari industriali devono tener conto del pubblico. Se Deke andasse su e crepasse di infarto, la NASA diventerebbe impopolare e le ditte fornitrici smetterebbero di accettare ordinazioni. Quale ditta oserebbe affrontare le urla di un pubblico pietista e ipocrita? Assassini, costruite le macchine per ammazzar gli astronauti, direbbero. Ogni anno muoiono decine di collaudatori d'aerei in America: ma nessuno lo sa e ciò non ferma la fabbricazione degli aerei. Se un astronauta muore, il mondo intero lo sa, la sua agonia è seguita minuto per minuto: e il viaggio alla Luna ne risulta compromesso. Per una questione di soldi. Non comprate i televisori della Douglas Company, della North American Company, della Garrett Company, le ditte assassine di Donald K. Slayton! Deke lo sa e il disgusto lo frena, col disgusto il rancore, col rancore l'offesa, con l'offesa la freddezza. Mio Dio! Darei tutto quello che ho per farlo andar su: anche se non dovesse tornare più giù, sulla Terra. Gli farei lo stesso un favore. Barman, dammi un altro Martini. E ben doppio. »

Il barman le portò il Martini. Sally lo bevve in silenzio. Stavo in silenzio anch'io e l'unico rumore là dentro era il tin-tin dei suoi orecchini a pendaglio. Nel ristorante non c'era ancora nessuno. Il ristorante si chiamava Flintlock Inn, un posto bellino, pieno di fucili e di teste di cervo, sulla Freeway 528, neanche lontano dalla NASA. Ma a quell'ora, le sei del pomeriggio, non c'era che il barman oltre a noi: zitto zitto perché quando gli orecchini di Sally fanno tin-tin vuol dire che Sally è arrabbiata e bisogna star zitti.

«Lui non te lo dirà mai. Ma la dannatissima verità è proprio questa: vuol sapere cos'hanno visto gli altri, lassù, ed è pronto a morire pur di saperlo. C'è qualcosa in coloro che sono stati lassù, qualcosa che li rende diversi e su cui è inutile che tu li interroghi perché non sanno spiegarlo, nemmeno a me son riusciti a spiegarlo. Si direbbe, non so, che si sono innamorati di un mistero, lassù, e che non hanno ancora rimesso i piedi per terra e che vivono nel rimpianto di esser tornati da noi sulla Terra. Quando escono dalla capsula, per esempio. Non dar retta a chi dice che hanno l'aria stralunata per tensione, la stanchezza, la gioia di avercela fatta. Non è nulla di tutto questo: è rabbia d'esser tornati giù sulla Terra. Quasi che lassù non si liberassero solo del peso, della forza di gravità, ma anche di ciò che accompagna il peso, la forza di gravità: desideri, affetti, passioni, ambizioni, il corpo insomma. Quasi che gli dispiacesse, dopo, ritrovare il corpo. Ma lo sai che per un anno sia Gus che Wally camminarono guardando il cielo?! Gli parlavi e non ti rispondevano, li toccavi e non ti sentivano: il solo rapporto che avevan col mondo era il sorriso. Un sorriso ebete, distratto, felice. Sorridevano a tutti e a tutto, e inciampavano sempre. Inciampavano perché non posavano mai gli occhi per terra.»

Sally accese una sigaretta e si strinse nelle spalle.

«Pagherei proprio sapere quel che c'è lassù, qual è il rimpianto nel quale vivono, invecchiano, dopo esserci stati. Ma lo sai che invecchiano pel timore di non ritornarci? Ma cosa credi che sia l'atteggiamento di Shepard? Boria? Oh, no! È angoscia. Angoscia d'esser partito per primo e aver fatto un volo così breve: troppo breve per aver visto ciò che gli altri hanno visto. Gus aveva la medesima angoscia prima d'esser scelto per il Progetto Gemini: in due anni era diventato un nonnino. Quando seppe che sarebbe tornato ringiovanì di colpo: il suo sguardo tornò a essere chiaro, la sua voce tornò a essere fresca. E Deke se ne accorse. Se ne accorse e alzò altri mattoni sul suo invalicabile muro. Deke, ovvio, segue da vicino il lavoro di Gus: e così giorno per giorno assiste al ringiovanimento di Gus, questo Gus che ha già avuto e sta per riavere qualcosa che egli non avrà mai, o forse mai. È invecchiato, tu dici. Incanutito, vuoi dire. Avresti dovuto conoscerlo il giorno in cui i Sette furon presentati alla stampa. Entravano a uno a uno, a uno a uno raggiungevano il tavolo, ed ogni volta era come ricevere un pugno in pieno stomaco, una donna gridò: "Signore Iddio, che sfilata di stalloni!". Erano il fior fiore della popolazione, il meglio del meglio, e il meglio di tutti era lui. Guarda, paragonato ad allora, sembra suo padre.»

Poi Sally chiese il quinto Martini che, considerato il doppio di prima, era il sesto. Si dimenticò di Deke Slayton e divenne più allegra. L'indomani avrei visto i nuovi astronauti, alcuni del secondo ed alcuni del terzo gruppo: agitando le braccia e gli orecchini Sally gridò che per nulla al mondo avrebbe voluto trovarsi al mio posto. L'accompagnatore che mi spettava non era un amico, i nuovi astronauti non avevan la disinvoltura dei vecchi, cavarne qualcosa di buono sarebbe stato difficile: ammenoché non trovassi fra loro delle Tartarughe. E le Tartarughe chi erano? Be', le Tartarughe eran quelle persone che sapevan rispondere in modo pulito alle domande più sporche: i tipi cioè spiritosi e perbene. Di conseguenza chiunque rispondeva in modo sporco a una domanda sporca non era una Tartaruga, era un Asino. E chi era un Asino non era un uomo. Dalla qualcosa ne conseguiva che le Tartarughe, in sostanza, erano uomini. Naturalmente anche una donna poteva essere Tartaruga ma, per quanto ne sapesse, l'unica donna-Tartaruga d'America era lei: Sally Gates. Tartaruga Imperiale, oltretutto: vale a dire con facoltà di riconoscere le Tartarughe, sottoporle ad esame, firmargli la tessera. La tessera era questa qui. Sally aprì la borsa e tirò fuori un cartoncino dov'era scritto: *International Association of Turtles*, Associazione Internazionale delle Tartarughe. E ad altissima voce mi sottopose all'esame. Oddio. Non che mi consideri un tipo per corone di alloro: ma senza immodestia ti giuro che nessuna Tartaruga meritò mai d'essere riconosciuta tale come lo meritai io quella sera. Il Flintlock Inn s'era nel frattempo affollato, quieti padri di famiglia, casti fidanzati, vergini intatte: e quel demonio di Sally urlava domande che solo con infinite esitazioni riporto, infinito imbarazzo.

«Quali sono quelle cose che una mucca ne ha quattro e una donna due?»

Di colpo il rumore delle forchette sui piatti cessò, colpi di tosse squarciarono l'improvviso silenzio, una Coca-cola cadde per terra in una esplosione di bomba.

« Le gambe, Sally. »

« Qual è quella cosa che una signora fa stando seduta, un uomo in piedi e un cane su tre zampe? »

Stavolta l'intero Flintlock Inn, irrigidito in un gelo da Polo Antartico, parve colto da broncopolmonite. Ai colpi di tosse si aggiunsero starnuti, lamenti, grida di orrore.

« Stringere la mano, Sally. »

E qui mi arresto perché anche le Tartarughe hanno un pudore e il ricordo del Flintlock Inn mi causa ancora disagio: alla terza domanda una vergine svenne. Aggiungo solo e senza vanto che risposi in modo pulito a tutte le provocazioni di Sally ben comprendendo che il suo gioco brutale aveva un significato assai serio: nascondeva cioè una presa di posizione di fronte al conformismo più ipocrita, di fronte alla stragrande maggioranza degli Asini. In una società dove distinguersi nel bene o nel male dagli altri diventa peccato mortale, e il più cupo puritanesimo è norma di vita, strillar certe cose aveva lo stesso sapore che gridare Viva la Libertad al passaggio del generalissimo Franco. In altre parole il gioco non si nutriva di volgarità o di arroganza ma di eresia e di coraggio. Era necessario un piccolo sforzo infatti, per non dare la risposta degli Asini: la prima cioè che veniva alla mente. Come test, in conclusione, era assai più geniale di quelli cui sottoponevano gli psicologi di San Antonio, e pazienza se il tono era così sempliciotto, infantile. La verità non ha bisogno di alessandrinismi per essere tale.

Urla di giubilo uscirono quindi dalla gola di Sally che subito si affrettò a firmar la mia tessera, ad informar l'auditorio che ormai ero Tartaruga ufficiale e che tale sarei rimasta finché avessi mantenuto un segreto: la parola d'ordine delle Tartarughe. Tale parola d'ordine si poteva anche gridare ma solo in presenza di un'altra Tartaruga, e il modo di sollecitarla era semplice: bastava chiedere al sospettato: Are you a Turtle? Sei una Tartaruga? Quanto al resto, aggiunse Sally con una perfida occhiata di smeraldo, appariva evidente che con quella tessera io entravo ufficialmente a far parte di un mondo che a metà rifiutavo: i primi sette astronauti eran tutti Tartarughe

o Tartarughe imperiali, molti scienziati e funzionari della NA-
SA erano anch'essi Tartarughe. Inoltre mi avrebbe confor-
tato sapere che le Tartarughe non erano sempre ben viste
nell'era spaziale, in taluni casi erano addirittura perseguitate:
«Io lo dico sempre che a Deke basterebbe una cosa assai semplice per volare lassù: non fare la Tartaruga». E tra i nuovi a-
stronauti che avrei incontrato chi di loro era Tartaruga?

«Questo dovrai capirlo da te» disse Sally. «E non ti sarà
facile.»

«Perché, Sally?»

«Perché il burocrate che ti accompagna è un nemico delle
Tartarughe e farà di tutto perché tu non le riconosca né loro
riconoscano te. Domani il suo compito sarà solo uno: disturbarti, irritarti, esasperarti. La storia del Progetto Formaggio
s'è risaputa e cominci a non essere amata dagli Asini. Sull'anima mia te lo giuro: non vorrei essere al tuo posto domani.»

E al solito aveva ragione.

Il burocrate che mi accompagnava era talmente burocrate
ch'io non trovo altri nomi per indicarlo fuorché il nome di
Burocrate. La prima cosa che disse fu la seguente: «Io non
capisco perché una spenda tempo e quattrini a venire fin qua
mentre potrebbe scrivere le domande e farsi spedire le risposte per pochi centesimi di francobollo». La seconda cosa che
disse fu: «Lei i libri li fa col dittafono o con la segretaria?». La
terza cosa che disse fu: «Io senza la televisione morirei». Fisicamente non so come spiegarlo: aveva due occhi tondi, da burocrate, e due baffi marroni, da burocrate. La voce l'aveva
chioccia e la cravatta a farfalla. La sua devozione alla NASA
era paragonabile stavolta a quella che le Camicie Nere osten-
tavano per il Fascio Littorio. Mi portò subito all'edificio degli
astronauti e cominciò a farmi riempire i fogli: chi ero, chi rappresentavo, da dove venivo, perché venivo, a che ora entravo,
a che ora uscivo, chi volevo vedere, perché, per quanto, col
permesso di chi. Ora intendiamoci: io a riempire i fogli c'ero
abituata, papà. Credo che non esista ufficio della NASA dove
non giaccia almeno un foglio riempito da me, con la più completa confessione del mio passato e del mio futuro. Di me la
NASA sa proprio tutto: io quando la NASA mi dà un foglio,
piglio e scrivo, scrivo tutto. Son così condizionata a tal disci-

plina che ovunque sia, qualsiasi cosa faccia, se trovo un foglio dov'è stampato NASA lo riempio automaticamente e lo firmo. Ma un foglio, non otto fogli. E lui voleva che riempissi otto fogli, va' a vedere perché. Discuti che discuto ci mettemmo d'accordo su quattro, ciascuno con la sua carta carbone che faceva otto lo stesso. Sicché, a parte il fatto che non capivo perché dovessi riempire otto fogli, scoppiò una polemica sul particolare che la carta carbone si poteva mettere a tutti i fogli contemporaneamente: cosa che a me sembrava logica e a lui sembrava illegale. Cessata questa polemica, con la mia sconfitta s'intende, lui lesse i fogli e scopri che alla domanda: «Chi rappresenta?» avevo risposto: «Me stessa». E si arrabbiò. Ma come, disse, non era possibile che io rappresentassi me stessa, ciascuno rappresenta qualcuno, nessuno rappresenta se stesso, chi rappresenta se stesso è un anarchico, eretico, e siccome risposi che ero anarchica, eretica, si arrabbiò ancora di più e neanche il poliziotto riusciva a calmarlo insinuando che forse scherzavo. Per calmarlo dovetti riscrivere i fogli, stavolta senza carta carbone perché aveva scoperto che con la carta carbone non vengono bene, e dichiarare che rappresentavo il mio editore Rizzoli il quale, poverino, era proprio innocente. Dopo questo mi spinse in un ascensore e mi scaricò nel Sancta Sanctorum dei nuovi astronauti che è un corridoio lunghissimo, con tante porte ciascuna delle quali corrisponde all'ufficio di un nuovo astronauta. La porta, di regola, è spalancata e ciò permette di veder l'astronauta che siede alla sua scrivania con tanti fogli e tante matite: diciamo una ventina di matite per astronauta. Perché gli astronauti abbiano tante matite, nessuno è riuscito a spiegarmelo: a ogni modo le hanno e io ho scoperto una cosa fantastica, che le hanno perfin sulla tuta che indossano per gli esercizi fisici. Su questa tuta le matite sono sei e sono infilate a due a due nei canali di una tasca cucita sull'avambraccio sinistro: onde averle a portata di mano. A portata di mano perché? Per grattarsi la schiena? Non ci voglion mica matite per far le capriole: ti pare, papà? Io una volta lo dissi anche a Paul Haney ed aggiunsi: perché non spostate la tasca dall'avambraccio alla schiena in modo da aver le matite a portata di mano per grattarvi la schiena e farne finalmente qualcosa? Ma lui rispose che le matite servono a scrivere e non a grattarsi la schiena.

Nel corridoio dove sono gli uffici dei nuovi astronauti c'è anche l'ufficio del cerimoniere il quale dà il permesso per parlare con loro. Questo Cerimoniere ha un nome e un cognome: lo chiamo solo Cerimoniere perché intendo dirne tutto il male possibile senza coinvolgere la sua famiglia e i suoi avi. A vederlo sembra innocuo, anzi gentile. Ha una piccola voce di burro e lui stesso assomiglia a un'immensa palla di burro tanto è grasso, untuoso e mellifluo. Muovendo mani di burro ti rivolge complimenti di burro e il primo istinto è desiderar d'essere un uovo per friggere dentro di lui poi scivolare nella gran pancia e nutrirlo. Il secondo istinto è pigliarlo a cazzotti: giustizia cui rinunci perché vuoi veder gli astronauti e perché capisci che i pugni affonderebbero senza effetto nel burro ungendoti tutte le mani. Il Cerimoniere infatti è malvagio. Non un malvagio cosciente, però: un malvagio inconsapevole in quanto ritiene d'essere buono, generoso, educato, e di servire bene la Causa del Viaggio alla Luna. Sotto alcuni aspetti assomiglia ai bambini che strappan le zampe alle formiche perché credono che le formiche non sentano male. Nella sua ottusità il Cerimoniere è perfin commovente. Ciò ti parrà un controsenso ma i malvagi che ignorano d'esser malvagi ai miei occhi son commoventi. Per neanche due ore che mi venivan concesse per intervistar gli astronauti il Cerimoniere mi aveva messo da parte ben otto astronauti: a dieci minuti ciascuno.

«Otto?!?»

«Sì, otto.»

«Ma intervistare una persona è faticosissimo, è un esame reciproco, è uno sforzo di attenzione e di nervi: non si possono intervistare otto persone una dopo l'altra!»

«Perché?»

«Ma come perché?!? Gliel'ho detto perché. E poi scusi: che si chiede in dieci minuti a una persona? Come sta e che ore sono, ecco tutto.»

«In dieci minuti si racconta una vita.»

«Racconterà lei la sua: si vede che ha poco da dire. Una persona normale non può raccontar la sua vita in dieci minuti, può riempire un questionario, signore.»

«Facciamo undici minuti.»

«Ma come undici! Io non li conosco questi astronauti, non

c'è nulla di scritto su loro, e devo capirli più che interrogarli. Mi ascolti, la prego!»

«Dodici minuti, non più.»

«Signore, io son venuta dall'altra parte del mondo per capire questi astronauti: l'Europa è lontana, signore. Signore, io sono qui per scrivere un libro, non un'inchiesta Gallup. Signore...».

«Dodici minuti è il massimo che posso fare per lei. Dodici per otto fa novantasei, centoventi meno novantasei fa ventiquattro, ventiquattro diviso otto fa tre: non ci restano che tre minuti ciascuno per le presentazioni, così.»

«Ma che dice?!? Cosa son questi calcoli?!? Signore, io non ho chiesto di vedere otto astronauti. Troviamo un accordo: anziché otto lei me ne dà solo quattro e con ciascuno dei quattro, rinunciando alle presentazioni, io ci parlo mezz'ora. Le va?»

«Mezz'ora?!? E quattro soltanto?!? Signorina, quattro non bastano.»

«Non basteranno a lei, a me bastano.»

«Con quattro lei non può avere il quadro preciso della situazione.»

«Ma chi se ne frega del quadro preciso della situazione!»

«Otto.»

«Quattro.»

«Otto.»

«Cinque.»

«Otto.»

«Sei.»

«Otto.»

«E va bene, va bene, va bene! Vada per otto!»

«Fa piacere incontrare una donna così ragionevole: le donne sono raramente ragionevoli, sa? Guardi, per dimostrarle la mia ammirazione le trovo subito quello che va in bicicletta: non aveva chiesto di parlare con un astronauta che va in bicicletta?»

«Sì, signore. Volevo conoscere un astronauta che va in bicicletta.»

«Ecco. Freeman va in bicicletta. Non va in bicicletta?» domandò al Burocrate.

«Sì, va in bicicletta» sghignazzò il Burocrate.

« Ecco. Per quello che va in bicicletta le do ben quindici minuti. Contenta? »

« Felice. »

« Le ricordo comunque che lei dipenderà in tutto e per tutto dal suo accompagnatore. »

« Sissignore. »

«Quando lui dice basta, è basta. »

« Sissignore. »

«Ecco qui il materiale che le consentirà un quadro veramente esatto della situazione. »

« Sissignore. »

E mi dette ventidue fogli da cui risultava che: 1) I nuovi astronauti erano tutti ufficiali della Marina o dell'Aviazione fuorché un borghese del secondo gruppo e i due laureati al MIT del terzo gruppo. 2) I nuovi astronauti erano tutti sposati a eccezione di uno, Clifton Williams, che però si sarebbe sposato prestissimo. 3) I nuovi astronauti erano tutti padri con la media di due o tre figli ciascuno, il che faceva un totale di cinquantadue figli di nuovi astronauti, cifra davvero impressionante. 4) I nuovi astronauti avevano nella stragrande maggioranza occhi azzurri e capelli biondi. Per l'esattezza: quattordici avevano i capelli biondi e gli occhi azzurri, quattro avevano i capelli castani e gli occhi azzurri, tre avevano i capelli neri e gli occhi neri, uno aveva i capelli rossi e gli occhi verdi. 5) Nessuno era negro. Ma questa è una vecchia polemica che è inutile affrontare con gli spaziali. Io ci ho provato un mucchio di volte e loro, col più sconcertante candore, rispondono che nessun negro è mai passato all'esame, così come nessuna donna è mai passata all'esame, comunque la NASA non fa discriminazioni di razza o di sesso eccetera, eccetera, amen. Del resto neanche i russi hanno astronauti di pelle gialla o di pelle nera. L'Unione Repubbliche Socialiste Sovietiche ha uomini d'ogni colore come la Confederazione degli Stati Uniti d'America: ma gli astronauti sovietici sono rigorosamente bianchi. Essere bianchi sembra un requisito pressoché indispensabile per andar sulla Luna che è nera. E con questi pensieri fui pronta ad incontrare i miei Otto. Anzi, non ero pronta per niente. Ero arrabbiatissima e avrei dato parecchio per mandarli tutti all'Inferno. Ma conobbi Teodoro e la cosa cambiò.

Perché Teodoro, ecco, era un poeta. Come avesse fatto un poeta a finire astronauta io non lo capisco. Tantomeno capisco come avesse fatto la NASA ad accettarlo, una certa A-merica a partorirlo. Che se ne fa la tecnologia di un poeta? Dove lo mette? Un poeta oggigiorno è in ogni senso un peri-colo. Lo mandate sulla Luna per prelevare un campione di roccia, ad esempio, e lui si incanta dinanzi a un rubino: esau-rendo la sua riserva di ossigeno. Lo mandate su Marte per a-vere un rapporto tecnico e lui torna con un sonetto che dice: «Dolci colline d'argento / io vi rammento / il cielo verde do-nava / smeraldi alle cime / fremevano boschi d'azzurro / e l'a-ria era lieve / più lieve d'un velo da sposa...». O Teodoro, che cavolo vuol dire l'aria era lieve più lieve d'un velo da sposa?!? La percentuale di idrogeno si può sapere qual è? L'acqua su Marte l'hai trovata sì o no? E Teodoro: «Sottili diamanti di ghiaccio / lacrime vive di gioia / brillavano al sole purpu-reo...». Non lo so, non lo so. I casi son due: o la NASA voleva divertirsi o non s'era accorta del gioiello che aveva. E da que-sto risulta, mi pare, papà, che nutrivo ammirazione sfrenata, una gratitudine pazza verso Teodoro, che nessuno per me va-leva Teodoro: nemmeno quelli che mi piaccion di più o di cui son più amica, il Capo ad esempio, o colui che chiamerò mio fratello. Il Capo è un grand'uomo, mio fratello è un tipo come me, ma Teodoro era ciò che avrei voluto essere e che non so-no: la purezza, la semplicità, l'ottimismo. Io quando vedo una cosa o ci rido o ci piango, ne cavo fuori il buffo od il brutto: lui ne cavava fuori il bello. Ecco perché non dimenticherò mai Teodoro, astronauta sbagliato, ecco perché non rimpiangerò mai abbastanza di averlo trovato e subito dopo perduto, co-me un miraggio. Teodoro Freeman, nato a Haverford, Penn-sylvania, il 18 febbraio 1930, figlio di John Freeman conta-dino, laureato all'Università del Michigan in ingegneria aero-nautica, capitano dell'Aviazione degli Stati Uniti, marito di una ragazza che chiamava Fede e padre di una bambina che chiamava Fede anche lei...

Entrò da quella porta, Teodoro, e a prima vista non gli si dava una cicca: goffo, bruttino, lo avresti detto un colono di quelli che vengono per sbaglio in città dove finiscono per por-tare i pacchi o pulir le finestre, altri mestieri penosi. Di corpo era lungo, succhiato. Di capelli era pressoché calvo e così dimostrava assai più dei suoi trentaquattr'anni. Di viso, non so: aveva un visuccio con due occhietti sorpresi e una risatina nel mezzo, assai timida. Erano timide anche le mani di cui non sapeva mai cosa fare e ora le usava per grattarsi il naso, ora per toccarsi alla sedia quasi fosse lì per cadere. La voce ce l'aveva fioca, piena di stecche, e quando la strappava via dalla gola arrossiva. Esteticamente, un disastro. Foneticamente, una catastrofe: parlava male, senza punti né virgole, io ci metto un po' di punti e di virgole a quel che diceva ma non c'erano mica. Lauree, università, Accademia Navale, non so quanti viaggi in Europa, il grado di capitano, tutto era passato su lui come acqua sul vetro: senza scalfire la sua natura di contadino che si ergeva intatta paradossale incredibile come un papavero su una strada di asfalto. Spesso mi chiedo come se la cavasse nell'ambiente borghese che lo inghiottiva, se lo prendessero in giro: e non trovo risposta. Che strano paese è l'America! A ogni modo simili cose non avevano importanza in Teodoro. In Teodoro aveva importanza ciò che diceva, sentiva, pensava. Ti dispiace se elimino il resto e riduco tutto alla colonna sonora?

«Sono veramente felice di conoscerla, signor Freeman, perché...»

«Oh, non signor Freeman! Teodoro. Io mi chiamo Teodoro!»

«Sono veramente felice di conoscerla, Teodoro, perché mi hanno detto che lei va in bicicletta e un astronauta che va in bicicletta è così insolito: ci va per davvero?»

«Oh, sì! Mi piace tanto andare in bicicletta, in bicicletta è tutto aperto e senti il vento sopra la faccia, non il vento cattivo che urla, il vento dolce che è una carezza, e poi senti gli odori non il puzzo di benzina gli odori, e poi fai in tempo a guardarti gli alberi le nuvole gli scoiattoli tutto. A me piacciono queste cose, il vento che fischia leggero, gli alberi che passano piano, gli uccelli gli scoiattoli ecco io non sono il tipo che se ne sta chiuso a guardar la TV, la TV la guardo solo il venerdì quando c'è Danny Kaye le altre sere prendo la bicicletta e vo a spasso. Io tutte le sere vo a spasso con la bicicletta, mi porto dietro anche Fede e Fedina che magari brontolano non ne ho voglia papà non ne ho voglia Teodoro ma io dico via, la bicicletta fa bene! E poi in bicicletta io ci vo la mattina, alle sei e mezzo alle sette quando fa fresco e il cielo è ancora pulito, subito dopo si sporca, cinque miglia mi fo fino a Baia Nassau dove ci sono le oche che mi piacciono tanto, e vo tutto solo che è come se fossi il primo uomo costruito da Dio, pedalando fischietto e mi racconto le cose, l'unico guaio è che devo andarmene sulla *freeway* che è l'unica strada e ogni tanto passa un'automobile va a finire che un giorno le automobili mi spazzano via così muoio addio Luna, in bicicletta ci vengo perfino all'ufficio si sono il solo che venga in bicicletta come dice? No, non mi prendono in giro, dicono anzi che dovrebbero farlo anche loro però non lo fanno, io non capisco perché la gente in America non va più in bicicletta, sono stato in Norvegia e la gente andava in bicicletta, sono stato in Danimarca e la gente andava in bicicletta, qui no, ma cos'è questo bisogno di correre di fare presto io non lo so, su per aria capisco ma in terra!»

«Senta, Teodoro: come si spiega questa faccenda della bicicletta con questa faccenda delle astronavi? Come fa a piacerle il mondo di lassù se le piace tanto per terra?»

«Toh, ci ho pensato sa ci ho pensato eccome: e ho deciso che questo dev'essere perché sono cresciuto nel Delaware. Dalla Pennsylvania, ero bambino, i miei si trasferirono nel Delaware che è tanto brutto ma brutto, la stessa cosa che qui tutto piatto, senza foglie senza farfalle senza nulla di nulla, sicché ero bambino e guardavo quel brutto e dicevo chissà se visto dall'alto è un po' meno brutto poi un giorno avevo sei anni dissi papà mi porti in aeroplano papà? Allora papà mise i soldi da parte e mi portò in aeroplano e mi accorsi che visto dall'alto il Delaware non era brutto era bello. Così io dico questo dico le cose viste da terra sono spesso assai brutte, viste all'alto sono assai meno brutte e a volte non sono brutte per niente e a volte son belle. Dico che il mondo è più o meno come il Delaware, un gran mondaccio brutto, però visto dall'alto non è mica brutto e da lontano è bellissimo, le faccio un esempio. Io una volta sono andato in Olanda e appena ad Amsterdam sono corso a vedere La Ronde perché il Rembrandt mi piace tanto ma tanto ed era tutta la vita che volevo vedere La Ronde. Sono entrato sparato tanta era la voglia di vedere quel quadro e ho attraversato di corsa la sala e sono arrivato fin sotto ché se non c'era il tappeto facevo uno scivolone e sfondavo il quadro col naso e... son rimasto malissimo in quanto lì sotto non era bello come credevo. Non era bella la luce come credevo non eran belli i colori come credevo, era una delusione e in tal delusione mi son messo a camminare all'indietro sempre all'indietro, e allora è successo una cosa è successo che mentre camminavo all'indietro il quadro diventava più bello sempre più bello, era la distanza che lo rendeva più bello, finché sono arrivato in fondo alla sala, con le spalle al muro, nel punto più lontano dal quadro, e il quadro è diventato bellissimo, ha ripreso tutta la luce e il colore: perché era lontano. Sì, il mondo visto da lontano è più bello ed io volo per questo, per vederlo più bello, e anche perché le cose belle ci sono per terra, le cose come La Ronde, e io volo per fare presto per arrivare presto a vederle. Sicché penso...»

«Sette minuti» disse il Burocrate.

«Come?» disse Teodoro.

«Nulla» dissi io. «Nulla. Continui, la prego.»

«Sicché penso che tanti si sian messi a volare per questo, magari non lo sanno perché non ci hanno pensato però è per questo, quanto alla Luna vede sì è vero che amo la Terra amo le foglie e gli uccelli ed il vento però non è detto che la bellezza sia sempre verde, sia sempre fatta di movimento e rumori, il deserto è giallo ma è bello lo stesso, le montagne sono zitte ma sono belle lo stesso, e quando dicono la Luna è brutta io rispondo brutta perché? Perché è solo deserto dicono perché è solo roccia ed io rispondo con questo? Sono stato nel deserto Mohavy e tutti dicevano il Mohavy è brutto, a me è parso bellissimo invece. Vado spesso a White Sands per i lanci e tutti dicono White Sands è brutto, a me pare bellissimo invece. Ma non vedi che è morto, dicono, non c'è nulla di vivo, ebbene rispondo basta che una persona viva lo guardi e lui non è più morto, è vivo anche lui no? E poi ci sono i razzi che vanno, a White Sands, e i razzi sono vivi e non si può dire che niente è vivo a White Sands. Sicché la Luna è come White Sands, è come il deserto Mohavy, e la bellezza bisogna cercarla, se uno la cerca bene la trova perché la bellezza è ovunque, magari un uomo o una donna ti sembrano brutti poi li guardi meglio e ti accorgi che sono bellissimi, e la Luna è così. Ma la Luna è triste perché vi abita la solitudine e basta, mi dicono, e a questo punto rispondo che la solitudine è bella, il silenzio è bello, la tristezza sta spesso nella compagnia e nel rumore. Mio padre è sempre solo però è contento, sta sempre zitto però è contento, la gente zitta la gente sola ha tante cose da dirsi.»

«Mi parli di suo padre, Teodoro.»

«Mio padre fa il falegname d'inverno e il contadino d'estate, non parla mai e non si cura dei fatti degli altri, vive con mio fratello che d'inverno fa il falegname anche lui e il contadino d'estate. La mia famiglia ha un podere e se vado a casa d'estate anch'io devo lavorar nel podere che del resto è un amico perché lo conosco da tanto tempo, l'ho zappato e l'ho seminato fino a quindici anni. Io fino a quindici anni ho fatto il contadino e a scuola ci sono stato pochissimo come mio padre, a quindici anni però mi sono accorto che a fare il contadino non si imparava le cose e l'ho detto a mio padre e mio padre m'ha detto che le cose si imparan leggendo. Così mi son messo a leggere, a leggere molto, e mio padre mi ha tolto dal campo e mi ha mandato a scuola dove ero bravissimo. Il senatore del Delaware ha saputo che a scuola io ero bravissimo, che leggevo molto e mio padre m'aveva tolto dal campo, così ha mandato a chiamare mio padre e gli ha detto che se voleva io potevo andare all'Accademia Navale e studiarci gratis finché riportavo quei voti. Mio padre ha risposto è mio figlio che deve volere, non io. Io volevo...»

«Tredici minuti» disse il Burocrate.

«Come?» disse Teodoro.

«Nulla» dissi io. «Nulla. Continui, la prego. Mi racconti com'è diventato astronauta.»

«Ecco, prima di diventare astronauta io son diventato pilota: perché è questo che stavo per dire quando lui m'ha interotto. Io volevo andar sugli aeroplani, non altro, ma il senatore del Delaware mi ha spiegato che l'Accademia Navale serviva anche a questo, ad andare sugli aeroplani perché la Marina ha le portaerei. Così sono andato all'Accademia Navale, poi all'università e son diventato ingegnere aeronautico, subito dopo collaudatore di aerei. Facevo il collaudatore alla base di Edwards in California e qui tutti volevano diventare astronauti, incredibile quanta gente voglia far l'astronauta, tutti facevano la domanda per diventare astronauta. La feci anch'io per la buona ragione che la facevano gli altri ma non che ci credessi, era un poco giocare alla lotteria, mia moglie che è una ragazza simpatica allegra e ride perfino se è triste scherzava dicendo Teodoro vuoi andar sulla Luna Teodoro? Io scherzavo con lei ma con mia grande sorpresa mi chiamarono agli esami di San Antonio e con mia grande sorpresa li feci bene, forse li feci bene perché mi divertivo. Io mi diverto a sapere le cose, e meno ne so più mi viene la voglia di saperne un pochino, la pittura ad esempio, la medicina ad esempio, e gli esami medici di San Antonio eran davvero fantastici. Non facevo che chiedere, tentar di sapere, e mi divertivo da pazzi e i dottori dicevano che se avessi studiato la medicina sarei stato un buon medico e quella fu l'unica volta che rimpiansi qualcosa: guarire la gente non significa forse cacciare via il brutto per cercare il bello? »

« Diciotto minuti! » urlò il Burocrate.

« Come? » disse Teodoro.

« Nulla » dissi io. « Nulla. Continui, la prego. »

« Ai test psicologici mi divertii un poco meno. Mi chiesero pensi che forma ha una mela e lì per lì mi venne da ridere perché se a mio padre gli chiedono che forma ha una mela lui prende a pugni chi glielo chiede, anzi per un momento ebbi la tentazione di fare lo stesso, questo mi prende in giro mi dissi perché vengo dal Delaware, tuttavia mi calmai e gli risposi guardi al mio paese nel Delaware una mela è rotonda: al che lui si seccò e brontolò che le mele sono rotonde in qualsiasi paese. Poi mi chiese cosa vedessi in un foglio che aveva in mano, il foglio era bianco, io chiusi gli occhi e risposi che ci vedevo un campo di grano su cui era caduta la neve ma la neve si sarebbe sciolta col sole e il sole avrebbe scaldato il grano tenero e verde, scaldandosi il grano sarebbe cresciuto, diventato più duro e più forte, ma lui m'interruppe e rispose che quello era un foglio bianco e nient'altro. Mi sembrò più irritato a causa del foglio che per via della mela, ora mi boccia pensai, ma non mi bocciarono ed eccomi qua. »

« Stop! » disse il Burocrate. « Stop! Stop! Stop! »

« Cosa dice? » esclamò Teodoro.

« Dice stop » sussurrai. « Peccato. »

« Peccato davvero, mi piaceva parlare con lei, non si ha molte occasioni di parlare qua dentro, mi piaceva per come lei ascolta, ascolta in un modo che uno si sente meglio e... »

« Stop! Stop! Stop! »

«...e se non la disturba avrei un favore da chiederle...»

«Stop! Stop! Stop!»

«...portare i saluti a un amico, un pilota italiano, Italo Tonati si chiama, ero suo istruttore alla base di Edwards...»

«Stop! Stop! Stop!»

«...dirgli che lo ricordo e gli fo tanti auguri...»

«Stop! Stop! Stop!»

«Ecco, questo è il suo indirizzo.»

«Va bene, Teodoro.»

«Lo farà per davvero?»

«Lo farò per davvero.»

«Stooooop!»

«Allora ciao, Teodoro.»

«Ciao. E grazie, eh? Grazie di cuore.»

Non gli sfiorava neanche la mente il sospetto che fossi io a ringraziarlo, e che mi addolorasse vederlo andar via. Perché questo è il brutto del mondo, Teodoro: all'improvviso, nel buio, trovi un Teodoro e subito dopo lo perdi. Cinque mesi dopo Teodoro morì. Gli scoppiò l'aereo, volava, e morì. Poi un anno dopo, un anno dopo capisci, morì anche Tonati. Nel medesimo modo, a Parigi. Gli scoppiò l'aereo, volava, e morì.

# CAPITOLO VENTICINQUESIMO

Fu dopo aver perso Teodoro che mi resi conto del modo in cui si svolgeva la faccenda. Così. Gli incontri avvenivano in una stanzina accanto all'ufficio del Cerimoniere. Nella stanzina c'eran tre sedie, un tavolo, un cartellone col razzo Saturno e la scritta ANDIAMO IN CIELO. Nient'altro. Io stavo sotto l'ANDIAMO IN CIELO, e il Burocrate un poco più in là. D'un tratto la porta si apriva e il Cerimoniere entrava con un astronauta, me lo presentava elencandone le ore di volo, il numero dei figli, le infinite virtù. Io ascoltavo con volto ebete e facevo: «Oh! Oh! Oh!». Poi il Cerimoniere presentava me all'astronauta elencando gli aurei libretti che avevo scritto, le gloriose gesta che avevo compiuto, i troppi pregi che nascondevo. L'astronauta ascoltava con volto altrettanto ebete e faceva: «Oh! Oh! Oh!». Poi il Cerimoniere alzava il ditino grasso, quasi ci unisse in matrimonio, minaccioso e mellifluo squittiva: «Undici minuti! Non più!» e se ne andava col suo enorme sedere lasciandoci nell'imbarazzo. Malgrado la presenza del Burocrate il rito aveva qualcosa di osceno, di equivoco. Allora io sedevo, l'astronauta sedeva. Io lo guardavo, lui mi guardava. Io tacevo, lui taceva. Io gli offrivo una sigaretta, lui mi offriva una sigaretta. Capitava a volte che le sigarette si scontrassero, rompendosi. A volte invece riuscivamo a portarle alle labbra ma in questo caso io gliela volevo accendere, lui me la voleva accendere e, tira e molla col fiammifero acceso, finivamo col bruciarci le dita. L'incidente aiutava. S'è fatto male, no, s'è fatta male lei, sì, ci siamo fatti male tutti e due, oh, accidenti ai fiammiferi, eh, meglio la macchinetta, uh: si cominciava a parlare. Timidamente in principio, cautamente dopo, finché il ghiaccio era rotto. Quando il ghiaccio era rotto, però, il Burocrate scattava in piedi ed urlava: «Undici minuti! Undici minuti!». Nello stesso momento, e come per sortilegio, la porta si apriva, il Cerimoniere rientrava con un altro astronauta, e tutto ricominciava. Accadde così ben sei volte, papà. Non sette perché da ultimo la faccenda cambiò, grazie a mio fratello. Sei comunque sono parecchi, ti pare? E dev'esser per questo che di loro non so dirti molto, a parte il fatto che in maggioranza eran calvi e gli si dava più anni di quanti ne avessero. Se non eran calvi, parlavan da calvi. Se non parlavan da calvi, veniva sempre il momento in cui reagivan da calvi. In ogni caso eran vecchi. Sicché quando mi chiedi come sono i nuovi astronauti, io rispondo son vecchi. In un paese dove la giovinezza è un culto pagano e crudele, i rappresentanti della giovinezza son vecchi.

Perché non lo capisco. All'inizio pensavo perché dall'età di vent'anni son tutti sposati con prole: la famiglia avvizzisce. Un giorno però mi indicarono l'unico scapolo, quel Clifton Williams, un gigante di trentadue anni, ed era più avvizzito degli altri. Poi pensavo perché sono ex militari e l'ambiente militare è un ambiente che riuscirebbe a incanutire un neonato. Un giorno però intravidi i due borghesi laureati al Massachusetts Institute of Technology, trentuno e trentatré anni, e ne dimostravano a far poco quaranta. Infine pensavo perché la disciplina, le responsabilità, la fatica di un tale mestiere dissanguato qualsiasi freschezza. Ma nemmeno questo va bene. Il fratello che ho adottato fa anche lui l'astronauta, è anche lui un ex militare, ed ha ben quattro figlioli: tuttavia sembra un ragazzo. E allora? Perché? Non lo so. Tu lo sai, Chaffee? Tu lo sai, Gordon? Tu lo sai, Bean? Tu lo sai, Armstrong? Tu lo sai, White? Tu lo sai, Cernam? No, non lo sai. Non scuoti forse la testa per quello, perché non lo sai? Ah! La scuoti perché dici che sbaglio. D'accordo, mi sbaglio: undici minuti son pochi per cogliere la verità. Però Teodoro me la donò alla prima battuta la verità. Mio fratello me la donò prima di farsi vedere la verità. Cosa dici? Che sbaglio lo stesso? D'accordo: rileggiamo insieme ciò che mi diceste e poi decidiamo se sbaglio. Anzi, non decidiamo un bel nulla. Lasciamo le cose così come stanno tenendo conto che io la penso così. E torniamo al mio diario, permesso?

Il primo vecchio era il più giovane degli astronauti. Aveva ventinove anni e fisicamente ne dimostrava diciotto. Piccino, magrino, bellino, sembrava un resuscitato James Dean: identico il viso, il corpo, il sorriso, rompeva il cuore pensare che lo avrebbero chiuso dentro quell'imbuto e spedito lassù, come un cucciolo innocente. Io lo guardavo e pensavo ma cosa ne sai tu di tempeste interstellari e di cinture radioattive? Ma cosa ci fai tu fra gli uomini adulti? Il tamburino? Il portabandiera? Scappa, stupido, scappa! La sua pelle era liscia, la sua voce infantile. Il suo nome era Roger Chaffee: lo avevano scelto con il terzo gruppo. Era nato a Grand Rapids, nel Michigan, ed era tenente della Marina. Sedetti, sedette. Tossii, tossì. Gli offrii una sigaretta, mi offrì una sigaretta. Gliela accesi, me la accese. Colonna sonora:

«Suppongo che la ecciti molto, tenente, l'idea di andar sulla Luna».

«Neanche un po'. Ci andrò, non v'è dubbio. Ma i sentimenti come l'impazienza o la curiosità non mi pungono. La Luna per me non è che un modo di servire il mio paese e il primo viaggio alla Luna non vuol dir che questo: dimostrare la capacità tecnologica di cui la NASA e il mio paese dispongono per arrivare alla Luna. Il resto son fantasie. E gli adulti non vivono di fantasie.»

«Come?! Non le importa di atterrar sulla Luna?»

«Metterci i piedi, cioè?»

«Sì, metterci i piedi!»

«Da un punto di vista tecnico l'atterraggio è assai interessante in quanto pone una quantità di problemi non facilmente risolvibili: ma io non me la prenderei se mi toccasse restare in orbita con la capsula Apollo anziché scendere giù con il LEM. Il nostro è uno sforzo collettivo ed io partecipo di questo sforzo collettivo.»

«Tenente, ma lei perché è diventato astronauta?»

«Per la stessa ragione per cui un buon automobilista desidera correre su una Ferrari: è automatico per un pilota voler diventare astronauta, purché abbia i requisiti necessari. Io li avevo. A partir dall'età: per il terzo gruppo bisognava esser nati non prima del 1 luglio 1929 e non dopo il 1 luglio 1935. Sono nato nel febbraio del 1935. Mi sembra superfluo aggiungere che intendevo essere nel programma per rendermi utile al mio paese.»

«La Luna non è qualcosa che riguardi solo gli Stati Uniti d'America, tenente.»

«Sono patriottico.»

«Vedo.»

«Già.»

«Dunque si sarà molto entusiasmato a sapere che esisteva un programma spaziale.»

«Neanche un po'. Chiunque fosse nell'ingegneria aeronautica sapeva che era questione di tempo: ed io studiavo ingegneria aeronautica dall'età di sedici anni. Perché la studiavo? Non certo per romanticismo, non sono mai stato sollecitato dal sogno di vedere la Luna e roba del genere, lo ripeto.»

«Tenente, cosa ne pensa della fantasia?»

«La fantasia è necessaria per avere successo e per fare qualsiasi lavoro. Senza la fantasia non si inventa neppure una macchina: ci vuol molta fantasia, sa?, per inventare una macchina. La fantasia però deve essere contenuta nei limiti della logica e dell'utile: altrimenti diventa uno strumento da bambini. E nessuno di noi è un bambino.»

«Tenente, come se la cavò agli esami di San Antonio?»

«Benissimo. Quelli fisici non presentarono problemi: ho un organismo eccellente. La centrifuga a esempio la sopporto fino a 18 g. Ho visto gente, anche tra i miei compagni, cui la centrifuga fa malissimo: gente che vomita eccetera. A me pigia sullo stomaco e basta. Quanto agli esami psicologici, andarono altrettanto bene perché non ero preoccupato. Io mi preoccupo difficilmente.»

«Fecero vedere anche a lei la fotografia tutta bianca?»

«Sì, perché?»

«Cosa rispose?»

«Nulla, risposi. Non c'era nulla da rispondere. Mi mostrarono questo foglio bianco e mi dissero di inventarci una storia. Io risposi di non poter inventare alcuna storia perché quello era un foglio bianco e nient'altro. Ne furono contentissimi.»

«Capisco.»

«Altri risposero che era una nevicata, un muro dipinto di fresco, e sciocchezze del genere. Per me era un foglio bianco e nient'altro. Dopo quella mi fecero vedere una fotografia pornografica, veramente pornografica, e mi chiesero di inventarci una storia. Suppongo che intendessero controllare se avevo una fantasia morbosa, roba del genere. Risposi che non potevo inventare alcuna storia perché quella era una fotografia pornografica e basta.»

«Tenente, le piace leggere?»

«Abbastanza. Ma non ho tempo. Alla mia età non c'è tempo per leggere, si hanno troppe cose da fare. Quando leggo, leggo quel che mi capita: dai fumetti ai libri di storia. Mai romanzi, s'intende.»

«Cosa significa: mai romanzi s'intende?!?»

«Significa che non mi interessano perché sono fuori della realtà. I libri di storia raccontano la realtà. Un libro che sto tentando di portare in fondo è la *Storia dell'America*: pieno di notizie, mi piace. Pieno di fatti, mi piace.»

«Tenente, come passa la domenica?»

«La domenica vado in chiesa, anzitutto. Sono presbiteriano e praticante. Poi torno a casa e gioco con i miei cani e i miei figli. Ho due figli: uno di sei ed una di tre anni. Talvolta vado al lago e faccio lo sci d'acqua. Ma non per divertirmi, per tenermi in esercizio. Ho anche una barca: ma non per divertirmi, per tenermi in esercizio. La domenica è un giorno che serve a tenermi in esercizio. Quando non mi tengo in esercizio, studio. In sostanza io uso la domenica per studiare. Geologia, soprattutto. La mia specializzazione è la geologia.»

«Stop!» disse il Burocrate.

«Ma gli undici minuti sono appena passati» protestai.

«Gli undici minuti scattano dal momento in cui uno arriva» disse il Burocrate. «Cos'altro vuol sapere? Non le ha detto tutto? O ricominciamo a perdere tempo come con Freeman? Eh?»

Il tenente Roger Chaffee si alzò: a dimostrare che si trovava perfettamente d'accordo col Burocrate. Mi porse la mano, una mano fragile, delicata, e mi sorrise il sorriso di James Dean. Aveva dentini che sembravan dentini di latte. Disse ciao, uscì: piccino, magrino, bellino, rompeva il cuore pensare che lo avrebbero chiuso dentro quell'imbuto e spedito lassù, come un cucciolo innocente. Innocente? Mentre oltrepassava la porta lo udii brontolare: «Che tipo, che noia. Jesus, detesto perdere tempo. Ecco undici minuti perduti». E a me parve superfluo domandargli se fosse una Tartaruga.

Il secondo vecchio aveva trentacinque anni e sei figlioli. era basso e tarchiato, nero d'occhi e di capelli, la fronte corrugata da mille bestemmie represse. Mi piaceva e mi sembrava di averlo già visto perché apparteneva a un tipo familiare alla mia fanciullezza: il tipo del partigiano tuttofare, taciturno, deciso, scontento. Ricordi Berto, papà? Tu dicevi sempre che Berto poteva fare qualsiasi cosa fuorché costruire un aquilone: poteva distruggere un ponte da solo, tagliare sei linee telefoniche nel medesimo giorno, disarmare una pattuglia tedesca e poi indurla a combattere per noi... A me sembrava impossibile che Berto sapesse fare cose tanto difficili ma non sapesse costruire un aquilone, perciò un giorno glielo chiesi, ricordi: Berto, me lo fai un aquilone? E Berto rispose bambina, quando gli altri imparavano a far gli aquiloni io imparavo a fare la guerra, sta' zitta. Fu anche l'unica volta che Berto rifiutò di fare qualcosa, ricordi? Perché Berto era molto obbediente e molto influenzabile: gli si diceva di fare una cosa e lui la faceva, senza pensarci su. Ecco: il secondo vecchio era così. Si chiamava Richard Gordon, lo avevano scelto col terzo gruppo come quell'altro, ed era tenente colonnello della Marina Parlava a scatti, lento, con avarizia, e teneva la voce bassa. Simpatico. Molto simpatico. Sedetti, sedette. Tossii, tossì. Gli offrii una sigaretta, mi offrì una sigaretta. Gliela accesi, me la accese. Colonna sonora:

«Dica quello che vuole, tenente colonnello. Ciò che le sembra più importante o che le fa più piacere».

«Mio padre era uno spaccalegna. Gli americani non sono sempre ricchi come credono gli europei. Mio padre era povero. Noi tutti eravamo poveri. Io d'estate lavoravo nella fattoria di mio zio. Mio zio non era povero, no. Aveva la fattoria, sì. Per tre anni sono stato anche ragazzo di bottega in una drogheria. A portare i pacchi, pulire per terra. Poi andai all'università per studiare chimica. Però continuai a lavorare perché avevo bisogno di soldi. Per le ragazze eccetera. Mio padre non poteva darmi i soldi per le ragazze eccetera. Studiai chimica all'università dello stato di Washington. Poi entrai in Marina.»

« Perché ha scelto di diventare astronauta? »

« Io non ho scelto nulla. Lo hanno scelto loro. Io non ci pensavo davvero a diventare un astronauta. Mi sono lasciato influenzare. Mi piaceva essere aviatore e così entrai in Marina. Portaerei. In Marina mi fecero collaudatore di jet. Tra i collaudatori molti facevano la domanda per diventare astronauta. Mi lasciai influenzare e la feci anch'io. Sono un tipo influenzabile. Sì. Mi dicono di fare una cosa e la fo. Poi, poi basta. Successe che mi presero. »

« È un bel mestiere, un mestiere eccezionale. »

« Per lei, forse. Per me no davvero. Io non ci trovo nulla di eccezionale. »

« Cosa le dispiace in questo mestiere? »

« Una cosa. Non poter più leggere, non poter più sentire le opere. Io leggevo parecchio. I classici soprattutto. Ho smesso. Non ce la faccio più. Mi manca il tempo, mi manca la voglia. Mi avvilisce. Dico: se almeno ne avessi letti di più, prima. Mi resterà sempre una buca. Una buca dentro. Come le opere. Prima andavo sempre a sentire le opere: Verdi, Puccini. Quando la mia nave era in crociera nel Mediterrane, ad esempio. Quando arrivava a Napoli o a Genova. La nave entrava in porto ed io ero già dentro un teatro. E ogni sera tornavo a teatro. Ogni sera finché la nave ripartiva. Era bello. Era tanto, tanto tempo fa. Ho rinunciato. »

« Perché? Perché ha rinunciato? »

« Perché sono un tecnico. O si è tecnici o non lo si è. »

« E perché diventò tecnico? Perché? »

« Mi hanno influenzato. I maestri di scuola. Ero bravo in matematica e in chimica. Cominciarono a dire che dovevo studiare matematica e chimica. In America c'è il culto di questa roba. Tutti a dirti di studiare matematica e chimica, mai musica e letteratura. Mai. Forse è giusto. Sì, giusto. Ci muoviamo così rapidamente e abbiamo bisogno di matematica e chimica. Abbiamo bisogno di tecnica, non di poesia. Io ho due fratelli e due sorelle. Dei miei due fratelli uno lavora alla Boeing Aircraft di Seattle, l'altro in un'altra industria aeronautica. Delle mie due sorelle una è sposata a un tecnico, l'altra insegna chimica. È giusto. Sì. Mia figlia maggiore ha dodici anni. Vuol studiare ingegneria. Mi ha chiesto papà, faccio bene a studiare ingegneria? Ho detto sì. »

« E le opere? I classici? »

« Pazienza. »

« Come pazienza?!? Ha detto che le dispiaceva. »

« Sì, però ho fatto la scelta. »

« Ha detto di essere stato influenzato! »

« Sì. Ma ora ci son dentro. E nessuno mi obbliga a starci dentro. Potrei andarmene domattina. E non vado. Voglio star qui. Non è più tempo di ridere, non è più tempo di divertirsi, non è più tempo di distrarsi. È tempo di lavorare. Ci aspettano grandi responsabilità. »

« Ma lei è sempre così serio? »

« Sempre. »

« Non ride mai? »

« Qualche volta. »

« E non si annoia? »

« No, non mi annoio. Non ho tempo per annoiarmi. Chi ha tempo per annoiarsi qua dentro? Bisogna saper rinunciare. Bisogna saperci rassegnare. »

« Rinunciare?! Rassegnarci? Alla sua età? »

« È una vecchia età. »

« Trentacinque anni, una vecchia età?! »

« Dieci minuti! » disse il Burocrate. « Affrettarsi! »

« Allora addio, signor Gordon. »

« Addio. È stato interessante. Nessun'altra domanda? »

« Sì, una. Are you a... »

« Undici minuti! » strillò il Burocrate. « Undici minuti! »

Allora scattò sull'attenti, disciplinato, automatico, girò sui tacchi e partì. Senza lasciarmi il tempo di finir la domanda.

Il terzo vecchio aveva trentaquattr'anni e sembrava il fratello minore di John Glenn: le stesse lentiggini, la stessa biondezza, la stessa divinvoltura, era perfino nato in Ohio come John Glenn. Da John Glenn lo distinguevano tuttavia alcune cose: la mancanza di vivacità, la diplomazia e le spalle straordinariamente curve per un corpo così vigoroso. Di sorriso era ironico, ma un'ironia senza luce. Di voce era pacato, di gesti parsimonioso. Il suo nome era Neil Armstrong e lo avevano scelto con il secondo gruppo. Il particolare più interessante che lo riguardasse era il fatto che non veniva dall'ambiente militare. Si trattava cioè di un borghese: l'unico astronautaborghese con cui abbia parlato. Sedetti, sedette. Tossii, tossì. gli offrii una sigaretta, mi offrì una sigaretta. Gliela accesi, me la accese. Colonna sonora:

«Che bella cosa, signor Armstrong! Lei non è un militare!»

«Vengo dalla NASA dov'ero ingegnere elettronico e collaudatore di jet. Non fa poi gran differenza. Voglio dire che di disciplina ne ho quanto gli altri e per andar nello spazio serve la disciplina anzitutto. Del resto non è che scelgano i militari perché sono più adatti di noi borghesi: li scelgono perché sono impacchettati, selezionati, e quindi è più facile pescar quello giusto. Dei militari si sa tutto, anche in quale misura ci si può fidare. Ma sapevano tutto anche di me: sono da un mucchio di anni alla NASA.»

«Dev'essere stata una bella gioia comunque diventare astronauta.»

«Non saprei. Mi ci faccia pensare...»

«Non ci ha ancora pensato?!?»

«Per me è stato il semplice trasferimento da un ufficio all'altro. Ero in un ufficio e m'hanno messo in quest'altro. Be', sì, penso che m'abbia fatto piacere. Fa sempre piacere salire di grado. Ma un ufficio o l'altro è lo stesso: io non ho ambizioni personali. La mia sola ambizione è contribuire alla riuscita di questo programma. Non sono un romantico.»

«Niente gusto dell'avventura, perciò.»

«Per carità. Io odio il pericolo, specialmente se inutile, e il pericolo è il lato più irritante del nostro mestiere. Il più stupido. Come si può trasformare in avventura un normalissmo fatto di tecnologia? E perché rischiar la vita guidando una cosmonave? Illogico quanto rischiare la vita usando un frullatore elettrico per farci un frappé. Non dev'esserci nulla di pericoloso a farci un frappé e non dev'esserci nulla di pericoloso a guidare una cosmonave. Una volta applicato questo concetto, cade il discorso sull'avventura, il gusto dell'andar su tanto per andar su...»

Pensai a Slayton.

«Io, signor Armstrong, conosco qualcuno che andrebbe su anche sapendo di non tornar giù. Solo per il gusto di andare su.»

«Tra noi astronauti?»

«Tra voi astronauti.»

«Lo escludo. Se lo conoscesse sarebbe un ragazzo, non un adulto.»

«È un adulto, signor Armstrong.»

«Ma chi?»

«Non importa. Parliamo di lei. A parte il frappé suppongo che le dispiacerebbe non andar su.»

«Sì, ma non ci farei una malattia, non la prenderei come un'offesa. Io non capisco, vede, quelli che sperano tanto di andarci per primi. Sono sciocchezze, bambinate, residui romantici: indegni dell'epoca razionale in cui viviamo. Ed escludo che accetterei di andare su sospettando di non tornare giù: ammenoché non fosse tecnicamente indispensabile. Voglio dire: collaudare un jet è rischioso ma tecnicamente indispensabile. Morir nello spazio o sulla Luna non è tecnicamente indispensabile e di conseguenza tra il morire collaudando un jet e il morire sulla Luna io scelgo il morire collaudando un jet. Lei no?»

«Io no. Dinanzi a un simile dilemma, scelgo subito di morir sulla Luna: almeno mi vedo la Luna.»

«Bambinate, sciocchezze. Morir sulla Luna! Per veder la Luna! Si trattasse di restarci un anno o due... forse... non so. No, no, sarebbe un prezzo troppo alto lo stesso: perché irrazionale. Oh, se solo riuscissimo a sgombrare il campo delle fanfare.»

«I suoi anni giovani li ha trascorsi tutti alla NASA, signor Armstrong?»

«Li ho trascorsi viaggiando: Europa, Asia, Sudamerica. Perciò ho visto quel che c'era da vedere, ho capito quel che c'era da capire, ed eccomi qui. Quieto quieto, finalmente seduto a un tavolo per far qualcosa di serio.»

«È stato alla guerra, signor Armstrong?»

«Ma sì. In Corea. Settantotto missioni di combattimento. Mentirei se dicessi che m'hanno servito a qualcosa.»

«Ha figli, signor Armstrong?»

«Certo che ho figli! Uno di sette anni e uno di due. Dovrei non aver figli alla mia età?»

«Dieci minuti» disse il Burocrate. «Affrettarsi!»

Si alzò.

«È meglio che la saluti. Devo andare nella centrifuga.»

« Non la invidio, signor Armstrong. »

« Sì, è molto antipatico: forse ciò che odio di più. Ma tecnicamente indispensabile. »

« Tecnicamente indispensabile. »

« Buongiorno. »

« Buongiorno. »

Il quarto vecchio aveva trentadue anni ed era completamente calvo: un cranio liscio come una palla d'avorio. Ricordo infatti che rimasi disorientata a fissarlo: non mi andava giù che un uomo di trentadue anni avesse il cranio liscio come una palla d'avorio. Però lo salvavan le orecchie: buffissime, immense, più simili ad alettoni di un aereo che a orecchie. Subito dopo avergli guardato quel cranio uno gli guardava le orecchie e si sentiva meglio, pensava: chi ha avuto simili orecchie da Dio non può essere sordo e chi non è sordo non parla come Neil Armstrong. Oltre alle orecchie poi lo salvava il viso: ridanciano, simpatico, con una gran bocca piena di buonumore. E il cognome: Fagiolo. Si chiamava infatti Alan Bean e Bean in inglese vuol dire fagiolo: realtà cui non sembrava essersi ancora assuefatto perché ogniqualvolta dicevo signor Bean, cioè signor Fagiolo, rideva da matti. Non avendo un cognome molto più bello del suo, smisi alla fine di chiamarlo Fagiolo e presi a chiamarlo tenente. Era tenente della Marina, anche lui, e lo avevano scelto con il terzo gruppo. Sedetti, sedette. Tossii, tossì. Gli offrii una sigaretta, mi offrì una sigaretta. Gliela accesi, me la accese. Colonna sonora:

« Signor Bean! O come mai è così calvo? »

« Eh, eh! Preoccupazioni, preoccupazioni! Diventerebbe calva anche lei a stare qui dentro, boh! O cosa crede? Che io mi diverta come lei? Che io vada in tutti i posti come lei? Che io conosca un mucchio di gente come lei? Qui si fa vita da impiegati, si fa! Sempre le stesse cose, le stesse facce, gli stessi orari, altro che andiamo in cielo, in ufficio si va! Boh! A me sembra d'essere il funzionario di una banca, boh! O cosa crede? Questa è una vita borghese, noiosa. I soli imprevisti sono le trasferte per gli allenamenti, o gli orari extra quando si fa tardi in ufficio. Sicché a casa si trova la minestra ghiaccia e la moglie magari non te la riscalda nemmeno. Casa e ufficio, ca-

sa e ufficio. E minestra ghiaccia. Boh! Se non ci fosse un po'
di cinematografo! »

«Ci va al cinematografo, sì? »

«Ci vado sì. Qui se non si va al cinematografo dove si va?
O che crede? Qui siamo in provincia. È già una fortuna di poterci andare al cinematografo! I primi Sette non possono mica. Tutti a chiedergli autografi e cose così. Noi invece chi
ci conosce, chi ci riconosce? Siamo astronauti sconosciuti,
graziaddio. »

«Allora non è contento, signor Bean? »

«Eh, eh! Per contento, sono contento. Essere astronauta,
oh leii! Per divertirmi però, mi divertivo di più quand'ero ufficiale di Marina e viaggiavo, boh! Napoli, Pisa, Roma! Dappertutto, viaggiavo. Però non sono mai stato a Venezia. »

«Non è mai stato a Venezia?! Va sulla Luna e non è mai
stato a Venezia?! »

«Oh leii! Che posso farci? La nave non c'è mai arrivata a
Venezia! Dicevo: pazienza, prima o poi ci arriverà a Venezia.
E invece m'hanno fatto astronauta e l'anno stesso in cui mi
hanno fatto astronauta, la nave è andata a Venezia. Lo so: vedrò la Luna e non vedrò Venezia. »

«Senta, signor Bean... »

«Eh, eh! Eh, eh! »

«Senta, tenente: non potrebbe farcela una scappatina a Venezia prima di andar sulla Luna? »

«No, ormai è troppo tardi. È tardi per un mucchio di cose,
ormai: o non lo vede che sono calvo? Ormai son chiuso qui
dentro e non ne esco che per andare lassù. »

«Io non mi lamenterei mica tanto. »

«Oh leii! Non mi invidierà mica, per caso?! »

«Certo che la invidio, tenente. La invidio eccome. La Luna... Marte... »

«Marte, sì. Stimola anche me l'idea di andare su Marte. Ci
andrei anche se dovessi passare in viaggio due anni, quat-
t'anni. Ma fra venti o trent'anni, quando verrà il momento di
andarci, io sarò troppo vecchio. O non lo vede che son già
vecchio? Mi sento vecchio, che ci vuol fare. »

«E così resta la Luna. Non è poco, sa? Solo l'idea di non
tornare indietro. Le sembra poco partir per un luogo da cui si
potrebbe non tornare indietro?! »

«Come sarebbe a dire non tornare indietro?»

«Sarebbe a dire non tornare indietro. Lei non ci pensa?»

«Io noddavvero. Scusi: non si torna indietro, non è più una missione. È un sacrificio, un martirio. Missione vuol dire andare e tornare: e il viaggio alla Luna sarà una missione, non un sacrificio o un martirio sull'altare della Scienza.»

«Ma a lei importa di scendere giù sulla Luna?»

«A me no. Guardi: noi siamo piloti e quel che ci preme è il viaggio, mica lo sbarco. Prenda un pilota che fa Roma-Tokio in tre ore: a lui non importa mica di arrivare a Tokio, a lui importa di fare il viaggio in tre ore. La Luna è lo stesso. Andare è importante: andare e tornare, non atterrare.»

«Ma cosa dice, tenente?!»

«Questo, dico.»

«Ma la curiosità!»

«Oh leii! La curiosità di che cosa? Non son mica un bambino, sono un adulto. E sono un commesso viaggiatore, un inviato speciale, un tipo che viaggia su ordinazione e dove lo mandano, lo mandano.»

«Allora Venezia, le cose che mi diceva sopra il viaggiare, la nave che non arrivava a Venezia...»

«Venezia, Venezia! Alla mia età, cosa vuol che ci faccia a Venezia? Venezia è un sogno di gioventù: le stradine, le gondole, la ragazza da fotografar coi piccioni... Ormai!»

«Ma come ormai?!?»

«Oh leii! Lo sa quanti anni ho? Trentadue per trentatré!»

«E le sembrano tanti?»

«Sono tanti. E non sono più anni di illusioni, avventure.»

«Ma siete tutti uguali, perbacco!»

«Eh, sì. Siamo tutti uguali sì.»

«Tenente! Non diventerà mica triste, a un tratto?! Su gli orecchi! Sorrida! Sorrideva così bene, perbacco! Via, cambiamo discorso. Bambini ne ha?»

«Due. Il più grande ha sett'anni.»

«Chissà com'è fiero d'avere un padre astronauta!»

«Macché. Non fa che chiedermi perché non fo lo sceriffo: il padre del suo amico è uno sceriffo. Dice che da grande lui vuol fare lo sceriffo, dice che far lo sceriffo sì è divertente mica far l'astronauta. E, detto fra noi, non ha mica torto...»

«Dodici minuti!» urlò il Burocrate.

Il mio quarto vecchio si alzò.

«Ovvia. Torniamo in ufficio. Povero me. E grazie.»

«Grazie di che?»

«Stop!» urlò il Burocrate. «Stop!»

«Della conversazione, del ridere...»

«Stop! Stop!»

«Posso chiederle ancora una cosa, signor Bean?»

«Eh, eh! Ma certo.»

«Stop! Stop! Stop!»

«Are you...»

«Stoooop!»

E così se ne andò. E non lo seppi.

Il quinto vecchio aveva trentaquattr'anni ed era un vecchio stupendo, di una bellezza così celestiale da non provocare nemmeno pensieri profani. Gli angeli del Paradiso devono a- vere quel volto: lungo, leggermente patito, dal naso dritto e la bocca gentile; e quegli occhi buoni, pazienti. Come gli angeli, era rosa e d'oro, rosa la pelle, d'oro i capelli, le ciglia. Come gli angeli era alto, snello e un po' triste: ora lo conosci anche tu, sì quello che uscì dalla capsula Gemini, a galleggiare nel vuoto, a volar senza peso dicendo è divertente, mi piace, l'altro gli diceva rientra e lui rispondeva no, ancora un poco, è divertente, mi piace. Si chiamava Edward White, questo ange- lo, era padre di altri due angeli, qui all'Inferno c'era capita- to col secondo gruppo, e sicché? Si fanno forse domande agli angeli? E se gli si fanno, per chiedergli cosa? Come stanno san Giovanni, san Marco, san Luca, e san Matteo? Che tem- po fa lassù in Paradiso? Sedetti, sedette. Tossii, tossì. Gli of- frii una sigaretta, mi offrì una sigaretta. Gliela accesi, me la accese. E ad un certo punto parlò. E disse tutto da solo.

«Pensai di diventare astronauta quando il primo Sputnik andò su e fu chiaro che quello di astronauta sarebbe divenuto presto un mestiere: infatti ne parlammo, in famiglia. Io vengo da una famiglia di aviatori: papà è generale dell'Air Force e io sono capitano dell'Air Force, mio fratello si è appena diplo- mato alla Scuola dell'Air Force e se riesce farà l'astronauta anche lui. Quando il primo Sputnik andò su, io lavoravo in- sieme a Deke Slayton nel Progetto Gravità Zero: uno studio sull'assenza di peso. Io e Deke eravamo gli unici ad occuparci esclusivamente di questo: facevamo gli esperimenti insieme a Prosciutto, lo scimpanzé che poi precedette Alan Shepard nel volo suborbitale. Io e Deke guidavamo l'aereo e Prosciutto faceva da cavia nei pochi minuti in cui durava l'assenza di peso, in picchiata. Poi Deke prese il posto di Prosciutto e gli esperimenti li faceva su se stesso, io guidavo l'aereo. Deke è così coraggioso, altruista: non gli andava di sballottare Prosciutto a quel modo, diceva che nessuno gli aveva mai chiesto il permesso a Prosciutto e Prosciutto non s'era mai offerto come volontario. Deke fu anche seccato quando misero Prosciutto nella capsula Mercury: lo fu per le stesse ragioni. Povero Prosciutto, lo sa che è morto? A Washington, di broncopolmonite. Lo misero nello zoo e quell'inverno a Washington fece un gran freddo, lui non era abituato al gran freddo.»

Esaminai l'angelo per veder se ridesse. Non rideva per niente. Rammentare Prosciutto raddoppiava la sua tristezza: o devo dir serietà? La serietà non si nutre forse di tristezza?

«Io e Deke eravamo insieme fin dalla Germania, ci sono soltanto sei anni di differenza fra noi. Così quando giunsero le prime voci del Progetto Mercury, nel 1957, Deke disse: tu non muoverti: continua piuttosto a studiare. Vado io e, se mi prendono, guardo che roba è. Se è roba buona, mi segui. Naturalmente lui lo presero subito, senza neanche pensarci un po'. Oh, Deke è straordinario. Passati gli esami mi riferì tutto e mi disse che come esami erano brutti, cattivi, ti buttavan nel ghiaccio e poi nel caldo bollente, ti facevano girare a velocità fantastiche nella centrifuga e si soffriva molto: però ne valeva la pena, che mi offrissi pure. Esitai un poco: non ero bravo come Deke e non volevo far brutte figure, soprattutto con lui. Ma lui disse: sei bravo quanto me, anzi di più, per riuscire basta essere piloti in gamba e tu sei un pilota dannatamente in gamba: ti prenderanno. Finii coll'offrirmi. Deke aveva ragione: per duri, gli esami erano duri. E pensi che quelli del secondo gruppo furono meno duri di quelli del primo gruppo; quelli del terzo gruppo sono stati ancora meno duri: alla fine si sono accorti che certe torture erano inutili. Per duri erano duri, dicevo. Però quando si ha uno scopo nel cuore tutto diventa meno duro, le sembra? Il mio scopo era andar sulla Luna: fui molto felice quando mi presero. Ed anche ora sono molto felice perché è ormai certo che ci andrò, sulla Luna. Malgrado non sia molto d'accordo con gli altri su certi sistemi automatici... »

E qui si addentrò in un discorso così complicato che non lo ricordo neanche, poi c'era qualcosa che mi distraeva: tante piccole rughe intorno ai suoi occhi, identiche a quelle che hai tu, papà. Faceva un tale effetto scoprir tante rughe fra tutto quel rosa e quell'oro, pensare che erano uguali a quelle che hai tu, papà: perché tu hai sessant'anni e lui trentaquattro. Era come scoprire, non so, che in cielo vengon le rughe, che anche gli angeli diventano anziani, e dava una sensazione spiacevole: colma di perplessità.

«...della mia epoca in fondo solo una cosa mi dà tanto fastidio: la televisione. Ci fu un periodo in cui mia moglie e i bambini guardavan sempre la televisione e non parlavamo più tra di noi. Odiavo quell'apparecchio, io che non odio niente e nessuno, così... »

«Stop» gridò il Burocrate. «Undici minuti, stop!» Ed io stavo per dire all'angelo: scusi sa, senza offesa, lei è una Tartaruga sì o no? Ma non feci a tempo. L'angelo spaventato si alzò, si inchinò, e sparì in un profumo d'incenso.

Il sesto vecchio aveva trent'anni ed io sfido il Cielo e la Terra, i vivi ed i morti, a dire che quella creatura aveva trent'anni. Consunto, sconfitto da chissà quali malinconie, si portava dietro un visuccio così appassito, così stremato, che sembrava non fosse mai stato giovane, ragazzo, bambino. Forse molti, molti anni fa anche lui aveva avuto vent'anni, era stato giovane, ragazzo, bambino: ma di quel fatto remoto s'era spento perfino il ricordo. Pieghe tristi gli succhiavan le guance butterate da cicatrici fittissime, rughe fonde gli piegavan le labbra all'ingiù, ed i suoi occhi infossati narravano una rassegnazione infinita, una malinconia di piombo. Ero stanca anch'io, snervata dalla noia, dallo sforzo senza tregua, dal rancore per il Cerimoniere ed il Burocrate: agognavo soltanto che la farsa grottesca finisse, che quell'andirivieni cessasse, e non facevo nulla per trovare qualcosa che mi scuotesse in Eugene Cernam, tenente della Marina, laureato in ingegneria elettrica, aeronautica ed astronautica, nato a Chicago, sposato con un figlio, vittima di un sistema sbagliato e della mia obbedienza vigliacca. Perché non mi alzavo, scappavo? Tanto non m'importava nulla di ciò che avrebbe narrato, non m'importava un bel nulla di farmelo amico, non m'importava un bel nulla di sapere se fosse una Tartaruga od un Asino, ero stanca, annoiata, l'angelo s'era preso i residui di ogni curiosità, ogni interesse; meccanicamente lo interrogavo e meccanicamente ascoltavo: perché è diventato astronauta, tenente? Perché... perché... perché...

« Perché mi piace volare, io vede ci penso fin da ragazzo a volare, e poi dà soddisfazione partecipare a qualcosa che prepara il futuro, io vengo da una famiglia non ricca, capisce, mio padre fa il meccanico e di soldi ne abbiamo sempre avuti pochini, io ho sempre faticato parecchio per farcela, sono nato a Chicago e Chicago è una città dura, crudele, mio padre ha fatto tanti sacrifici per me, arrivare alla laurea è stato penoso... »

Non era antipatico, no. E poi era gentile, era buono, confessava una vita dignitosa e perbene, un passato coraggioso e pulito, ce la metteva tutta per esser seguito, compreso: ma le sue parole si perdevano dentro i miei orecchi come il rumore del mare che alla fine ci fai l'abitudine e non lo ascolti più. Lo sciaguattare di un'onda, un'altr'onda. Lo sciaguattare di un'altra onda, un'altra onda ancora. E ogni onda uguale all'onda di prima. Spuma, alghe. Sugheri, conchiglie. Conchiglie, sugheri. Le loro storie, forse, non si assomigliavano tutte? C'era da aspettarselo, questo, lo so. Ma c'è modo e modo di raccontare la medesima storia: ciò che hanno visto i miei occhi non sarà mai uguale a ciò che hanno visto i tuoi occhi, le parole saranno diverse, le conclusioni saranno diverse. E allora perché, mio Dio, perché essi usavano sempre le stesse parole, le stesse virgole, gli stessi aggettivi, quasi avessero imparato a memoria un discorso ciclostilato su carta carbone?!? Perché, mio Dio, perché anche quando dicevano cose un po' nuove sembrava d'averle già udite?!?

« ...noi del terzo gruppo, naturalmente, siamo i meno preparati di tutti: e non solo perché abbiamo cominciato più tardi. Perché la NASA all'inizio pretendeva di più, dopo ha allentato le corde. Quelli del secondo gruppo sono molto più bravi di noi, e quelli del primo gruppo sono i più bravi di tutti. Ma non è solo questo che ci distingue: è la popolarità. Essi ce l'hanno e noi non l'abbiamo: se l'avremo, non l'avremo mai

nella stessa misura e un uomo famoso si muove con più scioltezza di un uomo qualsiasi. Infine, la guerra: essi l'hanno fatta
e noi no. Vero è che ci sono esperienze le quali valgono quanto fare la guerra. Il lavoro ad esempio. Io ho lavorato sodo,
così sodo che spesso mi sembra di lavorar da cent'anni, e a
lavorar sodo si diventa adulti, capaci di decidere ciò che è giusto ed ingiusto come coloro che vivessero il dramma di uccidere o essere uccisi...»

E poi era intelligente: ma sì. Assai intelligente, più intelligente degli altri. Tuttavia quando il Burocrate urlò il suo Stop
mi sentii liberata da un peso, da un incubo e ti salutai senza
rimpianto, tenente Cernam. Non te ne avere a male, ti prego:
non voglio esser ingrata, cattiva, ti giuro che suscitasti stima
in me, simpatia, e ciò che sto per rimproverarti, Cernam, vale
anche per Chaffee, per Gordon, per Armstrong, per Bean, per
White, per gli altri che non ho conosciuto e che certo sono i-
dentici a te. Non esserne troppo ferito, dunque, ti prego: ma
mentre ti guardavo uscire, a me sembrava di esser tua figlia.
Sì, Cernam: tua figlia. Sì, White: tua figlia. Sì, Bean: tua figlia.
Sì, Armstrong: tua figlia. Sì, Gordon: tua figlia. Sì, Chaffee:
tua figlia. Ho visto più cose di voi e mi sembra d'essere vostra
figlia. Sono più stanca di voi e mi sembra d'esser vostra figlia.
Ho la vostra età e mi sembra d'essere vostra figlia. Perché io
mi diverto ad avere trent'anni, io me li bevo come un liquo-
re i trent'anni: non li appassisco in una precoce vecchiaia ci-
clostilata su carta carbone. Ascoltami, Cernam, White, Bean,
Armstrong, Gordon, Chaffee: sono stupendi i trent'anni, ed
anche i trentuno, i trentadue, i trentatré, i trentaquattro, i trentacinque! Sono stupendi perché sono liberi, ribelli, fuorilegge,
perché è finita l'angoscia dell'attesa, non è incominciata la
malinconia del declino, perché siamo lucidi, finalmente, a
trent'anni! Se siamo religiosi, siamo religiosi convinti. Se siamo atei, siamo atei convinti. Se siamo dubbiosi, siamo dubbiosi senza vergogna. E non temiamo le beffe dei ragazzi
perché anche noi siamo giovani, non temiamo i rimproveri degli adulti perché anche noi siamo adulti. Non temiamo il peccato perché abbiamo capito che il peccato è un punto di vista,
non temiamo la disubbidienza perché abbiamo scoperto che
la disubbidienza è nobile. Non temiamo la punizione perché
abbiamo concluso che non c'è nulla di male ad amarci se ci

incontriamo, ad abbandonarci se ci perdiamo: i conti non dobbiamo più farli con la maestra di scuola e non dobbiamo ancora farli col prete dell'olio santo. Li facciamo con noi stessi e basta, col nostro dolore da grandi. Siamo un campo di grano maturo, a trent'anni, non più acerbi e non ancora secchi: la linfa scorre in noi con la pressione giusta, gonfia di vita. È viva ogni nostra gioia, è viva ogni nostra pena, si ride e si piange come non ci riuscirà mai più, si pensa e si capisce come non ci riuscirà mai più. Abbiamo raggiunto la cima della montagna e tutto è chiaro là in cima: la strada per cui siamo saliti, la strada per cui scenderemo. Un po' ansimanti e tuttavia freschi, non succederà più di sederci nel mezzo a guardare indietro e in avanti, a meditare sulla nostra fortuna: e allora com'è che in voi non è così? Com'è che sembrate i miei padri schiacciati di paure, di tedio, di calvizie? Ma cosa v'hanno fatto, cosa vi siete fatti? A quale prezzo pagate la Luna? La Luna costa cara, lo so. Costa cara a ciascuno di noi: ma nessun prezzo vale quel campo di grano, nessun prezzo vale quella cima di monte. Se lo valesse, sarebbe inutile andar sulla Luna: tanto varrebbe restarcene qui. Svegliatevi dunque, smettetela d'essere così razionali, ubbidienti, rugosi! Smettetela di perder capelli, di intristire nella vostra uguaglianza! Stracciatela la carta carbone. Ridete, piangete, sbagliate. Prendetelo a pugni quel Burocrate che guarda il cronometro. Ve lo dico con umiltà, con affetto, perché vi stimo, perché vi vedo migliori di me e vorrei che foste molto migliori di me. Molto: non così poco. O è ormai troppo tardi? O il Sistema vi ha già piegato, inghiottito? Sì, dev'esser così.

Stava piegando anche me, a poco a poco. Invece di alzarmi, scappare, restavo seduta sotto l'ANDIAMO IN CIELO come un'idiota, come un robot.

# CAPITOLO VENTISEIESIMO

Dunque rimasi lì, seduta a quel tavolo, immobile come una i-diota, come un robot, pensando che il Sistema è un cancro, con la ferocia di un cancro divora i più sani, ribellarti non serve, ti ribelli dapprima ad alta voce poi a bassa voce poi silenziosamente poi nulla ed a quel punto il Sistema è accettato anche da te, lo sai bene, papà, ogni dittatura funziona così; ed aspettavo l'ultimo. Ma l'ultimo non veniva. Dalla porta socchiusa veniva solo il bisbigliare eccitato di un dialogo tra il Cerimoniere e non so chi.

« Dice che non si muove, signore. »

« Non si muove?! »

« No, signore. Dice che tutti entrano ed escono da quella stanza come dal gabinetto di un dentista e lui con il dentista ha chiuso. »

« Ha chiuso?! »

« Sì, signore. Dice che i suoi denti sono ormai a posto, signore. »

« Tenti di convincerlo. »

« È irremovibile, signore. »

« Sta dunque impazzendo?! »

« No, signore. È tranquillo, signore. Canterella, fischietta. E costruisce un aeroplanino di carta. »

« Un aeroplanino di carta?! »

« Sì, signore. »

« Gli dica che c'è una signora in questa stanza! Gli dica che non si fanno sgarberie alle signore! »

Si udì un rumore di passi che si allontanavano. E per la prima volta dacché ero lì dentro rivolsi la parola al Burocrate.

« Di chi parlano? »

« Di Charles Conrad detto Pete. »

« E chi è Charles Conrad detto Pete? »

« È un astronauta del secondo gruppo. »

« Simpatico questo Charles Conrad detto Pete. »

« Simpatico?!? »

I passi tornarono. Il dialogo riprese.

« Signore! Non ne ha molta voglia lo stesso, signore. »

« Come non ne ha molta voglia?! »

« No, signore. Dice che lui si scusa in quanto ignorava che
si trattasse di una signora o signorina che sia: gli avevano detto un tipo che scrive e nient'altro. Però dice che a lui non importa un fico dei tipi che scrivono, signori o signore, signori-
ne o signorini, in quanto lui non scrive, fa i numeri e basta. E
poi dice... »

« E poi?... » ansimò il Cerimoniere, carico di speranza.

« E poi dice che questa signora o signorina che sia farebbe
assai bene a non scrivere nulla di lui in quanto a lui non importa affatto che si scriva di lui e meno ne scrivono meglio è.
Tuttavia... »

« Tuttavia?... »

« Tuttavia tiene ad affermare che non ha nulla contro questa signora o signorina perché lui è gentile e beneducato, lui ce
l'ha solo col gabinetto del dentista che l'ultima volta gli fece
un mucchio di male. »

« E poi? »

« E poi basta. Canterella, fischietta. E l'aeroplanino è finito.
Lo ha messo in tasca per portarlo a suo figlio. »

Perbacco. La faccenda cominciava a diventare interessante: sapeva di Tartarughe. Cautamente mi affacciai, mi rivolsi
al Cerimoniere.

« Signore. Avrei due proposte da farle. »

« Sentiamo. »

« La prima è di lasciarmi andar via. Insisto calorosamente
su questa proposta, signore: la raccomando con tutta l'a-
nima. Senza offesa alla NASA o alla Luna, signore: otto
astronauti in un giorno son troppi. Sono veramente stanca,
signore. Ed ho in mano un quadro veramente esatto della
situazione, signore. Mi accontenti, signore. Quanto alla seconda... »

« La seconda?... »

«La seconda è uscire da questa stanza e andare da questo astronauta che detto fra noi non ha torto.»

«Rifiuto» commentò il Burocrate. «Io rispetto la Regola e la Regola è che le interviste avvengano lì, in quella stanza.»

«La Regola è regola fino alle cinque del pomeriggio, ora in cui cessa l'orario di ufficio» mormorò il Cerimoniere, perplesso. «E le cinque sono passate.»

«In tal caso vado a casa» disse il Burocrate.

«Bene!» dissi io.

«Giusto» disse il Cerimoniere.

«Addio» disse il Burocrate.

«Chiamatemi Jack» disse il Cerimoniere.

Il Burocrate andò via mentre io lo salutavo con silenziose maledizioni. Jack arrivò. Jack era Jack Riley cioè quello che quattro mesi avanti aveva assistito alle mie interviste con Glenn, Shepard e Slayton. A me piace moltissimo Jack perché ha un volto da gatto assonnato e un modo adorabile di seguir le interviste: va in un angolo e lì si addormenta. Salutai Jack con entusiasmo e non mi fraintendere: ero sinceramente depressa all'idea di affrontare un altro astronauta, avrei dato qualsiasi cosa perché ciò non avvenisse. Ma, visto che c'ero costretta, un'occhiatina a quel pazzo gliela davo volentieri: il suo rifiuto era troppo regale per non colpirmi.

«Jack, ti dispiace accompagnare la signora da Conrad?» chiese il Cerimoniere.

«No, no» disse Jack.

«L'orario d'ufficio è finito» disse il Cerimoniere.

«Boh!» disse Jack.

«Grazie» disse il Cerimoniere e per un attimo mi fece pietà, fui lì per perdonare a tutto quel grasso: ci credi? Povero Cerimoniere. Alla fine che colpa ne aveva lui del Sistema? Non lo aveva mica inventato. Lo pagavano per rispettarlo, ecco tutto, e ne era una vittima al pari di me, di Eugene Cernam, degli altri. Guarda lì come sudava, infelice. Non ce la faceva più, rinunciava perfino al rito della presentazione: tanto era sfinito. Deo gratias! Deo gra...no!! Non ci rinunciava per niente, il dannato. La presentazione la leggeva, stavolta. La faceva con la biografia scritta. Agguantò il foglio dalle mani di Jack e muovendo il ditino grasso come se dirigesse un'orchestra, declamò:

«Charles Conrad jr! Astronauta! Tenente colonnello della Marina degli Stati Uniti d'America! Nato a Filadelfia il 2 giugno 1930! Laureato alla università di Princeton! Pilota sulle portaerei dal 1954! Collaudatore di aerei dal 1959! Sposato con quattro figli! Maschi! Membro dell'Istituto di Aeronautica ed Astronautica! Hobby: golf, sci d'acqua, nuoto, aeroplanini di carta...».

Qui si fermò, sbalordito, più rosso di un pomodoro rosso.

«Jack! Chi ha dato questo foglio?!»

«Lui, signore» disse Jack mordendosi le labbra per non ridere.

«Chi ha scritto aeroplanini?!»

«Lui, signore» disse Jack mordendosi anche la lingua.

E trovai finalmente un altro fratello, papà.

Mio fratello sedeva alla scrivania del suo ufficio che è piccolo. Ma anche mio fratello è piccolo e quell'ufficio gli stava quindi benissimo. Sui pantaloni che indovinavo privi di piega indossava una maglietta verde ramarro. La maglietta aveva le maniche corte e ciò consentiva di ammirare il tatuaggio di un'ancora che mio fratello porta sull'avambraccio sinistro ed ostenta come un braccialetto di zaffiri. L'ancora gliela disegnò a Copenaghen lo specialista che fa i tatuaggi al re di Danimarca e lui vuol che si sappia: a tal scopo se la gratta sempre, o muove l'avambraccio sinistro o si liscia con la mano sinistra i capelli. I suoi capelli, ecco: in questi ultimi anni anche mio fratello aveva perso i capelli, o almeno buona parte di essi. La fronte dilagava ormai spaziosissima, conquistando un terzo del cranio, e lasciava poco posto ai capelli. Ma dove c'erano ancora eran biondi, come noi tutti in famiglia, lo sai, e ad ogni modo guarda: la calvizie non rubava un bel nulla alla sua giovinezza che eroica sfidava ogni Sistema del mondo. A trentaquattr'anni mio fratello ne dimostrava nemmen ventiquattro e se non fosse stato per via dei capelli anche venti o diciotto.

Mio fratello era robustino, ben costruito come gli uomini piccoli quando sono ben costruiti, ed aveva un visetto dorato dal sole con un gran naso nel mezzo e due begli occhi azzurri, infine aveva una bocca assai larga che usava per ridere. La usava anche per chiacchierare, Dio sa se egli chiacchiera, ma soprattutto la usava per ridere: il che è una grossa fortuna perché quando mio fratello ride tu ridi con lui e ridi perfino se hai voglia di piangere. Ciò accade, suppongo, per i suoi denti che sono i denti più buffi del mondo: corti corti, separati l'uno dall'altro come se fossero offesi l'uno con l'altro, e i più separati sono i due alti nel mezzo i quali distan fra loro cinque millimetri. Può infilarci una sigaretta, se vuole, e lo fa: malgrado tutti sostengano che simili cose non stanno né in cielo né in terra. Del resto egli fa molte cose che non stanno né in cielo né in terra. Costruisce aeroplanini di carta affermando che son per suo figlio ma chiunque sa che sono per lui. Beve una bevanda imbevibile come chiama rootbeer e che i medici danno ai bambini per crescere: spera in tal modo di crescere un poco anche lui. Colleziona cappelli da fiaccheraio che porta al posto del casco di plexiglas quando va in aeroplano. Si abbandona ad esperimenti di sopravvivenza nella giungla nutrendosi di serpenti boa e dichiara che i serpenti boa sono ottimi bolliti e arrostiti. E lo dichiara in tono felice perché lui è sempre felice e, siccome è sempre felice, gli pare che i serpenti boa siano ottimi bolliti e arrostiti. Infine si allena per andar sulla Luna. Né so cosa avrei dato perché ci andasse insieme a Teodoro, ci credi? Non perché mio fratello sia capace di guardare la Luna come si guarda un Rembrandt, tantomeno di far quei discorsi sulle cose brutte che diventano belle, di questo era capace solo Teodoro, mio fratello è un matematico e basta, non capisce nulla di pittura e poesia: ma perché se andavano insieme, quei due, poteva succeder di tutto, di tutto, e la *Nuova Divina Commedia* era già scritta, papà.

Quella di andar sulla Luna è infatti una vecchia passione di mio fratello, gli venne che era ancora ragazzo, e non vi rinuncerebbe neanche se gli costasse la vita. Naturalmente, e poiché è mio fratello, capita a volte che il sogno gli pesi, comprenda in quale pasticcio è andato a cacciarsi: ma chi me l'ha messo in testa, ma chi me l'ha fatto fare, io qui non ci sto, eccetera eccetera amen. Però subito dopo gli passa, ricorda d'essere stato in Marina dove per nulla lo mettevano ai ferri o impalato a cantare: *Oh! I love the Navy! Oh! I love the Navy!* e torna ubbidiente, disciplinato fino al martirio, che dico?, disposto a qualsiasi sacrificio, qualsiasi prigione. Gli piace fumare, ad esempio, e non fuma. Gli piace bere e non beve. Gli piaccion le donne e non guarda le donne: per non guardarle chiude gli occhi, cammina a occhi chiusi, e vedrai che un giorno ruzzolerà in un tombino se non la smette di fare così. Detesta le conferenze e le tiene: nelle scuole superiori, nelle università, nei club delle Vecchie Signore, ovunque la NASA lo mandi a difender la Luna e va da sé che non dovrebbe mandarcelo affatto: non è il tipo adatto, mi spiego? Incomincia sempre, mi dicono, con una barzelletta che con la Luna non c'entra per nulla poi volta brusco le spalle e va alla lavagna dove scrive teoremi che nessuno comprende. Il pubblico deluso sbadiglia, mormora un po' e si addormenta. Quando accade però lui sorride mostrando quei denti, e chi dorme (ci credi?) lo avverte, di colpo si sveglia, vede quei denti, sorride con lui, e la conferenza prosegue.

Quando tiene conferenze e anche quando non le tiene, mio fratello viaggia: fra tutti è quello che viaggia di più, se c'è da andare in un posto in America o altrove puoi esser sicuro che ci va mio fratello. C'è da controllare ad esempio i comandi del LEM? Ci va mio fratello. C'è da prender visione di una modifica al razzo Saturno? Ci va mio fratello. C'è da chiudersi per sette giorni nella capsula Apollo? Ci va mio fratello. C'è da allenare gli astronauti del terzo gruppo in qualche deserto dell'Arizona? Ci va mio fratello. Perché, non lo so. Lui dice perché è il più bravo, insuperabile come allenatore, inimitabile come ingegnere, irraggiungibile come astrofisico, non si dimentichi via non si dimentichi che ha studiato a Princeton eccetera eccetera amen. Il mio sospetto invece è che Slayton lo tenga sempre in viaggio per non averlo fra i piedi, per allontanarlo da Houston dove fa confusione, fracasso, e distrae. A Houston infatti mio fratello c'è solo il weekend: che passa in famiglia per aiutare la moglie che deve badare a quei quattro bambini, povera donna, gran brava donna, egli spiega. In che consista l'aiuto nessuno lo sa: né è chiaro come mio fratello possa esser d'aiuto a una moglie con quattro bambini. Ma lui dice che aiuta e se lui dice che aiuta gli credo: credo sempre, io, a mio fratello, qualsiasi cosa egli dica, perfino bugie. Il lunedì mattina comunque l'aiuto è concluso e, mentre la moglie respira « Vai, vai! Uno di meno! Vai, vai! », egli parte di nuovo. Sicché fu proprio un miracolo che lo trovassi quel giorno, una fortuna. Sarebbe stato tremendo, ti pare?, avere un fratello così ed ignorare di averlo. Sarei stata più povera e anche questo libro sarebbe stato più povero, e noi tutti saremmo stati più poveri.

Vero è che prima o poi, in qualche luogo, in qualche modo, lo avrei trovato lo stesso. Anzitutto perché prima o poi, in qualche luogo, in qualche modo, i fratelli si incontrano sempre: come tu dici quando incontri un fratello. Infine perché ovunque andai dopo Houston, ecco lì mio fratello: mio fratello è dovunque. Arrivando in un posto, lo giuro, non hai che guardarti dintorno e lì è mio fratello. Specialmente se avviene il lancio di un razzo: a Las Cruces, mettiamo, o a Cape Kennedy. Non hai nemmeno bisogno di chieder se c'è: nel novantanove per cento dei casi lui c'è, stravaccato in piscina, ad aspettar che von Braun accomodi il razzo che alla vigilia si rompe sempre Dio sa perché, con gli occhi chiusi, felice, circondato da un mucchio di donne le quali se lo bevon con gli occhi. La ragione per cui se lo bevon con gli occhi è banale: in pantaloni e camicia mio fratello è abbastanza bruttino, in costume da bagno invece sembra un attore, la reclame di un olio abbronzante: e quel tipo in America piace. Di questo non preoccuparti comunque e non preoccuparti nemmeno del fatto che sia un astronauta: non s'è mai dato arie per il mestiere che fa, non ha niente in comune con Shepard o quelli che vanno col naso insù. Mio fratello è un tipo alla mano, fa amicizia con tutti, giovani e vecchi, buoni e cattivi, stupidi e intelligenti, e il suo modo di fare amicizia è fantastico: prima ti guarda come se vedesse un fantasma o un dentista, poi apre la bocca e incomincia a mostrarti i denti. Con me, almeno, fece così.

«Ecco, guardi, mi dica se ho torto o ragione. Non son mica malati. Sono radi, e con questo? Non è mica una malattia!»

«No, no.»

«Intendiamoci, per curare anche quello si cura. Si mette un apparecchio, lui stringe, e loro si avvicinan contenti: come se avessero freddo. Poi si toglie l'apparecchio e op-là! Restano lì infreddoliti. Voglio farmelo fare: sono brutti così, non è vero?»

«No, no. Sono bianchi, puliti. Un po' strana la forma, semmai. Un po' cortini.»

«Questo è nulla. Prima era peggio: non si vedevan neanche. Le gengive e basta. Dalle gengive spuntava un chicco di riso e quello era il dente. Così le ho tagliate.»

«Tagliate?!»

«Tagliate. Mica per bellezza, intendiamoci. Per gentilezza. Non potevo mai ridere: la gente si spaventava. Quando non si spaventava diceva: poverino-guardalo-lì-così-giovane-e-già-senza-denti. Mi toccava star serio e tutti pensavano che fossi un tipo serio: andò a finire che mi stufai d'esser serio, d'essere preso per serio, e andai dal dottore. E lui zac! zac! zac! tagliò via le gengive. A una a una. Trentadue volte.»

«Dio!»

«Mi chiamo Conrad. Pete Conrad. Non Dio.»

«Lo so. So ogni cosa. Allora: vogliamo levarcelo questo dente, Pete Conrad?»

«OK.»

Spalancò la bocca, rassegnato.

«No, no. Io dicevo parlare.»

«OK, parliamo. Che si dice, che si dice?»

«Guardi, dica quello che vuole: eccetto una cosa. Che sognava di volare fin da bambino. Me l'hanno già detto in sei o sette. Se me lo dice anche lei, apro quella finestra e mi butto di sotto.»

Fece un balzo di gatto, spalancò la finestra.

«Si butti.»

«Oh, no! Anche lei!»

«Coraggio, si butti. Si butti!»

Jack, che appena entrato s'era messo in un angolino a dormire, spalancò un occhio.

«Pete, se la butti dalla finestra ci sarà un mucchio di gente che ti dice grazie. Però avrai contro tutta la stampa e l'ambasciata del suo paese farà un mucchio di storie.» Dopodiché chiuse l'occhio e tornò a dormire. O a far finta di dormire: in quanto dubito che perfino Jack possa dormire quando mio fratello parla. Pete è così buffo, papà. Ti restituisce fiducia, capisci? Ti dimostra che si può sopravvivere alla contaminazione spaziale, che la speranza esiste, che non sempre si è automi in una tal società. Mi spiego? Quando tu affronti un tale che per anni e anni ha cantato in Marina *Oh! I love the Navy! Oh! I Love the Navy!* e poi per altri anni ha vissuto tra i calcolatori elettronici e il LEM, non ti aspetti gran che. Gli dici ad

397

esempio «Einstein» e subito ti coglie il terrore che incominci a spiegarti la dannatissima teoria della relatività, quella che io non capisco, se la capisco la dimentico nel giro di un'ora e ogni volta siamo daccapo: non mi ascoltano mica quando protesto che è inutile tanto non la capisco, tanto me ne dimentico. Be', con mio fratello, e Dio sa se appartiene a un mondo che tu disprezzi e respingi, tutto ciò non succede. Dici «Einstein» e lui invece della teoria della relatività ti racconta la storia del gelato di Einstein: come vedrai. Questo a me sembra molto importante e dovresti tenerne conto, papà. Dopodiché torno a mio fratello, che sta fermo dinanzi a Jack.

«E chi la butta? È lei che si butta. E poi perché?»

«Perché siete noiosi. Perché sembra di intervistare i sarti anziché gli astronauti. I sarti quando ti dicono: oh! io fin da bambino vestivo le bambole.»

Fece un altro balzo di gatto.

«Sarti? Io ne conosco uno. Si chiama Pierre Balmain, sta a Parigi. Le racconto la storia. Deve dunque sapere che io studiavo a Princeton...»

Mi guardò di sotto le ciglia per vedere se la notizia mi aveva impressionato. Finsi la più profonda meraviglia.

«Princeton! Perbacco!»

«Perché tanta gente non sa nemmeno cos'è Princeton» aggiunse sospettoso.

«Vogliamo scherzare? È una delle più gloriose università americane. Ci insegnava Einstein e ora ci insegna Oppenheimer» recitò Jack senza aprire gli occhi.

Mio fratello si grattò l'ancora, felice.

«Io non andavo alle lezioni di Einstein perché lui insegnava agli anziani. Però lo conoscevo lo stesso. Ragazzi, che tipo! Anzitutto quei capelli: una zazzera che ci si faceva le trecce. Poi quegli occhi: buoni cattivi belli brutti tristi allegri, tutto. Poi quella maglietta.»

«La maglietta?»

«Sì. Bianca, con le maniche corte, e il ritratto di Popeye stampato sullo stomaco. Popeye, sa? Braccio di Ferro. Quello che mangia gli spinaci così diventa robusto. Einstein se la metteva per mangiare il gelato.»

«Per mangiare il gelato?»

«Sì, altrimenti si sporcava la camicia buona. Lui preferiva

il gelato di fragola. Sa, quello che ci si trova dentro quei bei fragoloni. Il fatto è che lui il gelato non lo voleva dentro il bicchiere, lo voleva nel cono. E poi non lo mangiava da fermo, lo mangiava camminando. E poi non lo mangiava camminando normale, lo mangiava saltando. Così.»

Girò dietro la scrivania e si mise a saltare su un piede solo.

«Questo perché un piede lo teneva sul marciapiede e un piede lo teneva per strada. Ragazzi, che uomo! Amavo quell'uomo. Mica per la teoria sulla relatività, per il modo in cui mangiava il gelato. Poi, una volta, gli cascò il gelato.»

Di nuovo mi guardò di sotto le ciglia per vedere se la notizia mi aveva impressionato.

«Perbacco!» ripetei. «Perbacco!»

Di nuovo si grattò l'ancora, felice.

«Gli cascò il gelato, sì, sì. Ragazzi, che spettacolo! Sacramentava come un pazzo guardando il suo gelato per terra: dentro c'era un fragolone così. Sa, di quelli grossi ma grossi. Poi si calmò e andò a prendere un altro gelato. Ma di fragoloni a quel modo non ne trovò più.»

«E a lei chi gliel'ha detto?»

«I miei occhi me l'hanno detto. Lo seguivo. L'ho seguito per mesi, Einstein. All'ora di colazione correvo subito a vedere se il gelato lo comprava o no. Ragazzi! Era Einstein!»

Rimase un po' zitto a cercare la fine della sua storia. E a modo suo la trovò.

«E poi... Poi morì e io piansi.»

«Ora voglio proprio vedere come riattacchi col sarto» osservò Jack. E aprì anche un occhio per assaporar meglio la sua cattiveria.

«Così riattacco: che dunque ero a Princeton. Be', non lo so perché questo Balmain venne a Princeton. Però ci venne e lo conobbi con altri ragazzi e lui ci disse di telefonargli quando andavamo a Parigi. Due anni dopo andai a Parigi, perché ero ufficiale di Marina. E gli telefonai.»

«Cosa c'entra con la Luna» brontolò Jack. «Lei è qui per la Luna.»

Mio fratello però non raccolse.

«Ragazzi, che colpo! Per prima cosa ci fece vedere quei vestiti di cui a me non importava un bel nulla: però dentro i vestiti c'erano le modelle e me ne importava moltissimo. Per seconda cosa ci dette a ciascuno una modella per scarrozzarci qua e là per i posti. Ragazzi!»

Rimase un po' assorto.

«La mia era un po' lunga. Tentai di cambiarla ma era lunga per tutti: così rimase a me. Ragazzi, se era lunga! Dico: perché sono sempre così lunghe quelle lì? Io sono cinque piedi e sei pollici: che fa uno e sessanta. Lei quant'è?»

«Ancora meno.»

Mi dette un'occhiata indulgente.

«Non importa. Bisogna portare con dignità la propria statura.»

«Pete! La Luna!» brontolò Jack.

«OK. La Luna! La Luna! Prima lei dice dica quello che vuole. Poi tu rompi le scatole con la Luna. E va bene: la Luna! Mio padre pilotava i palloni.»

«I palloni?»

«I palloni, i palloni. Anche oggi lui dice che tanto come i palloni non c'è nulla ed è assolutamente convinto che sulla Luna si possa andare in pallone. Da bambino ci credevo anch'io. Poi mi spiegarono che ci voleva l'aereo e mi innamorai dell'aereo. Che si butti o no dalla finestra.»

«E va bene, va bene. Non mi ci butto.»

«Ragazzi! Che devo farci se a me piace volare? Toh! Io tutta la vita non ho sognato che questo: volare. Ho sempre saputo ciò che volevo: volare. Ero a Princeton e pensavo a volare. Ero in Marina e pensavo a volare. Ognuno ha i suoi gusti, no? E così venne la prima selezione per volare nella capsula Mercury: ci partecipai insieme a Jim e Wally Schirra. Eravamo insieme in Marina. Si faceva tutti e tre la Scuola Collaudo Aerei. Ragazzi che esami brutti ci toccò quella volta! Jim...»

«Jim chi?»

«Jim Lovell. Amico mio. Che Jim ha da essere?»

«Lovell è un astronauta del secondo gruppo» spiegò Jack, magnanimo.

«E così successe che Wally fu preso, io e Jim invece no. Ragazzi, come ci restammo! Il fatto è che sembrava ne volessero nove, non sette. E noi eravamo nei primi nove. Poi decisero di prenderne soltanto sette e così scartaron noi due. Boh! Si vede che eravamo stati meno bravi degli altri.»

«Forse ne volevano soltanto sette, fin da principio» lo rincuorai.

«Si, vero? Boh! A ogni modo quando ne vollero altri per il secondo gruppo ci chiamarono subito.» Si grattò l'ancora: per ricordarmi che c'era. «Naturalmente non ci dissero affatto della Luna e del resto. Della Luna se ne parlò molto dopo: quando ero tornato sulla mia portaerei, con la coda fra le gambe. Non che non mi piacesse la mia portaerei: si viaggiava e si vedeva un mucchio di posti che ci sembravan lontani. Ora invece non c'è che la Luna che ci sembra a due passi. Ragazzi! Ma lo sa che è davvero curioso come si parla noi della Luna? Quella roccia li, quella roccia là. Tu prendi una roccia qui, io prendo una roccia là. Poi prendi una manatina di polvere qui, io prendo una manatina di polvere là. Boh! Sembra d'andare al mercato a comprar l'uva o le mele. E si finisce che ci pare vicina come New York. Anche a me ormai pare vicina come New York. Ma la Luna è lontana, ragazzi! Andarci non è mica un pic-nic!»

«Von Braun dice che andarci è un pic-nic.»

«Un corno! Ci vada lui se gli pare un pic-nic! Un corno!»

«Perché? Ha paura?»

«Ho paura, sì! Senti che domanda! Ho paura, sì. Anche in aereo a volte ho paura. Quando c'è da atterrare su una portaerei ad esempio. Dico: non è mica uno scherzo atterrare su una portaerei. Sembrano grandi ma quando ci devi atterrare diventano piccole come un pisello. Un pisello in mezzo al mare. E tu devi scendere su quel pisello. Boh! Pic-nic un corno! Ci vadano loro se è un pic-nic, invece di mandare noi!»

«E dagli con quel *noi*!»

«Toh! Me l'avevano detto quando ho chiesto agli altri: ma che tipo è questo tipo che scrive sugli astronauti? Un tipo da legare, risponde Dick Gordon: si arrabbia quando si parla al plurale. Ragazzi! Ma lo sa che lei è una tipa da legare davvero? Scusi, sa, ma io come faccio a dire io? Io non sono che un topo in quel coso e quel coso è praticamente guidato da migliaia e migliaia di persone che stanno dietro di me. La mia responsabilità è identica alla loro responsabilità: come si fa a dire io anziché noi? Sulla Luna è lo stesso. Si va in tre, mica uno. Non sarà mica di quelli che ci trattan da eroi?»

Tu la sai come la penso, papà: secondo me sono eroi. Però

la sera avanti, nella mia stanza al Kings Inn, m'era capitato di vedere una conferenza televisiva del professor John Dodds della Stanford University. E costui, un vecchio pallido, con la faccia da inglese, aveva detto qualcosa su cui meditare. Oggigiorno, aveva detto, c'è una gran confusione sui concetti di grandezza e di eroismo: la celebrità viene spesso confusa con la grandezza e l'audacia viene spesso confusa con l'eroismo. Il fatto è che la grandezza diventa sempre più difficile perché diventa sempre più difficile farsi da sé, affrontare le cose da sé. Gandhi s'era fatto da sé e affrontava le cose da sé. Lincoln s'era fatto da sé e affrontava le cose da sé. Churchill s'era fatto da sé e affrontava le cose da sé. Kennedy, già, non s'era fatto da sé e non affrontava le cose da sé: dietro di lui era l'apparato del partito, del Congresso, dei miliardi. Solo la morte l'aveva affrontata da sé: e questa gli aveva restituito grandezza. Lo stesso discorso si poteva applicare all'eroismo. Molta gente, aveva detto il professor Dodds, sceglieva gli astronauti come simbolo dell'eroismo moderno. Ammettiamo che ciò fosse giusto: cosa portava a concludere? Che l'eroe, oggi, non è più solo. L'eroe, oggi, è un gruppo di eroi. Ma la parola eroe include il concetto di solitudine: l'eroe è eroe in quanto solo. Un gruppo è eroico, non eroe. E chi è solo oggi? Nessuno fuorché il ribelle. Conclusione: c'è solo un tipo di eroe nel mondo di oggi, ed è il ribelle.

«Ha visto il professor Dodds, ieri sera, alla televisione?» domandai. «Settimo canale, ore ventitré e trenta.»

«Io la notte dormo» rispose. «Vado a letto alle nove: si figuri se guardo il professor Dodds. Perché?»

«Nulla. Così. Ha tenuto una conferenza sul concetto dell'eroismo. Secondo lei, chi è eroe oggigiorno?»

Mio fratello si grattò l'ancora: ma non per ricordarmi che c'era, stavolta. Per grattarsela e basta. A volte lo aiuta a pensare. Poi si strinse nelle spalle, perplesso.

«Boh!» disse. «Vediamo... Boh! L'eroe per esempio è uno che si fa ammazzare per non ammazzare un altro. Mi spiego?»

«Si spiega.»

«E poi... ecco... insomma... Se vuol proprio saperlo, secondo me l'eroe non è neppure uno che si fa ammazzare per non ammazzare un altro: magari si fa ammazzare perché gli vuol bene, e perché spera d'andare in Paradiso, e allora non conta. Insomma non è più un eroe. Ecco... insomma... se vuol proprio saperlo, secondo me l'eroe è uno che esce in mutande per strada perché vuol dimostrare qualcosa in cui crede.»

Che ne dici, papà? Non v'era neanche bisogno di domandargli se fosse una Tartaruga. Era davvero superfluo. Conoscevo già la risposta mentre mi avvicinavo al suo orecchio.

«Are you a Turtle?»

«Puoi giurarlo sulla tua...» gridò, pazzamente felice.

La formula del giuramento, la parola d'ordine di noi Tartarughe.

# CAPITOLO VENTISETTESIMO

L'indomani era il Giorno della Mamma Americana e il ristorante del Kings Inn brulicava di mamme americane venute lì per farsi festa. Le Mamme Americane indossavano vestiti accollati di organza dalla gonna molto ampia ed i colori pudibondi: rosa confetto, verde pisello, giallo mandarino. Inoltre portavano cappelli adorni di fiori e di frutta, bandierine e verdure, e le scortava un marito dal volto di larva ubbidiente: che badava ai figlioli. Alcune erano vecchie e altre erano giovani, alcune erano brutte e altre erano belle: tutte però, avevano addosso qualcosa di sbagliato, cattivo, e dava fastidio pensare che dai loro ventri uscissero i figli del futuro. Dai loro ventri: non si parla quasi mai di donne in questo libro, papà, le donne sono pressoché escluse dall'avventura spaziale, tutt'al più relegate a impieghi di segretarie come Sally Gates. Ma se le guardi, le interroghi, capisci perché: non gliene importa nulla di ciò che ci aspetta. Non sono né a favore né contro, vi assistono immobili come gli operai della Garrett: la marcia dell'Uomo nel Cosmo si riduce per loro a una conquista di nuovi arnesi domestici, pentole automatiche, lavatrici automatiche, vol-au-vent commestibili fino al 1995, comodità. Niente altro. Uscirà da quei ventri il figliolo che andrà a morire su Marte, su Alfa Centauri, chi lo sa mai dove: e tutto il loro contributo consiste in un buon funzionare di ovaie. Sì, lo so che al momento opportuno seguiranno i mariti, partiranno con loro a colonizzare quei mondi remoti, si comporteranno magari assai bene: lo so. Lo han già fatto in America quando sparavano coi mariti agli Indiani. Però quando il momento verrà ci accorgeremo che salvo poche eccezioni, una astronoma qui, una geologa lì, non fecero un fico per meritar tal privilegio.

Come le grandi imprese, le scoperte di nuovi continenti, le guerre, la Luna resta un mestiere da uomini.

Seduta al mio tavolo, vestita di nero e abbastanza scollata, meditavo perciò queste cose e la Mamma Americana rispondeva con occhiate gonfie di ostilità, poi riavvicinava il cappello al cappello di un'altra Mamma Americana e commentava la mia esistenza con uno scuoter di mani indignate. Perché ero sola? Perché profanavo col mio vestito scandaloso quel Giorno? Chi cercavo? Chi aspettavo? Chi rubavo? E poi, guarda: fuma. Un tipo come me, che entra in un ristorante fumando, è considerato dalla Mamma Americana un tipo poco perbene, un pericolo.

« Dev'esser svedese. Le svedesi vanno sole così. »

« Macché svedese: non lo vedi com'è bassa? Sarà francese. »

« Buone, le francesi. Ricordi la moglie di George? Be', una francese... »

« Possibile?! »

« Sì, te lo giuro. »

E intanto mi affogavano nel loro Niagara di latte, papà, mi scudisciavano con la loro fertilità prorompente, lapidandomi a ogni sussurro col rimprovero di mille bambini mai nati. Se uno dei loro mariti posava per sbaglio o per caso lo sguardo su me, mi sentivo perduta.

« Chi guardi, caro? Chi cerchi? »

« Io? Io, nulla, nessuno. »

« Papà! Cosa ha fatto quella, papà? »

« Nulla ha fatto, stai zitto! »

« Mammy! Cosa ha fatto quella, mammy? »

« Non te ne occupare, stai zitto! »

« Sicché la moglie di George... »

« Pagherei sapere che pensa... »

Pensavo alla mamma. Alla mamma che non s'è mai vestita di organza, di rosa confetto, di verde pisello, di giallo mandarino, e non t'ha mai costretto a tenere in braccio i suoi figli, e non ha mai beneficiato di pentole automatiche, lavatrici automatiche, vol-au-vent commestibili fino al 1995, comodità, ha sempre lavorato e basta, senza portare il cappello, senza mai dirti portami al ristorante, senza saper nulla di Marte e di Alfa Centauri, e tuttavia quel giorno era stata capace di rimprove-

rarmi perché non sapevo curare un piccione e non meritavo i
miei sogni su Marte e su Alfa Centauri. Cosa faceva a quell'o-
ra la mamma? Calcoliamo: dormiva. In Italia era notte e dormiva. La sera a cena c'era stato il solito dialogare fra voi.
«Dove sarà nostra figlia, con tutti quegli aeroplani?» E tu:
«Dove vuoi che sia: a zonzo, a combinarne una delle sue».
«Poverina! Perché dici così? Oh, se almeno mi telefonasse!»
«Ma telefonare dall'America, costa: che credi?» «Lo so, lo
so. Però me lo aveva promesso. Di': mangerà?» «Quella
mangia, beve, fa tutto. Di che ti preoccupi?» «Mi preoccupo,
no? Mi preoccupo! Son la sua mamma!» «E lei non è mica
una bambina: è una donna.» «Per me sarà sempre una bambina.» Mi alzai affrontando mille aghi di occhi, telefonai a
Sally. La pregai di raggiungermi, salvarmi dalla disapprovazione di quei ventri fecondi. Sally arrivò quasi subito, vestita
di nero anche lei, scollata anche lei, i tremendi occhi verdi che
bollivano guerra.

«Ciao, peccatrice.»

«Ciao, Sally.»

«Ti fanno paura, eh?»

«Sì, Sally.»

«Le trovi dappertutto, oggi: coi loro cappelli, il loro insulto
alla maternità. Mamme di futuri schiavi, futuri imbecilli, nel
migliore dei casi robot. Sono le custodi più feroci del Sistema,
le nemiche più spietate di noi Tartarughe. A proposito: com'è
andata ieri?»

«Così e così. Però ho trovato due fratelli. E li ho adottati. Uno me l'hanno portato via subito, l'altro è rimasto.
Tartarughe.»

«Pete e Teodoro!»

«Infatti.»

«Edward, no? È tra i miei preferiti. Durante la seconda selezione feci da balia a quei nove bambini e ti assicuro che Edward mi bucò il cuore. Assomiglia a mio figlio più grande. Ti
posso giurare che è una Tartaruga anche lui.»

Le spiegai che l'angelo era sparito in un profumo d'incenso
dopo una visione durata appena otto minuti. Stavo per chiedergli se fosse una Tartaruga ma il Burocrate me lo aveva
impedito.

«Lo è. E Dick Gordon?»

Le spiegai che nemmeno a Dick Gordon, sai il tipo che assomiglia a Berto e sa fare di tutto ma non gli aquiloni, nemmeno a lui avevo avuto il tempo di chiedere nulla.

«È una Tartaruga. E anche altri.»

«Comunque due fratelli son molti. No, Sally? Non si può dire che della seconda tappa a Houston, Texas, non mi resti nulla. E poi mi resti tu.»

«Uhm.» Sally mise su un po' di grinta per non farmi capire che era commossa.

«Due fratelli e una sorella.»

«Uhm. Quando vai a Las Cruces?»

«Domani. E con gioia. Odio questa città, Sally. La odio.»

«La odio anch'io. Non dimenticare che sono nata a Filadelfia e sono stata educata a San Francisco.»

Dai cappelli di fiori e di frutta, bandierine e verdura, rifioriron commenti.

«La più vecchia è nata a Filadelfia ed è stata educata a San Francisco.»

«Sarà sua zia.»

«Macché zia. Non lo vedi che non si assomigliano?»

«Invece sì. Sono della medesima pasta.»

«Come ti dicevo, dunque, andò a finire che George...»

«Nooo!»

«Ed era sterile, pensa! Sterile! Sterile!»

«Usciamo da questo letamaio» disse Sally ad alta voce.

Dai cappelli ruzzolarono, come sbattuti da una tempesta, margherite di velluto e fragole di carta, bandierine di seta e susine di plastica. Un bimbo strillò. Un marito svenne.

I bambini di Houston, papà. I mariti del futuro. Poco prima che Sally se ne andasse, Bob venne a salutarmi insieme a un ragazzo molto grasso che si chiamava Bobby ed era suo figlio: anni dodici. Avevo fatto pace con Bob e malgrado mantenessi la mia opinione su lui (un uomo spaventato e troppo ligio al Sistema), lui mantenesse la sua opinione su me (una villana esigente ed ingrata), ci frequentavamo di nuovo. Di qui, la visita di Bob e di Bobby: l'uno stranamente mortificato e l'altro chiaramente annoiato.

«L'ho portato in aereo insieme a Neil Armstrong, l'astronauta» cominciò a spiegare Bob.

« Puaf! » commentò Bobby.

« Non era mai stato in aereo e non aveva mai visto un a-
stronauta » continuò Bob. « Neil ci ha fatto fare un volo stupendo. S'è buttato perfino in picchiata. »

« Puaf! » commentò Bobby.

« Io ero eccitato, contento. Lui non ha battuto ciglio. Non
si è meravigliato, non si è commosso, non si è impaurito, niente. Quando abbiamo atterrato, Neil gli ha chiesto: ”T'è piaciuto, Bobby?”. Sai che ha risposto? ”Non c'è male.” Così ha
risposto: ”Non c'è male.” Ma cos'hanno questi ragazzi? »

Si voltò verso Bobby che mi accendeva i fiammiferi e poi li
buttava via, consumandoli tutti.

« Eh? Ma cos'hai? Cosa vuoi? »

« Voglio un gelato » sibilò Bobby. « Di vaniglia. »

Feci venire il gelato. Un enorme gelato con la ciliegina nel
mezzo. Lui prese la ciliegina e la buttò nel vaso da fiori. Nel
resto, ci spense i fiammiferi e Bob non lo rimproverò, non fece
commenti. Forse pensava a sua moglie. Anch'io del resto
pensavo a sua moglie. Non l'avevo mai vista ma ne conoscevo la voce, potevo immaginarne il litigio prima che Bob u-
scisse di casa. « Domani parte, forse dovremmo invitarla. »
« Ah, sì? Per-farmi-vedere-così-non-lo-vedi-che-non-ho-nulla-
da-mettermi? » « Ti dispiace allora se la porto io in qualche
posto? » « Ah, sì?!? Dunque-mi-lasceresti-sola-il-giorno-della-
mamma-americana-per-andare-con-lei? » Ma è un'amica, perdio! Solo un'amica! » « Amica! Le-conosco-io-le-tue-amiche! »
« E va bene. Vado a fare un giretto con Bobby. Ciao, a dopo. »

Bobby prese il gelato che era diventato un gran portace-
nere sguazzante di cicche nel liquido giallo, e lo rovesciò
nel vaso da fiori: affinché ritrovasse la ciliegina. Bob si alzò
per andare.

« Allora ciao, arrivederci. »

« Ciao, Bob. »

« Mi dispiace che stasera tu ceni da sola. Mi sarebbe piaciuto invitarti ma... »

« Non importa, Bob. Non importa. »

« E così ho pregato un amico di portarti a cena al mio
posto. »

« Per carità, Bob! Lascia perdere! »

«Guarda: sa tutto, proprio tutto su Marte. Dirige l'Ufficio Progetto Marte.»

«Bob, ne ho abbastanza di Marte. Stuhlinger mi ha raccontato tutto di Marte. Non lo voglio vedere questo tuo amico.»

«Ma è qui al bar, che ti aspetta!»

L'amico di Bob che dirige l'Ufficio Progetto Marte si chiamava Bill. Aveva trentacinque anni, ne dimostrava cinquanta, ed era assai disponibile in seguito a un recente divorzio. Si considerava un intellettuale e per dimostrarmelo mi portò dritto all'università dove c'era un dibattito sui rapporti fra comunismo e religione. Il dibattito avveniva in un'aula e vi partecipavano: un vecchio vestito di rosso, una donna che faceva la calza, un'altra donna che non faceva nulla, due uomini che ricamavano all'uncinetto, va' a vedere perché. I loro discorsi eran quelli che udivo fare, ragazzina, al liceo: ripetevano che i comunisti sono una setta religiosa, che l'organizzazione comunista è copiata da quella cattolica, altre cose ferocemente ovvie. Però a loro sembravano nuove, incredibile come la cultura spaziale ignori ciò che noi sappiamo al liceo, e frugavano in quei concetti acquisiti con voluttà oscena, lussuria onanistica. Poche volte m'era capitato d'assistere a uno spettacolo così disarmante di masturbazione culturale. Quando tutto finì il nostro Bill si decise a offrirmi la cena raccomandata da Bob e mi afflisse con le sue opinioni sulla tecnologia. Diceva che l'unica via per la libertà non può venire che dalla tecnologia: il guaio è che questa non è sufficientemente applicata. La libertà è anzitutto libertà dal lavoro e le macchine non lavorano abbastanza per noi. Il weekend dura solo due giorni, diceva, dovrebbe durare non meno di quattro: dal venerdì al martedì. Il vero socialismo, diceva, non può venire che dalla tecnologia: bisogna imparare a essere ricchi. La ricchezza è libertà. E la libertà era per lui una cosa da mangiare: c'è tanta gente per cui la libertà è una cosa da mangiare, non è vero, papà? Sicché, ecco, lui mi ricordava paurosamente HR. Ancora un poco ed avrebbe incominciato ad urlare che bisogna radere al suolo New York, San Francisco, Londra, Parigi, Firenze, per rifarle più comode, funzionali, pulite. Anzi, ad essere esatti, lo urlò: ce l'aveva, mi pare, con Londra perché una volta ci aveva preso una pulce. Londra era vecchia, nel vecchio crescevan le pulci, per distrugger le pulci bisognava distruggere

Londra, ma io non lo ascoltavo. Pensavo a una storia che raccontavi quand'ero bambina: quella del peccatore che va in Paradiso. Il Paradiso è comodo, funzionale, pulito: e il peccatore non fa che mangiare e dormire, servito da solerti robot. Ma a poco a poco gli viene a noia di mangiare, dormire, esser servito: e vuol lavorare, fare qualcosa. «Non si può» dice l'angelo. «Ti prego, angelo! Via!» «Non si può» dice l'angelo. «Solo qualcosa: ad esempio cogliere da me quella mela.» «Non si può» dice l'angelo. «Ma ho due mani, due braccia! Fammele usare!» «Non si può» dice l'angelo. «Ma insomma, dove sono? All'inferno?» «Certo che sei all'inferno» gli dice l'angelo. «Dove credevi di essere?»

Gli dissi la storia e rispose che ero una reazionaria. Ci litigammo e mi riportò finalmente in albergo. Vi giunsi arrabbiata e dimenticai di chiamare la mamma: come avevo promesso. Chiamai la mattina e la telefonata tardò. Chiesi che la trasferissero all'aeroporto e avvenne un disguido. Quando la mamma fu in linea e strillò: «Pronto, bambina mia, come stai, pronto» una voce annoiata rispose: «Ma questa che vuole? Che dice?»; il mio aereo stava decollando diretto a El Paso. E la mamma pianse.

# CAPITOLO VENTOTTESIMO

Piante di cactus e cespugli di mesquite, bianche distese di sabbia e deserto, deserto, deserto. Non una casa, una baracca, una pozza; solo silenzio e desolazione, desolazione e silenzio. E questo era il Nuovo Messico: laboratorio dell'era spaziale, culla della nuova civiltà. Davvero qui s'erano svolte le battaglie fra i pionieri e gli Indiani, le corse pazze dei carrozzoni, le cavalcate irose degli Apaches? Davvero qui si davano guerra gli sceriffi ed i banditi, davvero qui Billy the Kid sparava addosso allo sceriffo Pat Garrett? Sì, certo. Ma quella era preistoria. La storia incominciava laggiù, tra le dune di Alamagordo, dove si affonda il *Gran Buco* del 16 luglio 1945: il Giorno della Bomba, ricordi? L'appesero in cima a una torre di trentatré metri, si rifugiarono dentro il fortino di cemento e di acciaio, alzarono una piccola leva, e il diavolo scoppiò in un fungo da cui sorgeva un altro fungo e poi un altro fungo ancora: per terra rimase una cicatrice rotonda, brulicante radioattività. Laggiù, tra le dune di Alamagordo. Un idiota voleva che vi sorgesse un monumento. Un santo, forse, lo impedì. Il Gran Buco tappezzato di erbacce, scaglie di trinitit, era ormai un cerchio di filo spinato che chiudeva il niente in mezzo al niente. In mezzo al niente. Non lo vidi e non mi dispiacque: c'era di meglio, papà. C'era la città di Juarez, il Messico vero. Sombreros, stivali con gli speroni, tequila, quel sudicio che piace tanto a noi che ci laviamo, quella pigrizia che piace tanto a noi che corriamo. Il confine tra El Paso e Juarez è un cancello aperto: i cittadini americani lo passano dicendo USA, io mostrai il passaporto e risposero che non ce n'era bisogno.

«Haga como le gusta a usted, no se incomode, guapa!»

«Muchas gracias, señor!»

«De nada, de nada!»

«Se va por aquí a la Plaza Grande?»

«Todo derecho, guapa.»

Che carezza al cuore parlare spagnolo. Che dolcezza camminare lungo marciapiedi fatti come marciapiedi, tra bambini mocciosi e donne vestite di rosso, di verde squillante, una voce che canta *Hay luna y mi corazón te llama*: c'è la luna e il mio cuore ti chiama. Che conforto annusare il puzzo di sudore e di aglio: all'inferno l'igiene, i deodoranti, il chewingum. Senza quelli nessuno ti chiede chi sei, dove vai, cosa fai, se segui la dieta o non la segui, se credi in Dio o non ci credi, nessuno ti ferma perché usi le gambe anziché le ruote, nessuno ti sibila: «Rotta la macchina? Bisogno di aiuto?». Gli dici: sono venuta a vedere il Piccolo Joe, e loro pensano che tu sia venuta a vedere un nipotino che si chiama Joe, Joselito. Gli spieghi che il Piccolo Joe non è un nipotino ma un razzo e loro si mettono a ridere: «Le doy a usted el pésame», Le faccio le mie condoglianze. Un cancello, una lingua amica, e in pochi metri il tuo incubo cessa: sei un'altra creatura, papà.

Non ricordo quanto rimasi seduta nella Plaza Grande, a bere tequila, ascoltar quella nenia *Hay luna y mi corazón te llama*, guardare un piccione che escrementava sulla spalla di un vecchio e lui non lo cacciava. Forse un'ora, due ore: il tempo qui aveva una lunghezza diversa, era più corto. Era corto come i pomeriggi felici quando sei insieme a una persona che ami e tutto va bene, ti pare che debba durare per sempre e invece ecco, il buio è già giunto: per via d'una frase, un'occhiata. Prima di arrivare a Las Cruces volevo vedere Fort Bliss, le baracche di von Braun e Stuhlinger. Mi alzai a malincuore e forse per questo, quando ci fui davanti, non mi dissero nulla: casotti di legno ormai marcio, una caserma nell'ampia pianura. Brontolai all'autista grazie, va bene, prosegua, e lasciai subito El Paso: una città né nuova né vecchia, né pulita né sporca, destinata a svanire come il suo fiume. Da anni il Rio Grande è un letto di ortiche, in parte lo deviarono e in parte seccò, la vita scorre a Las Cruces: quarantaquattro miglia da El Paso, quarantaquattromila abitanti stipati all'incrocio della Statale 70 con le Statali 80 e 85. È da Las Cruces che si raggiunge White Sands, il deserto di sabbia riservato ai missili. È a Las Cruces che si ritrovano tutti quando la NASA sceglie White Sands per il lancio di un razzo. Un tempo Las Cruces era un centro turistico, un villaggio intorno alle croci di un massacro avvenuto nel 1848. La gente ci veniva per assistere alle fiestas di luglio e di mezzo settembre, per visitare le caverne di Carlsbad che mantengono tracce dell'età troglodita, per godersi il sole che qui splende in estate perpetua ed è un sole buono, asciutto, prezioso per gli ammalati. Ci veniva per gli indiani-pueblo che vestivano pelli di daino, parlavano un misterioso dialetto dove *no* significa *sì* e il vero *no* non esiste, evocavano i morti e le fate per supplicare la pioggia, consideravano i soldi come qualcosa di immondo. Ci veniva per vedere le Montagne dell'Organo, rosse e appuntite, mai calpestate da un uomo; ci veniva per cogliere i fiori che spuntano in mezzo al deserto e durano solo una notte; ci veniva per rotolarsi dentro la sabbia che ha un biancore di neve, una leggerezza di cipria, e ti resta addosso come la polvere. Ma il diavolo scoppiò lasciando la cicatrice rotonda e tutto cambiò. I pueblo dimenticarono i morti e le fate, indossarono camicie e blue-jeans, si dettero a vendere scaglie di trinitit chiuse in sacchetti di plastica; le caverne di Carlsbad si arricchirono di ascensori e snack-bar dove mangiar salsicciotti, bere gazose; i militari occuparono completamente White Sands, Las Cruces divenne quello che ora vedevo dal tassi arrivando da El Paso: una brutta copia della Florida e del Texas, cartelli con la scritta *Off-limits*, nastri d'asfalto, motel. Il mio motel si chiamava The Palms, sebbene di palme non se ne vedesse neanche una. Ed era identico al Cape Colony Inn o al Kings Inn: un quadrato di camere intorno a un cortile con la piscina nel mezzo: tante celle automatiche per impazzire.

Jack, il publicity man, era già lì: insieme ad altri tipi giunti da Houston, Los Angeles, Washington, e incaricati di spiegare alla stampa quanto fosse importante il lancio del Piccolo Joe. Mi venne incontro col suo passo stanco, il suo volto assonnato, e mi caricò immediatamente di fogli sui quali era scritto che il Piccolo Joe pesava cinquanta tonnellate, che si chiamava Piccolo Joe perché in confronto agli altri era piccolo, che l'area concessa dall'esercito alla NASA nel recinto di White Sands era novanta miglia quadrate, che la NASA era a mia disposizione per qualsiasi cosa desiderassi vedere.

«E cosa c'è da vedere fuorché i laboratori spaziali e i missili, Jack?»

«Boh!» disse Jack.

«Potrebbe vedere un ranch» osservò un tipo altissimo e grosso che risultò essere un collega di Jack, Ben James. «Il nuovo Messico è terra di ranch.»

«E dove stanno ormai i ranch?» disse Jack.

«Sei mesi fa ce n'era uno qui a poche miglia» azzardò Ben James.

«Figurati! Sei mesi fa!» disse Jack.

«Non è poi tanto» mormorò Ben James, perplesso.

«Io direi che è tanto» concluse Jack. «Ad ogni modo: vuoi portarla a vedere il ranch? Coraggio, portala a vedere il ranch. Su andate.»

E andammo, papà.

Era un bel ranch, al primo sguardo. Con una bella casa, un bel giardino, una bella piscina nel giardino e, tutto intorno, il recinto destinato alle vacche. Strano perciò che ci fosse solo una vacca: magra magra, tutta costole e pelle. Strano anche che la piscina fosse priva di acqua e coperta di foglie appassite.

«Non c'è acqua nella piscina. Hai visto, Ben?»

«No, non c'è.»

«E non ci sono bestie là dentro il recinto.»

«No, non ci sono.»

«Ma dove stanno, Ben?»

«Che ne so, io, dove stanno.»

«E i contadini, Ben, dove sono?»

«In nessun posto sono, evidente.»

«Forse in casa. Proviamo?»

«Mah» disse Ben. Poi mi seguì con aria mortificata, pentita, o il tono di chi dice oddio, chi me l'ha fatto fare di metterle in testa di vedere un ranch.

La casa era intatta. La porta della cucina era socchiusa come se i proprietari fossero appena usciti per andare nel campo. Sul tavolo c'era una tovaglia a quadretti e sulla tovaglia c'era una pentola sporca, poi alcuni piatti e due o tre bicchieri. Piatti e bicchieri erano anche sulla dispensa. Nella camera accanto il letto era disfatto. Da un attaccapanni pendeva un vestito da donna.

«C'è nessuno?» gridai.

Mi rispose un tintinnio di bicchiere. La porta aveva sbattuto per un colpo di vento facendo tintinnare il bicchiere.

«C'è nessuno?» ripetei.

«Ma chi vuoi che ci sia» brontolò Ben, esasperato. «È una casa abbandonata, evidente. Sono andati. Partiti.»

«Andati? Partiti?»

«Evidente. Hanno venduto la terra al governo e si sono stabiliti in città.»

«Lasciando tutto così?!»

«E perché dovevano fare altrimenti? Trasportar masserizie costa più che ricomprar tutto nuovo. Quindi, tre o quattro valige e via.»

«Ma Ben! Ci si affeziona alle cose!»

«Sciocchezze. I romantici come te si affezionano. Le persone pratiche, no.»

Posai gli occhi sul vestito da donna, poi su un paio di scarpe: in camera c'era anche un paio di scarpe. Ascoltai quel silenzio impossibile: il silenzio non sembra forse impossibile quando c'è un letto disfatto, coi lenzuoli capisci, i lenzuoli, e le scarpe e un vestito da donna? Cercai di convincermi che Ben sbagliava.

«Ben, noi lasciavamo tutto così quando suonava l'allarme e si doveva scappare: durante la guerra. Speravamo di tornare però. Forse sperano di tornare anche loro.»

«Figurati! La zona è ormai in mano all'esercito e, prima o poi, abbatteranno ogni cosa. Due o tre bull-dozer e via.»

«Forse vengono qui a passarci il weekend. Magari tra un poco li vediamo arrivare.»

«Figurati! La zona è ormai sotto tiro, ci si può venire solo di giorno, i missili li lanciano all'alba. Cristo, Jack aveva ragione. Sei mesi son tanti. Son tanti.»

Fuori, la vacca leccava una pozza di mota.

«Vattene! Vattene!» le gridò Ben. E le tirò un calcio, agitò nervoso una mano.

«Perché? Lasciala fare. Perché?»

«Sarà radioattiva o cose del genere. Non la toccare. Vattene! Vattene!»

La vacca ci guardò con occhi bagnati di malinconia e di

rimprovero. Poi caracollò verso il recinto, in un sobbalzare di pelle assetata. Noi tornammo al The Palms.

Del resto quella era giornata da passare al The Palms: ciò che avviene alla vigilia di un lancio si concentra in due luoghi, la base di lancio e il motel. Praticamente requisito dalla Comunità del Razzo, il motel si trasforma infatti in una cittadella spaziale dove è assai divertente aggirarsi, spiarne i provvisori abitanti. I tipi della NASA, ad esempio, che evasi dalla prigione di Houston diventan più sciolti, più allegri, quasi scolari in vacanza: perdono insomma l'elmetto. Poi i rappresentanti delle ditte fornitrici, la North American, la Garrett, la Douglas, cioè le ditte che hanno collaborato alla costruzione del razzo: loro sono ancora più buffi perché ti guardan con l'aria di dire: l'ho fatto io, cosa credi? E sembran mariti la cui moglie sta per partorire: sarà maschio, mio Dio, sarà femmina, ci vorrà il taglio cesareo, non ci vorrà? Poi i giornalisti. E quelli li immagini perché ne conosci alcuni, sì o no? I giornalisti, guarda, sono sempre un disastro quando si trovano insieme. Non gli va mai bene nulla, sputan su tutto, rompon le scatole per ogni sciocchezza, si comportano come se il mondo trattenesse il respiro in attesa del loro giudizio: ma i giornalisti spaziali son davvero il peggio del peggio. La prima cosa che ti metti in testa a guardarli, anzi ascoltarli, è che i razzi li inventarono loro: gli scienziati perciò fanno male a non domandargli consiglio. Ah, se von Braun gli avesse telefonato, gli avesse detto: scusi, sa scusi se la disturbo, ma lei ce la metterebbe questa vitolina? Quando poi quei giornalisti son donne, guarda: mette conto incontrarle. Per misteriose ragioni si trovaron coinvolte in questa faccenda, appresero che l'idrogeno liquido può diventar carburante e ciò fu come togliere il velo alle musulmane: le scatenò. Non stanno mai zitte, ti ricordano sempre che certe cose le sanno, alle conferenze stampa si alzano irose e chiedono agli astronauti: «Per quale ragione avete usato un propellente che attraverso Riabilità 95 sviluppa una spinta di 750.000 tonnellate anziché 751.000?». Gli astronauti si guardano in faccia e balbettano: «Già. Perché?» gli astronauti, mi spiego, costituiscon le vittime preferite di tanta sapienza: fosse presente Einstein, le giornaliste spaziali si rivolgerebbero lo stesso a Slayton a Cooper a Schirra. Per farsi notare, mi spiego? Ed ora, gli astronauti.

Superfluo dirti che essi sono i divi dell'intera faccenda, la ragione per cui uomini donne bambini alloggiati in altri motel si rovesciano la vigilia del lancio nel motel della NASA: travolti da subitaneo bisogno di fare il bagno in quella piscina, mangiare in quel ristorante, bere in quel bar. Gli astronauti lo sanno e, anche se il razzo non ha troppo bisogno di loro, è raro che manchino. Ma gli astronauti son molti, lo sai, a quel tempo erano ventinove: se dovessero venir tutti a ogni lancio non potrebbero più allenarsi, studiare, e sulla Luna ci andremmo noi due. Ne vengono cinque o sei, perciò, sette od otto: e qui sta il bello. Dico il bello perché non si sa mai a chi tocca o non tocca, e la gente ha l'aria che hanno i ragazzi prima di rompere l'uovo di Pasqua con la sorpresa dentro: mamma, che ci sarà dentro l'uovo? Mamma, si rompe l'uovo? L'uovo si rompe poche ore prima la partenza del razzo, quando essi arrivano coi loro jet e poi entrano insieme nel motel: un ingresso spettacolare. Dico spettacolare perché indosssano, dal primo all'ultimo, la tuta di volo che è azzurra. Ciò fa un certo effetto, questa macchia azzurra che avanza. Se non è azzurra è arancione e fa effetto lo stesso, questa macchia arancione che avanza. Poi perché nel gruppo dei cinque o sei, sette od otto, mio fratello c'è quasi sempre: e mio fratello è drammatico. Infine perché il palcoscenico di tale ingresso è spesso un cocktail: la vigilia di un lancio è immancabilmente impreziosita da un cocktail che si svolge nel motel. Se non piove, all'aperto.

Stavolta era allestito all'aperto: proprio di fronte alla piscina. E il pubblico appariva già molto nervoso per la storia dell'uovo di Pasqua quando qualcuno fece notare che stava facendosi buio: strano che gli astronauti non fossero ancora arrivati. Da Houston all'aeroporto militare di Las Cruces ci vogliono appena tre ore e di lì al The Palms nemmeno venti minuti. Ciascuno pilotava il suo aereo e perciò...

«Ma la torre di controllo che dice?»

«La torre di controllo sostiene che li ha visti atterrare.»

«E allora perché non arrivano?»

«È ciò che dicono tutti.»

«Non saranno mica andati a Juarez, da Irma?»

«Chi è Irma?»

« È... un posto, no? Un posto. »

« Con Slayton alle calcagna, figurati. »

« C'è anche lui? »

« C'è. Almeno c'era. »

« Non li avranno mica rapiti? »

« Potrebbero averli rapiti. »

« Non so se mi spiego: col Messico proprio a due passi. »

« Io non ho mai creduto alla volontà di pace dei russi. »

« Ma che se ne fanno i russi, dei nostri, se i nostri non parlano russo? »

« Glielo insegnano, no? »

« Son patrioti: non lo imparano mica. »

« Anche Powers era patriota: ma lo imparò. »

« Non diciamo sciocchezze. »

« Piuttosto, come venivano fino al The Palms? »

« In automobile, no? Che discorsi. »

« E chi guidava? »

« Uno di loro, no? Chi doveva guidare? »

Ciascuno diceva la sua, molti volti eran pallidi: il sospetto che i russi li avessero presi per condurli a Città del Messico e di lì all'Havana poi a Mosca era straziante pei più quanto il sospetto che se la stessero spassando da Irma, ritrovo dove un buon padre di famiglia non dovrebbe bere neppure il caffè. E inutilmente io cercavo di consolarli dicendo: suvvia, se sono andati da Irma che male c'è, meglio Irma che Cuba sì o no? Mi rispondevano con certe occhiatacce che mi sentivo Irma io stessa: c'è gente, ti giuro, che preferirebbe saperli al muro anziché in un bordello. Poi un tale giunse correndo.

« Li hanno trovati! Li hanno trovati! »

« Dove? Oddio, dove? »

« In un fosso! Rovesciati in un fosso! »

« È grave? Di', è grave? »

« L'automobile non esiste più! »

« Sono morti? »

« Non si sa, non si sa! »

« La polizia! Chiamate la polizia! »

« Il dottore! Chiamate il dottore! »

« Presto! Andiamo! Presto! »

« Vengo anch'io! Vengo anch'io! »

Partirono in tanti. Li avrei seguiti se ne avessi avuto il coraggio: ma non ce l'avevo, papà. Sebbene li conoscessi da poco era come se li conoscessi da sempre e facessero parte della mia famiglia, papà. Lentamente, irresistibilmente, essi si insinuavano nella mia famiglia, i miei affetti, e per qualche minuto provai la medesima angoscia di quando succede qualcosa a voi: un incidente, un malanno. Il pensiero andò subito a Teodoro, ricordo. Andò anche a Pete, si capisce, ed a Slayton, a Schirra, a Shepard perfino: ma anzitutto a Teodoro. Teodoro era quello cui volevo più bene, già allora, e che importa se il nostro incontro era stato breve, brevissimo? Il tempo dell'orologio non conta: puoi vivere con un tale vent'anni e considerarlo un estraneo; puoi passar con un altro venti minuti e portartelo dietro per tutta una vita. Dio quella frase di Wernher von Braun! «Il cinquanta per cento delle probabilità è che muoiano lassù sulla Luna. Il cinquanta per cento è che muoiano qui sulla Terra, a guidar come guidano.» Cos'era successo? Poi esplose una voce. Una voce che m'era assai nota.

«Quel cretino! Quell'idiota! L'ho visto, m'ha visto! Ho lampeggiato, ha lampeggiato! Mi sono portato sulla destra, s'è portato sulla sinistra. Ci viene addosso, l'ho detto. Ci viene, quel figlio di... quel rotto in...»

Era Pete. Tutto sudicio. Così sudicio che non vedrò nessun altro, mai, così sudicio. Terra, olio, porcherie d'ogni genere gli coprivano il viso, le mani, la tuta azzurra, i pochi capelli che non eran più biondi ma neri. E dietro a lui venivano gli altri: Shepard, con un'aria offesa che non ti dico, Gordon Cooper, Jim Lovell cioè il grande amico di Pete, e infine Slayton. Poi basta.

«Ehi, Pete!»

«Quel cretino! Quell'idiota! L'ho visto, m'ha visto. Ho lampeggiato, ha lampeggiato. Mi sono portato sulla destra, s'è portato sulla sinistra...»

«Ehi, Pete!»

«Ci viene addosso, l'ho detto. Ci viene, quel figlio di... quel rotto in...»

«Pete!»

«Oh! Ciao.»

«Pete! E Teodoro?»

«Che c'entra Teodoro?»

« Non è mica ferito? »

« Macché ferito, nessuno è ferito. Ho scartato, mi sono buttato nel fosso, o la macchina o noi mi son detto, io i riflessi li ho pronti. Cosa vuoi da Teodoro? »

« Nulla. Così. Chiedevo se c'era. »

« Teodoro, Teodoro! Tutti voglion Teodoro! Ci sono io, non ti basto? C'è Jim, non ti basta? »

« Sì, certo. Dicevo perché... »

« Jim! Ehi, Jim! Questo è Oriano del Progetto Formaggio! »

« Oriana, non Oriano. »

« Oriano, non sei mio fratello? »

Jim fece un inchino. Era alto, biondo, e beneducato. V'era qualcosa di aristocratico in lui e non si capiva come facesse ad intendersi così bene con Pete. Forse ne era un po' dominato. Straordinario come gli uomini alti si facciano dominare dai piccoli, spesso. Io stessa mi sarei fatta dominare, del resto, e te ne accorgerai con la storia che segue. Te la narro non tanto per dimostrarti in quale atmosfera si svolgono i famosissimi lanci quanto per spiegarti il mutamento che stava operandosi in me. Corruzione, tu osservi. OK, corruzione. Scegliamo « corruzione », se vuoi, e diciamo che essa è un processo assai lento. Come il raffreddore. Non sai mai in quale modo il raffreddore incomincia, o per cosa. D'un tratto starnuti e ti accorgi che c'è. Allora ti metti a pensare, dove l'ho preso, perché, quello spiffero forse, quel colpo di vento, e non vieni a capo di nulla, concludi solo che eri disposto a pigliarlo, facile preda dei germi, e non gli potevi sfuggire. Ecco qua.

Slayton era andato al ristorante con Shepard e Cooper. Io, Pete e Jim in un drive-in. Mio fratello ha la mania dei drive-in: sai le baracche che sorgono lungo le autostrade dove puoi chiedere una Coca-cola, un hamburger, una cena completa senza scendere dall'automobile. Sostiene che il cibo lì è buono, ne ha la medesima stima che tu hai delle trattorie preferite dai camionisti. Mangiavamo perciò, seduti nell'automobile, e parlavamo del Progetto Formaggio: ormai lo conosceva chiunque alla NASA. Pete poi ne era entusiasta: più ci penso, rideva, più concludo che i nostri geologi son fottuti bugiardi e la Luna non è fatta di roccia, contiene riserve inesauribili di formaggio coi buchi. Tuttavia, esclamò all'improvviso, il piano aveva un difetto.

«Ve ne siete accorti?»

«Io no» disse Jim, educato.

«Perché sei lento di comprendonio. E anche lei. Ma è così chiaro, scusate! L'ultimo quarto di Luna non lo possiamo rubare.»

«E perché no?» disse Jim, educato.

«Perché se lo rubiamo non abbiamo più dove appoggiare i piedi e il LEM, dilettanti! Per rubare e per ripartire ci vuole un punto d'appoggio.»

«E va bene. Rinunciamo all'ultimo quarto di Luna» disse Jim, educato.

«Esteticamente è anche meglio. A me l'ultimo quarto di Luna piace più della Luna intera» osservai.

«Bravi scemi. E i sospetti? Un quarto di Luna che resta sempre un quarto di Luna causa più sospetti di un'eclisse lunare, sì o no? Se la Luna sparisce completamente si può sempre dire che si stancò di far da satellite al nostro pianeta e andò a far da satellite a un altro. Ma se resta il quarto di Luna chiunque si accorge che gli altri tre quarti li abbiamo rubati.»

«Già» disse Jim, educato.

«E a chi danno la colpa? A me, si capisce. Qualsiasi cosa succeda, la colpa la danno a me. A me e basta.»

«Bisogna trovar qualcos'altro» convenimmo in coro io e Jim.

E ci mettemmo a studiare qualcos'altro. Era una bella sera di maggio, di quelle che piacciono a te, con un vento leggero che muove i capelli. La delusione per l'assenza di Teodoro m'era quasi passata, Pete e Jim lo sostituivano con la simpatia, l'allegria. L'unica cosa che non mi piacesse era la bevanda imposta da Pete: la rootbeer cui accennavo nell'altro capitolo, quello dove lo incontro. Sarebbe, questa rootbeer, un liquido nero che da lontano sembra caffè e va bevuto con ghiaccio: però quando lo bevi non sa di caffè, sa di medicina, sciroppo per la tosse, non so. Be', guarda: io posso bere di tutto, perfino il whisky che secondo me puzza. In Persia ho bevuto il vino di melograno, una volta: e ce l'ho fatta. In Brasile ho bevuto il mate, una volta: e ce l'ho fatta. In Giappone ho bevuto il cognac di riso, una volta: e ce l'ho fatta. A Dakar ho bevuto il tè di cavolo, una volta: e ce l'ho fatta. Ma con la rootbeer no, non ce la fo. E fu proprio quella, invece, ad avviare quel gioco. Devo poi dire gioco?

«Ho trovato» annunciò Pete leccandosi le labbra bagnate di rootbeer. «Fonderemo la "Oriano-Pietro-Giacomo-Rootbeer-Corporation-Limited" e smerceremo la rootbeer in altri pianeti. Diventeremo più ricchi che a rubare la Luna.»

«E in che modo?» disse Jim, educato.

«Attraverso una catena di drive-in, evidente!»

«Una catena di drive-in?!»

«Ma certo: i drive-in attaccano sempre nelle zone deserte e non negherai che la Luna è deserta. Sono probabilmente deserti anche gli altri pianeti e perciò...»

«In realtà niente tormenta come la sete quando siamo in viaggio, anzi in luoghi deserti» disse Jim, educato.

«Questa catena di drive-in salverà dalla sete. Dalla sete, dalla fame, da tutto. Ovvio che insieme alla rootbeer venderemo salsicciotti, dolcetti, frittelle calde. Alla buona, s'intende: niente coltelli, niente forchette. Alla buona.»

«Forchette e coltelli son cose di cui i pionieri non hanno bisogno» disse Jim, educato.

«Qualcuno storcerà il naso, c'è da prevederlo. Al momento giusto però anche gli esteti ce ne saranno gratissimi. Una cosa è certa: in automobile o con qualcosa che assomiglia all'automobile si dovrà pur spostarci, negli altri pianeti. E una locanda ogni tanto si dovrà pur trovarla.»

«Eh, già» disse Jim, educato.

«E poi sapete che dico? Se non lo faremo noi, lo farà qualcun altro. Tanto vale allora che lo facciamo noi.»

«Questo è vero!» esclamai..

O devo dire che mi uscì dalla bocca, papà? Che mi venne fuori come uno starnuto? Uno starnuto, sicuro. Perché bando ai sentimentalismi: cosa costruisci tu per sopravvivere dove non c'è nulla? Palazzo Pitti? La Cattedrale di Reims? Costruisci fortini, papà, locande per dissetarci: e le locande del tempo nostro sono i drive-in. Brutti, sì, offensivi al paesaggio, d'accordo. Ma quando tu hai sete, quando tu hai fame, non cerchi il bello: cerchi l'utile e basta. Non c'è Palazzo Pitti, non c'è Cattedrale di Reims che possa spengere la tua sete, placar la tua fame: ci sono i drive-in, i drive-in e basta. No?

Guarda, papà: nelle sue *Cronache Marziane* Ray Bradbury ha dipinto un gran personaggio, quello di Parkhill, l'astronauta che sbarca con la quarta spedizione su Marte. Sam Parkhill è ignorante, tutto il contrario di Jeff Spender: l'archeologo che si innamora delle torri d'argento e di cristallo, dei resti d'una antica stupenda civiltà. A Sam Parkhill non importa nulla delle torri d'argento e di cristallo, dei resti d'una antica stupenda civiltà. È una bestia, ci spara sopra, distrugge come HR o quel Bill di Houston. Però quando Spender grida straziato: «Noi terrestri abbiamo il genio di rovinar tutto il bello, chiameremo quel canale Canale Rockefeller, quel mare Mare Dupont, installeremo bancarelle di salsicciotti vicino ai sarcofaghi d'oro», dalla bocca di Parkhill esce una frase tremenda ma vera: «All'inferno! Dovremo pur sistemarci in qualche luogo!». Ed è Spender che muore, papà, è Parkhill che sopravvive. Col male? Col male. Col brutto? Col brutto. Io comunque non mi sento di dargli gran torto quando mette la sua bancarella di salsicciotti dolcetti e frittelle, poi dice alla moglie che lo ha raggiunto coi barili di birra: «Dovremo lavorar sodo, Elma. Saremo inondati da gente che vuole mangiare, Elma, da gente che vuole bere».

«È vero, Pete» ripetei.

«Non è una stupida idea, ti sembra?»

«No, non è stupida.»

«Non saranno opere d'arte ma faranno comodo, no?»

«Sì, Pete. Faranno comodo.»

«Potremo sempre sistemare qualche quadretto» disse Jim, educato.

«Qualche riproduzione di qualche bel quadro.»

«La Gioconda o le Tre Grazie.»

«La Gioconda con un bicchiere di rootbeer in mano.»

«Le Tre Grazie che danzano intorno a un barile di rootbeer.»

«Le cose belle le faranno quelli che vengono dopo.»

«Dopo avere mangiato e bevuto.»

«Nessuno di noi è Sam Parkhill.»

«Sam chi?»

«Un tale. Non ha importanza.»

«Be'? Affare fatto?»

«Affare fatto.»

E tornammo al The Palms, tutti e tre ridendo come bambini. Però in fondo lo sapevamo che il gioco non era proprio uno scherzo e che lo scherzo chiudeva comunque una gran verità. Sulla gran verità ci trovavamo d'accordo e per questo, con loro, mi sentivo a mio agio: entrando al bar potei sostenere perfino lo sguardo di Slayton, uno sguardo che sembrava un rimprovero al mondo, un'accusa tenuta su da fili d'acciaio. Affrontavi quei fili d'acciaio e scoprivi che sapevano tutto: che gli avremmo portato i drive-in sulla Luna, che gli avremmo contaminato lo spazio coi salsicciotti e i tortelli. Rassegnati, aspettavano dunque. E chiedevano solo di andare lassù prima che ci arrivassimo noi. Gli andai incontro come Sam Parkhill va incontro a Jeff Spender.

«Ciao, dolly.»

«Ciao, Deke. Cosa fai?»

«Bevo il whisky.»

«Vuoi venire al tavolo con noi?»

Lentamente si alzò dallo sgabello sul quale sedeva, in silenzio ci seguì fino al tavolo: col suo bicchiere di whisky. Mentre passava le donne lo fissavan golose, gli uomini avevano l'aria di rannicchiarsi un pochino. Solo Pete sembrava resistergli, Pete così piccolo accanto a lui e tuttavia così forte: perché sostanzialmente eran fatti della medesima stoffa, li distingueva semmai una diversa saggezza, una diversa disponibilità al sacrificio.

«Sai, Capo? Abbiamo fondato la "Oriano-Pietro-Giacomo-Rootbeer-Corporation" per installare una catena di drive-in sulla Luna, su Marte, e sugli altri pianeti.»

«Ah, si?»

Da remote lontananze il Capo girò quell'accusa tenuta su da fili d'acciaio e posò lo sguardo su Pete, glielo puntò addosso come un fucile. Pete sostenne a naso ritto lo scontro.

«Si. E per ingraziosirli ci metteremo anche qualche quadretto: la Gioconda con un bicchiere di rootbeer in mano e le Tre Grazie che danzano intorno a un barile di rootbeer.»

«Ah, si?»

«Sembra che disapprovi» commentò Pete a Jim.

Jim restò zitto, prudente. Io non sapevo che dire: di colpo avevo perso la baldanza di Parkhill.

«Non ha senso commerciale perché ha i capelli grigi» insisté Pete, sempre col naso ritto.

«Non è vero» dissi. «Li ha castani.»

«Grigi.»

«Castani.»

«Grigi.»

«Sono grigi» brontolò il Capo. E porse la testa in avanti perché gliela guardassi. Sotto le dita la testa era un tappeto di velluto perché i capelli eran tagliati cortissimi. Però erano grigi.

«Convinta? Contenta?» sghignazzò Pete, vendicato.

«Sono come sono e vanno benissimo come sono.»

Il Capo abbozzò un inchino, per ringraziarmi. Poi, in silenzio, tornò a bere il suo whisky. In fondo al bar il juke-box suonava qualcosa di triste, due o tre coppie ballavano. Ma tutto accadeva come se non lo riguardasse, come se non vedesse e non ascoltasse. Infatti, a un tratto, sembrò tender gli orecchi verso un rumore che lui solo udiva e mosse le labbra col tono di parlare a se stesso.

«Stanotte sorgerà il vento.»

Pete frugava nella mia borsa tirandone fuori pettinini, rossetti, tessere di riconoscimento, forcine, e allineava ogni cosa intorno al suo bicchiere di Pepsi-cola. Continuò indisturbato.

«Io non me ne sono accorto.»

«Nemmeno io» disse Jim, educato.

«Sorgerà. Sta sorgendo» ripeté la voce avara.

«Come faccia uno qui dentro, in questa fumaglia, con questo fracasso, a dire che sorgerà il vento, lo sa mia nonna» brontolò Pete annusando dentro una bottiglia di profumo, tolta anche quella dalla mia borsa.

«Sorgerà il vento e ci sarà una tempesta di sabbia.»

«Magari! Dio volesse! Resteremo qui altre trentasei ore!» strillò Pete rimettendo la mia roba dentro la borsa,

«Perché? Il razzo non partirà?» domandai.

«Partirà, partirà» canterellò Pete.

«Non partirà. Ma alle tre del mattino dovremo esser svegli ugualmente. Fareste bene ad andar tutti a dormire: è già mezzanotte.»

Aveva il tono irrevocabile di chi è abituato a farsi ubbidire ed io gli avrei ubbidito se non fosse stato per Pete.

«Il twist! Suonano il twist!» gridò Pete.

Mi lasciai trascinare in quel twist e quando tornammo al tavolo il Capo non c'era più. Fuori stava levandosi il vento. Ascoltando il vento mi addormentai e sognai d'essere Elma Parkhill, titolare di un drive-in sul Mare Dupont. Il drive-in era identico a quello dov'ero stata con Pete e con Jim, poche assi rizzate a mo' di baracca, e sciupava tutto il paesaggio: prati azzurri sotto un gran cielo verde, città di cristallo coi sarcofaghi d'oro. Ma io friggevo, friggevo, salsicciotti dolcetti frittelle, con Pete e Jim ed ero contenta. «Elma, guadagneremo un mucchio di soldi quest'anno» diceva Sam Parkhill e poi faceva pipì in un sarcofago d'oro. «Tanti soldi, Sam, tanti soldi. Ma non fare pipì nel sarcofago» ripetevo io sollevando un barile di rootbeer. D'un tratto arrivava Jeff Spender, l'archeologo della spedizione. I suoi capelli eran grigi, tagliati cortissimi, un tappeto di velluto sotto le dita. Ci puntava addosso gli occhi come un fucile e il suo sguardo era un rimprovero al mondo, un'accusa tenuta su da fili d'acciaio. «Un boccale di rootbeer, signor Spender? Una frittella, Capo?» chiedevo. Ma lui rifiutava ogni cosa con un gesto secco e con voce che di colpo diventava la tua rispondeva: «Noi terrestri abbiamo il genio di rovinar tutto. Te lo avevo detto, Oriana, che gli uomini saranno sempre gli stessi: sulla Terra, sulla Luna, su Marte. Mi hai deluso, Oriana. Non sei più mia figlia». Poi Jeff Spender tendeva gli orecchi verso un rumore che lui solo udiva e col tono di parlare a se stesso diceva: «Stanotte sorgerà il vento e spazzerà via i vostri dannati drive-in».

# CAPITOLO VENTINOVESIMO

Alle tre del mattino si levò anche la tempesta di sabbia. E fu mio fratello a urlarlo al telefono.

«Sveglia! Giù dal letto, sveglia! Sono le tre e quel demonio aveva ragione! Cristo! Quello ha sempre ragione.»

«Ma chi, Pete?»

«Il Capo. Deke. Chi altro? Vento, sabbia, tutto. Se ti affacci, ti accechi.»

«Allora torno a dormire. Tanto non parte.»

«L'ufficio meteorologico dice che il vento si calmerà. Se si calma, lui parte. Giù dal letto! Giù dal letto!»

È atroce quello svegliarsi nel cuor della notte: io non so come facciano questi spaziali. Si svegliano alle due e mezzo, alle tre, a volte non vanno per niente a dormire: hanno proprio una salute di ferro. Non c'è dubbio, ce l'hanno.

«Mio Dio, che fatica. Dove sei, Pete?»

«Nella dannatissima hall, sono. Pronto a partire. Con Jim ci toccherà stare tutta la notte al freddo, accidenti!»

«E che ci fate tutta la notte al freddo, accidenti?»

«Si recupera la capsula, ecco quel che si fa. Io sto lì, con Jim, e aspetto che lei venga giù. Quando vien giù, la raccatto. Se non mi casca in capo.»

«Chi?»

«La capsula. Magari lei casca nel punto giusto, nel punto giusto ci sono anch'io, e lei mi schiaccia come una mosca.»

«E tu scansati.»

«Giusto. Non ci avevo pensato, giusto. Sei in gamba, fratello. Ciao, eh? Ciao. Oh, che freddo! Che freddo! Io sono piccolo, mi fa male il freddo.»

Faceva freddo davvero: il freddo del deserto, che punge.

Rabbrividendo uscii ed entrai al ristorante per bere un caffè. Il ristorante era pieno e le tavole apparecchiate come di giorno. Sul buffet c'erano uova sode, carne arrosto, patate fritte, tutto insomma come di giorno e la gente stava in fila col piatto in mano: per servirsi. Io avevo sonno. Mi svegliò dietro le spalle, quella voce avara.

«Ciao, dolly.»

«Ciao, Deke.»

«Hai dormito?»

«Due ore neanche.»

«La vigilia di un lancio si va a letto, non si sta a ballare il twist. Mangia.»

«Non ho fame.»

«Ne avrai fin troppa, al freddo. Mangia.»

Mi riempì il piatto come a una recluta disubbidiente.

«Partirà, Deke?»

«No. Non partirà.»

«L'ufficio meteorologico dice che il vento dovrebbe calmarsi.»

«L'ufficio meteorologico del tuo fratellino. L'ufficio meteorologico sbaglia. Domattina ci ritroveremo a mangiare polpette. Ciao, dolly.»

Partì poco dopo insieme a due senatori giunti a Las Cruces per assistere al lancio, quali rappresentanti del Congresso. Shepard e Cooper partirono su un'altra automobile. Jack mi spiegò che Pete e Jim soltanto erano addetti al recupero della capsula, gli altri astronauti stavano nella casamatta insieme agli scienziati ed ai tenici. Intorno al motel c'era un via-vai di automobili, pullman, e tutti avevano un'aria eccitata: l'aria che precede le grandi partite di calcio. Voci basse parlavano a scatti, nel buio, ombre frettolose apparivano e poi sparivano. Quando non ci fu più nessuno, presi posto con Jack sull'ultimo pullman: dentro non c'eravamo che noi e l'autista, un giovane negro. Svogliatamente l'autista mise in moto, partì. Jack stava in fondo, per dormirsela in pace, e io davanti.

Forse perché era la prima volta che mi preparavo ad assistere al lancio di un razzo. Forse perché ero come sola in quel pullman, non distratta da volti o rumori. Forse perché mi tornava alla mente quel che diceva Teodoro: «...non è detto che la bellezza sia sempre verde, rumorosa, il deserto è giallo ma è bello lo stesso, le montagne sono zitte ma sono belle lo stesso, io vado spesso a White Sands e non è vero che è brutto. La bellezza bisogna cercarla, se la cerchi bene la trovi perché la bellezza è dovunque, anche dove c'è solo il silenzio, solo la solitudine, il silenzio è bello e la solitudine è bella...» Forse queste cose insieme, non so: fatto sta che l'alba non mi sarebbe più apparsa così stupenda, papà. Le albe che io ricordavo erano albe in città: uno scalpicciare di passi sopra il selciato, un raschiare di freni per un'auto che passa, una voce che chiama. Oppure erano albe nel bosco: un uccello che canta, una fronda che fruscia, un mormorare di mille risvegli invisibili. Oppure erano albe sul mare: uno sciaguattare di onde, una carezza di vento bagnato, un gabbiano che vola. L'alba sul deserto è diversa. È un'alba zitta, immobile, pietrificata, un'alba senza pulsare di vita né suoni, un'alba fatta di alba e nient'altro. Non cantavano uccelli, qui. Non frusciavano fronde. Non sciaguattavano acque. Non scalpicciavano passi. Esisteva soltanto il silenzio che neanche il pullman rompeva scivolando via sull'asfalto; esisteva soltanto quel buio che coloriva di buio perfino la sabbia, il suo bianco calcareo, i suoi cactus. Un buio che ci veniva addosso, ci sbarrava la strada come una siepe, ma all'improvviso lo bucammo e fu l'alba: un'alba fatta esclusivamente di luce, colori mai visti, oro rosa violetto, coltellate di oro dentro il rosa e il violetto, tremenda eppure gloriosa, terrorizzante eppure sublime. Un'alba senza tenerezza, un'alba da Genesi.

Cosa t'importava se a un certo punto il sortilegio era rotto e come uno schiaffo negli occhi spuntavan missili, soldati con la rivoltella, fucili, «Missile Range Center», voci sospettose sferzanti? «Documenti, lasciapassare, qualifica.» «Prego.» «Via libera.» «Documenti, lasciapassare, qualifica.» «Prego.» «Via libera.» «Documenti, lasciapassare, qualifica...» Al di là delle montagne che chiudono l'area proibita come una gran conca ricominciava il miracolo ed eccolo il razzo, papà. Argenteo, sottile, col suo vapore bianco che gli esce dal ventre, il suo sibilo lieve che gli esce di bocca. Un razzo non ha ventre, tu dici, non ha bocca. Un razzo è solo un razzo, tu dici, è una macchina, non è una creatura. Ma io ti rispondo che un razzo non è più una macchina, è una creatura che vive, respira, e quel vapore è il suo fiato, quel sibilo è il suo lamento.

Lo sai perché si lamenta? Perché sente male a bruciare e ha capito che sta per morire. Come un uomo, papà. Come un uomo egli ha polmoni, nervi, cervello: ti sembra grottesco, papà? Sì, Certo: ti sembra grottesco. Tu capisci soltanto le piante, le bestie, le creature fatte di verde o di sangue. Tu non ammetti che qualcosa sia vivo oltre il verde e oltre il sangue. Non ammetti che scriva *lui*. E allora ti aggiungo che in inglese *lui* si traduce in due modi: *he* se si riferisce a un uomo, *it* se si riferisce a una cosa. Parlando del razzo, i più scelgono *it*: io scelgo *he*. Bisogna averlo visto per capire, papà. E quando l'hai visto ti senti commosso, ti dispiace che vada a morire. Ti dispiace che stia lì tutto solo, in mezzo al deserto, un condannato a morte in attesa della sua ultima ora. Le esecuzioni non avvengono all'alba?

Fui molto contenta di udire che l'ufficio meteorologico si era sbagliato, secondo le previsioni del Capo: che il vento non sarebbe cessato, che la tempesta di sabbia non si sarebbe placata fino a tarda notte. Guardai il razzo negli occhi ed a labbra chiuse gli dissi coraggio, Piccolo Joe, l'esecuzione è rinviata di un giorno.

# CAPITOLO TRENTESIMO

Accade spesso: un filo di vento e il razzo non parte. Se non è un filo di vento, è un granello di sabbia. Se non è un granello di sabbia, è una goccia di pioggia: quasi che Dio si divertisse a umiliarci, a farsi beffe delle creature che noi inventiamo per ammazzarle. E gli astronauti ne sono contenti perché in tal modo la vacanza si allunga: niente lezioni di geologia, niente torture nella centrifuga, dolce ozio sulla piscina dove si riuniscono come scolari sfuggiti al compito in classe, guardali lì. Shepard con la sua aria da non-mi-toccare, Jim con la sua grazia da aristocratico inglese, Cooper col suo mutismo scontroso, Slayton con la sua solita inaccessibilità, e infine Pete: nelle più assurde mutande da bagno che un uomo possa portare, a strisce rosse e marroni, lunghe fino al ginocchio. Una festa di tentazioni per le donne alloggiate al The Palms. Come uno sciame di mosche che eccitate si abbattono sopra una fetta di pane imburrato, le donne piombavano da tutte le parti: disperatamente tentando di farsi notare. E chi lanciava strilletti, chi si tuffava dal trampolino più alto, chi perdeva bretelle, mentre Pete spaventato chiudeva gli occhi e strillava: «Che succede? Che fanno?».

«Non essere ipocrita, Pete. Vi fanno la corte. Siete astronauti.»

«Tu non ce la fai. Eh, già: tu vedi solo Teodoro.»

«Teodoro è Teodoro.»

«E io chi sono?»

«Tu sei mio fratello.»

«Insomma, quanti ne hai di questi fratelli?»

«Due. Uno è Teodoro e quell'altro sei te.»

«Il Capo, no? Va' là che il Capo ti piace.»

« Sì, che mi piace. Però non è mio fratello. »

« Ma cosa vuol dire esser tuo fratello? »

« Vuol dire esser come me. »

« Teodoro non è come te. »

« No, ma quand'ero buona, quand'ero bambina, io ero come Teodoro. »

« E Gordon ti piace? Lui è bello, il più bello di tutti. »

« Sì, ma sta sempre zitto. »

« Anche Jim sta sempre zitto. »

« Me ne sono accorta. E perché? »

« Perché è timido. Tutti noi siamo timidi: specialmente dinanzi alle donne. Uno pensa magari: che pacchia questi astronauti, sai le avventure, le donne, e invece fumo, cara mia, fumo! Intendiamoci, a volte è una questione di mancanza di tempo: ma nella maggioranza dei casi è paura. »

« Paura di che? »

« Uffa! Dei giornalisti che stanno a spiarti, della NASA che sta a rimproverarti, delle mogli che ti mettono il muso, delle tipe che voglion essere sposate. Uffa! Pensano solo a farsi sposare: anche se tu sei sposato, voglion farsi sposare lo stesso. Dico: sei sposato, accidenti, sposatissimo anzi, te lo sei tolto quel dente, stai bene così: e loro vogliono farsi sposare lo stesso. Non vedono altro che i fogli. Fogli, fogli, fogli! E firmati, per giunta. Hai mai pensato ai fogli che firma l'era spaziale? Per parlar con un fesso devi firmare, per avere accesso a un ufficio devi firmare, per portare a letto una donna devi firmare. E non un foglio: due fogli, tre fogli, quattro fogli, sei fogli perché tra foglio e foglio c'è la carta carbone. Affoghi tra i fogli, muori tra i fogli: e quando sei morto ti trasformano in foglio da cui risulta che moristi ammazzato dai fogli. Tu sei sposata? Col foglio? »

« Io no. Non ci penso neanche. »

« E non ti viene a noia a star sola? »

« Io son sempre sola: anche quando sto con la gente. »

« Che gente? »

« Un uomo, la gente. »

« Io no. Io non posso star solo. E l'unica cosa che mi rompe le scatole in quella dannatissima Luna è che quando ci cammini sei solo: non c'è un cane cui dire guarda, o tirargli una gomitata, mi spiego? Io sto bene quando cammino con gli altri, ci parlo, non so, quando entro in casa e quei quattro ragazzi mi saltano addosso, mia moglie brontola lo sai che hanno fatto, hanno rotto il ritratto del nonno, han strappato le tende in salotto, mi spiego? Perché la gente dice: ma che fanno questi astronauti, che fanno? Nulla, fanno. Nulla di diverso dagli altri. Hanno i ragazzi che gli saltano addosso, la moglie che brontola hai visto hanno rotto il ritratto del nonno, han strappato le tende in salotto, e poi ci sono i conti da pagare, la pigione, le rate, questo mese come si fa, eccetera eccetera amen. E poi qualche volta si stufano, questi astronauti, maledicono Marte, la Luna: gli piacerebbe, non so, diventar dittatori del Portogallo. »

«Dittatori del Portogallo? »

«Io sì. Se non fosse perché i figli potrebbero rinfacciarmelo un giorno, papà perché fosti dittatore del Portogallo?, tenterei il colpo. Ho un amico laggiù, ministro o cose del genere: mi darebbe una mano per sdebitarsi della Coca-cola. »

«Sdebitarsi della Coca-cola?! »

«Ma certo. Perché devi sapere che a me piace il vino e questo ministro mi regalò una bottiglia di vino. Io fui tanto contento del vino che rubai alla Marina non so quanti galloni di Coca-cola: sai, concentrata. Poi portai i galloni al ministro, allungai la Coca-cola concentrata buttandoci l'acqua e la moltiplicai come Nostro Signore alle Nozze di Cana. Lui ne fu così grato che disse: guarda, se vuoi, ti fo dittatore del Portogallo. Ragazzi! Se dittatore ha da essere, perché non io? Non darei noia a nessuno, starei tutto il giorno sul mare a mangiar nocciioline, non avrei più problemi di rate, pigione, eccetera eccetera amen. E manderei a farsi fottere la dannatissima Luna dove mi tocca camminare da solo. »

Pete era in gran forma, quel giorno. E fu proprio quel giorno che gli promisi la damigiana di vino: ricordi la storia del vino, papà? A viaggiare in damigiana si sciupa, dicevi. Mettiamolo in bottiglie, dicevo. Io le bottiglie non ce l'ho: perché devo comprar le bottiglie a questi lunari che non posso soffrire? Le compro io, cosa c'entra? E tu comprale, comprale: tanto Romeo il contadino il vino non ce lo mette. Come non ce lo mette? Non ce lo mette perché glielo ordino io di non metterlo. Ma che t'hanno fatto, protestava la mamma, perché ce l'hai tanto con quei poverini? E daglielo un po' di vino, daglielo, via, gli fa bene! Io a quelli non gli do proprio nulla. E la mamma: fai male, oltrettutto potresti scriver sui fiaschi *Questo è il vino che si beve in cielo*, lo sai che successo? Che dici, donna, certe cose io non le fo, cosa credi, sono un uomo onesto, come ti permetti? Andò a finire che il vino dovetti comprarmelo, quarantotto bottiglie di Chianti selezionato dal maestro enologo Stefano Zaccone di Acqui e confezionato dal marchese Alberto Pizzorni di Alessandria, ventiquattro bottiglie per Pete e ventiquattro bottiglie per Jim che sennò si offendeva, e lo sai cosa accadde? Be', non te l'ho mai raccontato: ogni volta che sfioravo l'argomento tu mi voltavi le spalle. Ma ora te lo racconto. Accadde che, quando tutto fu pronto per la spedizione, si seppe che esportar vino in America era proibito: salvo un permesso speciale della Casa Bianca. Scrissi a Pete ed a Jim che si procurassero il permesso speciale della Casa Bianca però Pete e Jim rifiutaron dicendo magari Johnson ci piglia per alcoolizzati e noi si perde il posto. Riferii al marchese Pizzorni che Pete e Jim avevano paura di perdere il posto e lui suggerì di chiedere aiuto alla Croce Rossa. Scrissi a Pete ed a Jim che chiedessero aiuto alla Croce Rossa ed essi risposero Oriano, non siamo mica ammalati. Mi toccò scomodare il Ministero degli Esteri, il Dipartimento di Stato, l'Ufficio di Immigrazione, il Sindacato Vinai, e solo dopo tre mesi le bottiglie partirono con una nave che faceva tappa alle Azzorre, a Terranova, in Canada, poi scendeva per il San Lorenzo, si fermava a Toronto, a Toronto caricava le bottiglie su un treno che attraversava l'Indiana, l'Illinois, il Missouri, l'Oklahoma, infine giungeva a Houston, Texas, e quando giunsero a Houston, Texas, be', le quarantotto bottiglie eran tutte rotte, contento?

«Pete, e se io ti mando una damigiana di vino che fai?»

«Ragazzi! Una damigiana? Una intera?»

«Si, una intera.»

«Ti porto Teodoro a Cape Kennedy.»

«A Cape Kennedy?»

«Certo. Fra quindici giorni c'è il lancio del razzo Saturno.»

«E tu vieni?»

«Certo che vengo: chi l'accende il razzo sennò? Vengo e ti porto Teodoro.»

«Affare fatto.»

«Allora ciao, me ne vado a dormire. Io devo alzarmi alle due, cosa credi? Ti telefono, eh? Ti sveglio prima di partire.»

Sulla piscina si aggirava un gruppetto di minorenni: belline, belline. Una indossava camicietta e calzoni di jersey rosa pallido pallido e così vestita si buttava nell'acqua poi risaliva su per la scaletta e si buttava di nuovo. Bagnato, quel jersey diventava più trasparente del cellofan e insomma mi spiego? Gli occhi di Cooper e Shepard sembravan cadere nell'acqua con lei, Jim era scosso da un violentissimo attacco di tosse, solo il Capo restava tranquillo ma al terzo tuffo allentò la cravatta. Mi colpì, ricordo, perché fu come se il gesto facesse rumore e ogni cosa intorno a noi si fermasse: il vento, la sabbia, il nostro stesso respiro. Schiudeva, quel gesto, una tentazione repressa, il bisogno di scavalcare il suo muro e gridarci: «Salve, ragazzi! Son qua!». Strinsi i pugni, ricordo, e in silenzio gli dissi: scavalcalo il muro, scavalcalo, sei giovane, sei forte, sei vivo, smettila col tuo rancore, perdio, smettila di pensare alla Luna e alle stelle! Lui invece riaggiustò la cravatta, si alzò abbottonando la giacca fino all'ultimo occhiello, e se ne andò: a passi gravi.

«Ciao, dolly.»

«Ciao, Deke.»

«Dormire presto stasera, eh?»

«Sì, Deke.»

Al cocktail-party di quella sera non venne, e nemmeno Pete. Ci vennero Jim, Shepard e Cooper che s'interessarono solo alle miss locali che avevano una coccarda appuntata sul seno e la scritta «Miss» sulla coccarda. Il party era organizzato dalla Camera di Commercio locale e servì a dedicarti un ultimo tentativo di ubbidienza. M'era giunta a Houston una tua lettera, quella dove mi parlavi di Indiani: ricordi? «Risulta che stai per andare nel Nuovo Messico e forse ignori che lì vi sono riserve di Indiani: soprattutto Apaches-Mescaleros. Visitarli sarebbe assai più intelligente che perdere tempo coi razzi e servirebbe a disintossicarti un pochino. Perché non ci vai?» Chiesi al rappresentante della Camera di Commercio locale se potevo vedere gli Indiani e lui rispose assai lieto che c'era una persona apposta per quello, una signora di nome Jeanette: quando lasciavo Las Cruces? Subito dopo il lancio del Piccolo Joe. OK, Jeanette mi ci avrebbe portato subito dopo il lancio del Piccolo Joe. OK. E andai a dormire: per svegliarmi alle tre con la telefonata di Pete.

«Giù dal letto! Giù dal letto! Sono le tre!»

«Oddio, Pete. Il vento è cessato?»

«Macché cessato, macché cessato! L'ufficio meteorologico dice che non cesserà.»

«Allora non vengo. Tanto non parte.»

«Non parte, non parte! Ma bisogna andarci lo stesso. Magari il demonio decide che parte e lui parte. Cristo! Quello ha sempre ragione.»

«Ma chi?»

«Come chi? Il Capo. Deke. Chi altro? Sta lì col dito alzato e sembra Mosè. Allora ciao, eh? Ciao.»

«Ciao. Ci si vede in piscina, questo pomeriggio.»

«In piscina, in piscina!»

Il ristorante era pieno come la notte avanti. Tavole apparecchiate, buffet con carne arrosto e patate, gente in fila col piatto in mano, e quella voce avara alle spalle.

«Ciao, dolly.»

«Ciao, Deke.»

«Hai dormito?»

«Cinque o sei ore.»

«Più che sufficiente. Su, mangia.»

«Partirà, Deke?»

«Sì, partirà.»

«L'ufficio meteorologico dice di no.»

«L'ufficio meteorologico del tuo fratellino. L'ufficio meteorologico sbaglia.»

«Però il vento continua, Deke. E continua anche la tempesta di sabbia.»

«Non ci sarà più fra due ore, il vento. E neanche la tempesta di sabbia.»

Due ore dopo, infatti, non c'era più: né la tempesta di sabbia né il vento. Io e Jack giungemmo sull'area di lancio alle cinque e la conta a rovescio era già al «meno-sessanta-minuti». Ritto sul luogo dell'esecuzione, ormai solo in mezzo al deserto, il Piccolo Joe aspettava: un morituro che non spera più nella grazia. Respirava affannato, affannato, e il vapore gli usciva denso dal ventre, il suo sibilo era straziante come un'invocazione di aiuto. «Come sai esploderà a ottomila metri di altezza» diceva Jack. «L'esplosione accenderà il razzo della Torre di Salvataggio e la Torre si staccherà portandosi dietro la capsula Apollo. La vedi la capsula Apollo, lì in cima?» Ma sì, la vedevo: sembrava il cappuccio che un tempo mettevano ai prigionieri per condurli alla forca, e i due oblò dell'Apollo erano i buchi che fanno al cappuccio per gli occhi. «E la Torre di Salvataggio la vedi? Sta sopra l'Apollo.» Ma sì, la vedevo: sembrava un cilindro posato sopra la testa per gioco, uno scherzo crudele.

«Ma che tremi? Che tremi?»

«Io, Jack? E chi trema?»

«Tu, tremi. Hai freddo? Vuoi la mia giacca?»

«No, no, Jack. Non importa.»

«Te l'avevo detto di portare il mantello. Sergente, ha un blusotto per questa signora?»

«Prego. Ecco il mio: non ho freddo.»

«Grazie, sergente.»

Era pieno di militari, il recinto. Generali, sergenti, soldati. C'era più militari che giornalisti, funzionari della NASA, rappresentanti delle ditte fornitrici. E non avevano freddo, loro. Io invece tremavo anche dentro il blusotto: nemmen che invece del Piccolo Joe fossi stata io che andavo a morire. Chissà se anche il Capo e Cooper e Shepard tremavano un poco, nella casamatta, laggiù. Chissà se Pete e Jim erano un poco commossi mentre aspettavano tra i mesquite ed i cactus, laggiù.

«Attenzione! Meno quaranta minuti...»

«Attenzione! Meno trenta minuti...»

«Attenzione! Meno venti minuti...»

«Attenzione! Meno dieci minuti...»

Dio quanto era lunga quell'agonia, quant'era malvagia. E quanto era gelida la voce dall'altoparlante. La stessa dell'ufficiale che comanda il plotone di esecuzione. «Un, due. Un, due. Un, due. Alt! At-tenti!»

«Attenzione! Meno nove minuti...»

«Attenzione! Meno otto minuti...»

«Attenzione! Meno sette minuti...»

«Attenzione! Meno sei minuti...»

«Attenzione! Meno cinque minuti...»

Dio com'era fondo il silenzio, com'era ferma la conca. Il

cielo aveva un azzurro metallico. Ci siamo, Piccolo Joe. È finita, Piccolo Joe. Ancora qualche secondo e t'ammazzano.

« Plotone! At-tenti! »

« Meno cinquanta secondi... »

« Meno quaranta secondi... »

« Meno trenta secondi... »

« Meno venti secondi... »

« Meno dieci secondi... »

« Plotone! Caricate! »

Addio, Piccolo Joe.

« Puntate! »

« Meno nove... meno otto... meno sette... meno sei... meno cinque... meno quattro... meno tre... meno due... »

« Fuoco! »

Una fiammata da Apocalisse. Un boato da Genesi. E il Piccolo Joe che dondola, incerto, poi freme, si alza, lento, meno lento, ancora meno lento, ora svelto, più svelto, sveltissimo, una saetta che sale lasciandosi dietro una cometa arancione, bella, elegante, piena di grazia, di dignità, muori bene, Piccolo Joe, muori più su, un poco più su, su, su, su... Si sfasciò all'improvviso. Si disintegrò all'improvviso con un rombo che sembrava uno strillo, uno strillo di dolore: e il cielo in quel punto divenne migliaia di faville, acciaio frantumato che ricadeva in una pioggia lunga d'argento, di lacrime lucide come gioielli. Io guardavo l'argento, i gioielli, e non vidi la torre che schizzava via portando in salvo i tre uomini che non c'erano ancora. La vidi che già saliva, di nuovo saetta e di nuovo cometa, e poi vidi la capsula che si staccava e cadeva giù a piombo divorando i chilometri, un sasso bianco che tornava alla Terra, e d'un tratto sbocciò in un gran fiore rosso, il fiore rosso si aprì e divenne due fiori rossi, i due fiori rossi si aprirono e furono tre fiori rossi, tre paracadute che calavano senza più fretta, fluttuando nell'aria, e poi si tuffavano là dietro un monte per donare la capsula a Pete di cui immaginavo le imprecazioni e il guizzo di gatto: « Porco... ».

« T'è piaciuto? » chiese Jack.

« Sì, Jack. M'è piaciuto. »

« Molto? »

« Molto, Jack. »

« Ehi! Non piangerai mica? »

« Sì, invece. »

« Per il Piccolo Joe? »

« No. Non per il Piccolo Joe. »

« E allora, per cosa? Perché? »

« Perché... »

Non mi riusciva di dirlo, papà. Non mi riusciva di dire che per un minuto, uno stupendo minuto, avevo fatto la pace con gli uomini: m'ero accorta che gli uomini sono davvero grandi, papà. Sono grandi anche quando sostituiscono l'erba con l'erba di plastica, sono grandi anche quando trasformano l'urina in acqua da bere, sono grandi anche quando adopran le ruote anziché le gambe, sono grandi anche quando dimenticano il verde e l'azzurro, sono grandi anche quando trasformano il paradiso in inferno, sono grandi anche quando ammazzano le creature cui hanno donato la vita. Ed io ero fiera d'esser nata tra gli uomini anziché tra gli alberi o i pesci: ero fiera perché...

« ...perché vedi, Jack: per un minuto, uno stupendo minuto, m'è sembrato di vedere gli uomini che giocavano a carte con Dio. »

# CAPITOLO TRENTUNESIMO

E così non era il giorno più adatto per recarmi dagli Apaches-Mescaleros, papà. Ma il viaggio era ormai stabilito e questa donnina gentile di nome Jeanette non chiedeva che di accompagnarmi, partire più presto possibile: per giungere alla riserva ci volevano quasi due ore. Partimmo alle undici: Slayton, Shepard e Cooper erano ancora nella casamatta ad esaminare i risultati del lancio, Jim e Pete erano ancora in mezzo al deserto a studiarsi la capsula: addio piscina. Il mattino era caldo e Jeanette molto simpatica: un visuccio pieno di rughe, una testa di riccioli bianchi, e collane braccialetti orecchini di turchesi o d'argento, doni dei suoi ex alunni quando insegnava agli Apaches musica e inglese. Aveva loro insegnato per quindici anni e li amava con gran tenerezza.

«Mi fa tanto piacere accompagnarci la gente. Ma nessuno chiede mai di vederli. Lei ci va per un reportage?»

«No, no.»

«E allora? Mi par così strano che lei voglia andare laggiù. Ecco, non so: la vedo così interessata di altre faccende: la Luna...»

«Be', m'incuriosisce sapere cosa pensano gli Apaches-Mescaleros del viaggio alla Luna.»

«Tutto il male possibile: glielo dico io. Non gliel'ho mai chiesto ma ne sono sicura: ero nella riserva quando Teller, Fermi e Oppenheimer fecero scoppiare la Bomba. Alle cinque del mattino. Nessuno gli aveva detto nulla di nulla a quei poveri Indiani, s'intende. Nessuno sapeva nulla di nulla e quando la Bomba scoppiò...» Jeanette trasse un lungo respiro: «Uscivano dalle capanne gridando, gridando, sembravano tutti impazziti a vedere quel fungo. Si riunirono dinanzi

440

alla chiesa che è sull'altura e non riuscivano neanche a pregare. Gridavano e basta, come coyotes. Non gridate, dicevo io, non gridate. Ascoltate la vostra maestra, pregate piuttosto. Ma loro gridavano e basta: come coyotes. Cosa vuol che ne pensino del viaggio alla Luna? Male. ne pensano. Tutto il male possibile».

«Jeanette, ha visto il lancio del Piccolo Joe?»

«Si, l'ho visto.»

«Le è piaciuto?»

«Non mi ha fatto né caldo né freddo. Anzi no, m'ha irritato. Quei maledetti spaziali. Ti levan la terra per quegli sciocchi missili e non ti chiedon neanche il permesso. Ti chiedono solo: vuole collaborare con noi? Se dici sì, ti cacciano in quattro e quattr'otto pagando la terra un quinto di quello che costa. Se dici no, ti caccian lo stesso. Una mia amica aveva la casa e il ranch proprio dove eravamo stamani. Le hanno abbattuto la casa, le hanno disfatto il ranch, e ora in mano non ha che un mucchietto di dollari. Il governo possiede tre quarti del Nuovo Messico, oggi: il contadino, l'allevatore di bestiame non lo fa più nessuno. I razzi hanno cancellato anche quello: tanto non c'è l'agricoltura industriale? Non si produce in un mese ciò che prima si produceva in un anno, in un chilometro quadrato ciò che prima si produceva in cento? La Luna, la Luna: che ce ne viene a noi della Luna? Le basi di White Sands e di Holloman son mantenute dal Ministero della Difesa, le famiglie degli spaziali acquistano tutto agli spacci militari: che ce ne viene a noi della Luna?»

«Già.»

Mi lanciò un'occhiata sospettosa.

«Che vuol dire: già?»

«Be'... che capisco.»

«Uhm. Gli allevatori di bestiame eran riusciti a irrigare il deserto: sorgevano centinaia e centinaia di ranch qui nel Nuovo Messico. Pascolavano migliaia e migliaia di cavalli, di vacche. Ora i tubi di irrigazione sono tutta una ruggine e i recinti di legno son tutti marciti. Non c'è più nulla, più nulla, più nulla! Solo razzi, missili, razzi! Non fanno che sparare razzi, missili. Siamo infuriati.»

«Già.»

Mi lanciò un'altra occhiata sospettosa.

441

«Su ogni strada c'è scritto: *Danger, Peligro*, Pericolo. Ma il pericolo dove finisce? Ai bordi della strada? La ferrovia costeggia per miglia e miglia White Sands: una deviazione di un millimetro e il missile casca sul treno. Le strade tagliano ovunque White Sands: una deviazione di un millimetro e il missile casca su un'automobile. Siamo stufi del loro sforzo spaziale. Siamo stufi della loro Luna. Lei no?»

L'occhiata, stavolta, era inquisitrice.

«Vede, Jeanette...»

Non mi lasciò neanche finire.

«Ha avuto la Rivelazione, nevvero? È stata toccata dalla Grazia.»

«Chi glielo dice, Jeanette?»

«I suoi occhi lo dicono. Ho imparato dagli Indiani a capire la gente guardandole gli occhi. E qualcosa in quegli occhi racconta che lei è molto diversa da ieri. Io non l'ho vista ieri: però sono sicura che ieri lei era diversa. Probabilmente era diversa anche stamani: alle quattro, alle cinque, alle cinque e mezzo. Poi, alle sei, quando quell'aggeggio è andato su, è tutto cambiato.»

«Non lo so, Jeanette. Non lo so.»

Invece lo sapevo, papà. Ed esitavo ad ammetterlo perché volevo esser molto sicura. E volevo esser molto sicura perché era troppo importante. Era lo stesso che trovarsi vicino al superamento di un dubbio: quello che ancora ti frena quando stai per lasciare una religione ed abbracciarne un'altra. Un residuo di dubbio esisteva: lo teneva in vita Jeanette con quella voce che era la tua voce, quei discorsi che erano i tuoi discorsi. Esistendo esso mi frenava: col timore di non avere combattuto abbastanza, di non essermi difesa abbastanza. Ma presto ciò sarebbe finito perché avevo visto gli uomini giocare a carte con Dio e la nuova religione mi stava stregando: per lasciarmi serena e forse felice.

«Non lo so, Jeanette. Non lo so.»

«Bugiarda. Quegli occhi...»

«E cosa c'è in quegli occhi?»

«Le stelle, mia cara. Ci sono le stelle.»

Li chiusi di colpo, con una risata un po' falsa, dicendo che c'era il sonno invece e dormivo. E mi addormentai per davvero.

Mi svegliai in un profumo dimenticato di foglie. Finito il deserto, salivamo per una montagna e tutto il mondo qui era una foglia: foreste di abeti e di pini, pascoli di trifoglio, freschezza. In quel bosco c'eran perfino i cipressi: non li vedevo da tanto tempo, i cipressi. I cipressi di casa. Non vedevo da tanto tempo neppure gli uccelli, le farfalle, i conigli. S'era fermato al bordo della strada, il coniglio, e ci guardava senza paura, solo fastidio. Bel posto, stupendo. Lo sciupavano un po' le villette, le antenne della televisione, le automobili, però era quasi perfetto. Del resto saremmo presto arrivati alla riserva degli Apaches-Mescaleros ed allora sarebbe stato perfetto.

« Bel posto, Jeanette. »

« Vedrà. »

« Quando arriviamo? »

« Ma siamo già arrivate! »

« Già arrivate? È poco più di un'ora, Jeanette, che siamo in viaggio. »

« Sono andata forte. Lei, tanto, dormiva. »

« Capisco. E quelle villette che sono? »

« Le case degli Indiani. Cosa devono essere? »

Un giovanotto color terracotta, con la camicia a quadri e i blue-jeans, stava appoggiato a una siepe e ascoltava una radio a transistor.

« E quello chi è? »

« Un Indiano! Chi deve essere? »

Una ragazza coi pantaloni aderenti ed i capelli ossigenati attraversò la strada caracollando sui tacchi a spillo.

« E quella chi è? »

« Un'Indiana! Chi deve essere? »

E questa elegante signora che mi riceveva nel suo ufficio, con boria, con boria mi porgeva chili di fogli che non avrei letto, notizie sugli Apaches-Mescaleros: chi doveva essere? E questa vecchia cui chiedevo un bicchier d'acqua, mi rispondevano, l'acqua no, perché non è sterilizzata, meglio un Seven-Up: chi doveva essere? E questo teddy-boy della malora che mi sputava ai piedi il chewingum: chi doveva essere? E questo prete cattolico che mi descriveva i progressi dei Mescalerós alle lezioni di catechismo: chi doveva essere? Ti aspettavi davvero, papà, che trovassi gli Indiani vestiti con pelli di daino e alloggiati sotto le tende? Ti aspettavi davvero, papà, che la loro primitiva saggezza fosse immune al sortilegio che m'aveva stregato? Ti aspettavi davvero che il bagliore di una bomba bastasse a impaurirli, lasciarli incorrotti? Gli Apaches-Mescaleros tu li conosci bene, papà: sono i contadini coi quali parli ogni giorno, nel Chianti, quelli che non sanno più fare a meno della televisione ed emigrano per andare in città, quelli cui non basta più la lambretta e si comprano la Seicento per far cinque chilometri, sono il Gianni, il Romeo, la figlia di Romeo, lo stradino, il pecoraio che ci porta la ricotta in Volkswagen. Il Gianni che si rifiuta di dare il ramato alle viti perché il ramato è scomodo e lui preferisce gli anticrittogamici, glielo ha spiegato suo figlio che non vuole esser contadino e fa l'operaio a Firenze. Il Romeo che non batte i castagni perché costa fatica e non ne vale la pena, chi ci sale in cima a quegli alberi, lei mi dà l'elicottero e allora ci salgo, siamo nel 1964 cosa crede. La figlia di Romeo che non vuole andare nei campi e preferisce far la schiava in città, si rifiuta perfino di pelare il giaggiolo perché si sciupa le unghie, le sue unghie sono laccate, lei alle unghie ci tiene, e poi segue la moda, la domenica anziché mettere il vestito buono mette i blue-jeans come fanno in America. Lo stradino che scopa la strada tenendo alla cintura una radio transistor, e ne sa più del Glasgow Rangers, del Real Madrid, che della Juventus e del Milan. Il pecoraio che senza Volkswagen si sente «senza le gambe», neanche la motocicletta gli basta, la bicicletta lo fa sghignazzare. Li conosci gli Apaches-Mescaleros, papà.

«Venticinque anni fa, quando venni a far la maestra, era molto diverso,» disse Jeanette «ma i vecchi son morti ed i giovani sono uguali a quelli di Las Cruces e di El Paso. Non parlano neanche più la lingua dei Mescaleros: ormai parlano solo l'inglese.»

«Si, eh?»

«Del resto è anche giusto. Non sono cittadini americani? E poi siamo stati noi a cambiargli la lingua, i vestiti, le leggi, le abitudini. Dovremmo forse condannarli o disprezzarli?»

«No, no.»

«Mi sembra un poco delusa.»

«Nientaffatto, Jeanette. Però...»

«Però?»

444

«Però mi piacerebbe ugualmente trovarne uno di prima: un vecchio Indiano, insomma. Mica per me: per mio padre. A lui piacciono gli Indiani di prima. E se potessi trovarne uno... uno solo...»

«C'è!» disse contenta Jeanette. «C'è il figlio di Geronimo.»

«E chi era Geronimo?»

«Il terribile Apache che scotennava ogni bianco in cui si imbattesse! Quello che ne scotennò trentasei sull'altura dove è innalzata la chiesa.»

«Perfetto. E quanti anni ha?»

«Ottantacinque, ottantasei.»

«Ed è un vero Indiano?»

«Un vero Indiano.»

«Col naso schiacciato e la pelle color terracotta?»

«Col naso schiacciato e la pelle color terracotta.»

«Col copricapo di penne?»

«Col copricapo di penne.»

«E fa *hug*?»

«E fa *hug*.»

La cara Jeanette mise in moto l'automobile, partì verso la Apache-Summit: la cima più alta della Sierra Blanca, casa del figlio di Geronimo. La strada asfaltata era comodissima, larga: ci arrivammo in mezz'ora. Un luogo d'incanto. Dio, quegli abeti alti come cattedrali, quei soffitti di rami, quel profumo di mammole. Dio, quell'aria intatta, pulita, dolce. In mezzo alle cattedrali di verde sorgeva, con le insegne al neon, un moderno snack-bar.

«E quello?!? Il figlio di Geronimo non dovrebbe permetterlo, Jeanette.»

«Figuriamoci: è suo! È diventato ricco, con questo snack-bar.»

«Jeanette...»

«No, no. Sia tranquilla. Questo è proprio l'Indiano che cerca lei: se non sta attenta, la scotenna.»

E mi scotennò per davvero, quel mascalzone. Per una cartolina postale dove appariva in braccio a suo padre, all'età di sei anni, pretese ben cinque dollari e mezzo: pari a tremilaquattrocentoquaranta lire. Per un libriccino che narrava la storia di Geronimo volle ben dieci dollari, pari a seimiladuecentoventicinque lire. Per un portafortuna con una penna di

445

gallina mi chiese ben venti dollari, pari a dodicimilaquattro-centocinquanta lire. Sedeva a un tavolo ingombro di quelle delizie, col suo copricapo di penne, la sua pelle color terracotta, il suo naso schiacciato, e ad ogni *hug* il mio portafoglio diventava più smilzo.

« Senta, figlio di Geronimo: non le sembra un po' cara questa cartolina postale? »

« Questo è il prezzo e non si scende. *Hug!* » mi rispose in purissimo inglese.

« Ma il prezzo di questo libriccino non è il prezzo che dice lei. Guardi: c'è scritto stampato. Il prezzo è un dollaro e dieci centesimi. »

« Il dollaro e dieci centesimi non include la firma e questo libriccino è firmato da me, figlio del Tremendo Geronimo. La firma del figlio del Tremendo Geronimo vale otto dollari e novanta centesimi. *Hug!* »

« Figlio di Geronimo, lo sa che lei è tipo davvero moderno? »

« Sono moderno, si. *Hug!* »

« Se io le compro anche il portafortuna con la penna, me la regala una sua fotografia? »

« No. *Hug!* »

Intervenne Jeanette. Povera Jeanette: aveva le lacrime agli occhi. Che strano, sussurrava, che strano: due anni fa non era mica così. Si direbbe che i razzi han cambiato anche lui.

« Figlio di Geronimo, questa è un'amica. E lo sai cosa fa? Scrive su quelli che vogliono andar sulla Luna. »

« La Luna? La Luna? »

Il figlio di Geronimo si ringalluzzì tutto.

« Figlio di Geronimo: io lo so che lei non vuole andar sulla Luna. Ma se la fotografia me la regalasse lo stesso... Se mi regala la fotografia, io le regalo due dollari. »

Non ascoltò neanche il baratto.

« Chi ha detto che io non voglio andar sulla Luna? *Hug!* Io sulla Luna ci voglio andare eccome. *Hug!* Bisogna andar sulla Luna, su Marte, dappertutto, bisogna! *Hug!* »

« *Hug!* »

« E poi, abbia a saperlo, mio figlio lavora nei razzi. Capito? *Hug!* E anche mio nipote lavora nei razzi. Capito? *hug!* E anche mio genero! »

« *Hug!* »

Fuori, il tramonto si accendeva in fiammate d'oro e di rosso. Presto sarebbe calata la sera e se non raggiungevo El Paso prima di notte, avrei perso l'aereo. Toccai la spalla della mortificata Jeanette e le chiesi di portarmi via, per favore. In aereo confrontai la fotografia del figlio di Geronimo con la fotografia del Piccole Joe. Non v'erano dubbi, papà. Anche da un punto di vista estetico, era meglio il Piccole Joe.

# CAPITOLO TRENTADUESIMO

Mi chiedo fino a che punto tu immagini ciò che sto per dirti, papà, fino a che punto ciò possa darti dolore. Agli altri, infatti, la nostra polemica può apparire un gioco da intellettuali ma noi sappiamo che non lo è: i sofismi non ci hanno mai divertito. Ricorderai dunque, papà, che in quel secondo viaggio vi scrissi pochissimo, vi telefonai ancora meno: la settimana di Las Cruces e le due seguenti tacqui in modo così ostinato che la mamma si spaventò e temeva che m'avesse rapito qualcuno. Mi giustificai raccontando che avevo avuto da fare, che una lettera non era stata impostata: menzogne. La verità è che non mi sentivo di affrontare un dialogo scritto o parlato. Ciò avrebbe significato discutere e io non volevo discutere: mi preparavo a lasciarvi. No, non fraintendermi: mica lasciarvi sul piano dei sentimenti. Per quelli non vi lascerei neppure se andassi su Alfa Centauri: siete il meglio che ho, siete i soli da cui non son stata tradita, offesa, venduta. Sul piano della ragione, papà. Sul piano dell'etica. In parole più semplici, o più crudeli, il mondo che mi avevate insegnato ad amare non mi stava più bene, non mi pareva più giusto. Per il lancio di un razzo, sorridi? Per il Piccolo Joe? Via, no: i colpi di fulmine non annunciano mai grandi amori, metamorfosi gravi. Il processo che mi aveva indotto a piangere sul Piccolo Joe era incominciato assai prima: e non mi chiedere quando. Tu sai dirmi quando incominciasti a non credere nel Paradiso e l'Inferno? Ti rammenti quell'anno, quell'episodio, quell'ora? Io rammento solo che un giorno, ero bambina, mi accorsi che Dio non aveva la barba, che non stava assiso sopra una nuvola, che i suoi angeli non mi proteggevan per niente. E da questo fiorì a poco a poco il pensare che mi avrebbe strappato via dalle Messe, dai ceri accesi, dall'etica facile che i preti ci danno: chi è buono va in Paradiso e chi è cattivo finisce all'Inferno. No, il Piccolo Joe era servito soltanto a farmi capire, decidere, che mi trovavo bene quaggiù: nel futuro.

Non che ne scordassi gli atroci difetti, le abominevoli colpe. Scoprire che il Paradiso non c'è, che l'Inferno non c'è, che tutto nasce e muore con noi, non significa affatto scordare il Bene ed il Male: in altre parole, non ero diventata cieca, papà. Vedevo ancora HR che vuole abbatter piramidi per costruir supermarket, vedevo ancora i bull-dozer che distruggon foreste per portarci il cemento, vedevo ancora mio figlio che cresce ignorando il verde e l'azzurro, vedevo ancora la calvizie degli astronauti vecchi a trent'anni, vedevo ancora la faccia del Burocrate, di quelli che ubbidendo al Sistema reclamano il diritto d'esser tutti uguali e felici. Non lo reclamavo, io, quel diritto. Al contrario urlavo il diritto d'esser diversa, più povera, sì, ma diversa, più stupida, sì, ma diversa, più infelice, sì, ma diversa: non sapevo, non so, non saprò mai cosa farmene della felicità distribuita con la carta annonaria, come una roba da mangiare. Insomma non chiudevo gli occhi all'ingiusto. Semplicemente, accettavo l'ingiusto come un prezzo per pagarmi il futuro. Tutto ha un prezzo, papà: me lo insegnasti tu quando ti malmenavano e ti ributtavano grondante di sangue in prigione. La libertà ha un prezzo, la giustizia ha un prezzo, il futuro ha un prezzo. E allo stesso modo in cui tu avevi pagato il tuo prezzo, io pagavo il mio: con dolore, con pena. Era stato penoso, sai, quel capire e decidere. Più penoso di quando, ormai ragazzina, avevo risolto il problema del Paradiso e l'Inferno perché quella era stata una crisi di adolescenza, questa era stata una crisi di maturità. E le crisi, sai, sono come i malanni: da giovane ti lasciano forte, da adulto ti lasciano pieno di acciacchi. Sicché pensando questo tornavo in Florida, a Cape Kennedy: contenta, papà. Contenta di vedere i miei amici, contenta di vedere il lancio del razzo Saturno, contenta di andare a casa. La Florida che t'avevo descritto nella lunga lettera prima che si ammalasse la mamma, ora mi piaceva: era la mia casa.

Tornai di domenica sera: il lancio del Saturno era fissato per l'alba di martedì. Anziché al Cape Colony scesi al Holiday Inn, la NASA aveva lì il suo quartier generale, e ad attendermi c'era Gotha Cottee: con un cappello texano grande quanto la sua ignoranza su Verne. Adorabile Gotha: saltai al collo di quella montagna di carne e vi rimasi appesa come un moscerino sul ciglio di un elefante.

«Gotha, are you a Turtle?»

«Puoi giurarlo sulla tua...»

«Puoi rispondere per un altro, Gotha?»

«Se sono autorizzato. Sentiamo.»

«Il dottor Bill Douglas.»

«Sono autorizzato. È una Tartaruga Imperiale.»

«Oh, grazie, Gotha! Grazie.»

«E il Progetto Formaggio?»

«È fallito. Ci siamo accorti che non era attuabile. Ora siamo nel ramo drive-in. Installeremo una grande catena di drive-in sulla Luna, su Marte e sugli altri pianeti. E vi smerceremo rootbeer.»

«Noi chi?»

«Io, Pietro, e Giacomo. In inglese, io, Pete, e Jim.»

«Perbacco! Questa sì che è un'idea. Posso partecipare?»

«Sei assunto come capo cambusiere.»

«Perbacco! Può partecipare anche il dottor Douglas?»

«È assunto come medico di bordo.»

«Vado subito a dargli l'annuncio. Tanto non ti mancherà compagnia, questa volta. Sono tutti qui.»

E c'erano tutti davvero: il Holiday Inn brulicava di volti noti, voci ormai familiari. Stan Miller, HR, Bob Button, Jack Riley, Paul Haney, Joe Jones, Bart Slattery, Ben Gallespie, Ben James, e strilli gioiosi, manate sulle spalle, calorosissimi abbracci, cocktail a ogni pretesto. «Lo sai, questo è un lancio importante, non è mica il Piccolo Joe.» «Ci han messo anni per costruire quel mostro: finalmente va su.» «Una gran prima, ragazzi: bisogna brindare.» «Ehi, von Braun è venuto?» «Naturalmente. Son venuti anche tre senatori da Washington.» «E gli astronauti?» «Loro arrivano alla spicciolata. Saranno parecchi.» «Quanti? Una dozzina a far poco.» Elettrizzati, eccitati, tutti avevan qualcosa da dire, da chiedere, ancora più che a Las Cruces sembrava che si fosse spalancato un collegio. E in questo collegio io ci sguazzavo come un pesce nell'acqua: quando incontrai Pete, la sera prima del lancio, mi parve ovvio quanto incontrare un collega in ufficio.

Ero al bar con Ben James. Il suo ingresso naturalmente drammatico non mi sorprese neanche.

«Son tre ore, accidenti! Dico: dov'è? Dice: è a mangiare. Dico: a mangiare non c'è. Dice: è a dormire. Dico: a dormire non c'è. Dice: è a bere. E a bere c'è. Ma che bevi? Che bevi? Son tre ore accidenti! E m'ero messo anche in blu.»

Era vestito infatti che sembrava andasse a chiedere in sposa sua moglie: con la camicia, la cravatta, i gemelli ai polsini. Un disastro. A completare il disastro s'era fatto perfino la riga ai capelli: ai pochi che ha.

«Dio, Pete! Come ti sei combinato?»

«Mi son fatto bello.»

«Gesù! E perché ti sei fatto bello?»

«Per portarti il regalo.»

«Mi hai portato un regalo?»

«Siii! Il tuo Teodorooo!»

Teodoro. Eccolo lì: goffo, lungo, succhiato, con quei due occhietti sorpresi, quella risatina nel mezzo, quelle mani timide che non sapeva mai dove mettere e ora le usava per grattarsi il naso, ora per grattarsi un orecchio, ora per metterle in tasca, ora per aggrapparsi a una sedia quasi fosse lì per cadere...

«Teodoro!»

«Buonasera, ciao, come sta, come sta? Son contento di vederla perché Pete m'ha detto che voleva vedermi, anch'io volevo vederla, l'ho detto anche a Fede, lo sai chi vedo stasera, vedo quella italiana che poi cerca Tonati, lo sai che mi manda sempre i saluti, parla bene di me, come sta, come sta?»

Quella voce fioca, piena di stecche, rannicchiata in fondo alla gola, e quando la strappava via dalla gola arrossiva.

«Io sto bene, Teodoro.»

«Dice Fede: glielo hai raccontato di quando Tonati ci regalò quella bellissima pianta, non gliel'ho raccontato io rispondo, ma appena la vedo si gliela racconto, sicché voleva regalarci la pianta, sapeva che mi piaccion le piante e andò in un negozio dove avevano solo piante di plastica. Ma no, diceva Tonati, io voglio una pianta. E questa non è una pianta, diceva il commesso. Ma no una pianta vera diceva Tonati. E come sarebbe una pianta vera, diceva il commesso. Una pianta vera, con le foglie vere, diceva Tonati. E questa non ha le foglie vere, diceva il commesso. Ma no una pianta vera con le radici diceva Tonati. Ah, ho capito, disse il commesso, lei vuole quelle che muoiono, così le chiamava il commesso, le piante che muoiono, e così fece venire una pianta da un altro negozio e poi disse a Tonati però questa muore. Non è morta, invece, e ha buttato un bel fiore: vorrei che lo sapesse Tonati. »

« Oh, Teodoro! Oh, Pete! »

Pete gongolava, felice.

« L'ho portato, eh? L'ho portato. Non volevano mica, che credi? Brontolavano siete anche troppi. Ho dovuto accettare un baratto. »

« Un baratto? »

« Un baratto. O Jim o lui, ripetevano: o che credi d'andare al carnevale di Rio? Di portarteli tutti a ballare? Ho scelto lui. Jim è rimasto. Ragazzi, come sacramentava! Ora il vino devi mandarlo anche a Jim. »

« Puoi contarci. »

« Tanto a me, tanto a lui. »

« Tanto a te, tanto a lui. »

« Be', andiamo a mangiare? »

« OK. Andiamo a mangiare. »

Sicché andammo a mangiare e mi capisci? Era bello trovarsi lì tutti e tre, io e i miei fratelli adottati. Non avevamo nulla di sensazionale da dirci, non cercavamo nessuna avventura, eppure era bello: ogni frase assumeva un sapore, ogni gesto assumeva un significato, ogni sguardo ci avvicinava. Suppongo che tu provi lo stesso quando sei insieme a due amici cui ti senti legato. E non dirmi no, non è vero perché tu sei una donna e io un uomo: non contava nulla che io fossi una donna, non poneva imbarazzi o barriere. Mi spiego, papà? I discorsi che facevano, ad esempio.

« ...sicché dicevo che nella casamatta dove stiamo rinchiusi al momento del lancio c'è un pittore pagato dalla NASA per disegnare il razzo che parte... »

« Ma che inventi, Teodoro! Si fa appena in tempo a fotografarlo un razzo che parte! »

« Non invento lo giuro lo so che il razzo parte alla svelta ma lui quel pittore fa in tempo a dipingerlo l'ho visto io coi miei occhi, mi spiego? Lui sta lì a quel finestrino con un lapis in mano ed i fogli nell'altra mi spiego poi quando si accendono i fuochi lui comincia a far scarabocchi insomma disegni l'ho visto!»

«Ma che disegni sono? Son belli?»

«Be' c'è il razzo che sembra il pistillo di un fiore poi ci sono le nuvole che assomigliano a petali, come un giglio direi un poco astratto, io non ho ancora capito se sono belli però che importa se sono belli anche se sono brutti son belli lo stesso in quanto li fa mi spiego? È bello che lui disegni, ecco, che qualcuno lo chiami perché lui disegni, voglio dire noi stiamo lì strizzati come in autobus nella casamatta lo spazio è prezioso i finestrini sono pochi e non tutti possono stare al finestrino, mi spiego? A non tutti lo danno, a me per esempio non l'hanno mai dato. Però a lui lo danno ed a me sembra una cosa buona, buona sì anche se i disegni son brutti.»

«Sì, certo, Teodoro.»

«Perché è buona io non lo so, forse non lo so dire: però so che è buona, non è vero Pete?»

«Be', sì. Vuol dire che non siamo poi tanto ignoranti: che abbiamo rispetto per l'arte eccetera eccetera amen. A me rompe le scatole che quello stia al finestrino mentre io non ci sto: però capisco che anche lui serve, ragazzi. Anche lui.»

«Perché, Pete?»

Pete pensò a lungo, poi prese un lapis e si disegnò sulla mano un mezzo cerchio.

«Ecco. La carlinga del mio aereo è fatta così. Uffa: press'a poco così, io non so disegnare. Ecco. Stasera, quando volavo da Houston, tutto solo con il mio jet, la Luna è entrata qui dentro: capisci? È entrata qui dentro e poi c'è rimasta, inquadrata come in una cornice. Bianca, rotonda, pulita. Ragazzi! Era bella. Era proprio bella. Se fossi stato un pittore l'avrei disegnata. Però non sono un pittore, so guidare soltanto il mio jet, fare i calcoli: e quel pittore nella casamatta... eccetera eccetera amen. Ragazzi! Era bella. Era propria bella. Teodoro: tu ci avresti scritto una poesia.»

«Io non scrivo poesie.»

«Lei dice di sì. Lei dice che sei un poeta. La storia del Rembrandt e del perché ti piace volare, eccetera eccetera amen.»

«E a te, Pete: perché piace?»

«Uffa. Perché e perché. Sempre a domandarmi perché. Sembri mio figlio maggiore che chiede sempre perché. Che ne so io, perché?»

«Perché, Pete?» chiese Teodoro.

«Uffa, Teodoro. Perché mi piace il cielo.»

«Perché ti piace, Pete?»

«Uffa. Ora ti ci metti anche tu. Che ne so, io, perché? Perché è grande. Ecco. Più grande del mare. È grande, grande: ed io sono così piccolo.»

Questi discorsi, papà. E poi non so: camminavamo. Così, tutti e tre, sulla spiaggia, con le scarpe in mano, vicino all'acqua. L'acqua ci accarezzava i piedi, le gambe, e noi ridevamo. Ridevamo di nulla, come i ragazzi; eravamo ragazzi. Però aspetta: successe una cosa, quella sera. Una cosa che non riesco a dimenticare, che non dimenticherò finché vivo. Successe quando Teodoro si fermò, di botto, e alzò gli occhietti sorpresi verso la Luna e restò lì a guardarla.

«Eccola là! Eccola là.»

Allora si fermò anche Pete, e mi fermai anch'io. E la guardò anche Pete, e la guardai anch'io. E mi fece uno strano effetto guardarla con loro due che ci sarebbero andati. E mi venne alla mente una vecchia domanda.

«Sai Teodoro, sai Pete: io mi chiedo spesso cosa penserete al momento di andare lassù.»

«Io lo so» disse Pete, lanciandosi in uno dei suoi incredibili sketch. «Sarò lì, disteso in quel coso, a sudare, e penserò: ah, perché cercai questa rogna, perché? Ah, chi me l'ha fatto fare, chi? Comandante, sei pronto comandante? chiederanno da terra. Ed io: noooooooo!»

«E smettila, Pete.»

«Come no?! Comandante! Noooo! Ho detto nooo! Comandante! Come sta, comandante? Maleeeee! Comandante, possiamo fare qualcosa per lei, comandante? Siiii! Cosa vuole, comandante, cosa vuole? Voglio scendereeeee!»

«E smettila, Pete.»

«Naturalmente crederanno che scherzi. Scherza sempre quello lì, diranno, perché ha coraggio. Che coraggio, ragazzi! E in questo equivoco accenderanno i dannatissimi fuochi, il coso si metterà come un pazzo a vibrare, io mi reggerò urlando a quel seggiolino, voglio scendere, oddio voglio scendere, ma di nuovo crederanno che scherzi e così mi spareranno lassù, come l'uomo nel cannone al Luna Park, e io piangerò, piangerò, piangerò...»

«E smettila, Pete.»

«Piangerò. Per tre giorni e tre notti piangerò: e loro penseranno che la radio è disturbata e non crederanno che piango. E così arriverò sulla Luna.»

«E smettila, Pete.»

Io mi torcevo dal ridere. Teodoro invece ascoltava con uno strano sorriso.

«Arriverai sulla Luna e non sarai più lo stesso, Pete» mormorò. «Non sarai più lo stesso perché ti darai un mucchio di arie, e te le darai perché sei sulla Luna e tornando non saluterai i vecchi amici.»

«Non è vero!»

«Non li porterai più a bere e non ci andrai più a spasso lungo la spiaggia.»

«Dirai che non avesti paura per niente e diventerai un odiosissimo eroe.»

«Ti coprirai di medaglie e non sarai più mio fratello.»

«Non è vero! Non è vero!»

«È vero.»

«È vero.»

«E allora io non vi dico cosa farò sulla Luna.»

«Via, dillo!»

«E dillo!»

«Lo dico. Arriverò sulla Luna e scenderò. Punterò il dito verso la macchina da presa della TV e griderò: Orianooo! Teodorooo! Non sono cambiato, non cambierò! Orianooo, Teodorooo! Oggi sono come ieri e domani sarò come oggi!»

«Ma va'!»

«E allora a terra succederà un parapiglia: che ha detto? Che vuole? Ragazzi, Pete è impazzito! È impazzito sulla Luna! E così telefoneranno alla Casa Bianca per dire Pete è impazzito, è impazzito sulla Luna, alla Casa Bianca faranno una gran fracasso, traditore, quel traditore è impazzito sulla Luna, e così telefoneranno al Congresso e al Congresso faranno un gran fracasso, diranno quel traditore è impazzito, è impazzito sulla Luna e...»

«Smettila, Pete!»

«E succederà un vero scandalo. Al Cremlino diranno: bella gente avete voi, bella gente che impazzisce sulla Luna. E l'ambasciatore lo riferirà al Congresso. Il Congresso lo riferirà alla Casa Bianca. La Casa Bianca lo riferirà alla NASA. La NASA lo riferirà al Capo che urlerà via radio: canaglia, vigliacco, canaglia, eccetera eccetera amen. Insomma rimproveri. Rimproveri, rimproveri, rimproveri che viaggeranno alla velocità della luce per migliaia e migliaia di miglia: tanto a me mi rimproveran sempre, qualsiasi cosa dica, qualsiasi cosa faccia, ed io mi scoccerò da morire e quando...»

«Smettila, Pete!»

«...quando sarò scocciato abbastanza punterò il dito verso la televisione e dirò: be', lo sapete? Mi avete scocciato abbastanza. Poi chiuderò i contatti e me ne andrò a spasso per la Luna come Biancaneve nel bosco. Così: fischiettando, cantando. Un po', triste perché sono solo ed a me stare solo non piace: però fischiettando, cantando. E fischiettando, cantando, raccatterò una manatina di polvere qui, un pezzettino di lava là, sai come fa Biancaneve coi fiori e coi funghi, poi rientrerò col mio cestino di fiori e di funghi sul LEM, tornerò sulla Terra e qui mi chiuderanno in un manicomio come il pilota di Hiroscima. Eccetera eccetera amen.»

«Pete, sei grande!» ansimai. Accidenti, non avevo mai riso tanto. E mi voltai verso Teodoro. Ma Teodoro non rideva affatto. Non sorrideva neanche.

«Teodoro, e tu cosa penserai quando partirai per la Luna?»

«Non lo so» disse Teodoro.

«Come non lo sai?» strillò Pete.

«Non lo so» ripeté Teodoro. «Ci ho pensato anche ora: ma non m'è venuto in mente nulla.»

«Come nulla?»

«Nulla. Io ecco non so immaginarmi al momento di partir per la Luna. Non mi vedo ecco, non mi ci vedo.»

«Non ti vedi, non ti vedi!» si indignò Pete. «Sei un astronauta e non ti vedi partir per la Luna. O che cavolo di astronauta sei?»

«Non mi vedo, che devo dirti? Lo dico sempre anche a Fede: sai, è quasi buffo, però io non mi vedo andar sulla Luna, quando penso al viaggio per andar sulla Luna io vedo soltanto nero. Forse perché il cielo è nero, lassù, però non immagino bene neanche il cielo nero perché il cielo quando lo penso non è nero è azzurro, proprio azzurro. E con gli uccelli che volano dentro.»

«E chetati!» brontolò Pete.

«Che devo farci? È così. Forse io non ci andrò mai sulla Luna.»

Il mare ruggiva e rovesciava sulla spiaggia meduse piccole e azzurre: diverse, sai, da quelle che troviamo noi sulla spiaggia. Le nostre son grandi, bianche, rotonde, quelle invece erano piccole, azzurre, sulla schiena avevano come una cresta, la cresta di un galletto, e mi davano un brivido. Le meduse? Smisi di guardar le meduse e guardai Teodoro, il brivido si ripeté: in silenzio, Teodoro guardava la Luna. Ma non la guardava nel modo di Pete; la guardava, non so, con tristezza, e il suo visuccio era bianco, bianco come il bianco delle nostre meduse. Quasi sapesse, quasi sentisse che... All'inferno, perché Pete non diceva qualcosa?

«Be', andiamo?» brontolò Pete. «Comincia a far freddo.»

«Sì, comincia a far freddo.»

«E domattina bisogna alzarsi alle tre.»

«Sì, alle tre. Ma partirà domattina?»

«Io che ne so?» disse Pete insolitamente scontroso. «Chiedilo al tuo amatissimo Capo. Non è lui che fa le carte e ci indovina sempre?»

«Già. Non s'è visto, stasera. Chissà dov'è.»

«Sarà in camera sua. A meditare sul destino del cosmo.»

«Già. Sul destino del cosmo.»

«Voi cosa dite?» si scosse Teodoro. Durante quel battibecco aveva continuato a guardare la Luna senza aprir bocca. «Dite che parte?»

Pete annusò l'aria, come fa il Capo. Poi prese un'espressione grave, da intenditore.

«Io dico che parte.»

«Allora non parte» sorrise Teodoro, arrossendo.

E non partì. Il tempo era buono, la conta a rovescio era giunta al «meno quindici», nel recinto dei giornalisti tutti stavano pronti col telefono in mano, gli occhi fissi sul gran grattacielo che si innalzava sulla piattaforma ai bordi del mare: ma una valvola aveva fatto cilecca e così il lancio era stato sospeso. Per accomodare la valvola ci sarebbero voluti due giorni. Due giorni di festa, di ozio in piscina. Distesa sotto un ombrellone guardavo gli astronauti che si tuffavan felici e ascoltavo quel che ne diceva John Finney, l'inviato del «New York Times». Ciascuno ha la sua opinione, su loro, e quella di John, laureato in letteratura e filosofia, sofisticato, un po' cinico, era particolare: il lato più significativo dell'intera faccenda, diceva, è la corruzione dei primi Sette, il modo in cui li sconvolse la popolarità.

«I giovani del secondo gruppo e del terzo gruppo appartengono a una razza diversa, ad una generazione ormai assuefatta all'idea di andar sulla Luna, i tipi più interessanti però restano i primi Sette. Bisognava vederli il giorno in cui furono presentati alla Stampa, in quel salone di Washington: sembrava d'essere tornati ai tempi dell'Old Frontier, la saga degli uomini semplici che costruiron l'America usando la rivoltella e la vanga più dello spazzolino da denti. Li muoveva un puro idealismo, una ingenuità senza fine, gli chiedevi ad esempio perché avessero affrontato un mestiere così rischioso ed essi balbettavano: "C'è questa cosa nuova per andar su ed io la voglio provare". Non avevano motivazioni intellettuali, li esaltava solo lo spirito d'avventura dei vecchi pionieri. E faceva bene ascoltarli, guardarli: in un'epoca in cui ci si abbandona al cinismo, in cui si discute la morale, la loro purezza era una medicina. Bene: cambiarono subito. Cambiarono il giorno dopo la conferenza-stampa di Washington. Pubblicizzati fino alla nausea, unti di onori e di privilegi, dimenticarono che eroi si diventa dopo aver fatto qualcosa di eroico e non prima. Eroi per definizione e non per fatto compiuto, persero la primitiva purezza, divennero sempre più esigenti, accesero a se stessi candele. In Russia lo chiamano culto della personalità. Fu per combattere il culto della personalità, per spegnere quelle candele, che la NASA portò a trenta il numero degli astronauti. Trenta sono anche troppi: ma gli individui si perdono più facilmente in un gruppo di trenta.»

«John, parli anche di Slayton?»

John ebbe un attimo di esitazione, poi annuì.

«Per un certo periodo, in un certo senso, l'ubriacatura prese anche lui. Se metti la testa in un tino di uva che bolle, ti ubriachi anche se non sei alcoolizzato. Però a lui capitò una fortuna: la fortuna di non andar su. Quel dramma lo aiutò a ritrovare se stesso, a tornare intatto. Slayton va visto come lo sceriffo di un villaggio che durante un weekend perse la testa ma al lunedì mattina s'accorse d'aver perso la testa e tornò più duro di prima.»

«È un grosso personaggio, vero, John?»

«Il più grosso di tutti. Non è un uomo, è una roccia. Ed è l'unico che abbia compreso attraverso qual tempesta è passato con gli altri: l'unico che disarmi qualsiasi cattiveria. Non ha il fascino di Glenn, non il senso di humour di Schirra, non ha la cultura di Shepard, non ha la bellezza di Cooper: ma ha qualcosa di più, ha la stoffa del Capo. Gli dettero quel posto per compensare la sua delusione e la inventarono giusta.»

«Vuoi dire che lo elessero Capo per consolarlo?»

«Né più né meno. Ce ne accorgemmo tutti, e lui per primo. Ma dal bluff fiorì ciò che nessuno aspettava. Egli raccolse il suo militarismo, la sua disciplina, la sua severità, ne fece un pane, lo lasciò lievitare, lo cosse e lo ficcò in gola ai compagni. Loro non gli credevano, eran convinti che scherzasse. Ehi, piantala, Deke! ridacchiavano. Però lui li fissava con quegli occhi di ferro e le risate morivano. Chi si ribellò fu piegato da lui come un ferro nella fucina di un fabbro: ed oggi non fanno più nulla senza il suo permesso. Egli sa tutto, capisce tutto, sembra che non veda ma vede: quando lascia perdere è perché ha deciso di lasciar perdere e perché è buono. È tremendo ma buono: e non immagini quanto lo amino, ormai, le sue stesse vittime. Partito Glenn, gli astronauti sono ventinove: se i ventinove dovessero eleggere il più popolare e il più amato, ventotto voti andrebbero a Deke. Il ventinovesimo, quello contrario, sarebbe il suo.»

«E tu chi eleggeresti? A parte lui, voglio dire.»

«A parte lui, non so. Vediamo: Schirra, forse. Mi piace. Mi piace il modo in cui ama la vita, in cui prende tutto quel che gli capita, dalle donne al pericolo. E mi piace il modo in cui accetta la morte: con la stessa disinvoltura con cui accetta la vita. Gli altri il pensiero di morire più o meno ce l'hanno, il pensiero di lasciare vedove e orfani: come vuole la NASA, del resto. Schirra no, non ce l'ha: è un fatalista. Ci hai parlato?»

«Solo un momento. E poi chi ti piace?»

«Vediamo: forse Grissom. Sì, Gus non c'è male. Dopo Slayton è quello che s'è fatto corrompere meno dalla celebrità. Schivo, anche lui. Non se ne ricava molto parlando ammenoché il discorso non coinvolga questioni tecniche. Infatti è quello che passa più inosservato: anche il suo volo passò inosservato, andò così bene. È un tecnico e basta, gli piace pescare, arrossisce se gli chiedi un autografo. L'hai visto?»

«Sì, l'ho visto. Stamani.» Faceva colazione coi tre senatori. Un omino corto, coi capelli grigi e gli occhiali neri. Un viso arguto e tuttavia pensieroso. Gli avevo chiesto di firmarmi la tessera di Tartaruga e lui l'aveva firmata: arrossendo. Così non avevo trovato nulla da dirgli, da chiedergli. Press'a poco quel che m'era successo con Carpenter quando lo avevo visto passare in un corridoio della NASA, a Houston: un ometto sorridente, vivace, con la giacca gualcita e il viso secco. Gli avevo chiesto di firmarmi la tessera di Tartaruga e lui l'aveva firmata: arrossendo. Così non avevo trovato nulla da dirgli, da chiedergli. Lo raccontai a John.

«In quel caso sbagliasti. Quello era un tipo pieno di colore per te. Ha la mania di suonar la chitarra, balla benissimo, e parla di tutto fuoché di tecnologia. Prima di fare il pilota sognava di far l'allevatore di un ranch.»

«Lui ti piace?»

«Non so. Ha l'aria d'esser capitato per sbaglio nel gruppo. Non gli trovo quel fascino che gli trovano altri. Il punto è che non si capisce mai se le cose che i miei colleghi raccontan su loro sono vere o inventate. La lettera che Carpenter avrebbe scritto alla moglie prima di andar nello spazio, ad esempio. "Se non dovessi tornare, avrei tre rimpianti: aver perso l'occasione di insegnare ai miei figli a vivere su questo pianeta, aver perso il piacere di fare l'amore con te quando sarai nonna, non aver imparato a suonare bene la chitarra." Mah! È farina del suo sacco o dei redattori di "Life"? Lo si giudica male, del resto, dopo il volo è stato messo in disparte: il suo volo fu pessimo. Commise un mucchio di errori, consumò troppo presto le riserve di carburante, e la scampò per miracolo.»

«Simpatico.»

«Per te sono tutti simpatici. Ti seduce il mestiere che fanno.»

«Non lo nego. Vorrei farlo anch'io.»

«Una malattia abbastanza comune. Una malattia da ragazzi.»

Da ragazzi. Perché no? Da ragazzi. Vedi quanta gente la pensa come te, anche in America. Se mi fosse riuscito ascoltarla avrei avuto mille occasioni per non tradirti, ricredermi. Ma non ci riuscivo più a questo punto e, di nuovo un ragazzo tra i ragazzi, mi staccai da John Finney, raggiunsi i miei amici che avevano smesso di fare i tuffi in piscina e stavano lì ad abbronzarsi. Ciao, Teodoro. Ciao, Pete. Ciao, Gordon. Ciao, Al. Non mancavan che Grissom e il Capo. In compenso ce n'erano due che non avevo mai visto: uno grosso, bonario, così calvo che la testa gli luccicava, l'altro rigido, asciutto, e con tanti capelli tagliati a spazzola. Attirava lo sguardo, costui, per via dei capelli, poi per via degli occhi febbricitanti ed acuti, infine per le cicatrici che gli deturpavano il corpo. La meno vistosa, a cucchiaio, ce l'aveva sul cuore: sicché ci si chiedeva come facesse ad essere vivo con una tal cicatrice sul cuore. La più vistosa invece ce l'aveva in mezzo al torace: rossa rossa, rettangolare, quasi una toppa di carne cucita per coprire uno strappo. Ciò che colpiva comunque non era la forma, di per sé molto insolita: era la disinvoltura con cui la portava, la dignità. Si teneva quella toppa di carne come se fosse stata un cartellino con su scritto nome e cognome, e la offriva alla curiosità inorridita del prossimo con l'aria di dire: coraggio, dopo un poco ci fai l'abitudine.

«Me la son fatta in Corea, a portare lo zaino. Ci fu una marcia sulle montagne, lo zaino era peso. Le cinghie fregavano qui, sullo sterno. Mi venne una galla. La galla stentava a guarire e così la tagliarono. Quando fu tagliata rimase quel segno.»

«Mi scusi.»

«Perché? Non c'è nulla di male a guardarla né si può farne a meno. Ho pensato che le piacesse sapere com'era venuta e gliel'ho raccontato.»

«Grazie.»

«Mi chiamo Frank Borman. Sono del secondo gruppo.»

«Ciao, Frank.»

«Io invece mi chiamo Tom Stafford» disse il calvo bonario.

«Ciao, Tom.»

«Wally mi ha parlato del Progetto Formaggio ma Pete sostiene che non vale più, che ora siete nel ramo drive-in. Posso entrarci anch'io?» disse Tom.

«Dipende. Are you a Turtle?»

«Puoi giurarlo sulla tua...»

«Sì, allora sì.»

«Allora anch'io» disse Frank.

«Anch'io» disse Gordon Cooper.

Era la prima volta che ne udivo la voce e la sorpresa m'immobilizzò, per un attimo. Infatti aveva una voce piccola piccola, acuta: più che una voce, un vocino. E ci restavi male ad udirlo perché ti sembrava impossibile che un uomo così bello e virile avesse un tale vocino.

«Sì, certo. Qualsiasi Tartaruga può partecipare all'impresa drive-in.»

«Cos'è questa storia dei drive-in che io non la conosco e gli altri sì invece la voglio sapere?» interruppe Teodoro.

Io e Pete ci scambiammo un'occhiata colpevole. Poi Pete si raschiò la gola.

«È una roba che tu non c'entri.»

«Come perché non c'entro se c'entrano le Tartarughe c'entro anch'io che son Tartaruga, non cominciamo.»

Pete ebbe il guizzo di gatto e si gettò come un vile nell'acqua. Gordon mi venne in aiuto, col suo vocino.

«Sarebbe che lei, Jim e Pete hanno fondato una società per impiantare una catena di drive-in sulla Luna e su Marte: onde smerciarvi rootbeer.»

«Oh, no!» gemette, indignato, Teodoro.

«Oh, sì!» replicò Gordon. E chiuse gli occhi per dimostrare che la discussione era chiusa, per lui, che aveva parlato fin troppo.

«Teodoro, cerca di capire. Tu non ci vai nei drive-in quando hai fame e sete?» azzardai.

«Ci vado che discorsi ci vado però sono brutti sciupano sempre il paesaggio e domando dobbiamo sciupare il paesaggio anche sulla Luna e su Marte?»

Pete emerse, battagliero, dall'acqua.

«Non sciuperemo nulla perché i nostri drive-in saranno bellissimi. Avranno i quadretti e le Tre Grazie che danzano intorno a un barile di rootbeer eccetera eccetera amen.»

«Oh, no!» gemette, ancor più indignato, Teodoro.

Pete fece una capriola nell'acqua.

«Se non ti piacciono le Tre Grazie ci metteremo La Ronde.»

«La Ronde, no! No! No!»

«Sei noioso, Teodoro.»

«Non sono noioso son giusto magari su Marte ci sono davvero i palazzi le torri gli avanzi di qualcosa di bello e voi ci fate i drive-in. Io non vi capisco io in queste cose mi arrabbio perché sembra un gioco ma è un gioco per modo di dire e poi lo so tutto comincia per gioco ma poi succede davvero.»

Pete uscì dall'acqua scrollandosi.

«Noioso, sì. Un dannatissimo noioso. Quando penso che ti ho barattato con Jim. Non ti baratto più: neanche se quella mi prega in ginocchio. Faremo i nostri dannati drive-in che ti piaccia o no. Dovremo mangiare, sì o no? Dovremo bere, sì o no? Chiudi il becco.»

«Lo chiudo però non vi capisco» disse Teodoro e mi guardò talmente deluso che non seppi rispondergli. Restai a fissarlo con rimorso e poi basta. Era bianco bianco in costume, come se la sua pelle non fosse mai stata sfiorata da un raggio di sole, e le sue spalle eran curve come se sopra vi avesse posato tutto il suo dispiacere: fra quei corpi robusti e quelle schiene abbronzate sembrava un malato fra i sani e mi intimidiva. Non so, ti sei mai messo a osservare i ragazzi che giocan per strada? Ce n'è sempre uno più bianco, più triste, ed è quello cui i grossi si rivolgono con tolleranza, comando: tu stai lì, tu stai zitto, tu non romper le scatole. Sicché ti fa tenerezza, rispetto, vorresti dirgli che ti fa tenerezza, rispetto, ma non riesci a parlarci: perlomeno non come gli parleresti se fosse solo, ti intimidisce. Ecco, a Cape Kennedy mi accadde così con Teodoro: strano quanto ci dicessimo poco in quei giorni, quanto m'intimidisse. O forse ero distratta dagli altri: da Tom, da Gordon, da Pete, da Frank, dalla mia curiosità di capirli, scoprirli.

Tom mi distraeva perché è molto ciarliero, il tipo che fa amicizia alla svelta, e parlava di cose che non sollecitavan rimorsi. Per esempio, il lavoro che stava facendo con Wally Schirra a Saint Louis dove entrambi si preparavano al primo volo del Gemini, quali sostituti di Gus Grissom e John Young. I prescelti eran Grissom e Young: lui e Schirra comunque dovevano essere pronti a partire lo stesso. Il caso cioè dell'attore che conosce l'intera commedia, può sostituire in qualsiasi momento colui che ha il nome sul cartellone, però a recitarla è quest'ultimo. La differenza è che il testo di una commedia non cambia, quando l'hai imparata a memoria finisci sempre col recitarla, in un teatro o in un altro: i voli spaziali invece cambiano da cima a fondo, ogni volta e, se non parti, la tua fatica è perduta. Per il volo seguente devi ricominciare daccapo perché il volo seguente è sempre diverso.

«E magari per il volo seguente sei vecchio.»

«Quanti anni hai, Tom?»

«Trentaquattro.»

«E ti par d'esser vecchio?»

«Eh, sì. Sono vecchio.»

«Non sei vecchio, sei calvo. Perché sei così calvo, anche tu?»

«Diventeresti calva anche tu ad aspettare.»

«Aspettare cosa?»

«L'occasione. La Luna.»

«Ci tieni a quel punto?»

«Ci invecchio da quanto ci tengo. Per alcuni, lo so, quel viaggio è una spedizione geologica: per me è un sogno che dura fin da ragazzo. Batto i piedi dalla voglia di arrivare lassù.»

«E cosa pensi, Tom, quando la guardi?»

«Questo penso. La guardo ogni sera, sai, ogni sera. A Saint Louis abbiamo un appartamento, io e Wally: e l'appartamento ha una terrazza. A volte, la sera, ci sediamo in terrazza, io e Wally, e stiamo lì a guardarci la Luna. È un po' buffo, capisco.»

«No, non è buffo.»

Gordon invece mi distraeva col suo silenzio, la serenità con cui si addormentava. Ma come faceva a dormire così? Anche nelle sei ore precedenti il suo volo, quand'era chiuso nella capsula Mercury, aveva dormito: diceva Ben James. Nessuna partenza era stata drammatica quanto quella di Cooper, tormentata da tanti rinvii. Nella casamatta, nei centri di controllo, nel recinto dei giornalisti, tutti sudavano angoscia: e lui invece dormiva. Dormiva e si svegliava al momento in cui riprendevano la conta a rovescio. «Gordon, stavolta ci siamo.» «OK, sono pronto.» «Meno venti, meno diciannove, meno diciotto, stop! C'è un altro rinvio.» «OK, allora dormo.» Un'ora, due ore. «Sveglia, Gordon: stavolta ci siamo davvero.» «OK, sono pronto.» «Meno venti, meno diciannove, meno diciotto, meno diciassette, stop! C'è un altro rinvio.» «OK, allora dormo.» Due ore, tre ore. «Sveglia, Gordon. Si parte.» «OK, sono pronto.» «Meno venti, meno diciannove, meno diciotto, meno diciassette, meno sedici, stop! C'è un altro rinvio.» «OK, allora dormo.» Così quattro volte, per ben sei ore. Sei ore murato in quella bara di ferro, in cima al razzo che vibra e tentenna: ma come faceva, come faceva a dormire?

«Gordon, ma tu puoi dormir quando vuoi?»

«Sicuro.»

«Vuoi dire che in qualsiasi momento puoi chiudere gli occhi e dire: ora dormo?»

«Sicuro.»

«Anche se non hai sonno?»

«Anche se non ho sonno.»

«Ma quand'eri lassù, in cima al razzo, come facevi a dormire?»

«Come sarebbe a dire come facevo?»

«Sì, come facevi?»

«Facevo che non c'era altro da fare.»

«Non c'era altro da fare?!»

«E che vuoi che facessi? Che leggessi il giornale?»

«Ma non ti innervosivano tutti quei rinvii?»

«No. Perché?»

«Stavi bene, insomma.»

«Faceva caldo. Però stavo bene.»

«Perciò dormivi tranquillo.»

«Perciò dormiva tranquillo: e lascialo in pace!» strillava Pete.

Pete mi distraeva per la semplice ragione che è Pete: quello distrarrebbe anche un prete che dice la Messa. E Frank, ecco, Frank mi distraeva con le sue cicatrici. C'era una grazia, in lui, un'eleganza che non andavano d'accordo con simili cicatrici. Quelli eran segni da gladiatore, per usare un termine caro al dottor Celentano: ma lui non era un gladiatore. Lo dicevan quegli occhi acuti, febbricitanti, che seguivano qualsiasi cosa accadesse: in un silenzio attento e molto diverso dal silenzio di Gordon. Dopo la storia dello zaino in Corea,

Frank non aveva detto più nulla. Però sentivo che non gli era sfuggito un particolare: né la mia insolita timidezza verso Teodoro, né la mia curiosità per gli altri, né gli interrogativi che mi ponevo su lui. Lo scrutavo infatti ogni tanto come a rubargli un segreto ma ne ricavavo solo l'immagine di una fronte alta, un naso stretto, e due labbra sottili. Poi Pete si mise a fare uno dei suoi soliti sketch: stavolta una scena di disperazione per un certo discorso che avrebbe dovuto tenere a Filadelfia, sua città natale. E accadde quella cosa.

«Ragazzi, come lo incomincio? Ho esaurito tutte le storielle, ragazzi! E ci sarà mia madre, ci sarà mia sorella, ci saranno i miei ex compagni di scuola eccetera eccetera amen: non posso mica far brutta figura! Devo acchiappar l'attenzione dell'uditorio! Devo trovare un inizio!»

Gli altri, divertiti, ridevano.

«Un inizio, un inizio per Pete!»

«Chi ha un inizio per Pete?»

«Donate, vi prego, un inizio per Pete!»

Allora Frank Borman si alzò: con un serio, serio sorriso. E fingendo di drappeggiarsi intorno al torace la toga di Marc'Antonio, allo stesso tempo coprendosi con le dita l'orrenda toppa a rettangolo, cominciò a declamare:

*«Amici, romani, cittadini! Prestatemi orecchio. / Io vengo a seppellire Cesare, non a lodarlo. / Il Male che gli uomini fanno vive dopo di loro / il Bene va spesso sotterrato con le loro ossa. / Così sia di Cesare. / / Il nobile Bruto ci ha detto che Cesare era ambizioso. / Se lo era, grave fu la sua colpa e gravemente egli la pagò. / Qui, col permesso di Bruto e degli altri, / poiché Bruto è uomo d'onore / e così sono tutti, uomini d'onore / io vengo a parlare al funerale di Cesare. / Egli era mio amico, fedele e giusto con me; / ma Bruto dice che Cesare era ambizioso, e Bruto è uomo d'onore. / Egli aveva portato molti prigionieri a Roma / i cui riscatti riempirono le casse dello Stato. / Fu questa ambizione? / Quando i poveri piangevano, Cesare piangeva con loro: / l'ambizione dovrebbe esser fatta di stoffa più dura. / Ma Bruto dice che egli era ambizioso: e Bruto è uomo d'onore».*

Qui si fermò, questo Marc'Antonio in calzoncini da bagno, coi capelli a spazzola e le cicatrici fatte in Corea. E, senza togliersi le dita dalla toppa, senza abbandonare il suo serio,

serio sorriso, guardò in silenzio Teodoro che vergognoso si alzò, e si raschiò la gola.

«Ehm, dunque, vediamo... Come dice Frank come dice?»

*«Voi tutti vedeste...»*

«Ehm, sì. *Voi tutti vedeste che ai Lupercali tre volte gli presentai la corona di re / e tre volte egli la rifiutò. Fu questa ambizione?»*

«Gordon!»

Gordon se ne restò pigramente disteso sul materassino e mosse appena le labbra.

*«Ma Bruto dice che era ambizioso e certo egli è uomo d'onore.»*

«Tom!»

Tom si strinse nelle spalle, preoccupatissimo.

«Eh! Qui viene il bello! Aiutatemi, no?»

*«Io non parlo per disapprovare ciò che Bruto disse. / Ma qui io sono per dire quello che so... Avanti, Tom!... Voi tutti lo amaste un tempo e non a torto. / Cosa vi trattiene dunque dal piangere ora per lui? / Oh, giudizio! Tu sei volato via da questi cuori di bestie... Coraggio, Tom!»*

*«E gli uomini han perso la loro ragione!»* tuonò Tom, contento.

*«Sopportatemi! / Il mio cuore è là, nella bara con Cesare...»*

*«E io devo aspettare che torni da me»* strillò Pete, pazzamente felice di aver trovato il suo verso. «E secondo te dovrei cominciare così a Filadelfia?»

«Faresti una gran bella figura» osservò Frank. Poi si tolse la toga, le dita dalla cicatrice, e tornò a sedere: col suo serio, serio sorriso.

«Grazie, Frank» esclamai.

«Prego.» E nello stesso momento saltò in piedi, saltarono tutti in piedi: come colpiti da una scudisciata. Sulla piscina si fece silenzio.

«Giorno...» disse la voce avara. «Dolly...»

Più chiuso di un'ostrica chiusa, già vestito con la tuta azzurra di volo, il Capo si fermò in mezzo al gruppo irrigidito in una posizione di attenti. Pete invece teneva le braccia dietro le spalle incrociando il pollice e il medio, in segno di scaramanzia.

«Il lancio è ritardato di due giorni. Sarà dopodomani mattina. Io parto. Torno domani sera. Tre restano, gli altri partono con me. Qui non siamo in vacanza. OK?»

«OK, Capo.»

Il Capo levò un dito verso il primo.

«Tu, Frank, torni a Houston.»

«Bene» disse Frank. E mi lanciò un'occhiata sconfitta.

«Tu, Tom, torni a Saint Louis.»

«Bene» disse Tom. E mi lanciò anche lui un'occhiata sconfitta.

«Idem per Al e Gus. Già informati, comunque.»

«Tu...» Si rivolse a Pete che strinse con disperazione il pollice e il medio. «Tu... resti.»

Le dita di Pete si allentarono, sfinite dall'emozione.

«Tu...» si rivolse a Teodoro che aspettava rassegnato. «Anche tu resti.»

Teodoro fece una smorfia contenta.

«Resti anche tu, Gordon. Va bene?»

«Bene.»

«Bene, benissimo! Allora io e Ted andiamo a farci una nuotatina, eh?» strillò mio fratello.

«Allora tu e Ted mi accompagnate all'aereo» disse il Capo, secco.

«Devo accompagnarti anch'io?» pigolò il vocino di Gordon.

«No. Tu dormi, Gordon, dormi» E se ne andò, più chiuso di un'ostrica chiusa, lanciandomi un impercettibile sorriso.

«Ciao, dolly.»

«Ciao, Deke.»

Il sole bruciava e Gordon prese a spalmarsi di olio contro le scottature. Poi mi porse il flacone e mi disse di fare altrettanto. Meccanicamente gli ubbidii. E intanto guardavo il Capo che si allontanava seguito come un re dai suoi scudieri. E mi piaceva che i suoi scudieri fossero i miei due fratelli. Mi piaceva anche restarmene lì, a meditare su quello che avevo visto ed udito: questi gladiatori in mutande che recitavano Shakespeare. Lì, su una piscina di Cape Kennedy, la vigilia del lancio di un razzo. Peccato che non c'eri anche tu a guardarli, ascoltarli. Era stato un gran bello spettacolo, credi, papà. Un gran bello spettacolo. Mi sentivo piena di fiducia e di orgoglio, a pensarci, mi sentivo proprio fiera di loro. E capivo finalmente la lettera che m'era giunta, la sera prima da Stoccolma, da Stig: «Qui, nella vecchia Europa, solite cose. La principessa Desirée s'è sposata, la principessa Margaretha sta per sposarsi, Kruscev viene a farci visita. Il resto è silenzio».

# CAPITOLO TRENTATREESIMO

«Tu quando parti?» chiese Gordon svegliandosi dal sonnellino. Poi si distese sul ventre, appoggiò il viso sulle mani incrociate, e mi fissò: per la prima volta disposto a parlare un po' a lungo. Sulla piscina eravamo rimasti soltanto noi due.

«Dopo il lancio del Saturno.»

«E torni subito in Italia?»

«Più o meno. Torno subito in Italia.»

«E sei contenta di tornarci?»

«No, mi dispiace. Sai, quando finiscono le vacanze d'estate e bisogna tornare a scuola. La stessa cosa, più o meno.»

«Boh! Se per te era una vacanza!»

«Lo è stata, più o meno.»

«Se non facevi che brontolare. Gli altri dicono che non facevi che brontolare.»

«Brontolavo perché avevo la febbre, un febbrone. Bradbury dice che dopo un febbrone o si guarisce o si muore: non si può essere ammalati in eterno. Ma io non sono morta e così sono guarita.»

«Guarita bene o guarita male?»

«Dipende dai punti di vista. Mio padre direbbe che son guarita male. Io dico che son guarita bene.»

«E ora che sei guarita, cosa farai?»

«Scriverò il libro.»

Gordon si grattò il mento, un po' sospettoso. Poi chiuse gli occhi e poi li riaprì.

«Gesù! Chissà cosa scrivi. Che scrivi?»

«Tutto. Quello che ho visto, quello che ho udito, quello che ho pensato, quello che ho sofferto. Tutto: più o meno.»

«Dev'essere una cosa che si dura fatica, eh?»

«A volte. Più che altro si sente male, però. Molto male. Come picchiarsi. E poi, quando ti sei picchiato ben bene da te, ecco che ti picchiano gli altri.»

«E allora perché lo fai?»

«E tu perché lo fai il tuo mestiere?»

«Perché ci credo.»

«Be', ci credo anch'io.»

«Sì, però a volte vorrei starmene senza far nulla lassù a Carbondale.»

«E cos'è Carbondale?»

«È un posto sulle montagne del Colorado: ci vive mia madre. Abbiamo un ranch, a Carbondale, io e mia madre. Bello, sai. C'è un mucchio di vigne e si fa il vino: come da te. Però nei tini di legno, all'antica: come da te. E poi si fa anche il cognac. E poi c'è un mucchio di pesci, a Carbondale. A me piace pescare. Io sono nato a Shawnee, nell'Oklahoma, e laggiù tutti vanno a pescare: nei laghi, nei fiumi. Le prime volte andavo a pescare anche qui, insieme a Grissom: c'erano i pesci nelle pozze vicino alle piattaforme di lancio, ora non ci sono più. Si devon essere cotti con quelle fiammate, son rimasti solo gli squali. A Carbondale invece ci sono pesci piccoli piccoli che risalgono il torrente come le trote. Sì, a volte vorrei starmene senza far nulla lassù a Carbondale.»

«Anch'io, a volte, vorrei starmene senza far nulla nel Chianti. Anche lì ci sono pesci piccoli piccoli che risalgono il torrente come le trote. Ma non si può passar la vita a pescare.»

«No, non si può. Non si deve. Finisce che resti a Shawnee nell'Oklahoma e non ti accorgi nemmeno che c'è Carbondale. E magari chissà quanti Carbondale ci sono in cielo. Bisogna cercarli: sì o no?»

«Sì, bisogna.»

«Per questo, vedi, mi piace il mestiere che fo. E non sento male, a farlo, come capita a te. Non duro neanche fatica. Per me è come... come...» Sorrise quel sorriso bianco, pieno di denti robusti ed intatti: «...come pregare».

«Sei religioso, tu, Gordon?»

«Io sì, tanto. Vado anche alla Messa.»

«Già. Hai scritto anche una preghiera mentre volavi nella capsula Mercury. Vero?»

« Non l'ho scritta. L'ho incisa su nastro. »

« Come diceva, Gordon? »

« Non me ne ricordo. »

« Sì, che te ne ricordi. L'hai detta perfino al Congresso. »

« Al Congresso, figurati. Tutta questa faccenda dell'entrar nella storia ed altre sciocchezze. Ci ripetono: ma voi non vi rendete conto d'entrar nella storia. Rispondo: cosa c'entra Carbondale con la storia. Ti sembro un tipo da entrar nella storia? »

« Come diceva la preghiera, Gordon? »

Arrossì sotto il rosso della pelle bruciata dal sole. Si schermì stringendosi tutto nelle spalle.

« Diceva: Padre, io ti ringrazio specialmente perché mi hai fatto fare questo volo. E perché sono qui in questo posto stupefacente e perché vedo queste cose che mi fanno trasalire. Queste cose meravigliose che tu hai creato... eccetera. Una cosa così. Non è un gran che. Però mi venne in mente e allora la incisi. E allora me la fecero dire al Congresso e fu così imbarazzante che avrei voluto scappare. »

« Chi è scappato? Chi è scappato? » strillò Pete alle nostre spalle. Non ci aveva messo nemmeno un'ora ad accompagnare il Capo e tornare.

« Tu sei scappato » sorrise Gordon.

« Non sono scappato. L'ho messo sul suo dannatissimo aereo e son corso qui a darti la notizia: Gordon, siamo fregati. Quel demonio ci ha lasciato qui a lavorare. Tutti e tre. Questo pomeriggio e l'intera giornata di domani. Piattaforma di lancio e poi Merritt Island. Ragazzi, sono disgraziato sì o no? Mai che possa starmene in pace a scrivere un bel discorso. Gli ho detto: Gordon e Ted non devono tenere un discorso. Io devo tenere un discorso. Non mi ha neanche risposto. Ripeto: chi mi dà un inizio per il mio discorso? »

Labbra mute accolsero la sua invocazione.

« Uffa! Cos'è questo mutismo? Arrivo io, tutti zitti. Parto io, tutti parlano. »

« Noi non si parla. Si prega » sentenziò Gordon. « E poi si dorme. »

Chiuse gli occhi, infastidito, e dormì. Subito. Pete si accertò che non fingesse (non fingeva, no, non fingeva) poi mi batté un dito sulla spalla.

« Ehi! Pregavate davvero? »

« Uffa. Dov'è Teodoro? »

« Alla piattaforma di lancio. Ho mandato lui. »

« Mascalzone. »

« E rispondi! Pregavate davvero? »

« Io no, lui sì. Mi ha recitato un brano della sua preghiera. »

Parve colpito. Molto colpito. Si avvicinò a Gordon che russava, lo esaminò ben bene con la fronte aggrottata, poi tornò indietro e parve ancora più colpito.

« Ragazzi! Chi l'avrebbe detto? »

« Perché? Tu non preghi? »

Si grattò l'ancora, scoprì i denti radi.

« Be', sulle piscine no. E nemmeno nelle chiese. Voglio dire che io non vado in chiesa e via dicendo. Però per credere ci credo lo stesso, ci credono tutti, sai? Anche Wally che, a sentir lui, non esiste un corno: né Paradiso né Inferno né nulla. Però vorrei vederlo quando ha paura. Non si può fare questo mestiere senza raccomandarci al Padre Eterno, senza pensare che il Padre Eterno c'è. Ragazzi! Almeno tre volte io ho rischiato di precipitare e ogni volta mi sono raccomandato a Dio come un pazzo. Quei dannatissimi comandi non funzionavano un accidenti ed io pregavo Dio, fai che funzionino, Dio! E vuoi saperlo? Io penso che Dio m'abbia aiutato, che li abbia fatti funzionar lui quei dannatissimi comandi che non funzionavano: perché stavo proprio precipitando. Per la Luna, vedi, è lo stesso. Uno ci gioca, ci scherza su, però quando pensa che andrà sulla Luna come prima cosa chiede aiuto a Dio. Come seconda cosa poi lo ringrazia. »

« E se l'aiuto non viene? »

« Disgraziata! Ringrazia lo stesso. È un fatto di educazione. Se io ti chiedo un fiammifero e tu non me lo dai, io ti ringrazio lo stesso sì o no? Un fatto di educazione. Di conseguenza mi chiedo: perché devo essere educato con te e con Dio no? »

Che strani giorni, quei due ultimi giorni. All'improvviso c'eravamo come acquetati, facevamo discorsi che in altri momenti non avremmo osato neppure, ci avrebbero fatto sentire ridicoli. O forse ero io che li sollecitavo con tranquilla scioltezza. Giudichi sempre gli altri con la misura del tuo stato d'animo e il mio consisteva in una gran calma appena tinta di melanconia per la fine del viaggio, ormai prossima. Se non scivolavamo in confidenze così metafisiche, infatti, restavo zitta e lasciavo che essi discutessero le loro faccende: quasi sempre problemi di valvole, carburante, sistemi automatici. A cena, dove andammo tutti e quattro insieme a Ben James, parlarono solo di quelli. Stabilito che facevo parte della comunità, non si curavano più di divertirmi con trovate brillanti.

«Gliel'ho detto, gliel'ho ripetuto: tu stai seduto sopra una bomba, perché il razzo è praticamente una bomba, e nella capsula sei come in trappola. In che modo ti difendi? Che fai? Non puoi fare nulla, non ti senti più un uomo con due mani e un cervello, ti senti una cavia: lasciateci liberi di guidarla da noi! Come parlare al muro. Non ti ascoltano mica.»

«D'altra parte se ti senti male o commetti un errore, il comando automatico t'offre un vantaggio: correggerti e quindi salvarti.»

«Macché errore, macché sentirsi male! I tempi belli eran quelli di Lindberg: uno saliva su certi arnesi che in sostanza erano aquiloni e aveva la colpa di tutto, la responsabilità di tutto. Volare a mano, all'antica! Ah, il mio vecchio jet con due ali!»

Le risate, quando capitavano, servivan solo ad alimentare un rimpianto.

«Devi saper che la valvola di questo comando...»

«Ragazzi, siete scemi, accidenti? Quella ci ascolta, magari è una sudicia spia, s'è inventata la storia del libro per rubarci la valvola, anziché a Milano se ne va dritta a Mosca. E noi perdiamo il posto» strillava Pete.

«Ma se è una sudicia spia dovrà pur scoprir qualcosina sennò torna a Mosca con nulla e Sedov la fucila perché non sa nulla io non voglio che sia fucilata diamole dunque qualcosa sì o no?» replicava Teodoro.

Poi Teodoro strappava la tovaglia di carta, scriveva sui fogliolini uno due tre quattro cinque sei sette otto nove dieci e me li porgeva, gentile.

«Tieni portagli questo a Sedov e se non gli piace gli dici: ma non è colpa mia se questi astronauti che parlano inglese non valgono nulla son bestie vi giuro.»

Il rimpianto di doverli lasciare, papà. Perché in quei due

giorni, vedi, io avevo imparato a volergli bene oltreché a rispettarli, invidiarli. E il volergli bene nasceva dall'aver capito una cosa importante: che non erano, non sono diversi da noi. Sono noi. Sono noi che un secolo fa, due secoli fa, tre secoli fa, lasciammo la vecchia Europa e traslocammo laggiù: a cercar nuove spiagge, nuove speranze. Sono noi che occupammo quelle spiagge, ci nutrimmo di quelle speranze, e ringiovanendo non cambiammo gran che. Sicché i loro difetti sono i nostri difetti, le loro virtù son le nostre virtù: trasferite ad un altro indirizzo. L'indirizzo di Gordon, di Pete, di Teodoro, di Frank, di Tom, di Deke, di Wally, di Al, di Jack, di Ben, di Sally, di Howard, di HR, di Slattery, di noi cattivi e di noi buoni, di noi stupidi e di noi intelligenti, di noi migliori e di noi peggiori, di noi sempre identici, uguali. La scelta da compiere, dunque, non era o noi o loro: era o noi qui o noi là, o noi ieri o noi domani, o noi nel mio tempo o noi nel tuo tempo. E se scegliamo noi nel mio tempo, bisogna andar là: non ha più senso star qua, nel silenzio. La sera precedente il lancio del Saturno li salutai come saluto te quando parto sapendo che prima o poi tornerò. «Ciao, pa'. Arrivederci.» «Ciao, Deke. Arrivederci.» «Ciao, Frank. Arrivederci.» «Ciao, Gordon. Arrivederci.» «Ciao, Tom. Arrivederci.» «Ciao, Gus. Arrivederci.» Eran riapparsi tutti. E, con essi, l'agitazione della vigilia. Ovviamente nemmeno von Braun poteva giurare che il Saturno sarebbe andato su ma Pete diceva che non sarebbe andato su e ogni dubbio, di conseguenza, svaniva. Pete e Teodoro furono gli ultimi che salutai: proprio sulla piscina.

«Allora ciao, Pete. Arrivederci.»

«Ciao. Quando torni, eh? Quando torni?»

«Non lo so. Però torno.»

«Intanto mandami il vino.»

«Se prometti di berlo quando vai sulla Luna.»

«Prometto: se vieni a vedermi partir per la Luna.»

«Verrò, Pete. Ma credo che piangerò quando ti guarderò andar sulla Luna.»

«Noi piangerai un accidente! Sarai contenta eccome perché non c'è nulla al mondo che mi importi quanto andare lassù. Capito?»

«Capito.»

«E domattina, quando quel coso schizza in cielo, dovrai

pensare a questo, che un giorno ci sarò dentro anch'io. Capito?».

«Capito.»

«E dovrai dire: lì dentro ci sarà, c'è mio fratello. E dovrai sentirti fiera. Capito?»

«Capito.»

«E io penserò che tu lo penserai e così sarà tutta una pensata e questa pensata sarà un gran bel saluto.»

«Un gran bel saluto.»

Poi se ne andò, così piccolo e biondo, con quei buffi denti e quella buffa calvizie, quella buffa ancora e quel buffo coraggio, e mi sembrava altissimo, ormai, e mi sembrava grande, ormai, grande, e non mi sembrava più buffo.

«Ciao anche a te, Teodoro. Arrivederci.»

«Ciao e comunque se non ci vedessimo più...»

«Come "se non ci vedessimo più"?!»

«Be', insomma si fa così per dire dicevo: anche se non ci vedessimo più, uno di qua una di là, starai attenta con quei brutti drive-in vero, eh?»

«Starò attenta, Teodoro.»

«Perché sai io lo capisco che mangiare bisogna mangiare bere bisogna bere ma per mangiare e per bere non bisogna sciupare le cose, mi spiego?»

«Cercheremo di non sciuparle, Teodoro.»

«Anche se non ci sono le foglie i fiori gli uccelli e tu sai quanto amo le foglie i fiori gli uccelli bisogna rispettare le cose, mi spiego?»

«Cercheremo di rispettarle, Teodoro.»

«Ecco sembra che non ci sia più nulla da dirci ciao, eh?» E mi porse la mano.

Mi porse la mano ed a lui non seppi parlar della Luna, non seppi dire piangerò quando andrai sulla Luna, Teodoro: mi chiedo perché. A lui avrei voluto dire qualcosa di speciale, di bello, qualcosa che gli spiegasse ciò che mi aveva dato, la grazia, la bontà, la purezza, ecco, la storia del vecchio Mosè, per esempio, che è una storia di Sidmak, a me piace tanto, l'ho letta non so quante volte e la so quasi a memoria: ma di colpo s'era come annebbiata e non riuscivo più a metterla insieme. Vediamo, ripetevo a me stessa, vediamo: c'è il vecchio Mosè che vive solo su un monte e c'è la creatura verde che è una creatura extra terrestre. fatta come una pianta. e non si sa cosa sia: se un uomo. se un angelo. un albero. Arriva questa creatura e geme perché gli s'è rotta la gabbia d'argento con la quale viaggia. la gente però non capisce e non ascolta anzi ride. Il vecchio Mosè la ascolta. invece. questa creatura verde. e raccatta la gabbia. e... E poi? Poi non ricordavo. C'è la creatura verde che non sa spiegarsi. emette stranissimi suoni e nient'altro. però alla fine si spiega e chiede al vecchio Mosè di accomodargli la gabbia con le sue monete d'argento. Allora il vecchio Mosè prende le sue monete d'argento. la sua sola ricchezza. e le fonde sul fuoco e aggiusta la gabbia e... E poi? Poi non ricordavo. C'è la creatura verde che nasconde nel tronco un cristallo verde che è il suo Compagno di Viaggio. il suo seme. e gli serve a rinascere se per caso morisse. e prima di andarsene fa una pazzia. consegna il cristallo. il Compagno. al vecchio Mosè e... E poi? Poi non ricordavo. Ricordavo soltanto che il vecchio Mosè si allontana stringendo questo cristallo che per lui è solo un cristallo e non capisce a che serva però capisce che gli dà una gran gioia. una gran felicità. Era molto strano che si sentisse felice perché non aveva alcuna ragione al mondo per esser felice: era vecchio e la creatura verde lo aveva lasciato per sempre e non aveva più le sue monete d'argento. Forse era felice. si disse. perché la creatura s'era fermata e gli aveva fatto un regalo. Era un regalo. per quanto inutile fosse. E da tanti anni nessuno pensava di fargli un regalo.

«Io ho da dirti questo. Teodoro: che conoscerti è stato un regalo.»

«Oh!» disse Teodoro. contento.

«Un grande regalo.»

«Oh!» disse Teodoro. contento.

«Penserò anche a te domattina. quando quel coso va su.»

«Oh!» disse Teodoro. contento.

«Penserò che un giorno ci sarai anche tu dentro il coso e...»

«Non devi vederlo così.» disse lui «non ha importanza che io ci vada o no. Devi vederlo come una preghiera perché quando lanciamo quel coso è come pregare.»

«Pregare?!»

«Sì. come pregare»

Fu l'ultima cosa che disse e non l'avrei visto mai più. quel fratello di nome Teodoro: mai più dopo una sera di giugno.

sui bordi di una piscina a Cape Kennedy. Intorno a noi la gente rideva, parlava, chiedeva se il Saturno sarebbe partito.

Partì con quattro ore di ritardo. Il solito filo di vento mosso per beffa da Dio deviava un pennacchio di fumo su non so quale schermo e la conta a rovescio si arrestava sempre al «meno quindici minuti». Dal recinto della stampa, lontano tre miglia dalla piattaforma di lancio, il fumo non si vedeva: però lui si vedeva assai bene, candido contro l'azzurro, e stavolta non era un condannato a morte, era un immenso cero che attende d'essere acceso per la gloria nostra e di Dio. Pazienza se Dio si divertiva a umiliarci, a prenderci in giro: prima o poi ce l'avrebbe lasciato celebrare quel rito più grande di tutte le Messe, dei sacrifici con l'ostia, degli inni cantati dentro le chiese. La chiesa eran queste tre miglia quadrate sotto un soffitto di cielo. L'altare era la casamatta dove stava il gran sacerdote coi preti, von Braun con gli astronauti ed i tecnici. Gli inginocchiatoi per i fedeli erano il prato su cui mi trovavo insieme a duecento giornalisti: un prato rotondo, limitato da una balaustra di legno, e con tante nicchie come confessionali. Dentro ogni nicchia c'era un telefono da cui si poteva chiamare qualsiasi città del mondo e per un attimo ebbi la tentazione di telefonarti, papà, dirti sai sono a Cape Kennedy e laggiù c'è il Saturno, un immenso cero che attende d'essere acceso per la gloria nostra e di Dio. Siamo qui da tre ore, quattr'ore, e siamo in ritardo perché Dio muove il vento e butta un filo di fumo su non so quale schermo, però non ci sentiamo umiliati: è una bella mattina, il sole scalda come una promessa e quando suonerà mezzogiorno vedrai che lo accenderemo quel cero. Non ti telefonai, telefonavano tutti per trasmetter notizie alle stazioni radio, ai centri televisivi, ai giornali: c'era molto fracasso e non mi avresti capito. Restai lì a pensare che non mi avresti capito, e così fu mezzogiorno, e Dio smise di prenderci in giro: ordinò al vento di spostarsi più in là, la conta a rovescio riprese e la nostra preghiera ebbe inizio. Il prete lanciava la sua invocazione dalla casamatta, «meno quindici... meno quattordici...», un altoparlante la trasmetteva al recinto della stampa, e i giornalisti al telefono la raccoglievano, ripetevano in coro: «meno quindici... meno quattordici...». In coro, e con voci gravi, con volti composti.

Sicché non erano più numeri, diventavan parole quei numeri.

«Meno cinque minuti...»

Te rogamus, Deus, audi nos...

«Meno quattro minuti...»

Te rogamus, Deus, audi nos...

«Meno tre minuti...»

Te rogamus, Deus, audi nos...

«Meno due minuti...»

Te rogamus, Deus, audi nos...

«Meno un minuto...»

Te rogamus, Deus, audi nos...

«Meno nove secondi...»

Te rogamus, Deus, audi nos...

«Meno otto secondi...»

Te rogamus, Deus, audi nos...

«Meno sette secondi...»

Te rogamus, Deus, audi nos...

«Meno sei secondi...»

Te rogamus, Deus, audi nos...

«Meno cinque secondi...»

Te rogamus, Deus, audi nos... Te rogamus, Deus, audi nos... Te rogamus, Deus, audi nos... Noi ti preghiamo, Dio, ascoltaci... Noi ti preghiamo, Dio, ascoltaci... ascoltaci... ascoltaci... ascoltaci... ascoltaci, fuoco! Alleluja!

Alleluja!

Il vulcano bianco si aprì, rubò al cielo ogni petalo delle sue nubi, ne fece una grande corona e la posò intorno al Saturno, un cero bianco incoronato di bianco, e per un poco egli restò lì, tentennando, quasi non osasse la sfida, la blasfemia di andar su, poi si alzò, con esasperante lentezza, si staccò dalla corona dimenticandola tutta per terra, andò su, verso il cielo, schizzò via, negli spazi, e perfino il suo rombo era glorioso, non era più un rombo, eran campane di Pasqua, la Pasqua di quando siamo felici, liberi, buoni, la Pasqua che passammo insieme finita la guerra, e tu eri vivo, io ero viva, la mamma era viva, chiunque intorno era vivo, e il sole era caldo, il pane era bianco, bianco, bianco come il nostro cero che saliva dritto, sicuro, abbandonando la sua cometa arancione, e ormai non era più un cero, era un razzo, e il razzo non era più vuoto, dentro c'erano tutti, c'erano i miei fratelli, i miei amici, Pete che rideva, rideva, e batteva manate di gioia sulle spalle di Frank, di Tom, di Gordon, di Wally, di Jim, di Gus, di John, di Scott, di Deke finalmente con le stelle negli occhi, di Teodoro che faceva oh! oh! oh!, e com'era contento, com'eran contenti, così contenti che mi dimenticavano, mi lasciavano qui sulla Terra. Non lasciatemi, avrei voluto gridare, non mi piace star qui, la gente è infelice qui, è schiava, è cattiva, rompe tutto, sciupa tutto, sporca tutto, portatemi via per piacere, portatemi lassù con voi. Ma loro eran troppo lontani, non potevano udirmi e non potevano tornare indietro, perché non si torna indietro, papà, una volta partiti bisogna andare avanti, ed avanti, ed avanti, e andando avanti sparirono con la loro cometa, diventarono un piccolo fuoco, poi la capocchia di un fiammifero acceso, un bruscolo argenteo che penetrava nella stratosfera, si perdeva nel buio infinito, e mi lasciarono qui sulla Terra. Malinconicamente mi diressi a un telefono. Feci il numero del mio ufficio a New York. Avvertii che sarei giunta in serata. Sì, prenotate l'albergo. Sì, grazie.

Avrei potuto rivederli, ovviamente, convincermi che non m'avevano lasciata sola quaggiù. Sarebbe bastato affrettarsi verso uno dei pullman che tornavano al Holiday Inn. Ma preferivo non rivederli, pensarli lassù, e per questo indugiai a guardare la gente che si allontanava come dopo una festa campestre. Indugiai circa due ore, nella chiesa ormai vuota: fin quando venne von Braun. Von Braun era un poco ingrassato, sembrava assai soddisfatto e gonfiava il torace, ogni tanto poi mi lanciava un'occhiata interrogativa: ero l'unica che non gli chiedesse qualcosa. A un certo punto alzò la fronte, sorrise, e sembrava dicesse: ma che fai, cosa vuoi? Non fo nulla, replicai in silenzio, non voglio nulla, voglio solo perdere tempo. E mi alzai, mi avviai verso l'ultimo pullman. Nel pullman non c'era nessuno fuorché il soldato che lo guidava, il soldato era lo stesso che mi aveva condotto a White Sands. Mi chiese se mi piacesse star sola nel pullman e io gli risposi che mi piaceva moltissimo perché mi pareva d'esser la padrona del pullman e potevo pensare alle cose. « Qui, solite cose. La principessa Desirée s'è sposata, la principessa Margaretha sta per sposarsi, Kruscev viene a farci visita. Il resto è silenzio. » Pensando alle cose giunsi al Holiday Inn dove scesi con la speranza che fossero tutti partiti. Erano tutti partiti fuorché Gordon Cooper che stava pagando il suo conto e indossava la tuta di volo. Gordon disse che gli altri mi avevan cercato. Teodoro m'aveva lasciato un biglietto e Pete un regalo, poi eran scappati gridando: dov'è quella sudicia spia, insomma dov'è?

«Insomma, dov'eri?»

«Ero là» dissi «a pensare.»

«Boh!» disse Gordon. «A pensare che?»

«Le cose, le cose che accadono qui, le cose che non accadono là. La vostra vita, il nostro silenzio.»

«Boh!» disse Gordon, senza capire.

«Allora ciao, Gordon.»

«Ciao, eh? Il biglietto e il regalo son qui.»

Me li porse ridendo quel bel sorriso pieno di denti. Il regalo di Pete era un brutto bicchiere da rootbeer, col manico e la scritta rootbeer. Il biglietto di Teodoro diceva: «Sudicia spia, ricorda di salutare Tonati, ecco la formula che tu cercavi pei russi: meno cinque, meno quattro, meno tre, meno due, meno uno...»

«Grazie, Gordon.»

«Be', allora vado.»

«Vai, vai. Vai che è tardi.»

Accidenti, perché m'aveva tolto quell'illusione? Ma forse non era Gordon, era qualcuno che gli assomigliava. Gordon stava volando con gli altri lassù: un bruscolo argenteo che girava intorno alla Terra, girava, girava, girava mentre io stringevo un brutto bicchiere da rootbeer e un bigliettino che era una preghiera. Meno cinque, meno quattro, meno tre, meno due, meno uno... In camera trovai una tua lettera: quella dove mi raccontavi d'aver salvato la vita ad un albero, d'avermi comprato un albero. «Ti ho comprato un albero, sai: ricordi la quercia sopra la sorgente? Quella grande, con le radici scoperte, dove ti arrampicavi quand'eri bambina. Be', il proprietario voleva tagliarla: per cavarne legname. E io l'ho comprata: perché restasse lì. La mamma non era d'accordo: tutti quei soldi, diceva, per un albero nel campo di un altro. Ma io sapevo che ti sarebbe spiaciuto se l'avessi lasciato ammazzare e così l'ho comprato e ti faccio un regalo. Lo troverai quando torni, è lì che ti aspetta. Sempre al solito posto, sopra la sorgente. Una stretta di mano. Tuo pa'.»

Io la lessi scotendo la testa, pensando che matto è mio padre che matto. Comprarmi un albero. Salvare la vita ad un albero. Che matto è mio padre che matto: io non lo capisco più.

# CAPITOLO TRENTAQUATTRESIMO

È come lo seppi, quell'ultimo giorno d'ottobre, e la lezione definitiva che n'ebbi: quell'ultimo giorno d'ottobre e i giorni che vennero dopo. Non te l'ho mai raccontato. In un articolo scrissi d'averlo saputo per strada mentre correvo al Madison Square Garden ad ascoltare Lyndon Johnson e Bob Kennedy: la campagna per le elezioni presidenziali in America stava concludendosi. Be', non andò così. Andò in un modo assai più crudele.

Ero tornata a New York, naturalmente. Tu sai che ormai sto più là che qua: la mia scelta è fatta. Appena giunta avevo telefonato a Robert Smyth, pilota che lavora al LEM già da anni e tiene i contatti tra la Grumman Aircraft e gli astronauti. Il LEM, sai, si costruisce alla Grumman Aircraft, la fabbrica di aerei che sorge a Long Island, neanche un'ora da New York. Durante il secondo viaggio Smyth s'era reso un po' utile e spesso mi aveva invitato a veder da vicino l'astronave che sbarcherà sulla Luna. Ma adducendo ora una scusa ora un'altra io avevo sempre declinato l'invito: ero ormai stanca di conoscere macchine, preferivo rimandare l'incontro. E l'incontro finalmente avveniva, quest'ultimo giorno di ottobre, di pomeriggio e di sabato. Sabato. Di sabato in America non si lavora. Di sabato ci si riposa. Ed io credevo che a causa di questo Smyth fosse nervoso. Non lo è mai. Un po' pel suo mestiere che esige freddezza, controllo, un po' per la sua flemma britannica, egli è sempre indifferente, glaciale: il tipo che accetta senza batter ciglio qualsiasi contrattempo, sciagura. Compresa la sciagura di portar amicizia ad una screanzata che non rispetta il sabato anzi il pomeriggio del sabato. Quel giorno invece lo intirizziva un'inquietudine strana, un'angoscia che di tratto in tratto esplodeva in nervosismi assai insoliti in lui: tirare un calcio ad un foglio caduto per terra, ad esempio, sbattere una matita sul tavolo, tossire. Il suo volto spento, distratto, aveva un'espressione accesa, durissima. I suoi occhi chiari chiari assonnati, eran come svegli di colpo in una rabbia repressa. Per niente si lasciava andare ad un gesto che gli è abituale nei rari momenti in cui qualcosa non va: quello di scuotere all'improvviso la testa per cacciare un ciuffo biondo in disparte.

«Insomma, è così atroce che t'abbia chiesto di vedere il LEM di sabato?!»

«Ma no.»

«È successo qualcosa di brutto?»

«No.»

«Ti fa male un dente?»

«No.»

«Devi capire che non potevo venire a Long Island prima di oggi.»

«Ecco il LEM.»

Spalancò, brusco, la porta del capannone. E quello era il LEM: una creatura di alluminio lucente, ritta su quattro zampe, sembrava davvero un insetto, anzi un ragno. Con la testa, il ventre, le zampe. Il ventre era il serbatoio del carburante, avvitato sopra le zampe. La testa era la scatola per contenere i due astronauti. E nella testa aveva gli occhi, i due oblò, aveva la bocca, lo sportello rotondo sotto gli oblò, gli orecchi, le antenne a destra e a sinistra. Con gli occhi ci guardava, con gli orecchi ci ascoltava, con la bocca ci avrebbe presto detto qualcosa: i robot dei racconti di fantascienza eran fatti press'a poco così. Quasi urlai.

«Robert, avevi ragione! È vivo, è bellissimo! E com'è grande! Fa più effetto della capsula, del razzo, di tutto! Quando penso che scenderà sulla Luna a portarci i tipi come Pete e Teodoro...»

Tagliò corto, con voce laconica.

«È alto nove metri, largo quattro. Pesa quindici tonnellate. Ci lavoriamo da quattr'anni. Ci studiamo da sei. Costa venti miliardi di dollari.»

«Mi sembra di vederli là dentro, ci credi? Pete che guarda tutto sospettoso ed esclama ragazzi, accidenti, ragazzi! Teodoro che guarda incantato e dice bello, oh! che bello, che bella lava, che bella sabbia, che belle rocce...»

«L'alluminio è per respingere i raggi del sole. I finestrini sono stati ridotti per la stessa ragione. Brillerà così nello spazio.»

«Poi Pete che esclama chi scende per primo, scendi tu, Ted, scendo io, ma si capisce che vuol scendere lui e Teodoro gli dice vai, vai...»

«Le quattro zampe sono per distribuire il peso in modo che l'astronave prema sul terreno solo di mezza libbra ogni pollice quadrato, e non affondi nel caso che atterri su un alto strato di polvere.»

«Ci entriamo, eh? Ci entriamo? Dio, son proprio contenta! Entrar dentro il LEM, come loro! È un po' come partire con loro. Entriamoci, via!»

«OK».

Salimmo per una scaletta e ci insinuammo all'interno passando dallo sportello rotondo. All'interno era grande all'incirca quanto la cabina di comando di un aereo commerciale. Sul soffitto c'era il buco attraverso il quale i due si calavano e poi rientravano nella capsula Apollo. Sotto i finestrini c'erano i comandi e il cervello elettronico. Non v'era niente per stare seduti.

«Mi sembra di vederlo Teodoro che...»

«Noterai che non vi son seggiolini. Non ve n'è bisogno. In assenza di peso non ci si stanca a star ritti e lo stesso accadrà sulla Luna dove la gravità è ridotta ad un sesto. I seggiolini avrebbero aggiunto inutile peso rubando spazio prezioso. Questa sostanza vetrosa per terra si chiama Velcro e aderisce alle scarpe impedendo loro di fluttuare.»

«Straordinario, Robert! Straordinario! Mi vien voglia di telefonare a Teodoro. Sai che è buffo? Oggi non mi va via dalla testa Teodoro. Ti ho mai raccontato cosa successe a Cape Kennedy quando Pete gli disse...»

«Questo è il sistema di allarme.»

Premette seccamente un bottone e un bip-bip leggerissimo eppure straziante mi lacerò il cuore e le orecchie. Bip-bip. Bip-bip. Dio, che suono! Bip-bip. Un suono mai udito, inspiegabile, extraterrestre. Un suono che veniva dal nulla e portava al nulla. Un suono...

«Chiudilo, Robert!»

Lo chiuse. E ricacciò indietro quel ciuffo biondo.

«Senti...»

«Scusa, sai. Ma quel suono. Quel suono cupo, tremendo. Ha l'aria di portar male, non so.»

«Senti...»

«Quando penso che potrebbe suonare un allarme per quei ragazzi: per Teodoro, per Pete, per Frank, per Gordon, per gli altri...»

Di nuovo ricacciò indietro quel ciuffo biondo. Poi mi puntò in faccia lo sguardo incupito da una rabbia repressa.

«Pete mi ha chiamato prima che tu arrivassi.»

«Ah, si?»

«Gli ho detto che venivi.»

«Ah, si?»

«Ho da darti una cattiva notizia: Teodoro è morto stamani.»

Lo disse tutto insieme. Di colpo, senza pietà. Come fanno i dottori quando ti strappano un'unghia ammalata. Prendono la pinza e zac! ti strappano l'unghia tutta insieme, di colpo. E tu resti lì, con la tua sorpresa, il tuo male, a guardare il dottore che ti ha tolto l'unghia tutta insieme, di colpo, senza pietà, e ti manca la voce, e ti manca il respiro, e non riesci neanche a gridare, neanche a dirgli dottore, che modo di fare è mai questo, dottore, poteva prepararmi, avvertirmi, darmi un po' di anestetico, usare un po' più di grazia, Dio che male, dottore, che male, come brucia, Dio, come brucia.

«Ucciso da un'oca selvatica, mentre volava su Houston col suo T38.»

«...»

«Stava atterrando sulla pista di Ellington.»

«...»

«Di sabato mattina, è ben strano.»

Di sabato mattina, ecco, papà, lui non volava mai. Prendeva la bicicletta e andava con Fede e Fedina fino a Baia Nassau: per vedere le oche quando scendono a bere. Lo sapevano tutti, lo prendevano in giro per questo: vai a vedere le oche, di sabato mattina, Teodoro? Anche la sera avanti qualcuno gli aveva detto: vai a vedere le oche, domani mattina, Teodoro? E lui aveva risposto no, domattina no, sono un po' indietro con le ore di volo, farò un giretto col mio T38. Decollò alle dieci e un minuto, dalla pista di Ellington. Il cielo era nebbioso, per via del caldo. D'ottobre nel Texas fa ancora caldo. A seicento metri c'erano nuvole sparse: quelle piccole che sembran fiocchi di neve, od uccelli. Volò trentasette minuti e poi chiese alla torre di controllo se poteva atterrare, la torre di controllo rispose aspetta c'è traffico lungo la pista. Lui si riportò su. Alle dieci e quarantasei si portò ancora giù e chiese alla torre di controllo se poteva atterrare, stavolta. La torre di controllo rispose sì e lui scese a settecento metri, poi a seicento. Veniva da sud-ovest. D'un tratto virò e disse che sarebbe venuto da sud-est. E non disse altro e calò da sud-est. L'oca veniva a cercarlo da sud-ovest. Veniva a cercarlo da sud-ovest e veniva a cercarlo proprio a seicento metri d'altezza: dentro il suo corridoio. Era un'oca assai grande. Quando ne misurarono i pezzi, più tardi, stabilirono che doveva pesare non meno di dodici chili e doveva avere un'apertura di ali non inferiore ad un metro. Da lontano sembrava una nuvola sparsa. Teodoro entrò dentro la nuvola che invece era l'oca e l'oca andò a sbattere contro la carlinga, dalla parte sinistra. Le bocche dei motori del T38 sono sotto la carlinga: un'ala dell'oca entrò dentro la bocca del motore sinistro. Si udì un'esplosione in due tempi, poi l'aereo si incendiò. Si incendiò come un fiammifero ma Teodoro ne mantenne il controllo, tentò di atterrare lo stesso sulla pista di Ellington. Era stato istruttore di volo. Teodoro, collaudatore di aerei: tante volte aveva atterrato coi motori in fiamme. Teodoro virò, abbassò il carrello e scese verso la pista. Ma le fiamme eran alte. Circondavano la carlinga ormai da ogni parte. Gli impedivano la visibilità. Teodoro capì che non poteva atterrare. Poteva soltanto abbandonare l'aereo, gettarsi col paracadute. Teodoro virò di nuovo, si allontanò dalla pista per scegliere un posto dove abbandonare l'aereo, gettarsi col paracadute. A terra aspettavano tutti che si gettasse. Speravano solo che non si gettasse dov'eran le case. In quel momento era sopra le case. Le case degli astronauti. Teodoro non si gettò dov'eran le case. Non poteva vederle ma sapeva che c'erano. Si diresse verso un campo di trifoglio a circa tre miglia dalla sua casa. E così perse secondi preziosi. Preziosi. L'aereo scendeva, infatti, scendeva. Quando la carlinga si aprì e il corpo di Teodoro schizzò, l'aereo era a trecento metri: lo capirono tutti che il paracadute non avrebbe fatto in tempo ad aprirsi. Il fatto è che Teodoro era schizzato via male: verso il basso anziché verso l'alto. Il paracadute non si aprì, Teodoro piombò a picco sul campo di trifoglio. E qui lo trovò Pete: rotto come un bicchiere.

«Pete è stato il primo ad arrivare, a vederlo.»

«Usciamo» dissi. «Usciamo di qui.»

«Era rotto come un bicchiere.»

«Usciamo» dissi. «Usciamo di qui.»

«È toccato a Pete il compito di ricostruir l'incidente. A lui e a Deke Slayton. Sono insieme sul campo.»

«Usciamo» dissi. «Usciamo di qui.»

«Ho chiesto a Pete se dovevo dirtelo.»

«Usciamo, perdio!»

«Mi ha risposto diglielo subito.»

«Basta! Usciamo, perdio!»

Uscimmo e la creatura di alluminio dentro la quale Teodoro non riusciva ad immaginarsi ci fissava coi grandi occhi di vetro. Smyth invece guardava dinanzi a sé e aveva l'aria di chi si è liberato da un peso. Non più intirizzito, camminava di nuovo col suo lungo passo distratto e lasciava che il ciuffo biondo gli solleticasse quell'occhio. Il volto era tornato spento, indifferente. La voce tranquilla. Glaciale. Con voce tranquilla, glaciale, mi chiese a che ora bisognava essere al Madison Square Garden. Parve sorpreso quando gli dissi che non volevo più andare.

«Ma dovevi andarci.»

«Dovevo andarci.»

«Non è cambiato nulla. Devi ancora andarci.»

«Non è cambiato nulla?!?»

«Non è cambiato nulla dal momento che devi ancora andarci.»

«Ancora andarci?!? Ma Teodoro è morto, perdio!»

«Teodoro è morto e tu devi andare lo stesso al Madison Square Garden.»

«Ma a te non dispiace che sia morto, perdio?!»

Mi guardò da lontananze remote, col ciuffo biondo sull'occhio assonnato.

«Poteva succedere a me. Poteva succedere a ciascuno di noi.»

«Che dici?!?»

«Poteva succedere a me. Poteva succedere a ciascuno di noi.»

E mi portò al Madison Square Garden. Ad ascoltare Lyndon Johnson e Bob Kennedy. Al Madison Square Garden c'eran migliaia e migliaia di persone. Sventolavan bandiere e si gettavano coriandoli. Johnson spalancava le braccia alla folla e la folla rispondeva gridando «Lin-don! Lind-don!», Bob Kennedy salutava insieme alla moglie. La moglie aveva un cappotto marrone ed era incinta di otto mesi. Ma io vedevo come sott'acqua e pensavo a Teodoro, alla sua preghiera «meno cinque, meno quattro, meno tre, meno due, meno uno», e di colpo ricordai che non avevo mai dato i suoi saluti a Tonati. L'indirizzo che Teodoro aveva scritto sul fogliettino non era più buono, per trovar quello giusto c'era voluto un mucchio di tempo e quando l'avevo trovato Tonati stava in viaggio di nozze. Lo dissi a Smyth e lui rispose di non pensarci, di non pensarci per carità.

I funerali avvennero quattro giorni dopo, nel cimitero nazionale di Arlington a Washington. Giunsi a Washington la sera avanti e, come accadde per il lancio di un razzo, si trovavano tutti nel medesimo posto: stavolta, il George Town Inn Hotel. Il gruppo degli astronauti c'era al completo: i ventotto rimasti più John Glenn, ormai presidente della Royal Crown Cola. Si muovevano tra il ristorante ed il bar, salutavano festosamente gli amici, ricevevano congratulazioni ed auguri: nei prossimi mesi Whithe e Mc Divitt, Gordon e Pete, Armstrong e See sarebbero andati su nello spazio, anche loro, avrebbero visto anche loro com'è splendido il Sole oltre il velo appannato del cielo, sarebbero tornati anche loro e ricevere omaggi, medaglie, stelle filanti e coriandoli nelle parate di Broadway, oppure avrebbero rischiato anche loro quella morte atroce che d'un tratto ti rompe come se tu fossi un bicchiere malgrado tu sia giovane, forte, più bravo degli altri. E quasi sapessero questo, quasi ci pensassero già, quasi gli sembrasse normale, evidente, rispondevan tranquilli alle congratulazioni, agli auguri. «Complimenti, Eddie. Complimenti, Jimmy.» «Grazie, sì, grazie.» «In bocca al lupo, Gordon. In bocca al lupo, Pete.» «Grazie, sì, grazie.» «Mi felicito, Neil. Mi felicito, Elliot.» «Grazie, sì, grazie», e ciascuno di loro aveva l'espressione di Smyth quando mi aveva detto «sì, è morto e tu devi andare al Madison Square Garden». Tranquilla, normale. Come se niente fosse successo. Niente. Sembrava che fossero lì per un compleanno, che so, per una qualsiasi riunione. Il primo a vernirmi incontro fu il Capo. Sorrideva. Aveva un bicchiere in mano. Di whisky, mi pare.

«Ciao, dolly! Come va?»

«Ciao, Deke.»

«Tra poco avremo i risultati delle elezioni, eh? Sembra che Johnson ce l'abbia fatta quasi in ogni stato.»

«Già.»

«Forse perfido in Arizona.»

«Già.»

«Sei a Washington per le elezioni, eh?»

«No. Sono a Washington per i funerali di Ted.»

«Capisco.»

«È atroce, Deke.»

«Il paracadute è schizzato via male. Sennò si sarebbe salvato. Vedi: è schizzato così anziché così.»

Parlava con volto chiuso, il volto di sempre.

«È atroce, Deke.»

«Poteva succedere a me. Poteva succedere a ciascuno di noi.»

Il secondo che mi venne incontro fu Frank. Vestito di blu, ben rasato sembrava uno studente felice per essere passato agli esami. Nessuno avrebbe immaginato vedendolo che un suo compagno era morto.

«Chi si vede! Ciao! Complimenti!»

«Complimenti di che?»

«Ho visto un tuo libro in inglese. Mia moglie sta leggendolo. Dice che parli male delle donne americane. Quando vieni a Houston?»

«Non vengo a Houston.»

«Devi venire. Assolutamente. Mia moglie vuole invitarti a cena e dimostrarti che le donne americane non sono i mostri che dici.»

«OK, Frank.»

«Guarda che ti aspettiamo. Il mio numero è sull'elenco telefonico. Non hai che da chiamare e prendere un tassì.»

«OK, Frank.»

«E il tuo nuovo libro sulla Luna, l'hai scritto?»

«Ci lavoro. Da qualche giorno però non ci lavoro più. Questa morte di Ted...»

«Poteva succedere a me. Poteva succedere a ciascuno di noi.»

Il terzo che vidi fu Tom. Mi salutò ancora più rumorosamente degli altri. Gli rideva anche la testa calva.

«Questa sì che è una bella sorpresa! Dunque ci sei! Lo diceva, Pete: sembra che ci sia in giro quella sudicia spia, ma dov'è, ma dov'è? Ed io: non l'ho vista. E lui: c'è! c'è! Come stai?»

«Tu come stai, Tom?»

«Bene! Benissimo!»

«Io invece no.»

«Perché? Che è successo? Che hai fatto?

«Mi sento così addolorata, Tom.»

«Poteva succedere a me. Poteva succedere a ciascuno di noi.»

Ad uno ad uno. Tutti. Tutti dicevan così. Come una parola d'ordine, un commento stabilito. E non un gesto di dolore, non una mezza parola di rimpianto. Sicché non li capivo: allo stesso modo in cui non avevo capito Smyth. Non li capivo e m'indignavo: allo stesso modo in cui m'ero indignata con Smyth. Dio! Ma cosa avevano dunque al posto del cuore? Non si rendevano conto che il loro compagno era morto e giaceva dentro una bara, rotto come un bicchiere? Non ce n'era uno fra loro che fosse capace di dedicargli una lacrima? Eran dunque questi gli uomini che avevo tanto stimato, ammirato, invidiato? Erano questi i miei eroi, gli eroi in cui avevo trasferito i sogni di gloria della mia fanciullezza, gli eroi con cui avevo sostituito perfino te, papà? E Pete? Anche Pete avrebbe risposto così? Pete stava entrando nel bar, insieme all'inseparabile Jim. Mi vide. Ebbe il guizzo di gatto, il solito sorriso irresistibile.

«Sudicia spia! Come stai, sudicia spia? A proposito: il vino non è mica arrivato! Disgraziata! Bugiarda! Diglielo, Jim, che non è arrivato!»

« Non è arrivato » disse Jim, ubbidiente.

« Pete... »

« Ragazzi, ci beviamo un Martini? »

« Pete... »

« Ché, non ti piace il Martini? »

« Ma Pete... »

« A me piace. E pòi ne ho bisogno. Quattro giorni, quattro dannatissimi giorni sono rimasto in quel campo di trifoglio. Senza bere, senza mangiare. Voglio un Martini. »

Forse era la tensione provata in quei quattro giorni che li a-veva scaricati così. Forse era il modo in cui erano stati educa-ti: mostrare il dolore è per taluni scortesia, malagrazia. Forse avevano tutti bevuto e questo li eccitava. E tuttavia...

« Pete, sei stato tu a trovarlo per primo, vero? »

« Sì, sono stato io. »

« Tu gli volevi bene, vero? »

« Come sarebbe a dire tu gli volevi bene? Tutti gli voleva-mo bene. Potevamo non voler bene a un tipo così? »

« Già. »

« Ma che hai ? Ma che vuoi? »

« Io... nulla, Pete. Dico solo... »

« Dici solo? »

« Dio, Pete! Che cosa terribile, ingiusta! »

« Poteva succedere a me. Poteva succedere a ciascuno di noi. »

« Ma è successo a lui, Pete! È successo a lui! E allora dim-mi, Pete, dimmi: cosa provi tu, al pensiero che è morto? »

Diventò bianco bianco. Perbacco, papà: non ho mai visto una faccia così abbronzata diventar così bianca. Sembrava marmo. E la sua voce, uno schiaffo.

« Se muore tuo padre, io lo chiedo a te cos'è che provi? »

« No ma... »

« Per te era il personaggio di un libro, per noi era qualcosa di più. Credi davvero che non ci faccia né caldo né freddo saperlo chiuso per sempre dentro una bara? Domattina, in quella tomba, avrei potuto calarci io. Se fosse possibile fare un baratto, forse lo farei. Non me lo son chiesto: ma forse lo farei. Però siccome non si baratta la morte, io sono vivo. E siccome io sono vivo, non mi perdo in pianti greci. E siccome non mi perdo in pianti greci, ora mi bevo un Martini: doppio. Bevilo anche tu e ridi, perdio! Ridi che t'è andata bene e sei viva!»

Passò una bella donna vestita di bianco, con un cappello nero, un velo nero, e il viso accuratamente truccato, asciutto di lacrime. Dinanzi a qualcuno si fermò, sorrise con grazia, porse la mano. Poi riprese il suo andare sereno e sedette a mangiare insieme a due vecchi silenziosi. Era Fede, la moglie di Teodoro, e i due vecchi erano i suoi genitori.

«Allora lo vuoi questo Martini, sì o no?» ripeté Pete.

«Sì, lo voglio.»

«OK! Alla tua salute, anzi alla mia: non lo sai che vo su insieme a Gordon? Andiamo su, andiamo su! Sette giorni su, a galleggiare, a vedervi piccini piccini, più piccini di me! Non te l'hanno detto?!»

«Me l'hanno detto, Pete.»

«Te l'hanno detto e non mi dici neanche scoppia, Pete?! Va' e scoppia, Pete?!»

«Scoppia, Pete. Va' e scoppia, Pete.»

«Ora sì che mi piaci! Ora sì! Un altro Martini, perbacco!»

Alla televisione trasmettevano i risultati elettorali. Bevendo whisky e Martini i ventinove rimasero a guardarli, discutere, ogni tanto scoppiava una risata eccessiva. Rimasero lì fino alle tre del mattino, avresti detto che volessero restare svegli, che facessero sforzi per stare svegli, non so, quasi che lo stare svegli li facesse sentire più vivi: e il nome di Teodoro non venne mai fatto. Non venne mai fatta un'allusione, un riferimento qualsiasi. Solo Jim disse ad un tratto che noia, domattina, mettersi in uniforme. E Pete aggiunse l'uniforme è nulla, è il cappello. Ci hai visto, Oriano, con il cappello? Dopo mi metto il cappello e ti faccio ridere un po'. E allora capii che non era indifferenza, la loro, non era freddezza. Non era neanche pudore: era un accettare la vita. Perché solo accettando la vita si accetta la morte e la morte bisogna accettarla, comunque essa venga, in qualsiasi momento essa venga, la morte fa parte della vita, la morte è il prezzo con cui si paga la vita, e piangerci sopra è da bimbi. È da deboli. È da irrazionali. È da vecchi. È da buoni, se preferisci, ma il futuro non ha bisogno di buoni che comprano un albero perché non venga tagliato: «ricordi la quercia sopra la sorgente, quella grande con le radici scoperte dove ti arrampicavi quando eri bambina». Il futuro ha bisogno di uomini forti, razionali, giovani, cattivi se preferisci: perché il mondo è pieno di querce e per ogni quercia tagliata ce n'è un'altra che nasce o è già nata o nascerà. Un albero solo non conta. Mettiti in testa che un albero solo non conta e comprenderai che la morte non esiste, papà. Ecco la definitiva lezione che mi veniva da questi uomini forti, gonfi di domani. E finché io non la assimilavo era inutile che dicessi preghiere su un razzo che parte. Domattina, quando si sarebbe mosso il corteo, niente lacrime.

Il corteo si mosse alle dieci: una fila di automobili lente che percorreva i viali di Arlington e non arrivava mai dove doveva arrivare. Ma alla fine arrivò e qui c'era Teodoro: chiuso nella sua bara. La bara era coperta dalla bandiera degli Stati Uniti ed era posata su un prato, vicino ad un albero: sull'albero c'era uno scoiattolo. Fede, Fedina, i genitori e i fratelli stavano in prima fila; Fede era vestita come la sera avanti, di bianco. I ventotto astronauti stavano dietro, insieme a John Glenn che indossava anche lui l'uniforme: da colonnello dei Marines. Folla non se ne vedeva: concluse le elezioni, la città esultava per la vittoria di Johnson e nessuno aveva tempo né voglia di entrare in un cimitero. Fotografi ce n'erano pochi, giornalisti ancor meno. La cerimonia fu breve. Il prete presbiteriano disse qualche preghiera e il picchetto militare sparò l'ultimo saluto. Ai colpi di fucile lo scoiattolo si impaurì. Scivolò lungo il tronco dell'albero e saltò sulla bara dove rimase a fissare con occhietti sorpresi una bambina col cappotto celeste, il fiocco rosso alle trecce d'oro, che assomigliava tanto a suo padre e piangeva disperatamente: Fedina. Pianse finché qualcuno non le disse basta: e quelle furono le sole lacrime versate su Teodoro Freeman, astronauta, morto a trentaquattr'anni senza andar sulla Luna, ucciso da un'oca selvatica mentre volava nel cielo di Houston, a neanche tre miglia da casa. Poi lo scoiattolo scese. Tom, Frank, Edward e Bean vennero avanti e sollevarono la bandiera che copriva la bara, la piegarono cinque volte e la dettero a Fede. Il gruppo si sciolse, le automobili ripartirono in fretta, Teodoro rimase lì solo, dentro quella bara che luccicava proprio come il LEM, io scappai all'aeroporto per tornare a New York. Addio, Teodoro. Ci incontreremo di nuovo, non so dove, non so quando, ma so che ci incontreremo di nuovo, in un giorno di sole. Di

Sole? Sì, un Sole fra i tanti: il cosmo ha milioni, miliardi di Soli, Teodoro. Il Paradiso non esiste, l'Inferno non esiste, la bontà non esiste, ma la vita esiste, e continua ad esistere anche se un albero muore, se un uomo muore, se un Sole muore. Credici anche, tu, per favore, credici insieme a me, papà. Non lasciarmi sola a crederci sola con loro. Mi hanno convinto, mi hanno piegato, mi hanno convertito, mi hanno intruppato: e mi fanno tanta paura, papà. Perché la ragione è con loro. E la ragione fa sempre paura.

«Ora è tutto chiaro?» chiese la voce di ghiaccio.

«Sì» dissi. «Ora è tutto chiaro.»

«Ora lo capisci perché dovevi andare al Madison Square Garden?»

«Sì» dissi. «Ora lo capisco.»

«Se fosse capitato ad un altro, lui si sarebbe comportato nel modo di tutti. Ora lo capisci?»

«Sì» dissi. «Ora lo capisco.»

«La vita non finisce perché uno se ne va.»

«Sì» dissi. «Però a me dispiace lo stesso.»

«Anche a me. Ma non posso fermarmi a pensare che mi dispiace. Non devo. Non ho tempo. E gli altri non avranno tempo per fermarsi a pensare che gli dispiace quando io morirò.»

«Ma è crudele,» dissi «è inumano.»

«È la guerra» disse. «Non ci si ferma a piangere sui compagni caduti, alla guerra. Si va avanti: cercando di scansare i proiettili e sparare al posto dei morti.»

«Ma noi non siamo alla guerra» dissi.

«Ci siamo» disse la voce di ghiaccio. «Ogni giorno è una guerra.»

Ogni giorno è una guerra.


«Mi disse proprio così, signor Bradbury.»

«Ineccepibile» sorrise Bradbury. «Banale ed ineccepibile.»

«Le grosse verità sono sempre banali ed ineccepibili.»

«Non sempre» sorrise Bradbury.

C'eravamo incontrati, io e Bradbury, all'inaugurazione di una libreria a New York ed ora camminavamo lungo la Sesta Avenue e gli raccontavo la storia.

«Una grossa lezione, comunque, signor Bradbury.»

«Non poteva evitarla» sorrise Bradbury.

« Non volevo evitarla. Non cercavo di evitarla. »

« Ed ora cosa fa qui a New York? »

« Fo la guerra. »

« E non si stanca a fare la guerra? »

« Noi che veniamo dall'altra parte del mondo siamo così abituati alla guerra, signor Bradbury. E, quando la facciamo, la facciamo meglio degli altri. Anche se poi la si perde. »

« Pensa di perderla? »

« Non lo so, non importa. L'importante è crederci. »

« A cosa? »

« A ciò cui crede anche lei. Alla vita, a domani. Ai drive-in che apriremo sulla Luna, su Marte, su Alfa Centauri: per continuare la vita, il domani. »

« La trovo cambiata. »

« Lo sono. »

« Incattivita. »

« Lo sono. »

« Senza più dubbi, però. »

« Non ne ho più. »

« E suo padre? »

« Lui spera sempre che torni ad essere quella di prima. »

« Tornerà? »

« No, non credo. »

« Le costerà caro. Ne soffrirà molto. Si maledirà. Sono brutti i drive-in. Sciupano sempre il paesaggio, quel che c'è di bello. »

« Lo so. »

« Però ne avremo bisogno. Disperatamente bisogno. »

« Lo so. E perché ne avremo bisogno, è inutile perdersi in dubbi: sì o no, signor Bradbury? Cercheremo di sciupare il meno possibile, di non fare pipì nei sarcofaghi d'oro. »

« In cosa? »

« Niente: tanto c'è sempre qualcuno che fa pipì nei sarcofaghi d'oro. Non è poi molto peggio che far pipì contro gli alberi. »

E continuammo a camminare lungo la Sesta Avenue.

All'angolo della Cinquantunesima con la Sesta Avenue, una trivella stava scavando un gran buco, e la gente guardava con curiosità uno strano oggetto a forma di siluro che pendeva sorretto da una gru ma presto sarebbe calato nel buco.

Chiesi a Ray Bradbury che cosa fosse e Bradbury mi rispose che era una Capsula del Tempo, costruita per durare fino al 6965. Gli chiesi cosa fosse una Capsula del Tempo e lui rispose che era una cosa pei posteri: da lasciare ai posteri affinché essi sapessero che eravamo esistiti e come eravamo esistiti. Gli chiesi di che fosse fatta, cosa contenesse, e lui rispose che era fatta di rame cromo ed argento fusi in un metallo più forte dell'acciaio e capace di resistere a qualsiasi erosione, incendio, esplosione atomica: il Cupaloy. Dentro, protette da sistemi elettronici, conteneva le testimonianze della nostra civiltà: quale essa appare alle soglie del 1965 dopo Cristo, la vigilia del volo alla Luna, in una società dove il dolore e la morte son vita. Gli chiesi quali fossero queste testimonianze e lui rispose un poco di tutto: trentacinque articoli di uso comune, un cappello da donna e una sveglia, una spilla da balia e una macchina fotografica, una bambola e un bisturi. E poi settantacinque campioni di metalli, tessuti, plastiche, materiali sintetici. E poi dodici specie di semi, dal grano alle rose, dalle cocche di cipresso al caffè. E poi mille microfotografie di automobili, aerei, razzi, città, biciclette, ragazze in costume da bagno, mamme coi bambini in braccio, astronauti con la tuta spaziale, martiri dinanzi al plotone di esecuzione. E poi l'Enciclopedia Britannica ridotta a microfilm. E poi la Bibbia, i libri di Confucio e di Maometto. E poi i testi di medicina, farmacia, matematica, fisica, astronautica, biologia: ridotti a microfilm. E poi Shakespeare e Omero e Dante e Saffo ridotti a microfilm. E poi cinquanta fra giornali, settimanali, circolari di ufficio, cataloghi ridotti a microfilm. E poi le fotografie inincendiabili dei capolavori di Giotto, di Leonardo, di Raffaello, di Michelangelo. E poi monete, sigarette, chewingum. E poi la storia degli ultimi cinquant'anni del nostro pianeta fino al Progetto Apollo. E infine il *Libro del Ricordo*: un grandioso cifrario affinché quelle cose scritte potessero esser comprese nelle lingue a venire e tradotte e salvate. Allora chiesi, smarrita, chi avesse inventato il cifrario, di chi fosse l'idea, la sublime fatica, e lui mi rispose che il cifrario lo aveva inventato un certo signor John P. Harrington, l'idea era di un gruppo di ingegneri della Westinghouse Electric and Manufacturing Company, la sublime fatica era della Smithsonian Institution di Washington.

«Ed ora cosa succede?»

«Una cosa bella succede.»

«Cosa?»

«Non ha che da star qui, guardare e ascoltare.»

Così restai lì a guardare e ascoltare. E vidi un signore vestito di blu, fermo ai bordi del buco insieme ad altri signori vestiti di blu, udii un silenzio assorto, appena interrotto dal brontolio della *subway*. Le automobili passavano piano, lontane, perché i poliziotti deviavano il traffico portandosi un dito alle labbra. Poi la gru si mosse, si piegò come a fare un inchino, e accompagnò la Capsula del Tempo verso il gran buco. Lentamente, solennemente, la Capsula calò nel gran buco, e quando fu tutta dentro il signore vestito di blu venne avanti, disse queste parole:

«Possa tu, Capsula del Tempo, dormire in pace. Possa tu risvegliarti cinquemila anni da oggi. Possa il tuo contenuto essere trovato e costituire un buon dono per i nostri remoti discendenti a venire».

Disse queste parole e subito la colata di cemento si abbatté sulla Capsula: pesa come l'epoca nella quale viviamo, vorace come il futuro nel quale entriamo. Era una bella sera, a New York, una sera limpida e fresca, papà. Noi ci eravamo divisi, forse perduti, ma io mi sentivo piena di speranza, di disperato ottimismo. Un uomo, un fratello se n'era andato; altri uomini, altri fratelli se ne sarebbero andati, tagliati di colpo come il tronco di un albero su cui si abbatte l'accetta; io stessa me ne sarei andata, chissà dove, chissà quando il colpo di accetta avrebbe tagliato anche me, me che voglio vivere, vivere, vivere: ma il mondo restava una lunga promessa e il cielo donava tante case accese, papà. E se la Terra muore, e se il Sole muore, noi vivremo lassù. Costi quello che costi. Un albero, mille alberi, tutti gli alberi che la vita ci ha dato.

# SOMMARIO

## PARTE PRIMA

## PARTE SECONDA

BUR
Periodico settimanale: 25 ottobre 2000
Direttore responsabile: Evaldo Violo
Registr. Trib. di Milano n. 68 del 1°-3-74
Spedizione in abbonamento postale TR edit.
Aut. N. 51804 del 30-7-46 della Direzione PP.TT. di Milano
Finito di stampare nell'ottobre 2000 presso
Legatoria del Sud - via Cancelliera, 40 - Ariccia RM
Printed in Italy

Oriana Fallaci
# UN UOMO

*Da un'intervista a Oriana Fallaci:*

«Un libro sulla solitudine dell'individuo che rifiuta d'essere catalogato, schematizzato, incasellato dalle mode, dalle ideologie, dalle società, dal Potere. Un libro sulla tragedia del poeta che non vuol essere e non è uomo-massa, strumento di coloro che comandano, di coloro che promettono, di coloro che spaventano; siano essi a destra o a sinistra o al centro o all'estrema destra o all'estrema sinistra o all'estremo centro. Un libro sull'eroe che si batte da solo per la libertà e per la verità, senza arrendersi mai, e per questo muore ucciso da tutti: dai padroni e dai servi, dai violenti e dagli indifferenti.»

Oriana Fallaci

# INSCIALLAH

*Da una lettera del Professore:*

«L'ho incominciato, cara, ci lavoro! Ogni notte mi chiudo in ufficio e lavoro, lavoro, lavoro: navigo nelle difficili acque del romanzo agognato. Non so in quale porto mi condurrà. Neanche a chi lo scrive un romanzo confessa subito i suoi molti segreti, rivela subito la sua autentica identità. Come un feto privo di lineamenti precisi, all'inizio chiude in sé una miniera di ipotesi: tiene in serbo una miriade di sorprese buone o cattive. E tutto è possibile. Anche il peggio. Però il corpo è già delineato, il cuore batte, i polmoni respirano, le unghie e i capelli crescono, nel volto incerto distingui con chiarezza gli occhi e il naso e la bocca: posso presentartelo. Posso addirittura anticiparti che la storia si svolge nell'arco di tre mesi, novanta giorni che vanno da una domenica di fine ottobre a una domenica di fine gennaio, che s'apre coi cani di Beirut, allegoria ai bordi della cronaca, che prende l'avvio dalla duplice strage, che segue il filo conduttore d'una equazione matematica cioè dell'$S = K \ln W$ di Boltzmann, e che per svilupparne la trama mi servo dell'amletico scudiero di Ulisse. Quello che cerca la formula della Vita. (L'ho battezzato Angelo, scelta che m'è parsa conforme al suo asettico raziocinio, e del resto a nessuno ho imposto i nomi del divino poema. Nella speranza di evitare che il solito imbecille in agguato mi tacci di presunzione e dileggi la mia fatica, ai capi Achei ho imposto indebiti nomi di uccelli guerreschi oppure nomignoli da caricatura. Agli altri, quel che capitava o mi pareva adatto al personaggio.) I personaggi sono immaginari. Lo sono perfino nei casi in cui si ispirano a supposti modelli. Non di rado infatti sfuggo all'esilio delle scartoffie e non osservato osservo. Ascolto, spio, rubo alla realtà. Poi la correggo, la realtà, la reinvento, la ricreo, e con l'amletico scudiero ecco il dispotico generale che crede di poter sconfigger la Morte, ecco il suo disincantato ed estroso consigliere, ecco il suo erudito e bizzarro capo di Stato Maggiore, ecco i suoi ufficiali ora bellicosi e ora mansueti, ecco la moltitudine sfaccettata della sua truppa...»

Oriana Fallaci
# NIENTE E COSÌ SIA

È la vigilia dello sbarco sulla Luna e sulla Terra si continua
ad ammazzarci come mille, diecimila anni fa. Una donna,
una giornalista, parte per la guerra dove si trova subito dinanzi al dramma di una fucilazione e poi dentro una sangui-
nosa battaglia: quella di Dak To, villaggio ai confini della
Cambogia con il Vietnam. Qui incomincia il suo diario che è
il diario di un anno della sua vita e vuole rispondere alla domanda di una bambina: «La vita cos'è?». Giorno per giorno,
tra la morte sempre in agguato, la donna va alla ricerca di
una risposta quasi impossibile e annota tutto ciò che vede o
che ascolta: insieme alla sua paura, la sua pietà, la sua rabbia. Ne nasce un racconto che quasi inavvertitamente assu-
me i contorni di un romanzo, con personaggi non inventati. Il
personaggio di François Pelou, l'amico francese che la guida
come una buona coscienza, il personaggio di Nguyen Ngoc
Loan, lo spietato generale che le piangerà tra le braccia, il
personaggio di Pip, il sergente che perde la memoria in combattimento e lei gliela rintraccia per buttarla via, infine i soldati, i vietcong, i giornalisti intorno ai quali si snoda lo spettacolo assurdo della guerra, l'offensiva del Tet, l'assedio di
Saigon, il dolore che esplode nell'atroce preghiera «Dacci
oggi il nostro massacro quotidiano, liberaci dall'insegnamento che ci dette tuo Figlio, tanto non è servito a niente, non
serve a niente e così sia...»

Oriana Fallaci

# PENELOPE ALLA GUERRA

**Chi si chiede quale sia il volto della protagonista di «Lettera a un bambino mai nato», cioè il volto misterioso che nel suo libro la Fallaci non ha dipinto, può concludere che sì: almeno dieci anni prima esso avrebbe potuto essere il volto di Giò, la protagonista di «Penelope alla guerra».**

La storia si svolge a New York ed è la storia di una Penelope che non si rassegna al ruolo domestico di chi tesse la tela aspettando il ritorno di Ulisse ma, Ulisse lei stessa, viaggia alla ricerca della sua identità e della sua libertà. Sia pure confusamente, Giò avverte i limiti e le ingiustizie degli schemi imposti dalla società maschilista. Sia pure confusamente, si batte per superarla. Si disfa con freddezza della sua verginità, si innamora con ribellione di un uomo debole e incerto che si rivela un omosessuale, affronta con coraggio il triangolo in cui si trova coinvolta da Richard (l'uomo che ama) e da Bill (l'uomo amato da Richard). Infine sfugge all'uno e all'altro per fare la sua guerra.

Oriana Fallaci
# SE IL SOLE MUORE

*A mio padre*
*che non vuole andar sulla Luna*
*perché sulla Luna*
*non ci sono fiori né pesci né uccelli.*
*A Teodoro Freeman*
*che morì ucciso da un'oca*
*mentre volava per andar sulla Luna.*
*Ai miei amici astronauti*
*che vogliono andar sulla Luna*
*perché il Sole potrebbe morire.*

ORIANA FALLACI

Questo libro di Oriana Fallaci, coraggiosamente, spietata-
mente autobiografico, è il diario di una donna moderna lanciata alla scoperta del nostro futuro, la straordinaria avventura del viaggio alla Luna e agli altri pianeti, il trionfo di una società tecnologica che con le cosmonavi e i calcolatori elettronici cambia perfino la morale e i sentimenti.

Oriana Fallaci

# INTERVISTA CON LA STORIA

Se il naso di Cleopatra fosse stato più corto, l'intera faccia della terra sarebbe cambiata: dice Pascal. E, a parte il paradosso, è lecito pensare che la nostra esistenza sia decisa da pochi: dai buoni o dai cattivi sogni di pochi, dall'iniziativa o dall'arbitrio di pochi che col potere o la lotta al potere cambiano il corso delle cose e il destino dei più. Ma allora come sono quei pochi? Più intelligenti di noi, più forti di noi, più illuminati di noi? Oppure identici a noi, né meglio né peggio di noi, creature qualsiasi che non meritano nemmeno la nostra collera, la nostra ammirazione, la nostra invidia? Ecco la domanda che si pone, all'inizio di questo libro, Oriana Fallaci. E la risposta ce la fornisce attraverso ventisette interviste ormai famose per il loro stile inconfondibile, la loro tecnica irripetibile, l'eco che hanno sollevato e sollevano nei vari paesi. Da Henry Kissinger a Willy Brandt, da Golda Meir a Indira Gandhi, dall'imperatore d'Etiopia allo scià di Persia, dal generale Giap al palestinese Arafat, da William Colby ad Alvaro Cunhal, da Andreotti a Carrillo, Oriana Fallaci li viviseziona tutti. Anzi, li induce tutti a vivisezionarsi. E senza cautele, senza timidezze, allo stesso tempo senza rinunciare mai alla sua umanità, gli denuda l'anima fino a mostrarceli per quello che sono e non per quello che dicono di essere. È un libro che fa paura. Non solo perché è così coraggioso, così dissacrante, ma perché ci costringe a meditare con rabbia. Un po' frettolosamente, la Fallaci lo definisce un documento a cavallo tra il giornalismo e la storia. Ma esso è molto di più. È una condanna spietata del potere, un invito disperato alla disubbidienza, un inno appassionato alla libertà.

Oriana Fallaci

# LETTERA A UN BAMBINO MAI NATO

«Lettera a un bambino mai nato» è il tragico monologo di una donna che aspetta un figlio guardando alla maternità non come a un dovere ma come a una scelta personale e responsabile. Una donna di cui non si conosce né il nome né il volto né l'età né l'indirizzo: l'unico riferimento che ci viene dato per immaginarla è che vive nel nostro tempo, sola, indipendente, e lavora.

Il monologo comincia nell'attimo in cui essa avverte d'essere incinta e si pone l'interrogativo angoscioso: basta volere un figlio per costringere alla vita quel figlio? Piacerà nascere a lui? Nel tentativo paradossale di avere una risposta la donna spiega al bambino quali sono le realtà da subìre entrando in un mondo dove la sopravvivenza è violenza, la libertà è un sogno, la giustizia un imbroglio, il domani uno ieri, l'amore una parola dal significato non chiaro. Però mentre il discorso procede, razionale e insieme appassionato, un secondo problema emerge: il rapporto tra se stessa e il figlio. Una seconda domanda eplode: è giusto sacrificare una vita già fatta a una vita che ancora non è? E il monologo diventa quasi una confessione alla propria coscienza, mentre il dramma matura nutrito dagli altri personaggi. Sette personaggi anch'essi senza nome né volto né età né indirizzo: il padre del bambino, l'amica femminista, il datore di lavoro, il medico ottuso, la dottoressa moderna, i vecchi genitori. Tutti testimoni ignari di quel rapporto impossibile, basato su un'altalena di amore e di odio, di tenerezze e di risse, infine esasperato dalla rivolta di una creatura intelligente che accetta la maternità ma da quella si sente derubata. È in tale rivolta che la donna lancia la sfida definitiva a suo figlio: a lei il diritto di esistere senza lasciarsi condizionare da lui, a lui il diritto di decidere se vuole esistere o no. Il bambino decide, e non solo per se stesso. Il suo rifiuto della vita, ora che sa quanto sia faticosa e difficile, coinvolge infatti la madre. E nel modo più crudele, cioè attraverso un processo che ne deciderà la colpevolezza. Il nodo del libro è il Processo, celebrato da una simbolica giuria di cui fanno parte i sette personaggi. Poi, in un accavallarsi di suspense, l'allucinante colpo di scena e il verdetto con cui si conferma che è sempre la donna a pagare.

L  48406994

SE IL SOLE MUORE
15ªEDIZIONE
ORIANA FALLACI

RIZZOLI
MILANO

ISBN 88-17-15444-X